U0115113

2004
中国世界遗产年鉴

THE WORLD HERITAGE ANNAL OF CHINA

中 华 书 局

中国世界遗产年鉴 2004

主编：
中华人民共和国建设部
中华人民共和国国家文物局
中国联合国教科文组织全国委员会

协办：
联合国教科文组织北京办事处

顾问委员会：

许嘉璐	陈奎元	彭珮云	费孝通	汪光焘	章新胜	仇保兴
周和平	郑欣淼	单霁翔	杨牧之	张　柏	青岛泰之	

学术委员会（按姓氏笔画排列）：

王秉洛	田小刚	冯骥才	刘　疆	阮仪三	杜　越	杜晓帆
李东序	李如生	李　岩	杨鸿勋	沈　澈	陈志华	周干峙
罗哲文	郑孝燮	郭　旃	顾玉才	徐苹芳	徐　俊	宿　白
傅熹年	谢辰生	谢凝高	樊锦诗			

编纂委员会（按姓氏笔画排列）：

马元祝	马苏红	王大民	王胜利	王　桐	王　路	左小平
丛　绿	朱振华	乔晓光	刘俊林	江　山	许　涛	许旭虹
李发平	李传旺	李尚金	李治国	李振刚	李　斌	杨志刚
杨海峰	杨新明	吴永琪	张宁生	张志宏	陈先珍	陈传平
陈锡诚	周钰雯	贺云翔	胡荣孙	赵　玲	郭兴建	秦福荣
夏志勇	徐文涛	唐思远	曹鹏程	章小平	彭岚嘉	程培林
裴红叶	阚　跃	仁清次仁	欧阳泉华			

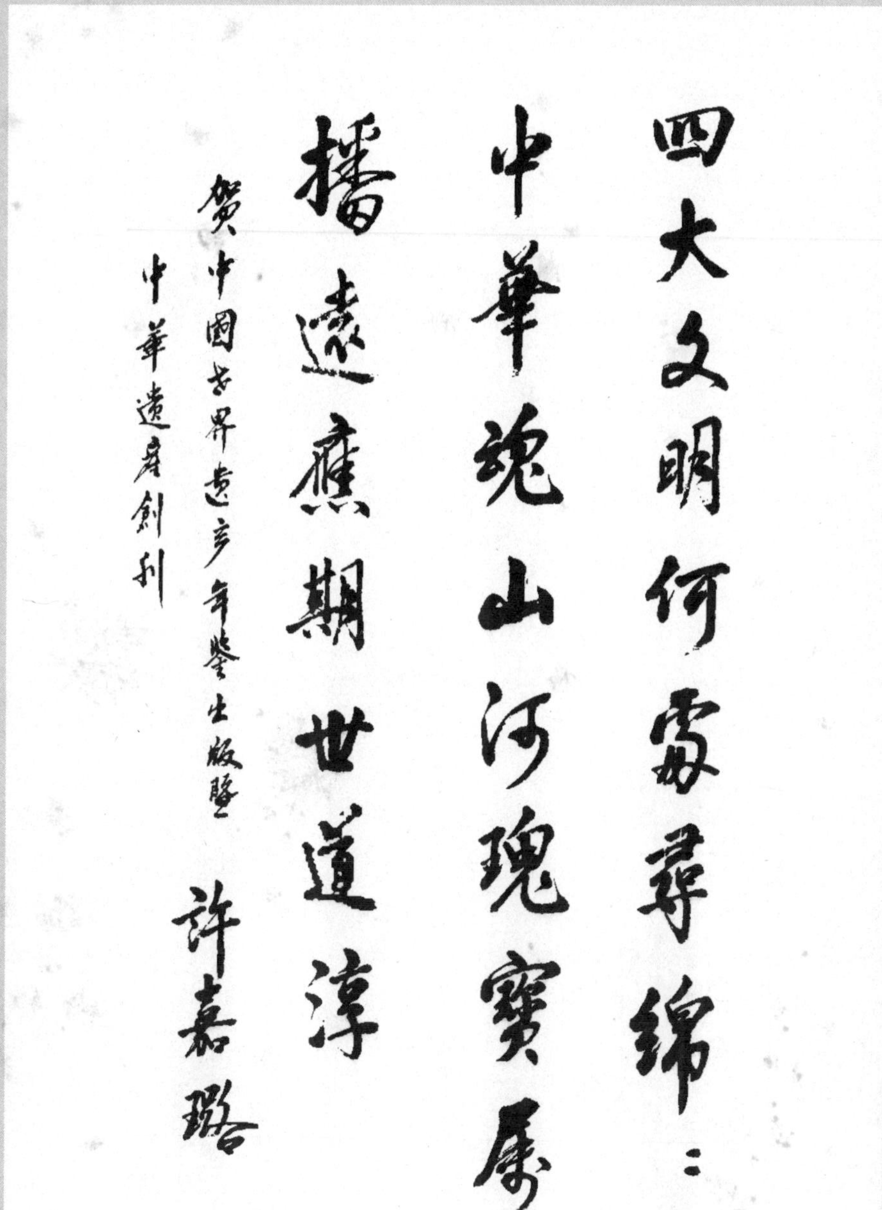

四大文明何處尋錦：唯我

中華魂山河瑰寶屬人類

播遠麈期世道淳

賀中國世界遠产年鑒出版暨

中華遠屏創刊

許嘉璐

许嘉璐同志题词

保护中华遗产
弘扬中华文明

彭珮云
二〇〇四年六月

彭珮云同志题词

贺　辞

　　文化和自然遗产是全人类的共同财富，它们记录着人类文明发展的足迹和地球存在的历史。任何文化或自然遗产的衰落或消亡，都会对世界共同财富造成不可挽回的损失。为此，联合国教科文组织于1972年通过了《保护世界文化与自然遗产公约》，以促进国际间合作，共同保护具有突出普遍价值的文化和自然遗产。

　　中国自1985年加入《保护世界文化与自然遗产公约》以来，已有29处遗产地被列入《世界遗产名录》，极大地推动了世界文化与自然遗产的保护工作。

　　2004年6-7月，第28届世界遗产委员会会议在中国苏州召开，这表明了中国政府对《世界遗产公约》这一国际公约的积极拥护，也是中国对保护世界遗产做出的实际贡献。

　　正值世界遗产委员会会议在苏州召开之际，《中国世界遗产年鉴》正式出版。这份出版物将全面、及时、准确地反映中国世界遗产的保护和管理现状。

　　我相信《中国世界遗产年鉴》将为提高公众意识来共同保护好我们的世界遗产做出巨大贡献，并以此作为沟通和交流的平台，促进国际范围内对《世界遗产公约》的理解与支持。

弗朗希斯科·班德林
联合国教科文组织世界遗产中心主任

As the common wealth of humankind, our world's cultural and natural heritage of outstanding universal value represents the history of human civilization and records the existence of Earth. The deterioration or disappearance of this heritage impoverishes the shared legacy of all nations. In 1972, the United Nations Educational, Scientific and Cultural Organization (UNESCO) adopted *the Convention Concerning the Protection of the World Cultural and Natural Heritage* to foster international co—operation in protecting our world's most outstanding heritage.

After China ratified *the World Heritage Convention* in 1985, 29 properties were inscribed onto *the World Heritage List*. This significantly contributes to the preservation and protection of our world's cultural and natural resources.

The 28th session of the World Heritage Committee held in Suzhou in June — July 2004 demonstrates a strong commitment to this international treaty by the Government of the host country, China, and its contribution to World Heritage protection.

The launching of *the World Heritage Annual of China* aptly coincides with the World Heritage Committee session in Suzhou. The comprehensive publication is the prompt and precise reflection of the current conditions of protection and preservation of China's World Heritage.

I am convinced that *the World Heritage Annual of China* will be highly useful in raising awareness on the need to protect our World Heritage. It will be a vehicle for international understanding and valued support in the implementation of *the World Heritage Convention*.

Francesco Bandarin
Director
UNESCO World Heritage Centre

编辑说明

编撰《中国世界遗产年鉴》的目的,是迎接联合国教科文组织第二十八届世界遗产委员会会议在中国苏州召开,积极响应联合国教科文组织关于保护各类遗产的倡议,全面、系统地反映中华民族的多元文化和各类遗产的全貌,更好地弘扬中华文明,唤起全社会对我国各类遗产的关注和珍惜,推动我国世界遗产的管理和保护工作,从而更好地为我国的精神文明和物质文明建设服务。

本年鉴在国家文物局、建设部、中国联合国教科文组织全国委员会的指导下,组成学术委员会和编纂委员会,由中华书局编辑出版。

《中国世界遗产年鉴2004》是本年鉴的首卷,旨在全面、系统地反映中国(台湾省除外)世界文化遗产、世界自然遗产、世界文化与自然双重遗产以及人类口头和非物质遗产的现状以及中国世界遗产事业发展的艰难历程,故其记载的时限为1985年至2003年12月31日。以后诸卷,逐年出版。

本年鉴的文字内容,分概述、大事记、特载、专文、文化遗产、自然遗产、文化和自然双重遗产、人类口头和非物质遗产、组织和机构、交流与合作、法律法规、人物、附录共13个类目。全书除文字部分外,还配以图片和文献资料,力求形象、生动、准确地展示中国世界遗产的风采。

"概述"主要记述我国自1985年以来开展世界遗产事业的缘起、经过,以及截止至2003年我国各类世界遗产的分布、数量、概貌等。

"大事记"主要记述我国世界遗产事业发展进程中的重要事件,以日期为序。

"特载"主要刊载有关领导人关于世界遗产方面的重要讲话、文章以及有关的重要宣言、倡议书、研究报告等。

"专文"收录有关世界遗产的重要论文及科研成果。

"文化遗产"、"自然遗产"、"文化和自然双重遗产"、"人类口头和非物质遗产"逐一介绍我国已经列入《世界遗产名录》的文化遗产、自然遗产、文化和自然双重遗产以及列入《人类口头和非物质遗产代表作名录》的人类口头和非物质遗产,具体包括历史、现状、保护方案及措施等等。

"组织和机构"主要介绍我国管理世界遗产的机构和从事遗产研究、保护等相关工作的社团组织。

"交流与合作"主要记载国内举办或开展的世界遗产方面的会议、合作与交流,我国政府、组织、学者与联合国教科文组织及其他国家或地区进行的有关遗产管理和保护方面的交流和合作,以及我国举办或参加的世界遗产国际会议等。

"法律法规"汇辑有关世界遗产保护的国际公约、宪章等法律文件,我国有关世界遗产保护的法律法规以及地方政策法规等。

"人物"主要介绍我国从事遗产抢救和保护的专家、学者以及有突出贡献的工作者。

"附录"收录世界遗产的组织设立、世界遗产申报程序、人类口头和非物质遗产申报指南。

本年鉴中的数据和资料,一般截止至2003年底。个别事件若需跨年度编辑的,截止日期为2004年4月底。

本年鉴中的综合性资料和数据,均经国家文物局、建设部、中国联合国教科文组织全国委员会等有关部门确认,资料可靠,数据权威。

在年鉴的编纂过程中,得到了各级领导和有关部门以及各世界遗产地管理机构的支持和帮助,同时还得到了联合国教科文组织总部和北京代表处的无偿资助,在此一并表示衷心的感谢。编纂《中国世界遗产年鉴》,在我国还是第一次,错误和纰漏在所难免,祈请方家和读者指正。

《中国世界遗产年鉴》编纂委员会

二〇〇四年六月

目　录

概述

中国世界遗产事业的回顾与展望……………………… 郭旃　3

大事记

1985—2003 年大事记 …………………………………… 11

特载

第六届全国政协第三次会议提案（第 663 号）

………………… 侯仁之　阳含熙　郑孝燮　罗哲文　21

保护世界遗产要强化《公约》意识 ……………… 郑欣淼　21

抢救中国民间文化遗产呼吁书 …………………………… 23

高等教育在人类非物质文化遗产传承保护事业

中的使命与作用 ………………………………… 章新胜　24

非物质文化遗产教育宣言 ………………………………… 25

在全国风景名胜区保护工作会议上的讲话 … 汪光焘　27

在人类口头和非物质遗产保护工作座谈会上的

讲话 ……………………………………………… 孙家正　32

专文

《世界遗产名录》与中国的世界遗产 ………… 罗哲文　37

中国的名山：自然与文化的有机融合 ………… 谢凝高　39

国家自然文化遗产及其所处环境的分类价值

………………………………………………… 王秉洛　47

加强我国的世界遗产保护与防止"濒危"的问题

………………………………………………… 郑孝燮　50

四种倾向危害当代中国文物保护 ……………… 谢辰生　53

风景名胜和历史文化名城资源的保护策略 … 仇保兴　56

世界遗产保护观念的发展与变化 ……………… 吕　舟　62

非物质文化遗产与大学教育和民族文化资源

整合 ……………………………………………… 乔晓光　66

学习国际先进经验做好我国非物质文化遗产

保护工作 ………………………………………… 乌丙安　71

文化遗产

长城 …………………………………………………… 125

明清故宫 ……………………………………………… 128

莫高窟 ………………………………………………… 129

秦始皇陵及兵马俑 …………………………………… 132

周口店北京人遗址 …………………………………… 136

承德避暑山庄及周围寺庙 …………………………… 138

曲阜孔庙、孔林、孔府 ……………………………… 140

武当山古建筑群 ……………………………………… 142

拉萨布达拉宫（大昭寺、罗布林卡）………………… 144

庐山国家公园 ………………………………………… 152

丽江古城 ……………………………………………… 156

平遥古城 ……………………………………………… 158

苏州古典园林 ………………………………………… 160

颐和园 ………………………………………………… 164

北京的皇家祭坛——天坛 …………………………… 168

大足石刻 ……………………………………………… 171

青城山和都江堰 ……………………………………… 173

皖南古村落——西递和宏村 ………………………… 179

龙门石窟 ……………………………………………… 181

明清皇家陵寝 ………………………………………… 184

云冈石窟 ……………………………………………… 199

自然遗产

九寨沟风景名胜区 …………………………………… 215

黄龙风景名胜区 ……………………………………… 217

武陵源风景名胜区 …………………………………… 220

云南三江并流保护区 ………………………………… 223

文化与自然双重遗产

泰山 …………………………………………………… 239

黄山 …………………………………………………… 246

峨眉山—乐山大佛风景区 ……………… 252
武夷山 …………………………………… 255

人类口头和非物质遗产
昆曲艺术 ………………………………… 269
古琴艺术 ………………………………… 270

组织机构
中国联合国教科文组织全国委员会 …… 277
国家文物局文物保护司世界遗产处 …… 277
建设部城市建设司风景名胜区处 ……… 278
中国文物学会世界遗产研究委员会（附委员会
　章程） ………………………………… 278
北京大学世界遗产研究中心 …………… 280
复旦大学文化遗产研究中心 …………… 281
南京大学文化与自然遗产研究所 ……… 282
同济大学国家历史文化名城研究中心 … 283
中央美术学院非物质文化遗产研究中心 … 284
西北师范大学世界遗产研究中心 ……… 285
新疆非物质文化研究中心 ……………… 286
乐山师范学院世界遗产研究所 ………… 287
中国民俗摄影协会 ……………………… 288

交流与合作
中国泰山壁画保护研讨班开课 ………… 293
故宫博物院举办紫禁城落成575周年和院庆
　70周年纪念活动 ……………………… 293
泰山列入世界文化与自然遗产十周年国际研
　讨会召开 ……………………………… 293
中国世界遗产国家战略研讨会在峨眉山召开 … 293
中国世界遗产地工作会议在苏州召开 … 293
藏经洞发现暨敦煌学一百周年纪念活动举行 … 294
中国文化遗产保护和城市发展：机遇与挑战国
　际会议召开 …………………………… 294
世界遗产学术研讨会在京召开 ………… 294
颐和园建园250周年学术研讨会召开 … 294
中国—意大利世界遗产保护技术研讨会在北
　京召开 ………………………………… 294
第二次中国世界遗产地工作会议暨中国世界
　遗产论坛举行 ………………………… 294
加拿大国立美术馆归还龙门石窟看经寺唐代
　罗汉雕像 ……………………………… 295

中日世界遗产交流会议在丽江举行 …… 295
清东陵文化研讨会召开 ………………… 295
托起明天的太阳——世界遗产国际青少年
　夏令营隆重开营 ……………………… 295
联合国亚太文化遗产管理年会在丽江召开 … 295
世界遗产研究委员会第二届年会召开 … 296
联合国教科文组织、中国和日本三方合作
　实施"龙门石窟保护修复工程" ……… 296
文化遗产保护与经营研讨会在京召开 … 296
中国世界遗产监测研讨会召开 ………… 296
中国长城学会举办中国长城考察万里行活动 … 296
"世界遗产保护论坛"国际会议在峨眉山召开 … 297
中国高等院校首届非物质文化遗产教育教学
　研讨会在中央美术学院召开 ………… 297
世界遗产神韵在京展示 ………………… 297
故宫博物院与美国世界文化遗产基金会合作
　保护倦勤斋 …………………………… 297
龙门石窟保护国际研讨会召开 ………… 297
世界文化遗产保护管理专家论坛暨《史话》首
　发式在南京举行 ……………………… 298
承德举办避暑山庄肇建300周年纪念活动 … 298
世界遗产综合研究科研合作项目启动 … 298
敦煌莫高窟风沙危害综合防护体系建立研讨会
　在莫高窟召开 ………………………… 298
周口店北京人遗址保护与研究专家论坛召开 … 298
江苏省举办"亚洲城市计划——通过修复再创
　活力"文化遗产保护高级研修班 …… 298
国际合作完成《都江堰市生物多样性保护策略
　与行动计划》 ………………………… 298

法律法规
保护世界文化和自然遗产公约 ………… 303
保护非物质文化遗产公约 ……………… 307
关于保护景观和遗址的风貌与特性的建议 … 312
关于在国家一级保护文化和自然遗产的建议 … 315
中华人民共和国文物保护法 …………… 319
关于加强和改善世界遗产保护管理工作的意见 … 326
文物保护工程管理办法 ………………… 328
山西省平遥古城保护条例 ……………… 330
湖南省武陵源世界自然遗产保护条例 … 332
泰山风景名胜区保护管理条例 ………… 335
黟县西递、宏村世界文化遗产保护管理办法 … 338

四川省世界遗产保护条例……………………… 340
福建省武夷山世界文化和自然遗产保护条例……… 341
甘肃敦煌莫高窟保护条例……………………… 344
北京市长城保护管理办法……………………… 346
承德避暑山庄及周围寺庙保护管理条例……… 348

人物

侯仁之………………………………………… 355
郑孝燮………………………………………… 356
谢辰生………………………………………… 356
宿　白………………………………………… 357
罗哲文………………………………………… 357
陈昌笃………………………………………… 358
靳之林………………………………………… 358
陈志华………………………………………… 359
徐苹芳………………………………………… 360

杨鸿勋………………………………………… 360
谢凝高………………………………………… 361
阮仪三………………………………………… 362
王秉洛………………………………………… 362
冯骥才………………………………………… 363
沈　澈………………………………………… 364
郭　旃………………………………………… 364
邓华陵………………………………………… 365
邓崇祝………………………………………… 365
豪格尔·帕奈（Dr. Holger Perner）………… 366

附录

世界遗产的组织设立…………………………… 369
世界遗产申报程序……………………………… 370
人类口头和非物质遗产申报指南……………… 370

Contents

Synopsis

Looking at the Past and Future of China's World Heritage ·················· *Guo Zhan*(3)

Record of Events

Record of Events(1985—2003) ·· (11)

Special Features

The 663rd Draft Resolution of the Third Meeting of the Sixth Session of the National Committee of the Chinese People's

Political Consultative Conference ···················· *Hou Renzhi   Yang Hanxi   Zheng Xiaoxie   Luo Zhewen*(21)

Raising Awareness for the *Convention* in the Protection of World Heritage ···················· *Zheng Xinmiao*(21)

An Appeal to Save China's Ethnic Cultural Heritage ·· 23

The Mission and Role of Higher Education in the Inheritance and Protection of the Intangible Cultural Heritage of

Humanity ·· *Zhang Xinsheng*(24)

Manifesto of Intangible Cultural Heritage in Education ···(25)

The Speech on the National Scenic Attraction Sites Work Meeting ···················· *Wang Guangtao*(27)

The speech on the Forum of Safeguarding the Oral and Intangible Cultural Heritage of Humanity Speech ········· *Sun Jiazheng*(32)

Focus

The World Heritage List and China's World Heritage ·································· *Luo Zhewen*(37)

Famous Chinese Mountains – the Inherent Blend of Nature and Culture ···················· *Xie Ninggao*(39)

The Taxonomic Value of the Environment of China's Natural and Cultural Heritage ···················· *Wang Bingluo*(47)

Increasing Protection for China's World Heritage and Preventing Endangerment ···················· *Zheng Xiaoxie*(50)

Four Damaging Trends in the Current Protection of China's Cultural Heritage ···················· *Xie Chensheng*(53)

Strategic Resource Management in the Protection of Scenic Attraction Sites and Historic Cities ···················· *Qiu Baoxing*(56)

Progress and Change in the Concept of World Heritage Protection ···················· *Lu Zhou*(62)

Integrating Intangible Cultural Heritage with Higher Education and Ethnic Community Cultural Resources ··· *Qiao Xiaoguang*(66)

Learning from International Experience in the Safeguarding of China's Intangible Cultural Heritage ·············· *Wu Bing'an*(71)

Cultural heritage

The Great Wall ·· (125)

Imperial Palace of the Ming and Qing Dynasties ·· (128)

Mogao Caves ·· (129)

Mausoleum of the First Qin Emperor ·· (132)

Peking Man Site at Zhoukoudian ·· (136)

Mountain Resort and its Outlying Temples, Chengde ······································ (138)

Temple and Cemetery of Confucius and the Kong Family Mansion in Qufu ···················· (140)

Ancient Building Complex in the Wudang Mountains ······································ (142)

Historic Ensemble of the Potala Palace, Lhasa ··· (144)

Lushan National Park ·· (152)

Old Town of Lijiang ·· (156)

Ancient City of Ping Yao ·· (158)

Classical Gardens of Suzhou ·· (160)

Summer Palace, an Imperial Garden in Beijing ·· (164)

Temple of Heaven: an Imperial Sacrificial Altar in Beijing ··· (168)

Dazu Rock Carvings ·· (171)

Mount Qincheng and the Dujiangyan Irrigation System ··· (173)

Ancient Villages in Southern Anhui - Xidi and Hongcun ·· (179)

Longmen Grottoes ··· (181)

Imperial Tombs of the Ming and Qing Dynasties ··· (184)

Yungang Grottoes ··· (199)

Natural Heritage

Jiuzhaigou Valley Scenic and Historic Interest Area ··· (215)

Huanglong Scenic and Historic Interest Area ·· (217)

Wulingyuan Scenic and Historic Interest Area ·· (220)

Three Parallel Rivers of Yunnan Protected Areas ·· (223)

Cultural and Natural Heritage

Mount Taishan ··· (239)

Mount Huangshan ··· (246)

Mount Emei Scenic Area, including Leshan Giant Buddha Scenic Area ······························· (252)

Mount Wuyi ··· (255)

Masterpieces of the Oral and Intangible Heritage of Humanity

Kunqu Art ·· (269)

The Art of Guqin Music ·· (270)

Organizations

National Committee for UNESCO of the People's Republic of China ·································· (277)

World Heritage Office, Cultural Heritage Protection Department of the State Administration of Cultural Heritage ·············· (277)

Scenic Landscape Office, Urban Construction Department of the Ministry of Construction ·············· (278)

World Heritage Research Committee (Related Committee Policy), China Cultural Relics Society ·············· (278)

World Heritage Research Center, Peijing University ·· (280)

Cultural Heritage Research Center, Fudan University ··· (281)

Cultural and Natural Heritage Research Institute, Nanjing University ································· (282)

National Historic Cities Research Center, Tongji University ··· (283)

Cultural Heritage Research Center for Intangible Resources, Central Academy of Fine Arts ··············· (284)

World Heritage Research Center, Northwest Normal University ·· (285)

Xinjiang Research Center for Intangible Culture ··· (286)

World Heritage Research Institute, Leshan Teachers College ·· (287)

China Folklore Photographic Association ·· (288)

Cooperation and Exchange

Rules and Regulations

Convention Concerning the Protection of the World Cultural and Natural Heritage ·· (303)

Convention for the Safeguarding of the Intangible Cultural Heritage ·· (307)

Recommendation Concerning the Safeguarding of the Beauty and Character of Landscapes and Sites ·················· (312)

Recommendation Concerning the Protection, at National Level, of Cultural and Natural Heritage ·················· (315)

Law of the People's Republic of China on the Protection of Cultural Relics ·· (319)

A View on Strengthening and Improving World Heritage Protection and Management ·· (326)

Means for the Management of Cultural Relic Protection Projects ·· (328)

Statute for the Protection of the Ancient City of Pingyao, Shanxi Province ·· (330)

Statute for the Protection of the Natural Heritage of the Wulingyuan Scenic and Historic Interest Area, Hunan Province ······ (332)

Statute for the Protection and Management of the Scenic Landscape of Mount Taishan ·· (335)

Means for the Protection and Management of the World Cultural Heritage of the Ancient Villages of Southern Anhui –
Xidi and Hongcun ·· (338)

Statute for the Protection of World Heritage in Sichuan Province ·· (340)

Statute for the Protection of the World Cultural and Natural Heritage of Mount Wuyi, Fujian Province ·················· (341)

Statute for the Protection of Mogao Caves in Dunhuang, Gansu Province ·· (344)

Means for the Protection and Management of the Great Wall, Beijing Municipality ·· (346)

Statute for the Protection and Management of the Mountain Resort and Its Outlying Temples, Chengde ·················· (348)

People

Appendices

The Organizational Structure of World Heritage ·· (369)

The World Heritage Application Process ·· (370)

Intangible Heritage Application Guidelines ·· (370)

概　述

中国世界遗产事业的回顾与展望

郭　旃

一

第二次世界大战以后，面对高速发展的经济建设浪潮迅猛改变乃至破坏人类生存的自然环境和人文历史环境的严峻现实，联合国教科文组织倡导并发起了保护世界文化和自然遗产的国际活动。1972 年 11 月 16 日，联合国教科文组织第十七届会议在巴黎通过《保护世界文化和自然遗产公约》（以下简称《世界遗产公约》），联系和促进各国政府和公众在全世界范围内采取行动，以拯救各种遗产。这是全球范围内世界遗产事业的肇始。

《世界遗产公约》及其《实施规则》基于科学的理念，给世界遗产制定了严格的质量标准和严谨、完整的操作体系。将世界遗产高度概括地界定为"具有全球突出普遍价值"的人类文明的遗存和大自然的造化。其中，对世界文化遗产设定了 6 条价值标准，即：

1. 是人类天才的杰作；或

2. 体现着某一时段或世界某一文化区域内，人类价值及其表现手法在建筑学或技术领域、在不朽的艺术创造、城镇规划或景观设计等方面发展进程中的相互交流与影响价值的重要交替；或

3. 包含对一种文化传统或依然存在或已经消失的文明的独一无二或至少是不可多得的证明；或

4. 是标示人类历史某一个或几个重要阶段的某类建筑物，或建筑群体，或技术组合，或景观的杰出例证；或

5. 是代表着某种文化（或几种文化）的传统人类住区或土地利用的杰出例证，当它在不可逆转的变迁影响下变得极其脆弱时，尤其重要；或

6. 与重大事件或生活传统、与思想或信仰、与具有突出的普遍重要性的艺术和文学作品直接或明显相关（此项标准只在特定情况下并结合其他文化或自然标准共同使用，才可作为列入《世界遗产名录》的理由）。

对世界自然遗产设定了 4 条价值标准，即：

1. 是代表地球历史重要阶段的突出典型，包括生命记录、陆地结构发展中重要的、持续进行的地质过程、或重大的地球或自然地理面貌；或

2. 是代表陆地、淡水、沿海和海洋生态系统及动植物群落进化和发展中重要的、持续进行的生态和生物过程的突出典型；或

3. 包含最高级的自然现象或异常的自然美景和审美重要性的地区；或

4. 包含在原地保存生物多样性的最重要且最有意义的自然生境，包括从科学或保存角度看具有突出的普遍价值的、受威胁的种群。

根据《世界遗产公约》的定义，世界遗产分文化遗产（包括文化景观）、自然遗产及文化与自然双重遗产（简称双遗产）三种类型。其中文化遗产包括区域性古迹、古建筑、考古遗址、历史地段、古城、单体建筑、石窟等品类。

同时，《世界遗产公约》及其《实施规则》还规定，一处遗产地仅仅符合世界遗产的价值标准，并不一定意味着就可以被列入《世界遗产名录》。要列入《世界遗产名录》，它还必须符合关于真实性、完整性的要求，关于环境景观的要求，还必须体现出当地公众与政府的保护热情，有完善的保护管理规划和体制，具备良好的保护管理状况。

为确保《世界遗产公约》通过国际合作永续保护和享用人类共同遗产这一宗旨，相关国际组织还设定了严密、持续的监测机制。通过监测制度的实行来保障每一处遗产地的价值不被损坏，已有的保护管理水平不被降低。如果做得不好，每一处世界遗产地都有可能被列入另一个名录——《濒危世界遗产名录》，受到关注和督促。当一处世界遗产应有的保护管理状况已被改变，导致世界遗产的价值已基本丧失时，它还会被遗憾地从《世界遗产名录》中除名。

世界遗产的评选规则与程序，还有持久的监测制度，为全世界提供了一个最完整、最科学的遗产保护管理体系，大大促进了世界各国的遗产保护和管理。许多文化与自然遗产得以保存下来，在很多世界遗产地，保护管理水平明显提高了，家园更美了。世界遗产工作甚至不同程度地带动了当

地社会综合文明素质的提升,普及并提高了保护意识、环境意识、景观意识、公共意识,还有国际意识、公约意识。

但是,在实践中,《世界遗产公约》也日益突显出自身的局限性。《世界遗产公约》中所指的各种遗产,是作为固定空间形式存在的物质遗产。而作为人类精神财富的文化遗产,更多的是以非物质的形式存在。《世界遗产公约》显然不适用于非物质遗产。因而在《世界遗产公约》通过之后,一部分会员国提出在联合国教科文组织内制订有关民间传统文化等非物质遗产各个方面的国际标准文件。1989 年 11 月,联合国教科文组织第二十五届大会通过了关于民间传统文化保护的建议。1999 年 11 月,联合国教科文组织第三十届会议通过决议,决定设立《人类口头和非物质遗产代表作名录》。2001 年 5 月,联合国教科文组织公布了世界第一批《人类口头和非物质遗产代表作名录》。2003 年 10 月 17 日,联合国教科文组织第三十二届会议通过《保护非物质文化遗产公约》。《保护非物质文化遗产公约》第二条对非物质遗产的定义是:"非物质文化遗产"指被各群体、团体、有时为个人视为其文化遗产的各种实践、表演、表现形式、知识和技能及其有关的工具、实物、工艺品和文化场所。各个群体和团体随着其所处环境、与自然界的相互关系和历史条件的变化不断使这种代代相传的非物质文化遗产得到创新,同时使他们自己具有一种认同感和历史感,从而促进了文化多样性和人类的创造力。在本公约中,只考虑符合现有的国际人权文件,各群体、团体和个人之间相互尊重的需要和顺应可持续发展的非物质文化遗产。根据这一定义,非物质遗产的内容包括:

1. 口头传说和表述,包括作为非物质文化遗产媒介的语言;

2. 表演艺术;

3. 社会风俗、礼仪、节庆;

4. 有关自然界和宇宙的知识和实践;

5. 传统的手工艺技能。

至此,世界遗产中又增加了"非物质遗产"类。世界遗产因此可分为四类,即文化遗产、自然遗产、文化和自然双重遗产及人类口头和非物质遗产。从其存在形态来看,前三者属于物质遗产。

"人类口头和非物质遗产代表作"项目的启动和《保护非物质文化遗产公约》的通过,是人类对自身精神财富——文化遗产认识深化的结果,它对全人类文明结晶和生存环境的保护,产生了深远影响。

在全世界普遍关注中,世界遗产事业已颇具规模。从 1972 年联合国教科文组织第十七届大会通过至今,联合国教科文组织 190 个成员国中已有 177 个缔结了《世界遗产公约》。至 2003 年,全世界世界遗产中物质遗产总数达到 754 处,其中世界文化遗产 582 处,世界自然遗产 149 处,世界文化与自然双重遗产 23 处,分布在 129 个缔约国。自 2001 年 5 月联合国教科文组织公布第一批 19 项"人类口头和非物质遗产代表作"以来,全世界共有二批计 47 项人类口头和非物质遗产代表作,分布在五大洲 43 个国家和地区。

世界遗产带给当地民众的自豪感、自信心、凝聚力是不言而喻的。不只中国人,外国人也一样。应当说,世界遗产在所属国和世界之间,它具有两重性。一方面,它是全人类文明和生存环境共同的财产,从长远讲,它从属于人类大同的世界。另一方面,在相当长的历史时期,它属于各自不同的国家。这不同民族的文明成果和丰富多样的自然景观构成了人类共同的世界遗产宝库,也充分反映和尊重了文化的多样性。可以说,一个国家拥有的世界遗产在某种意义上也体现着这个国家在历史上为人类文明进程所做出的贡献,以及当代的社会文明程度和综合国力。有时候,世界遗产还关系到世界和平与交流,关系到国家重大利益。

从整体上更应当强调的是,世界遗产事业已成为深化的、扩大的环境保护理念的延伸,成为人类社会可持续发展战略中的一项不可或缺的举措。为当今的世界,更为未来,人们不仅要有清爽的大气、洁净的水,还要有隽永的历史人文遗迹和优美的自然景观,而且,要"子子孙孙永葆用",这应当是世界遗产最长远的效应。

二

对于中国这样一个历史悠久、疆域辽阔、民族众多的国家来说,世界遗产事业的开展不仅必要,而且必能推动其境内各种遗产的保护和管理工作,从而更好地服务于其精神文明和物质文明建设。

1985 年 3 月,在中国人民政治协商会议第六届全国委员会会议上,侯仁之、阳含熙、郑孝燮和罗哲文四位政协委员提交了第 663 号提案,提出"我国应尽早参加联合国教育、科学及文化组织的《世界文化和自然遗产保护公约》,并准备争取参加世界遗产委员会,以利于我国重大文化和自然遗产的保存和保护,加强我国在国际文化合作事业中的地位"。此举拉开了中国世界遗产事业的序幕。

1986 年,我国开始申报世界遗产。国家文物局参照世界遗产委员会制定的世界文化遗产的有关标准,经推荐并征求专家意见,向联合国教科文组织提交了包括长城在内的 28 项文化遗产作为"中华人民共和国世界遗产预备名单"。1987 年,中国提名的长城、明清故宫、莫高窟、秦始皇陵、周口店北京人遗址和泰山等六个遗产地首次被联合国教科文组织世界遗产委员会通过，列入《世界遗产名录》，中国拥有了第一批世界遗产。至今，中国已拥有31处（项）世界遗产，拥有数目位居世界第三。其中世界文化遗产21处，世界自然遗产4处，世界文化与自然遗产4处，人类口头和非物质遗产代表作2项。它们都是充分满足了有关世界遗产的全部要求才被列入《世界遗产名录》和《人类口头和非物质遗产代表作名录》的。从中可以从不同角度重新认识这些遗产对于全人类的价值所在，也可以检阅相关工作的进步，赞颂中国的昌盛。这些遗产就像闪耀着奇光异彩的珍宝，散布在中国锦绣大地上，陶冶着中国各民族儿女的情操，也增进了中国与全世界的了解、友谊与交融。

中国的世界遗产事业走过了近二十年的历程，无论在遗产管理体制、保护手段，还是在遗产经营、学科建设方面，我国都进行了有效的探索和研究。首先，在管理体制上，国家进行了明确的分工。世界文化遗产的管理、申报工作由国家文物局组织并会同有关部门进行，世界自然遗产的管理、申报工作由建设部会同有关部门进行，人类口头和非物质遗产整理、抢救、申报工作由文化部会同有关部门进行。这种体制的优点在于可以集中全国各部门的多学科人才参与世界遗产的保护及管理，发挥多部门的综合优势推动我国的世界遗产事业。

其次，从事世界遗产研究和保护的各种学术机构和民间社团的成立，成为我国世界遗产事业中的积极力量，推动了我国世界遗产事业的发展。1998年，我国第一个世界遗产研究机构北京大学世界遗产研究中心成立，标志着中国的世界遗产研究进入了一个新阶段。之后，中国文物学会世界遗产研究委员会、复旦大学文化遗产研究中心、南京大学文化与自然遗产研究所、西北师范大学世界遗产中心、中央美术学院非物质遗产研究中心、新疆非物质文化研究中心相继成立。这些研究机构依托大学或学会中多学科的综合学术优势，一方面，参与世界遗产的申报工作，对世界遗产资源的内涵有深入的理解和全面把握；另一方面，对世界遗产的保护、管理、经营等进行研究，其研究成果用于指导世界遗产地的实践，产生了积极的效益。同时，这些研究机构更是监督各地政府和各个世界遗产地管理机构依法管理保护世界遗产的中坚力量。这些机构的专家学者利用其名望和身份，向社会和公众宣传遗产理念，为提高全民的遗产保护意识乃至全民族的综合文明素质做出了贡献。

在世界遗产保护和管理手段上，我国的各级政府和部门、各个研究机构和世界遗产地在实践中摸索前进，除进行必要的技术研究、体制调整外，还积极制定法律法规，利用法律手段进行世界遗产的保护和管理。目前，我国世界遗产保护与管理的国际公约—国家法律法规—地方政策法规三级法律框架已基本形成。以《世界遗产公约》和《保护非物质文化遗产公约》为核心的诸多国际公约是我国进行世界遗产保护的基本依据。我国已有的涉及世界遗产保护管理的法律法规有《中华人民共和国文物保护法》、《国家风景名胜区管理暂行条例》、《森林和野生动物类型自然保护区管理办法》以及环保、规划、国土资源等方面的法规。为了进一步改善和加强世界遗产的保护管理工作，2002年4月25日，文化部、建设部、国家文物局、教育部等九个部委联合发布了《关于加强和改善世界遗产保护管理工作的意见》（简称《意见》）。《意见》也具有同等的法律效力。根据《世界遗产公约》和《中华人民共和国文物保护法》以及其他法律法规，一些世界遗产地从自身的实际出发，制订了"世界遗产保护条例"和"管理办法"。目前，我国有关世界遗产的地方政策法规有《山西省平遥古城保护条例》、《湖南省武陵源自然遗产保护条例》、《泰山风景名胜地区保护管理条例》、《黟县西递、宏村世界文化遗产保护管理办法》、《四川省世界遗产保护条例》、《福建省武夷山世界文化和自然遗产保护条例》、《甘肃敦煌莫高窟保护条例》、《北京市长城保护管理办法》、《承德避暑山庄及周围寺庙保护管理条例》。这样一个法律框架，为我国的世界遗产保护管理提供了基本的法律保障。世界遗产保护管理的专项法规，有待出台。

回顾我国世界遗产事业的风雨历程，可说是有喜有悲，有苦有甜，有成功的经验，也有失败的教训。中国世界遗产从1985年的蹒跚起步到现今的世界遗产大国，本身就是中国世界遗产事业蓬勃发展的最好说明。但是，其间存在的问题和困难也不少。各国、各地区不同程度存在的"重申报，轻管理；重开发，轻保护"的不良倾向我国同样存在，有些地方甚至对世界遗产造成了不可挽救的破坏。虽然我国政府和一些学者一直致力于世界遗产知识的普及和宣传，但我国对世界遗产的认同意识和参与、保护意识仍很淡薄，这就制约了我国世界遗产事业的进一步发展。如何把世界遗产的研究进一步深化，如何把这些成果应用于实践，等等，都是摆在我们面前的任务。解决好这些问题，将是我国世界遗产工作的重中之重。

三

世界遗产事业发展到今天，在已有的成就面前，人们在不断进一步探索世界遗产事业的全球战略，当前，正在把更多的注意力投向保护管理的现状与改进，投向能力建设和人才培训，投向更深入的理论研究、技术进步和更有效的国际合作。同时,也在关注世界遗产更充分的代表性和平衡性。甚至,联合国教科文组织世界遗产委员会还在2000年通过了一个极有争议的《凯恩斯决定》(Caris Decision),为上述目标做出了一些尝试性的决议,并暂设了一个截止到今年的遗产申报限额制,即每个已有遗产的国家在2002—2004年间,一年至多只能提交一个新的世界遗产申报项目。

应当说,《凯恩斯决定》的出发点有它合理的一面,提出的一些问题也是存在的。但决议目前的限额方式显然违背了《世界遗产公约》的宗旨,简单的做法既不符合客观实际,不科学,不公平,也无益于所针对问题的解决。

但是,另一方面,如何逐步缓解世界遗产在品类、分布等方面的不平衡和代表性不足的问题,如何切实有效而又公平地支持一些能力不足的国家和地区的世界遗产工作;如何克服事业蓬勃发展与相关国际机构工作量超负荷、资金短缺之间的尖锐矛盾;以及如何解决各国、各地区不同程度存在的"重申报,轻管理;重开发,轻保护"的不良倾向和普遍面临的保护工作中的困难,等等,又确实值得人们思索与探讨。

对于中国来说,有关部门已经在积极回应问题与挑战。

在目前形势下,中国以国家文物局新一届领导班子为核心的决策层已经在为世界遗产工作的进一步繁荣勾勒未来的发展途径。

首先,全面加强、提高已有世界遗产地的保护管理水平,从科学规划入手。已有的世界遗产地尚未制定周全、长远、符合世界遗产保护管理要求的规划的,将被要求在1—2年补上。不完善的,要进一步完善。今后,凡规划不完备的遗产地,将一律不得申报列入《世界遗产名录》。

申报工作也将重新规划。《世界遗产公约实施规则》要求各国设定的本国《世界遗产预备名单》是使用于今后5—10年期间的名单,不加限制地列入,显然不切合当前申报工作的实际。这就需要有一个新的、切合国内外形势和实际情况的申报规划。申报数量要适当,要典型,还要优先体现国家重大利益和国际社会关注的热点。

中国地域辽阔,民族众多,人文与自然资源极其丰富多样,从而更有必要,也更有条件照顾世界遗产的平衡性和代表性。其中,还要注意体现当今世界对世界遗产认识的不断深化,对那些体现不同地域、不同文化传统的人类文明的组合景观,即那些在群体上更能体现人与自然的和谐,更能当作社会发展活化石的文化景观,要给予更多的关注。

《中国世界遗产预备名单》将在充分比较分析和论证研究的基础上重新设定。这将是在新形势下加强和做好世界遗产工作的一项重大措施。进入这一名单的遗产地必须初步达到世界遗产的有关条件,具备了一定的高度和水平,同

时它也就得到初步认可,并获得了一种特殊的荣誉,也有了责任和约束。

第二是人才培养与资质考核。世界遗产全球战略中,能力建设(Capacity Building)始终排在重要位置,它比经费、技术更重要。中国和其他各国一样,要保障世界遗产工作的质量和效率,就需要足够的既有宏伟目标,又懂科学规则,还有奉献精神,能默默无闻、踏踏实实从小事做起,并能持之以恒的保护和管理人员,不同形式、不同水平的人才培训,以及逐步建立和实行世界遗产地保护管理资质制度,这都将是今后重要的工作环节。

第三是更加重视和推进宣传教育。世界遗产的保护必须以各级政府和全社会文明水平的提升为基础,为保障。这就需要全社会的参与和支持,也就需要把相关的宣传教育活动更广泛深入地开展起来,坚持下去。宣传教育的重点,除了世界遗产的一般知识外,应特别有助于树立和加强关于世界遗产真实性、完整性的意识、环境意识、景观意识和公约意识。

作为一个负责任的大国,签署了国际公约之后,在严格执行国内相关法规的前提下,还要时时注意相关的公约规定,履行相应的义务和程序。

第四是建立更完备的监测体系和制度。各个遗产地的管理单位都必须建立完备的监测体系,配备专人、经费和设备,建立制度;主管部门在严格做好日常监测和定期报告工作的同时,也将及时进行反应性检查,查处反映出来的各种问题。

为更好地做好监测工作,在国家一级,将设立巡回监测工作机构,实行巡回监测制度。

第五是建立并逐步强化专业咨询制度。国家一级将聘请学术精专、执法严格、操行端正的专家组成世界遗产专家咨询委员会,并建立相应的工作规则和制约机制。今后,凡涉及世界遗产申报、监测、保护、管理、利用的重大事宜,首先都要经由专家委员会论证,由相应管理机构根据论证的结论和相关法规做出决策。

第六是促进发挥世界遗产工作更大的效用。世界遗产的效用是多方面的,有政治的,也有经济的;有精神的,也有物质的。一方面,世界遗产的社会效益,它服务于人类社会可持续发展的根本作用将永远是第一位的,对它的保护将永远是第一位的。另一方面,主管部门也会支持发挥世界遗产地多方面的效用,使它更好地造福于当地民众,也造福于全国、全世界,并惠及子孙。应当说,与一些既具有古老文明、又拥有发达的现代文明的国家相比,中国在这方面做得还很不尽人意,应当注意探索更积极、合理、有效的途径,也为保

护世界遗产提供更广泛、更强大的舆论支持和更丰富的物质保障。

第七是更深地参与全球战略的研究和国际合作。中国世界遗产事业的发展离不开国际大环境。中国的综合国力，古国、大国地位，以及现有的人才条件和工作基础，都决定着中国应当以更积极的态势融入国际社会。在世界遗产领域，尤应如此。其中包括全面参与关于世界遗产的战略研究，让世界遗产事业的发展汇入中国同行们的贡献；更积极地参与国际合作，以及提供一些力所能及和双方互利的国际援助等。

第八是建立有效的保护管理协调机制。在中国国内，世界遗产事业涉及社会生活的几乎所有层面，也涉及众多的管理机关。建立一个有效的协调机制，这是改善和加强世界遗产保护管理工作的重大需要。国务院办公厅刚刚批转的文化部、建设部、文物局等9部门《关于加强我国世界文化遗产保护管理工作的意见》中关于设立世界文化遗产保护管理工作部际联席会议制度的规定已为此开了良好的先河。具体实施即将展开，积极效应也定会显现。

第九是加强和完善研究工作和档案资料基础工作。作为一项按照科学标准进行的社会事业，世界遗产工作永远要认真研究特有的自身规律，深入发掘丰富内涵。档案资料的建立、完备和保存，不可或缺。同时，还要跟上时代的发展，充分利用各种高新技术手段，力争全面、完整地保存世界遗产保护管理工作中的相关信息，不断吸收与世界遗产有关的最新研究成果，为研究工作的持续深入发展奠定坚实的科学基础。

第十是抓紧制定和完善世界遗产保护管理的专项法规。世界遗产有一定的特殊性，对世界遗产的保护管理，既首先要符合国内相关的法规，又要与国际公约与国际公认的保护准则相衔接。尽快制定一部中国的《世界遗产保护管理条例》，是十分必要的。同时，各地区、各个世界遗产地的相关专项法规也势在必行。有的省已经有了本省的"世界遗产保护管理条例"，一部分世界遗产地也有了自己的专项管理办法。今后，就要推动相关工作的全面开展和完善。

展望未来，世界遗产事业将在全球不断走向新的辉煌，中国的世界遗产工作也将扎扎实实、一步一步向前走，迎来更灿烂的明天。

大事记

1985—2003 年大事记

1985

3 月,在中国人民政治协商会议第六届全国委员会会议上,侯仁之、阳含熙、郑孝燮和罗哲文四位政协委员提交了第663 号提案,提出"我国应尽早参加联合国教育、科学及文化组织的《世界文化和自然遗产保护公约》,并准备争取参加世界遗产委员会,以利于我国重大文化和自然遗产的保存和保护,加强我国在国际文化合作事业中的地位"。此举拉开了中国世界遗产事业的序幕。

11 月 22 日,第六届全国人民代表大会常务委员会第十三次会议审议批准中国加入《保护世界文化和自然遗产公约》,成为该公约缔约国。

1986

国家文物局参照联合国教科文组织世界遗产委员会制定的世界文化遗产的有关标准,经推荐并征求专家意见,向联合国教科文组织提交了包括长城在内的 28 项文化遗产作为"中华人民共和国世界遗产预备名单"。

1987

12 月,长城、北京故宫、秦始皇陵及兵马俑、敦煌莫高窟、周口店北京猿人遗址作为文化遗产,泰山作为文化与自然双重遗产被列入《世界遗产名录》。

日本人青山庆示向敦煌研究院捐赠 8 件敦煌文物,这是流失海外的藏经洞文物首次归还我国。

1988

国家文物局、敦煌研究院与美国盖蒂保护所签订保护敦煌莫高窟国际合作项目,与日本东京国立文化财产研究所签订合作保护项目。

1989

9 月 25 日,国务院批复接受联合国教育、科学及文化组织于 1970 年 11 月 14 日在巴黎通过的《关于禁止和防止非法进出口文化财产和非法转让其所有权的方法的公约》。

1990

8 月,中国教科文组织全国委员会、国家文物局和中国社会科学院等部门协助联合国教科文组织实施了陆路"丝绸之路"中国段全程考察。

11 月 20 日,由我国和联合国教科文组织世界遗产委员会联合举办的中国泰山壁画保护研讨班在山东省泰安市举行开学典礼。

12 月,黄山作为文化与自然双重遗产被列入《世界遗产名录》。

1991

在《保护世界文化和自然遗产公约》缔约国第 11 次大会上,中国首次当选为世界遗产委员会成员。

1992

6 月 4 日,受联合国教科文组织委托,世界自然联盟高级督察桑塞尔博士与世界自然联盟、国家公园与自然保护区委员会主席卢卡斯博士,在建设部专家的陪同下,对黄龙风景名胜区进行了世界自然遗产投票前的科学考察。

10 月,国家文物局与美国盖蒂保护研究所联合在山西大同云冈石窟举办"中国石窟遗址管理培训班"。

12 月 7 日—14 日,联合国教科文组织世界遗产委员会第 16 届会议在美国的圣菲召开。会上,中国当选为世界遗产委员会副主席。九寨沟风景名胜区、黄龙风景名胜区、武陵源风景名胜区作为自然遗产被列入《世界遗产名录》。

1993

12月6日—11日,联合国教科文组织世界遗产委员会第17届会议在哥伦比亚的卡塔纳赫召开。会上,中国再次当选为世界遗产委员会副主席。

1994

国际古迹遗址理事会(ICOMOS)、国际文物保护与修复研究中心(ICCROM)联合考察长城、周口店等世界遗产地的保护状况。

2月,国家文物局与联合国教科文组织联合在河北省易县清西陵举办"古建筑理论培训班"。

4月,联合国教科文组织世界遗产中心的官员托内洛图和国际古迹遗址理事会的专家米什莫尔,对列入《世界文化遗产名录》的敦煌莫高窟等单位的保护和管理状况进行了全面细致的考察。

5月19日—6月4日,受联合国教科文组织委托,国际古迹遗址理事会专家组对我国申请列入《世界遗产名录》的新疆交河古城遗址等五处文化遗产进行实地考察,并同当地政府、文物管理部门负责人和专家学者举行座谈。

12月,西藏布达拉宫、承德避暑山庄及周围寺庙、曲阜孔庙孔府孔林、武当山古建筑群作为文化遗产被列入《世界遗产名录》。

1995

10月—11月,国家文物局与联合国教科文组织联合在易县清西陵举办"木结构保护技术培训班"。

12月4日—9日,我国代表团参加在德国柏林召开的联合国教科文组织世界遗产委员会第19届会议。

1996

1月—2月,国家文物局派员参加联合国教科文组织举办的"历史文化遗产城市保护管理监测培训班"。

5月6日—10日,联合国教科文组织世界遗产委员会、国际自然保护联盟、国际古迹遗址理事会委派桑塞尔博士和席尔瓦教授对申报世界文化与自然遗产的庐山进行为期4天的实地考察。

5月13日,联合国教科文组织专家对申报世界文化和

自然遗产的峨眉山—乐山大佛风景区进行评估考察。

12月,江西庐山风景名胜区作为文化遗产(文化景观),峨眉山—乐山大佛风景作为文化与自然双重遗产被列入《世界遗产名录》。

中国第一任世界遗产委员国到期终止。

1997

9月—10月,国家文物局与联合国教科文组织联合在世界遗产地承德避暑山庄及周围寺庙举办中国首次"世界遗产保护管理培训班"。

12月,云南丽江古城、山西平遥古城、苏州古典园林作为文化遗产被列入《世界遗产名录》。

1998

1月20日—22日,中国文物学会世界遗产研究委员会筹备大会在江苏省苏州市召开。建设部副部长赵宝江,全国历史文化名城保护专家委员会主任委员周干峙、副主任委员罗哲文、委员谢辰生,国家考古专家组组长黄景略,国家文物局调研员郭旃以及全国19处列入《世界遗产名录》的管理机构的代表共90余人出席了会议。

2月11日—12日,联合国教科文组织斯里兰卡委员会主席席尔瓦博士及其助手朱迪万斯博士对颐和园申报世界文化遗产工作进行实地考察评估。

4月14日—15日,联合国教科文组织世界遗产中心主任伯恩德·冯·德罗斯特,在中国联合国教科文组织官员,建设部、国家文物局和四川省、乐山市有关领导陪同下,对世界文化与自然遗产地峨眉山和乐山大佛进行复查。

5月16日—18日,以美国国家公园外办主任雪伦·克莱丽为代理团长、雷诺霁为副团长的美国国家公园代表团一行9人对庐山进行考察访问。

9月1日—3日,联合国教科文组织世界遗产委员会派出专家享利·克利尔和尤嘎·昭克赖特,对大足石刻申报工作进行现场考察。

9月12日,联合国教科文组织国际古迹遗址理事会主席团成员、主席团发言人亨利·克利尔博士对颐和园申报世界文化遗产情况进行考察。

9月14日,联合国教科文组织专家对世界自然遗产地黄龙进行复查。

11月30日,《山西省平遥古城保护条例》经山西省第九届人民代表大会常务委员会第六次会议审议通过并颁布,自

1999 年 4 月 1 日起施行。

12 月，北京天坛与颐和园作为文化遗产被列入《世界遗产名录》。

12 月 28 日，我国第一个世界遗产高级专业研究机构北京大学世界遗产研究中心召开成立大会。国务院秘书局、建设部、中国联合国教科文组织全国委员会、国家文物局和北京大学等相关单位领导到会祝贺。中心的成立标志着中国的世界遗产研究进入了一个新阶段。

1999

7 月 8 日，联合国教科文组织世界遗产中心总干事、前世界遗产中心主任冯·德罗斯特对颐和园进行复查。

8 月 23 日—25 日，联合国教科文组织世界遗产委员会、建设部共同举办、峨眉山管理委员会承办的中国世界遗产国家战略研讨会在峨眉山召开。

10 月 29 日，中国再次当选为世界遗产委员会委员。

12 月，重庆大足石刻作为文化遗产、福建省武夷山作为文化与自然双重遗产被列入《世界遗产名录》。

1999 年—2002 年，敦煌研究院与美国盖蒂保护研究所、澳大利亚遗产委员会合作，制定了《敦煌莫高窟保护与管理总体规划》。

2000

1 月 7 日，联合国世界遗产委员会国际古迹遗址理事会秘书长让·路易·卢森到正在申报世界遗产的明显陵进行实地考察。

1 月 24 日，联合国教科文组织世界遗产专家、美国伯克利大学教授穆罕默德·拉菲克·姆法尔对正在申报世界遗产的龙门石窟进行考察评估。

4 月，文化部正式启动"人类口头和非物质文化遗产代表作"的申报、评估工作。

5 月 23 日—26 日，由中国联合国教科文组织全国委员会、建设部、国家文物局共同举办的首次中国世界遗产地工作会议在苏州召开。中国教科文全国委员会秘书长张学忠、国家文物局副局长马自树、建设部城建司司长杨鲁豫、苏州市副市长沈长全出席会议并讲话。

7 月 5 日—7 日，由国家文物局、建设部、世界银行和联合国教科文组织联合举办的中国文化遗产保护和城市发展：机遇与挑战国际会议在北京友谊宾馆召开。

8 月 12 日，国际古迹遗址理事会世界遗产专家亨利·

克利尔博士来到乐山，在国家文物局调研员、中国国际古迹遗址理事会秘书长郭旃和四川省文物局局长梁旭仲等陪同下对乐山大佛进行了实地考察。

9 月 1 日—3 日，2000 世界文化景观——庐山国际文化旅游节在庐山举行。

9 月 28 日，《湖南省武陵源世界自然遗产保护条例》经湖南省第九届人民代表大会常务委员会第十八次会议通过并发布，自 2001 年 1 月 1 日起施行。

10 月 17 日—18 日，由中国科学技术部、中国联合国教科文组织全国委员会、意大利外交部、意大利联合国教科文组织全国委员会共同举办，中国科学技术交流中心承办的中国—意大利世界遗产保护技术研讨会在北京召开。

10 月 26 日，《泰山风景名胜地区保护管理条例》经山东省第九届人民代表大会常务委员会第十七次会议审议通过并发布，自 2000 年 12 月 1 日起施行。

11 月 27 日—30 日，联合国教科文组织世界遗产委员会第 24 届会议在澳大利亚的凯恩斯召开。会上，青城山和都江堰、龙门石窟、皖南古村落、明清皇家陵寝作为文化遗产，大昭寺作为布达拉宫的扩展项目，沧浪亭、狮子林、艺圃、耦园和退思园作为苏州古典园林的扩展项目被列入《世界遗产名录》。

12 月 26 日—28 日，中国加入《世界遗产公约》十五周年暨黄山列入《世界遗产名录》十周年纪念活动在安徽省黄山市举行。

2001

1 月 6 日—8 日，中国文物学会世界遗产研究委员会成立大会在云南丽江古城召开，郑孝燮、罗哲文、谢辰生、谢凝高等著名专家和来自全国世界文化与自然遗产地的代表 50 余人参加。

2 月中旬，武夷山建成全国第一个遗产监测中心。

3 月 3 日，受联合国教科文组织委托，国际古迹遗址理事会专家拉菲克·姆高博士对云冈石窟进行了申报前的最后实地考察。

3 月 28 日，《黟县西递、宏村世界文化遗产保护管理办法》（黟县第十三届人民代表大会第四次会议审议通过）颁布并施行。

4 月 8 日—30 日，中国武夷山第一届世界遗产节、第二次中国世界遗产地工作会议暨中国世界遗产论坛在世界遗产地武夷山举行。

4 月 19 日上午，国家文物局在故宫博物院漱芳斋举行

"加拿大国家美术馆送还中国龙门石窟雕像交接仪式",加拿大国立美术馆馆长皮埃尔·特贝尔正式宣布将罗汉雕像无偿送还给中国。

5月15日—16日,由中国公园协会、日本世界不动文化遗产研究会共同主办的"中日世界遗产交流会议"在世界文化遗产丽江古城举行。会议通过了《关于世界遗产保全的丽江宣言》。

5月18日,昆曲艺术入选首批"人类口述和非物质遗产代表作"。

7月23日,澳门正式申报世界文化遗产。

8月8日,北京中国书店的文化遗产书店正式开张营业。

8月,文化部制定了《保护和振兴昆曲艺术十年规划》。

8月4日,由中国联合国教科文组织全国委员会主办,苏州市园林和绿化管理局、苏州市教育局承办的首届中国世界遗产国际青少年夏令营在位于新区的苏州外国语学校隆重开营。120多位来自美国、加拿大、韩国等外国中学生以及我国北京、上海、吉林、辽宁、山西、江苏、广东等地的青少年参加了这次国际夏令营。

10月9日,联合国教科文组织亚太地区文化遗产管理第五届年会在世界文化遗产丽江古城开幕。来自22个国家的400多位代表出席会议。会上推出了《中国丽江古城保护行动计划》即"丽江模式"。

10月29日,由国家文物局主办,中国文物研究所、重庆市文化局和重庆大足石刻艺术博物馆承办的"全国石质文物保护技术培训班"在大足举行开学典礼。

10月29日晚,在联合国教科文组织总部一号大厅,北方昆曲剧院青年艺术家应邀为参加该组织第31届大会的各国代表献演了《活捉》、《游园》、《钟馗嫁妹》三个经典剧目的片断。这对昆曲艺术乃至中国传统文化在海外传播起到了积极的推动作用。

11月14日,由苏州市园林和绿化管理局、苏州市人事局共同举办的世界遗产培训班在苏州园林技校正式开课。培训的主要内容是学习联合国教科文组织主编的目前最全面、最权威的世界遗产普及教材《世界遗产与年轻人(中文版)》。课程由江苏省联合国教科文组织协会、东南大学、苏州大学的教授和文史专家讲授。

10月14日—16日,中国风景园林学会、中国文物学会世界遗产研究委员会第二届年会在重庆大足石刻艺术博物馆召开。

11月,中日两国政府与联合国教科文组织签订了"龙门石窟保护修复工程项目"协议。该项目总投资125万美元,

于2002年1月开始实施。

12月11日—16日,我国出席在芬兰首都赫尔辛基举行的联合国教科文组织世界遗产委员会第25届会议。会上,云冈石窟作为文化遗产、罗布林卡作为布达拉宫的扩展项目被列入《世界遗产名录》。

2002

国家文物局设立世界遗产处,专门负责世界遗产事业的管理。

1月

18日,《四川省世界遗产保护条例》经四川省第九届人民代表大会常务委员会第二十七次会议通过并颁布,自2002年4月1日起施行。

2月

26日—27日,由中国民间文艺家协会主持的中国民间文化遗产抢救工程研讨会在北京召开。

3月

22日—23日,由中国社会科学院环境与发展研究中心主办、福特基金会资助的"文化遗产保护与经营"研讨会在北京举行。

23日,由联合国日内瓦办事处和中国常驻联合国日内瓦办事处使团共同主办的"中国的'世界遗产'摄影艺术展"在联合国日内瓦办事处的万国宫举行。

本月,在全国政协九届五次会议上,冯骥才、舒乙、谢晋、邓友梅、魏明伦等人联名提交了《关于抢救民间文化遗产的建议案》。

5月

文化部、国家文物局、国家计委等9部委局发出《关于加强和改善世界遗产保护管理工作的意见》。

中央美术学院在原民间美术研究室的基础上,正式成立"非物质遗产研究中心",在国内高校率先创建以非物质文化遗产的研究为主旨的新学科。

西北师范大学世界遗产研究中心成立。

6月

4日,《福建省武夷山世界文化和自然遗产保护条例》(福建省第九届人民代表大会常务委员会第三十二次会议

2002 年 5 月 31 日通过)颁布,自 2002 年 9 月 1 日起施行。

6 月 24 日—29 日,联合国教科文组织世界遗产委员会 26 届会议在匈牙利布达佩斯召开。会议决定,第 27 届世界遗产委员会会议于 2003 年 6 月在中国苏州召开。

7 月

美国盖蒂保护所中国项目负责人内维尔·阿根纽与澳大利亚遗产委员会前主席莎伦·萨利雯一行 6 人,到承德市考察,双方就承德市部分文物保护项目达成合作意向,确定了 2002 年至 2005 年的合作项目。

17 日—19 日,由建设部、国家文物局、中国教科文组织全国委员会与联合国教科文组织世界遗产中心联合主办的中国世界遗产监测研讨会在重庆市召开。

27 日,《北京市明十三陵保护管理办法》(经 2002 年 7 月 16 日北京市人民政府第 50 次常务会议审议通过)发布,自 2002 年 9 月 1 施行。

30 日,中国首批世界遗产青年志愿者在苏州诞生,隆重的授旗、宣誓仪式在世界遗产地——拙政园内举行。

7 月—9 月,我国对 14 处在 1996 年以前进入世界遗产名录清单的项目进行全面自查,以配合联合国教科文组织世界遗产项目监测评估工作。

8 月

16 日,由中国社会科学院环境与发展研究中心主办的中国世界遗产管理研讨会在京举行。来自全国世界遗产地、中国社会科学院、北京大学、清华大学、复旦大学、同济大学、中国文物学会、中国风景园林学会、国家建设部、国家文物局的专家学者、管理者等 100 余人出席会议。

27 日—30 日,受联合国教科文组织世界遗产委员会的委派,国际古迹遗址理事会专家李相海教授对正在申报世界文化遗产——中国明清皇家陵寝扩展项目的明十三陵进行考察评估。

9 月

1 日—3 日,第四届乐山国际旅游大佛节暨首届世界遗产保护节在四川乐山举行。联合国教科文组织官员,澳大利亚代表,清华大学教授,西藏布达拉宫、甘肃莫高窟等 28 个世界遗产地代表,以及中外致力于世界遗产保护的专家及各界人士出席会议。与会代表最终达成全球世界遗产地第一个地方性承诺——《保护世界遗产乐山宣言》。

10 月

22 日—23 日,中国高等院校首届非物质文化遗产教育教学研讨会在中央美术学院举办,揭开了中国高校非物质文化遗产教育传承的序幕。教育部副部长章新胜、中国文联副主席冯骥才、全国人大教科文卫委员会文化室副主任朱兵和联合国教科文组织驻朝鲜、日本、蒙古、中国、韩国代表处文化项目专员木卡拉出席会议。经过讨论,会议正式通过并推出《非物质文化遗产教育宣言》。

23 日—24 日,《中国民间文化遗产抢救工程大纲》研讨会在天津召开。

世界遗产专家组、国际古迹遗址理事会世界遗产协调员亨利·克利尔,香港古物古迹办事处专家武志和及香港中华文物基金会项目主管丘筱铭,赴甘肃天水市就天水麦积山石窟申报世界文化遗产有关基础性准备工作进行考察。

国际博物馆协会亚太地区第七次大会在上海召开。会上通过了保护无形遗产的《上海宪章》。

12 月

7 日,甘肃省第一个专项文物保护条例《甘肃敦煌莫高窟保护条例》经甘肃省九届人大常委会讨论通过,于 2003 年 3 月 1 日起施行。

中国艺术研究院召开人类口头和非物质遗产抢救与保护国际学术研讨会。

30 日,为纪念《保护世界文化和自然遗产公约》(又称《世界遗产公约》)签订 30 周年,配合 2002 年"联合国文化遗产年",由国家文物局、建设部和中国教科文组织全国委员会联合主办大型展览"神州风采——世界遗产在中国"、"画说世界遗产 28"在北京中国革命博物馆开幕。

2003

1 月

为纪念《保护世界文化和自然遗产公约》(又称《世界遗产公约》)签订 30 周年,配合 2002 年"联合国文化遗产年",由国家文物局、建设部和中国教科文组织全国委员会联合主办,中国革命博物馆和文化部文化艺术人才中心承办,组织开展了一系列相关的宣传纪念活动。

19 日,武当山遇真宫遭遇大火,具有 500 多年历史的遇真宫化为灰烬。

20 日,文化部在京召开座谈会,成立中国民族民间文化遗产保护工程领导小组和专家委员会,并宣布中国民族民间文化遗产保护工程正式启动。

2 月

18 日,"中国民间文化遗产抢救工程"正式启动。作为中国政府正在启动的"中国民族民间文化遗产保护工程"的分支工程,该工程将首次对我国民间音乐、民间舞蹈、民间礼仪、民间信仰、民间节日、民间戏剧、民间神话、民间美术和民间建筑等民间文化进行国家级抢救、普查和整理。

25 日,"中国民族民间文化保护工程国家中心"在中国艺术研究院正式挂牌成立,标志着文化部启动的中国民族民间文化保护工程有了专门的规划统筹和组织实施机构,并进入正式运行阶段。全国政协副主席张思卿、文化部副部长周和平为"国家中心"揭牌。著名社会学家、北京大学教授费孝通出席揭牌仪式并题词:"爱祖先血脉,强中华魂魄。"

3 月

13 日,乐山师范学院世界遗产研究所成立。

18 日,中国 21 家世界遗产地在四川都江堰共同发起成立世界遗产工作委员会。

同日,新疆非物质文化研究中心成立。

25 日—26 日,中国民间文化遗产抢救工程工作会议在北京召开。

内蒙古自治区"世界文化遗产考察团"出国考察。

故宫博物院与美国世界文化遗产基金会(简称 WMF)正式签署《倦勤斋保护协议书》。WMF 将提供总计 210 万美元的资金,由故宫博物院组织技术力量完成对宁寿宫花园(乾隆花园)内倦勤斋的保护工作,美方也将提供必要的技术支持。项目的完成时间预计为 2008 年。

4 月

1 日,《文物保护工程管理办法》(2003 年 3 月 17 日文化部部务会议审议通过)发布,自 2003 年 5 月 1 日起施行。

14 日,复旦大学文化遗产研究中心成立。

16 日,国家七部局发出《关于进一步加强长城保护管理工作的通知》。

国家文物局和中国教科文组织全国委员会联合发出了《关于加强〈世界文化遗产预备名单〉申报工作的通知》。《通知》制定了 9 条入选原则,公布了 4 条申报和评审的做法与步骤。

5 月

7 日,中国联合国教科文组织全国委员会正式通知苏州市政府,因"非典"原因,原定 6 月 29 日至 7 月 5 日在苏州召开的第 27 届世界遗产委员会会议将改由联合国教科文组织直接在巴黎举办。

9 日,中央美院非物质文化遗产研究中心成立。

26 日,南京大学文化与自然遗产研究所成立。

6 月

13 日,全国第一个长城保护专项规章《北京市长城保护管理办法》(经 2003 年 5 月 22 日北京市人民政府第 8 次常务会议审议通过)发布,自 2003 年 8 月 1 日起施行。

30 日,联合国教科文组织世界遗产委员会第 27 届会议在法国巴黎召开。大会一致通过第 28 届世界遗产委员会会议于 2004 年 6 月 30 日至 7 月 10 日在中国苏州举行,中国同时当选为第 28 届世界遗产大会主席。

7 月

2 日,"三江并流"作为自然景观遗产被列入《世界遗产名录》。

3 日,十三陵和明孝陵作为明清皇家陵寝的扩展项目被列入《世界遗产名录》。

5 日,"中国世界文化遗产图片展"在厄瓜多尔文化名城哥托加奇市开幕。

18 日,《承德避暑山庄及周围寺庙保护管理条例》经河北省第十届人大常委会第四次会议通过并发布,自 8 月 20 日起正式施行。

21 日—22 日,龙门石窟研究院主办的龙门石窟保护研讨会召开。联合国教科文组织驻北京办事处官员和中外项目专家组成员、有关石窟保护领域的知名专家、学者出席了会议。

8 月

16 日,北京市政府与中国科学院就共建周口店北京猿人遗址签署了协议。北京市市长刘淇、中国科学院院长路甬祥出席了签字仪式。北京市副市长张矛、中国科学院副院长陈宜瑜代表双方在协议上签字。

"2002 中外世界遗产风情展"在中华世纪坛展出。

9 月

3 日—12 月 16 日,为纪念承德避暑山庄肇建 300 周年,由国家文物局、河北省人民政府联合主办,承德市政府承办,组织开展了一系列庆祝纪念活动。

18 日,受全国人大教科文卫委托,中央美院非物质文化遗产研究中心召开了《中华人民共和国民族民间传统文化保护法（草案）》座谈会。来自中央美院美术史系、北京大学、中央民族大学、中央音乐学院、中国美术馆、中国历史博物馆、中科院等文化遗产和法学专家学者20余人出席会议。

10 月

国家文物局聘请原国际古迹遗址理事会世界文化遗产项目协调员、英国伦敦大学教授亨利·克利尔为中国世界文化遗产顾问，任期两年。

应联合国教科文组织及国家文物局邀请，联合国教科文组织世界遗产中心官员景峰、奥尔斯和国家文物局世界遗产顾问亨利博士及夫人一行，考察了丝绸之路文化遗产项目。

14日—15日，《世界遗产公约》缔约国第十四届大会在巴黎召开。会上，中国第一次当选为世界遗产委员会主席。

中国第一个专门从事文化遗产编辑出版业务的出版机构中华书局文化遗产编辑中心成立。

11 月

7日，中国古琴艺术入选第二批"人类口头和非物质遗产代表作"。

13日，为庆祝古琴艺术入选"人类口头和非物质遗产代表作"，中国艺术研究院举行"人类口头和非物质遗产保护工作座谈会"。文化部部长孙家正发表重要讲话。联合国教科文组织北京代表处专员木卡拉以及来自中国科学院、中国社会科学院、北京师范大学、辽宁大学、中央音乐学院、西北民族学院、中国傩戏学会、中国藏学研究中心的有关专家50余人出席了会议。

13日，因"非典"推迟举行的敦煌莫高窟风沙危害综合防护体系建立研讨会在敦煌莫高窟隆重召开。

26日，由北京大学世界遗产研究中心、中国社会科学院环境与发展研究所和自然之友三家联合召开题为"遗产保护与可持续利用"的论坛，在中国社会科学院环境与发展研究所举行。专家们就如何解决"遗产保护与可持续利用"这一尖锐的矛盾，提出了很多建设性的建议和意见，在保护遗产方面达成广泛共识。

30日，以亚太地区文化顾问恩格哈特博士为首的联合国教科文组织官员一行3人，对正在积极筹备申报世界文化遗产的南越国遗址进行实地考察。

12 月

2日，周口店遗址保护与研究专家论坛在京进行。古建专家罗哲文、北京大学考古系教授吕遵谔、中科院古脊椎动物与古人类研究所研究员张森水等30余位专家出席会议。

8日—11日，由中国艺术研究院举办的"中国少数民族艺术遗产保护及当代艺术发展国际学术研讨会"在京召开。

11日—14日，"亚洲城市计划——通过修复再创活力"文化遗产保护高级研修班在江苏南京举办。课程由意大利托斯卡纳大区、普拉托省选派专家及南京大学、东南大学从事文化遗产保护工作的专家讲授。

15日，中国文化遗产保护与考古学研究国际中心成立仪式在北京大学考古文博学院举行。

中国世界遗产年鉴 2004

特 载

佛 教

第六届全国政协第三次会议提案(第663号)

侯仁之　阳含熙　郑孝燮　罗哲文

(1985年3月)

案由:我国应尽早参加"联合国教育、科学及文化组织"(简称教科文组织)的《世界文化和自然遗产保护公约》,并准备争取参加"世界遗产委员会",以利于我国重大文化和自然遗产的保存和保护,加强我国在国际文化合作事业中的地位案。

提案人:侯仁之　阳含熙　郑孝燮　罗哲文

理由:联合国教科文组织在1972年第十七届会议期间,于11月16日通过了一项国际公约,即"世界文化和自然遗产保护公约",其目的在于通过国际合作,更积极更有效地保存和保护对全人类具有重大价值的文化遗产和自然遗产。该组织列有予以保存和保护的世界文化遗产和自然遗产名单。前者包括人类历史文化中具有突出的普遍价值的古建筑、古遗迹和其他古代的艺术创作(不包括可以移动的收藏品);后者包括具有突出的普遍价值的天然名胜、自然景观以及遭受绝种威胁并严格划定的动物和植物的栖息地区等。现在批准该公约的教科文组织成员国已有七十六个国家。公约国每二年开一次大会,讨论计划、预算和专家会议交流经验、培训人才,发动某项重要遗产的国际保护运动(如埃及因筑阿斯旺水坝而迁移的神庙的保护),经选举产生的"世界遗产委员会",主要是管理基金(多由西方发达国家捐助)。公约国交费为教科文会员国会费的百分之一,为数不多。

从我国来说,我国为文明古国,地大物博,无论是在上述的文化遗产或自然遗产中所拥有的具有世界性重大价值的、而且是应该积极予以保存和保护的对象,历历可数,其中为举世所公认并已得到国际友人主动赞助进行维修和保护的,如万里长城和卧龙熊猫自然保护区,即分别属于上述的文化遗产和自然遗产两大类别之中,但是我国迄今尚未参加《世界文化和自然遗产保护公约》,因此也不能享受由签约国所应该享受的一切权益,更无助于推动这项有益于全人类的国际文化合作事业。

据悉我教科文组织全国委员会为了考虑参加《世界文化和自然遗产保护公约》,已经做了不少的准备工作。我文化部、科学院、人与生物圈国家委员会、城乡建设环境保护部、林业部等单位,也已进行过研究,只是尚未会同作出最后决定。现在我国实行开放政策,除去注意引进有利于我国四化建设物质文明的各种技术、设备和资金外,也应该积极参加并推动既有益于我国,也有益于世界人民精神文明的国际文化科学事业,因此建议我国尽早参加《世界文化和自然遗产保护公约》,并准备争取参加"世界遗产委员会"。

办法:由我教科文组织全国委员会会同文化部、科学院和人与生物圈国家委员会、城乡建设环境保护部、林业部、外交部等有关部门,准备有关《世界文化和自然遗产保护公约》的文件,并备文说明参加该公约所应具备的条件和有关事项,报呈国务院和全国人民代表大会常务委员会审核批准。

审查意见:建议国务院交中国联合国教科文组织全国委员会会同有关部门研究办理。

保护世界遗产要强化《公约》意识

中华人民共和国国家文物局副局长　郑欣淼

联合国教科文组织第十七届大会1972年11月16日在巴黎通过了《保护世界文化和自然遗产公约》。公约规定,在世界范围内,将具有突出意义和普遍价值而需要全人类共同承担保护责任的文化和自然遗产,列入《世界文化和自然遗产名录》。该公约的缔约国现在已发展到164个,世界范围内列入遗产名录的已达690处。1985年11月22日,我国六届全国人大常委会第十三次会议决定,批准《保护世界文化和自然遗产公约》。自参加该公约16年来,我国列入世界遗产名录的单位已由1987年的第一批6处发展到现在的27处,拥有数为世界第三位。

在我国,申报世界遗产的工作越来越受到重视。申报世界遗产成功的多数地方,在遗产地的进一步保护以及合理利用等方面,做出了新的成绩。但一些遗产地存在的问题也引起社会的关注和担忧:有的置加强保护和以社会效益为主的前提于不顾,进行无节制、超容量的开发利用,片面追求经济效益;有的违反规划,不顾专家们的强烈反对,在遗产地乱修乱建;有的随意改变管理体制,交由旅游公司经营,等等。出现这些问题的一个重要原因,是我们一些同志对《保护世界文化和自然遗产公约》学习和认识不够,执行的自觉性不高。这主要表现在以下三个方面:

一、对《公约》以保护为主的指导思想认识不够。世界遗产的保护之所以引起国际社会普遍关注的重要原因是,"注意到文化遗产和自然遗产越来越受到破坏的威胁,一方面因年久腐变所致,同时变化中的社会和经济条件使情况恶化,造成更加难以对付的损害或破坏现象",同时考虑到多种因素,"为此有必要通过采用公约形式的新规定,以便为集体保护具有突出的普遍价值的文化和自然遗产建立一个根据现代科学方法制定的永久性的有效制度。"因此,优先完善保护措施,强化保护手段,是制定《公约》的指导思想。列入《世界文化和自然遗产名录》,既反映该遗产的重要价值,更表明保护遗产责任的重大。如果不是从如何保护好祖先和大自然留给我们的这些为数不多的珍贵遗产,以使"子子孙孙永葆用",坚持可持续发展的道路出发,而是把世界遗产仅仅当做可以利用的经济资源或把申报成功作为自己的一项政绩,在申报成功后就极有可能出现上述的问题。

二、对《公约》规定的义务和责任了解不够。《公约》规定:缔约国均承认,"本国领土内的文化和自然遗产的确定、保护、保存、展出和遗传后代,主要是有关国家的责任。该国将为此目的竭尽全力,最大限度地利用本国资源,必要时利用所能获得的国际援助和合作,特别是财政、艺术、科学及技术方面的援助和合作。"为保证、保护、保存和展出本国领土内的遗产,《公约》要求各缔约国采取积极有效的措施,主要有:通过一项旨在使遗产在社会生活中起一定作用并把遗产保护工作纳入全面规划计划的总政策,要建立负责此项工作的机构,配备适当的工作人员和为履行其职能所需要的手段;发展科学和技术研究,并制订出能够抵抗威胁本国遗产的危险的实际方法;采取为确定、保护、保存、展出和恢复这类遗产所需的适当的法律、科学、技术、行政和财政措施;促进建立和发展国家或地区培训中心,并鼓励对遗产保护的研究,等等。对这些规定与要求了解不够,就不清楚自己应负的责任以及工作的重点,势必影响保护工作的决心和成效。在学习和了解《公约》规定的义务和责任时,我们也应充分利用信息技术高度发展的成果。遗产地的管理者可以通过互联网,迅速有效地访问"世界遗产中心"(www. unesco. 0rg/whc/nwhc/pages/home/pages/homepa9e. htm),充分了解各项规定的具体情况,并向有关专家提出各种咨询意见。我们还可在网上了解、探讨其他国家保护世界遗产的经验和教训。

三、对《公约》的法律效力认识不够。《公约》作为国际法的重要组成部分,在缔约国具有法律效力。我国最高立法机构批准该《公约》,意味着该《公约》在我国等同于最高立法机构颁布的法律的效力。任何单位和个人的行为不得违反该《公约》的规定,否则就是违法。同时,国家有关部门也应该根据该《公约》的规定,修改已有的法律和行政规章,并制订与《公约》相衔接的具体实施办法。我们一些同志的法制观念不够强,对《公约》的法律效力更是不清楚,认为执行不执行关系不大。一定要有执行《公约》的意识,遵从相关的规定和原则。我们在申报时作的承诺一定要兑现。比如,我们在遗产地采取任何较大的维护、保护和建设措施,都应事先经国家主管部门与相关国际组织协商,如有重大分歧,则要论证、协商,不可以自行其是。为了确保已列入《世界遗产名录》的遗产的价值和保护状况起码保持申报时的水平,世界遗产委员会很重视监测工作,其中既包括要求主权国家进行日常监测和定期向世界遗产委员会提交系统的监测报告,也包括世界遗产委员会通过各种渠道获得异变信息后组织的反应性监测。如果遗产出现不利保护的改变,则由国际社会敦促和帮助主权国予以整改;受到严重的特殊危险威胁的列入《处于危险的世界遗产目录》;实在无力阻止遗产价值丧失和环境恶化时,则将该遗产从《世界遗产名录》中除名。因此,我们决不可掉以轻心,以为申报成功,榜上有名,就可以万事大吉了。

《保护世界文化和自然遗产公约》的制定,是人类理性的胜利,是文明发展的必然要求。我们要认真学习《公约》,切实执行《公约》,把我国保护世界遗产的工作提高到一个新的水平。

(《中国文物报》2001年11月2日第2版)

抢救中国民间文化遗产呼吁书

民间文化遗产是一个民族精神情感的重要的载体，是民俗风情的结晶，是普通百姓代代相传的文化财富。因为是下里巴人的，于是难登大雅之堂，似乎过于世俗而不足为惜。这样的认识误区和文化盲点，导致在历史上从未认真清查这一弥足珍贵的文化遗产，同时没有任何法规加以保护。因而，在当代现代化发展的狂潮中，面临着"摧枯拉朽"般的灾难。

我们忧心如焚地耳闻目睹着民间文化遗产频频告急：无数珍稀罕见的民俗技艺和民间文艺伴随着老艺人的逝去而销声匿迹；改造旧城的推土机把大片大片的老城民居和附着其中的民间文化精华訇然推倒碾碎；民间文化典型器物大量流失海外；民间年画、民间皮影、民间傩戏等经典民间文艺随着它们生存土壤的破坏和文化生态的变迁而日渐式微——许多民俗文化和民间文化遗产，我们还没有来得及记录和记住它们，就悄然远离我们而去；许多民俗文化和民间文化遗产本可以保存、传承和发展的，也过早地被人为毁灭和抛弃。

这令我们痛心疾首。

文化遗产和自然生态一样，都是一次性的。一旦毁灭，无法生还。我们焦虑，在乡村城市化、城市趋同化的演进中，我们祖先留下的千姿百态的城市文化和历经千万年的乡土艺术、民俗器物，将会所剩无几！

民间文化遗产不同于经史子集、皇家经典、宗教精华、文物精粹等中国文化的极致和阳春白雪，它存在于大片的民居和人们生活起居中，是生活的文化、百姓的文化、俗世的文化。正是这种文化，在各个民族、地域、乡村和城市中，是一方水土独特的产物，是中国文化的源头、根基和底层，是原生态的文化，是民族个性特征与独特精神的重要表征，是对人类多元文化的一己贡献。民间生活文化及其遗存，有有形的物质遗产，如民居、造景、雕塑、碑刻、设施、工具、器械、器皿、服饰、玩具、美术品等，也有无形的、口头的、非物质的遗产，如口承文学、历史传说、环境知识、生产技术、消费习惯、交际礼节、人生仪式、节日庆典、组织制度、娱乐游戏、艺术技能、信仰心理等，其内容丰富，包罗万象。它们是过往生活的凭证，有着历史、地理、民俗、宗教、人文、社会、心理、经济、政治等广泛而具体的内涵和价值，是国情、民情的重要组成，也是有独特载体的民众的文化。

保护和珍爱民间文化遗产就是对人民文化创造和历史文化传统的尊重；是建设民族的科学的大众的有中国特色社会主义文化的必然要求。批判地继承和发扬民间文化遗产是一项对文化糟粕的鉴别和淘汰以及移风易俗的文明工程，是继承和发扬中华优秀传统文化，进行文化创新，繁荣先进文化的重要实践。建国以来，党和政府已经为抢救和保护民间文化遗产做出过巨大的努力，并且取得了丰硕的成果和伟大的业绩。但是，因为中华56个民族民间文化遗产的无比丰富和中华民族伟大复兴的需要，抢救民间文化遗产的任务依然迫在眉睫。20世纪60年代法国和日本在现代化发展的高潮时刻，不约而同地开展了民间文化遗产的国家性抢救工程。法国进行了文化史上最重要的一次文化遗产"总普查"，"大到教堂，小到汤匙"，巨细无遗，全要登记造册。日本也实施了由国家组织的"民俗资料紧急调查"、"民俗文化分布调查"、"民谣紧急调查"，80年代又再次实施由政府专项拨款进行的无形文化财产记录工作，颁布了相关法律法规，举办全国民俗艺能大会等。它们把祖先留下来的财富清理得心中有数，加强了民族文化的认同和对乡土的热爱，也极大地激发了人们的文化自尊和民族自信。

有鉴于这些经验，也基于我国民间文化遗产损毁、消亡严重，民俗文化和民间文化遗产"家底不清"，我们呼吁：

立即实施中国民间文化遗产的抢救工程。开展一次史无前例的民俗文化普查，编纂普查成果，搜集和收藏代表性典型性民俗器物和实物，编定中国民间文化遗产名录。

我们希望全体民众都有对自己文化的科学知识和文化自觉；我们希望社会各界都踊跃参与和支持民间文化遗产的抢救性普查、成果编纂和遗存保护。

我们相信，中国民间文化遗产若在我们这一代和我们这一时代得到空前规模的大普查、大珍爱、大弘扬，则是文化幸甚，民族幸甚，子孙幸甚。

《抢救中国民间文化遗产呼吁书》签名名单

（排名不分先后）

季羡林　于光远　启　功　贾　芝　冯骥才　冯元蔚
乌丙安　刘魁立　刘铁梁　吕胜中　宋兆麟　汪玢玲
邓启耀　农学冠　过　伟　王文宝　叶春生　巫瑞书

高等教育在人类非物质文化遗产
传承保护事业中的使命与作用

中国联合国教科文组织全国委员会主任　章新胜

中央美术学院和全国各有关高校的老师、各位专家、同志们、朋友们：

今天我很高兴参加这次"中国高等院校首届非物质文化遗产教育教学研讨会"。首先让我代表教育部、代表联合国教科文组织全国委员会，对会议的成功召开表示祝贺。并对与会的各方面代表、专家和学者，表示欢迎和问候，向为本次会议付出智慧与辛劳的中央美术学院的同志们表示感谢！

对世界文化遗产，特别是中国文化遗产的保护领域而言，今年可以说是有特殊意义的一年。首先今年是世界教科文组织的"世界遗产年"，在世界各地都开展了遗产保护方面的活动。同时今年也是《世界遗产公约》（1972 年）实施30 周年，许多国家政府在落实遗产保护政策，加强遗产监管等方面，都采取了新的措施。今年还是《人类口传与非物质文化遗产代表作名录》启动一周年。中国作为一个文化遗产的大国，正在积极参与人类文化遗产的保护和可持续发展的事业。

在这样的背景下，中央美术学院积极拓展新学科，首先在国内高校中率先建立了"非物质文化遗产研究中心"（2002 年 5 月份），迅速参与到国家文化遗产的保护与抢救的工程中来，作了许多有益的工作，并提出了大量建设性意见。这次在教育部、文化部、中国文联、联合国教科文组织的指导与支持下，在中国民间剪纸研究会、中国民间文艺家协会、国内各高校、中国社会科学院以及民间各文化遗产地政府的合作支持下，能成功举办这次会议我们感到非常高兴，这是非常及时且具有历史意义的。可以说，它揭开了中国高校"非物质文化遗产"教育普及的序幕，标志着中国高校开

始在文化遗产事业中发挥着越来越积极和重要的作用。

如各位学者所知，今年是联合国通过的《世界自然遗产与文化遗产保护公约》30 周年，是文化遗产保护事业的重要里程碑。通过对《世界遗产名录》项目的申报、审查、保护和监测，一个世界范围内的保护网络已经逐步形成。它极大地鼓舞了人们对自然遗产及对人类多样化文明起见证作用的遗迹和城市保护的热爱，使得保护人类自身文化成果和环境的努力，成为整个人类大家庭的重要事业。在这个领域中，人类社会表现出了空前的善意、团结与合作。迄今为止的《世界遗产名录》已经包括了涉及 120 多个国家的 721 个项目。要知道，我国随着改革开放的深入，经济的发展与社会的繁荣，这方面我们起步较晚，却能后来居上，在联合国《世界遗产名录》中，我国位居第三。而从长远角度上看，我国有丰富的自然与文化遗产资源，很快将走到更前面。

联合国教科文组织的"世界遗产"会议明年将在中国北京召开，随着这些有形遗产保护的深入，我们越来越深刻地感觉到，仅仅保护这些有形文化遗产，已经不再能满足我们心灵的需求。而对"无形文化遗产"的保护，包括对传统的民间艺术、技艺、传统生活方式的记录，成为今天社会发展的重要内容。1999 年 11 月，联合国教科文组织第三十届大会决定设立《人类口传与非物质遗产代表作名录》，其目的是根据非物质文化遗产的特性，在条件成熟时，制定有关"非物质文化遗产"保护方面的国际性公约。这方面公约的制定，可以弥补 1972 年通过的《世界自然与文化遗产保护公约》中对"非物质遗产"保护方面的不足。根据《〈人类口传与非物质遗产代表作名录〉申报指南》，列入名录的作品，是

具有代表性的传统杰出工艺；具有艺术价值的非文字形式表现的传统民间艺术、文学；失传或正在遗失的民族文化的表现形式。这些文化表现形式包括我国的戏曲及相应面具、道具及服装制作工艺；舞蹈（包括各种民间节日舞蹈）；各种民族、民间音乐及制作工艺；各种史诗、神话传说；各种杰出传统民间艺术、技艺，等等。在"非物质文化遗产"保护的具体工作方面，中国与联合国教科文组织合作，2000 年 6 月在云南组织了苗族传统服饰制作与技艺传习培训班；中国文联与联合国教科文组织合作开展了"中国少数民族民间故事收集项目"。

　　当今世界不论国家大小，都有其独具魅力的民族文化、本土文化。这些都是绚丽多彩的世界文化的有机组成部分。各国人民在世界文明发展的进程中，创造了丰富多彩的文化，各种文化相互交流、相互借鉴，成为人类进步的动力。现在，在全球化经济一体浪潮的冲击下，许多国家的民族与传统文化，面临强劲的挑战与深层的危机。进入新世纪才两年，如我们看到的那样，"经济全球化"这柄"双刃剑"，是多么需要"文化多元化"与"国际政治多极化"的支持。好比一个桌子，要有四条腿才能更加稳定。所以我们更清楚地意识到在经济全球化的背景下，一个国家是多么需要文化多元化的支撑。文化是国家发展的基础，是全球化发展的基础，同时也是各国人民增强彼此了解和合作的条件。

　　在瑞士日内瓦召开的"第四十六届国际教育大会"上，题目就是《全球化形式下二十一世纪的教育——学会共同生存》。当时还有许多人对"学会共同生存"概念困惑不解，但不幸的是不久之后的美国"9·11"事件，便被"共同生存"问题所言中。所以包括美国在内的许多国家更加认识到，21 世纪文化多元化，各种文化的彼此认同与了解是多么的必要而迫切。

　　我们在这样一个大形势下，来看今天由中央美院提出和发起的，也是各位共同关心的"非物质文化遗产"教育教学及其保护会议的重要历史意义。中国的"非物质文化遗产"

是中华民族悠久历史文明传统的代表，也是全人类共同的财富。如何把它们保护和管理好，是我们作为一个遗产大国的光荣使命，是对人类文明应有的贡献，也是我们上对祖先、下对子孙负责的千秋伟业。民族文化的瑰宝一旦消失将不可再生，因此保护它们无疑是每一个中国人的责任。

　　党中央提出的"三个代表"重要思想中，"代表先进文化的前进方向"是一个重要的方面。我想先进文化中，首先应该包括上面提到的优秀传统文化，当然也包括世界各国人民创造的各种优秀文化。继承和发扬民族文化、努力创新，使其符合时代文化之需求并能够"与时俱进"，从而服务于建设社会主义精神文明的需要，是我们大家共同的责任。

　　我们很高兴地看到世界各国的大学越来越全面、积极地参与到文化遗产的保护工作当中，并在遗产保护工程方面发挥不可缺少的重要作用。今天国内各有关高校和我们国家各相关单位的专家、学者、老师能积极参与本次会议就是一个很好的证明。我们中国高等教育在深化改革中，正在重组、创建适合现代社会发展的先进学科，正在更广阔的人类文化背景中整合发掘民族文化的新资源，以推动经济全球化格局下的民族本源文化的可持续发展。

　　中国"非物质文化遗产"保护的现状也一样是紧迫的，而高校在信息型实践及社会参与中具有很大的潜力。我们希望各高校都积极参与到民族文化遗产的传承与保护事业中，发挥大学在国家文化遗产保护中的信息职能、人才培训职能和重要的文化创新作用，尤其要关注大学在文化领域内服务于社会的重要职能。

　　希望各位与会的专家、学者及文化遗产地的政府领导和民间艺术家，在这次会议中能积极地探讨交流、共商大业、协作努力，为民族文化遗产传承和发展做出更大的贡献。

　　最后祝这次会议取得圆满的成功。

　　（这是作者在 2002 年 10 月于中央美术学院召开的"中国高等院校首届非物质文化遗产教育教学研讨会"上的讲话）

非物质文化遗产教育宣言

　　一、国家应当以立法的形式，确立国家与公民面对本土非物质文化遗产的文化使命和应尽的教育传承与认知义务

　　教育是人类历史发展的重要文化方式，也是人类文化记忆传承的重要方式。非物质文化遗产作为一个民族古老的

记忆和活态的文化基因库，代表着民族普遍的心理认同和基因传承，代表着民族智慧和民族精神。中国作为当今世界非物质文化遗产最为丰富的国家，应当以立法的形式确立国家与公民面对本土非物质文化遗产的文化使命和应尽的教育

传承与认知义务,以应对中国文明转型期非物质文化遗产急剧流变消失的现实。

二、少数民族地区政府应根据宪法的依据,制定本民族的非物质文化遗产教育传承法,传承保护本民族代表性的文化资源和社区文化象征

非物质文化遗产独特、丰富的少数民族地区,政府应根据宪法的依据,制定本民族的非物质文化遗产教育传承法。政府与公民应自觉、自主地去保护、传承、发展本社区的非物质文化遗产资源,尤其在国家九年制义务教育的推广中应当加强本土非物质文化遗产的传承认知。

三、推广教育在知识传播体系上的文化多元化,加强本土文化基因认知的自觉,尽快解决现行教育知识体系中,本土非物质文化遗产资源认知严重欠缺的现状

大学作为人类文化(遗产)的传习地,应当倡导更加开放、平等、民主,更具世界文化交融、竞争和创新活力的教育理念;推广教育在知识传播体系上的文化多元化;加强本土文化基因认知的自觉;注重民族文化的启蒙教育。大学现行教育知识体系中应当反映出本土非物质文化遗产的丰富性和文化价值。大学的非物质文化遗产传承教育应落实到学科创新发展和课程与教材的改革中。

四、大学应当积极创建国家及社会文化遗产事业急需的新学科,为国家文化遗产事业提供优质服务

大学应当积极创建国家及社会文化遗产事业急需的新学科,为国家提供文化遗产信息尤其是作为文化生态可持续发展的科研信息。积极协助支持国家及政府制定适合国情和文化发展的文化政策和操作模式,肩负起非物质文化遗产专业人才的培养。打破单一文本式、学院式的学术模式,积极参与到社会实践中来,为国家文化遗产事业提供优质服务。大学应当积极推广中国非物质文化向世界的传播、宣传,增进人类文化的交流。

五、西北地区的高校应迅速参与到国家非物质文化遗产保护传承的事业中来,充分发挥高校在信息智能及人才方面的优势

大西北是中国古文明的发祥地、少数民族的集聚地,目前国家启动的"西部大开发项目",使西北非物质文化遗产的保护传承形势尤为紧迫,我们呼吁西北地区的高等院校应迅速参与到国家非物质文化遗产保护传承的事业中来,充分发挥高等院校在信息智能及人才方面的优势,发挥高等院校青年群体的文化活力和行动热情,将那些濒临消失的非物质文化遗产记录下来。我们呼吁文化遗产地高等院校尽快与政府和民间协作,探索发现非物质文化遗产丰富社区的可持续发展模式,为社区发展提出可操作的文化理念并加强信息

型的实践参与。

六、倡导面向中国非物质文化遗产的全方位教育传承的实现

我们倡导面向中国非物质文化遗产的全方位教育传承的实现,不仅是高等教育,包括中小学及幼儿教育、社会教育和党校的干部教育、扶贫中的扫盲教育,不同层次、不同社会方式的教育都应参与进来。非物质文化遗产的传承是关系到民族群体和全社会的公共事业,更需要国家及民众的互动协作,更需要一个面对历史、现实与未来的理性与健康的文化心态和文化环境。

七、倡导大协作的文化理念,在非物质文化遗产传承中树立起人性的文化尺度,不能忽视非物质文化遗产传承主体的民众,尤其是农民群体,尊重民众文化传承的自发性、自主性和文化个性

中国高校面对非物质文化遗产所涉及的复杂因素,应加快跨学科的协作实践,尤其在有形遗产与无形遗产、自然科学与社会科学之间的协作实践,这更具有现实的文化生态学意义和发展价值。在非物质文化遗产传承中我们应当树立起人性的文化尺度,不能忽视非物质文化遗产传承主体的民众,尤其是无形文化遗产丰富区的农民群体,尊重民众文化传承的自发性、自主性和文化个性,提倡文化的自觉精神。同时,我们也必须面对一个急剧变革发展的现实,许多与非物质文化遗产相关的社会问题,如"三农"问题、城市化问题、乡村青年(农工)向城市流动问题、民间社区生态及环境问题、官本位问题、非物质文化遗产保护立法及传承措施滞后问题,这使教育传承的实现有着潜在的混沌、复杂的矛盾性,但这也是教育改革创新的重要机遇,是民族文化整合创新的机遇。

八、教育在提高民族文化素质、塑造民族性格、开放民族胸怀、提升民族理想、推动民族文化创新方面,具有不可替代的重要文化作用

非物质文化遗产的教育传承,不仅是一种被长期忽视的民族、民间文化资源进入主流教育的过程,也是一种民族古老生命记忆的延续。同时,也是一个对民族生存精神和生存智慧及活态文化存在的认知过程,是一个更具人性发现和理性精神的民族文化整合过程。我们深信,教育在提高民族文化素质、塑造民族性格、开放民族胸怀、提升民族理想、推动民族文化创新方面,具有不可替代的重要文化作用。《非物质文化遗产教育宣言》的精神主题也正是希望传承创造一个具有民族文化基因特色的持续发展的美好未来。

(本宣言系2002年10月召开的"中国高等院校首届非物质文化遗产教育教学研讨会"推出)

在全国风景名胜区保护工作会议上的讲话

中华人民共和国建设部部长　汪光焘
（2002 年 11 月 6 日）

同志们：

　　今天我们在湖南省张家界市召开全国风景名胜区保护工作会议。上次全国风景名胜区工作会议召开至今已近两年，情况发生了很大变化，也出现了许多需要研究的问题。风景名胜区已成为社会关注的热点问题之一。党中央和国务院领导对风景名胜区保护工作十分重视，多次作出重要批示。这次会议的主要任务就是认真学习党中央、国务院领导同志指示，全面贯彻国务院《关于加强城乡规划监督管理的通知》（以下简称《通知》）和九部委《关于贯彻〈关于加强城乡规划监督管理的通知〉的通知》（以下简称《贯彻通知》），在新形势下，进一步统一思想，切实保护好风景名胜资源；发挥风景名胜区的优势，发展旅游事业，满足人民群众日益增长的物质文化需求；带动当地人民致富，实现经济和社会可持续发展。下面，我讲三个方面的问题供大家讨论。

　　一、要认清风景名胜区发展的新形势

　　改革开放以来，特别是近 13 年来，随着我国经济的快速发展，风景名胜区事业进入有史以来发展最快、变化最大、受全社会关注程度最高的时期。在邓小平理论和党的基本路线指引下，随着改革开放政策的实施和经济体制改革的不断深化，风景名胜区对国民经济和社会发展的贡献和作用越来越大，基础设施总量和管理水平越来越高，对地方经济的拉动作用越来越强，与人民群众的物质文化生活的关系越来越密切。2001 年全国已有国家重点风景名胜区 119 个，总面积达 51264 平方公里。总游人量达 98765 万人次，比十年前增加了 6 倍；从业人员达 133234 人，比十年前增加了 3 倍；固定资产投资额达 212501 万元。今年 5 月 17 日国务院又审定公布了 32 处第四批国家重点风景名胜区，使国家重点风景名胜区达到 151 个，面积达 62719 平方公里，增加 22%。我国风景名胜区的管理保护工作和旅游发展工作取得了重大进展。

　　我国的风景名胜区已有 15 处列入世界自然和文化遗产。作为世界自然文化遗产的武陵源、峨嵋山、黄山等风景名胜区的保护工作，也引起了国际组织的关注。我国的世界遗产不仅是国家的公共利益资源，也是全世界的共同财富。

根据联合国教科文组织世界遗产委员会决定，联合国科教文组织每六年要对列入世界遗产的单位进行监测。世界遗产保护工作不仅受到全国人民监督，而且也在世界监督之下，这对风景名胜区保护工作来说，既是一种压力，也是一种有效的促进。

　　我国已经进入全面建设小康社会的新时期。去年底，我国正式成为世界贸易组织的成员，标志着我国经济融入国际经济的全面开放的格局已经形成。这不仅使我国的改革开放现代化建设加快，而且对风景名胜资源的保护工作也带来了新的要求。在这种形势下，我们需要认真研究风景名胜区的保护工作和我们的责任。

　　在风景名胜区事业发展的同时，也应该看到一些风景名胜区城市化、人工化、商业化的问题仍然很突出。一些风景名胜区在风景资源最好的地方和交通要道上大开商店；一些风景名胜区由于常住人口增长失控，大兴土木，扩大占地建造房屋；有些风景名胜区开山采石，断水截流，超量接待游客，致使环境恶化、安全隐患增多。这些问题引起社会的关注，形成一种社会舆论氛围。广大人民群众、新闻媒体、专家从不同角度，采取多种方式提出监督的意见、建议和要求。

　　党中央、国务院高度重视风景名胜区保护与发展问题。今年 9 月 12 日，江泽民总书记在全国再就业会议上明确指出，我国有丰富的旅游资源，应该充分利用，要在提高经营管理水平和切实保护生态环境条件下，继续发展旅游业，扩大再就业。江总书记说得很清楚，发展旅游业要有两个前提，一个是提高经营管理水平，一个是保护生态，在这个基础上继续发展。今年 3 月 1 日，朱镕基总理在旅游局等六个部门汇报上批示，现在只搞旅游开发区建设，不顾生态环境破坏问题已经越来越严重了，搞得不好要把老本吃掉了。3 月 10 日，朱总理在中央人口资源环境座谈会上讲到人口资源环境面临问题仍然相当突出时指出："有些地方旅游开发中任意破坏自然景观和人文景观。"今年 5 月 2 日，朱总理在国务院秘书二局呈报的建设部《关于报送对黄山有关问题的情况的函》上批示，要重视黄山的规划和保护。8 月 24 日，朱总理在国家旅游局一份关于违规建设情况的调查报告上批示，要下决心整顿拆除,重新规划,重整山河,旅游业才有真正的前途。7月3日,温家宝副总理在《国内动态清样》关于某风景名胜区遭到人为破坏的报道上批示,如此大兴土木,不仅破坏景区而且引起山体灾害,情况不知确否,请参酌。8月8日,温家宝副总理在《互联网信息择要》"有人在换着角度吃"泰山"报道上批示,对开山采石应严格规划和管理,在风景名胜区内应当明令禁止,山体、植被破坏,难以恢复,所付的代价甚多,教训极其深刻。除此之外,对中央电视台《经济半小时》栏目、新华社《国内动态清样》等报道的黄山、泰山、武陵源、衡山、黄龙、贡嘎山等风景名胜区有关保护问题,朱镕基总理、李岚清、钱其琛、温家宝副总理等国务院领导同志多次做出指示。党中央、国务院领导同志的批示和指示,为发展风景名胜区事业指明了前进的方向。我们一定要认真学习贯彻党中央、国务院领导的指示精神,认真研究新的形势和社会的客观需求,充分认识风景名胜区保护工作所面临问题的严重性、紧迫性,按照实现"三个代表"的要求,深化改革,大胆创新,努力探索符合中国国情和中国特色的风景名胜区保护的路子,实现可持续发展的目标。

二、要认真贯彻国发〔2002〕13号文件和九部委文件精神

(一)《通知》出台的重要意义。国务院《关于加强城乡规划监督管理的通知》(国发〔2002〕13号文件)是经过中央政治局讨论的。温家宝副总理反复强调,这个文件针对当前的现象,根本上是要避免和纠正经济建设、社会发展中出现的问题以及对今后经济建设可能造成的影响,建立良好的经济社会发展秩序。

这次《通知》主题是为加强城乡规划监督管理,重点解决政府职能如何发挥,上下监督如何加强的问题。国务院领导同志讲,根本的问题是解决指导思想问题,所以文件的第一段就讲指导思想,统一认识。针对存在的现实问题,通过监督管理,把工作做好。

《通知》又一次强调风景名胜资源是不可再生的国家资源。这段话最早是1992年出现在国务院文件中,后来国务院发的一些文件反复强调这个问题。风景名胜区是人文资源、自然资源集中的地方,而且价值极高,是让人欣赏,让人品评,更有科学研究的价值。这其中,核心的问题是搞好保护。如果不保护,你能看到而不能留给后人看到,这对我们现代人来说,是一种不文明的、不负责任的行为,甚至可能就是一种犯罪。所以采取行政措施,加强管理监督,意义十分重大。

(二)贯彻《通知》的原则。我理解贯彻《通知》的原则有三句话。第一,继续贯彻严格保护、统一管理、合理开发、

永续利用的方针,处理好资源保护和旅游发展的关系,加强资源保护,强调永续利用,永久地保护不可再生的风景名胜资源,长久地为社会主义经济建设服务。第二,依法进行建设项目管理,把资源保护落到实处,做好近期规划编制和实施工作,通过制订强制性条款,使规划更具有可操作性。第三,强化监督管理,使风景名胜区保护工作自觉接受公众监督、行政监督以及人大监督,逐步完善监督机制。

(三)贯彻《通知》的关键。九部委文件,即《贯彻通知》,对风景名胜区规划编制、核心区划定、建设项目的管理、规划实施管理、监督与监管、行政责任、人员素质等都作出了具体规定。

《贯彻通知》的核心是解决和处理好保护与发展的关系。发展是硬道理,发展是我国改革开放的主旋律。在加快风景名胜区和旅游事业发展的同时,最根本的一个前提就是保护,这样才能实现可持续发展。从总体上来说,目前我们风景名胜区保护与发展没有偏离大的方向,但在局部地区暴露出了一些问题。如果风景名胜区保护出了问题,观赏价值下降了,科研价值下降了,经济效益也会下降。所以我们必须完整地领会国务院领导同志关于风景名胜区当前工作的指导思想,做好风景名胜区各项工作。

三、要注意解决好风景名胜区保护与发展中的几个问题

(一)决策与决策机制

设立风景名胜区的目的是什么?为什么要申报?在不同阶段会出现不同的思想认识、不同的问题和不同的结果。可以说:申报的时候没有一个想破坏的。申报时都把资源描绘得特别精彩动人。我记得80年代第一批风景名胜区、第二批风景名胜区,都是从文人的诗词里面找词汇来描述的。

风景名胜区对经济拉动很重要,对老百姓致富很重要,对增加财政收入也很重要。风景名胜区发展经历了从被少数人享受,到被多数人享受的过程。比如说,当年在60年代、70年代所谓发展四大旅游城市,包括苏州、杭州、西安、桂林。后来增加了风景名胜区,仅仅是黄山、泰山、雁荡山、普陀山、庐山等,大部分没排上队。当时中央是政策调整,有困难帮他一把。我记得90年代初期,中央政府帮黄山解决最大的问题是向山上供水,因为上去12000人没水喝。现在我看解决了。帮助他们的目的是什么,是促进发展,让当地富起来。现在一些风景名胜区把山上的人往山下搬,说明对风景名胜资源保护的认识有了提高。

要加快发展,更要注意保护。有的风景名胜区想跨越,发展快一些,我赞成,但是破坏了资源就不行。风景名胜区申报的指导思想是保护,而不是破坏。申报的本意也是以此作为当地经济发展的一个很重要的支撑点,因此保护好风景

名胜区,就保护了当地的经济基础。

建立风景名胜区决策机制的根本,是体现三个代表重要思想,在保护的前提下,充分展示风景名胜区资源,带动当地经济发展,促进当地居民脱贫致富。而且是长期的、永续利用。因此,不仅是领导决策,而且是社会参与决策。决策不只是领导决策,决策是领导决策和社会参与决策的综合。风景名胜资源属于公共利益资源,是不可再生的资源。就公共利益的资源而言,要达到永续利用的目标。公共利益的资源不同于国有企业的资产,具有不可再生性。要处理好长远利益和近期利益的关系。资源保护与利用的决策要用制度来保证,要有一个机制,要多讨论,多商量,有不同声音不是坏事。家宝同志在研究三峡方案时曾说过,中线、东线方案是经过论证的,而且是充分的。充分的关键在于很多人提出了不同意见。要听得进不同意见,要公众参与,要人大参与,要上下征求意见,要有决策机制。决策过程也是统一思想的过程,只有思想统一了,工作才能搞好;思想不统一,争论不休。如果决策的机制不完善,少数人决策,就会出现所谓形象工程、政绩工程,就会出现劳民伤财的毛病。

(二)认真制定规划

国务院领导多次强调,不论是城市建设,还是风景名胜区的保护与发展,核心的问题是规划问题。

规划要体现决策思想的成果,是管理的依据。我认为:第一,规划是决策的体现,风景名胜区要保护,就把保护的内容说清楚,不能仅仅是概念保护。第二,规划是决策的成果,是管理的依据,还是决策思想的具体体现。只有把规划、法规和有关标准三者结合在一起,最后才能把风景名胜区管理好。

要编制好风景名胜区规划,有四个需要注意的问题。一是要听得进各种意见,兼听则明。我能理解地方政府的处境:他们对旅游发展负有责任,对当地老百姓致富负有责任,对长远发展也负有责任。我们的规划要权衡各种利益关系,各方面的意见要听得进,便是科学的规划。绝对"利用"和"不利用"都是片面的。管理工作出了这么多事,很多都有规划的问题,比如包容性不够。而包容性也要分历史阶段。比如黄山87年的规划当时就是好的。现在需要再深化,深化的同时还要包容。修改规划不是简单地改变,而是不断深化,深化的过程就是大家提意见的过程,要听得进意见。

二是要把不可再生资源具体化,明确保护目标。哪个东西不能动,哪些东西动需要条件,要说清楚。风景名胜区一般都是上百个平方公里,甚至成千上万平方公里。我们景点有很多人住在里面,要明确提出保护要求,提出具体化目标。一到具体化规划目标,要求就很严格了,也就可以操作了。

与城市规划里提出的所谓强制性内容类似,风景名胜区现在提出所谓核心区概念。哪些地方根本不能动,或者哪些地方要动通过什么程序,或者哪些地方要动保证什么,做到什么,这就是我们文件里面的具体化,或者说是强制性。

三是要注重申报前的规划。申报前要有规划,要把强制性的东西具体化,要在申报前作出承诺。规划一旦批了,就不能轻易动。如果确实要动也要按程序再报批。不要像有的地方那样,天天在编规划,天天在研究规划,我觉得研究得太多了,就意味着破坏。也不要像有的地方一到领导班子更替的时候,就提出规划不适应,要修改。为什么要修改?把违法行为合法化。所以部里决定,申报风景名胜区必须把规划一起报来,避免批完了又出现不适应了。我一直讲一个观点,没有战略眼光的规划不是合理的规划。华盛顿的规划是两百年不变,有的国家是一百年不变,我们可以借鉴。

四是要突出规划的稳定性、长期性、强制性。什么东西是稳定的要说清楚,什么东西是将来要变的也要说清楚,什么东西是强制的不能变的也要说清楚的。如果规划仅仅停留在一般的指导性,是不行的。指导性应该在哪个范围?强制性应该在哪个范围?只有明确了这些东西,规划才可以保证永续利用。如果调整规划是深化,我赞成;如果越来越严,我也赞成。就怕编到后来越来越宽,宽到最后,第一轮的工作全被否定了,否定什么,申报的基本原则被否定了,保护的原则被否定了。规划不能简单改变,不是为了改变而编制规划,而是为了深化和永续利用而编制规划。

要做好与相关规划的协调和衔接,处理好相互关系。《风景名胜区管理暂行条例》规定,凡是有欣赏文化、科研价值,自然景观、人文景观比较集中,环境优美具有一定规模和范围,可供人们游览休闲进行科学文化活动的地区应当划为风景名胜区。也就是说,风景名胜区是有一定规模的区域,不是一个点,而是几十个平方公里,上百个平方公里的规模。而这个区域里面,有丰富的人文资源和自然资源,也有老百姓。它不是一个点画个圈,而是一个供大家欣赏游览的区域,所以他应该有一个核心区。那么与出现的各类园区是什么关系?跟森林公园、地质公园、自然保护区是什么关系?跟小城镇建设是什么关系?规划中都要充分体现。规划不体现这些关系,就没有包容性,也就没有可操作性。风景名胜区是个区域,这里有森林,没有林怎么叫风景名胜区呀?有地质地貌,没有可研究观赏价值的地质地貌,怎么叫风景名胜区呀?我们研究规划的时候必须衔接好各种关系。

我还想对规划编制提五条指导原则,供大家参考。第一,依据资源条件、环境条件、历史情况、现状特点以及社会发展趋势,统筹兼顾,统筹安排。第二,严格保护自然和文化遗产,保护原有的景观特点和地方特色,保护生物多样性和生态系统,防止污染及其它公害,充实科学教育、审美特点,强调植被景观的培育。第三,充分发挥风景名胜区综合服务功能,提供与风景相衬的必要服务设施,来改善风景名胜区运行管理机制。防止人工化、城市化、商业化现象,使风景名胜区有度、有序、有节奏地发展。第四,权衡风景名胜区环境、社会、经济三个方面的效益关系,权衡风景名胜区自身发展与社会需求的关系,协调发展。第五,风景名胜区规划应当与区域规划、城市规划、土地利用规划以及相关的规划相协调,必须统一起来。

(三)干部与干部培训

风景名胜区工作关键在于人。风景名胜区工作涉及到各个层面上的人,包括领导,包括群众。这里面当然也有利益关系,领导人员、工作人员、群众以及相关部门都有责任。要统一思想,各个层面、各个业务部门不应该讲部门利益,永续利用才是总体利益。

统一思想是一个实践的过程,要及时总结经验,防止今后重蹈覆辙。武陵源自从中央领导指示之后,作了大量工作,事后我们也派了调查组进行了解,总体进展情况是好的。一是修改法规,完善法律监督,加强执法力度;二是对景区违章建筑拆除和部分居民搬迁,尽管居民搬迁难度很大,成绩显著;三是加强植被恢复生态建设;四是组织规划修编。武陵源这些建筑,大部分是90年代初期建的,这是历史过程,这过程说明了一个什么问题?给我们的启示和借鉴是什么?希望我们把这个过程也作为教训。我们要总结经验,共同研究防止重复建设,防止重蹈覆辙。

要研究政策和措施。总理上一次到湖南视察时指示要退耕还林,退耕还草,恢复自然生态的本来面貌。这就需要解决政策和措施问题。比如,北京当时建设密云水库,山里人全搬出来到城里住,当然要给他创造条件,进行政策引导。当地居民得到好处就搬出来了,哪怕第二代得到好处搬出来,第一代仍留在那里,也算成功了。这就是我们反复要研究的农民政策问题。

要统一思想,很关键的问题是培训工作。《通知》和《贯彻通知》都强调干部培训问题,大家都要积极探索和相互借鉴新的经验,更好地把风景名胜区工作做好。按照《贯彻通知》要求,培训工作除了风景名胜区的干部,还包括县长、市长这些决策者,这样才能使我们的工作做得更好。

(四)经营和利益的关系

第一,要根据市场经济规律研究风景名胜区保护与发展的关系。在计划经济向市场经济转型过渡期,风景名胜区保护和发展问题都需要研究。要研究政府管什么;要研究如何发挥市场的作用;要明确什么能经营,什么不能经营;要明确保护资源和利用资源是两件事,资源的所有权是国家的。前不久我到南非,考察了一个野生动物园,开车6小时,看了4小时,住了一夜。住在草棚里面,一间屋一天收1000块钱,没有电视机,只发了一块毛巾,给了一块肥皂。而我们有些风景名胜区,五星级宾馆建在风景名胜区里。你要享受五星级,应该在山下,在风景名胜区外边。到风景名胜区的主要目的不是去看电视、打麻将。要从市场经济的规律对待风景名胜区的保护和发展关系,特别要注意把保护资源和利用资源的设施分开。风景名胜区资源是国家资源,是国家的公众利益资源,不能归一个部门,归一个人,或者一个利益集团。风景名胜资源可以利用,但是必须服从规划;风景名胜区内可以建服务设施,但必须要以有效地保护资源为前提,为资源利用服务。在风景名胜区建旅游服务设施还必须建立标准规范。

第二,资源保护是永恒的、第一位的。风景名胜区所有经营活动在任何时候都要注意资源保护。否则,就会出现像我们所痛恨的在古建筑上刻上某某人到此一游一样,你是出名了,但是资源和价值被破坏了。江总书记的话我想再重复一遍:我国有丰富的旅游资源,应当充分利用,要在提高经营管理水平和切实保护生态环境的条件下,继续发展旅游业,扩大就业。利用资源的时候第一位就是要保护,不仅我们这一代能用,子子孙孙还能用。风景名胜区内的任何经营活动的任何环节都要注意保护。

第三,要研究政府与企业的性质,正确处理政府与企业的关系。追求利润最大化是企业发展的目标,没有一个企业不追求利润。政府要明确鼓励企业什么,规范什么,限制什么。在此基础上,为他们创造条件促进发展。设备、宾馆和其他经营设施,不是资源,应该由企业经营。资源属于国家所有,必须由政府管。

第四,家宝同志曾经在市长会议上讲,要用区域观念来研究我们自己资源保护和发展问题。眼前利益和长远利益应该有个界限,经营和利益关系的调整,不是简单的和封闭的,而是大区域的思考。张家界为什么要建飞机场?为什么接通长沙至张家界的公路啊?这就是有一个区域长远发展的问题。黄山风景名胜区当时把人搬出来是花钱的,我们收的门票钱拿出些搬人,把人搬出来矛盾就解决了。我们要按照总理的指示,认真研究资源保护、移民建设、退耕还林等问题。要减少风景名胜区的居民,对居住人口要有政策措施,政府要考虑长远一点,处理好长远发展和眼前积累的关系。

(五)政府职能和责任

第一,明确风景名胜区管理机构的定位。我记得当年泰山政府的职能比较完善，税收、工商都兼管过，现在有些职能开始分离。有的风景名胜区就是一个政府，协调关系就好办。但大多数风景名胜区不是这样，下面有县，上面有市，有的还跨几个县，有的还跨几个市，甚至跨几个省。风景名胜区是地域管理，各地方在管理方式上可能有差异，但是公共利益的资源管理的宗旨是一致的。风景名胜区规定的地域与行政地域是不一致的，有的时候要碰撞。比如，规划区二、三百平方公里，行政区七、八百平方公里，管理的重点区域仅仅是几十个平方公里，管理难度很大。要研究一下风景名胜区管理机构定位，处理好风景名胜区与行政区域交叉问题。有一些成功的例子，像黑龙江的五大连池，把行政区域调整了，武陵源也把行政区域调整了，风景名胜区与行政区是一个范围。黄山风景名胜区尽管不是一个行政区，但也是一个完整的范围，这样，就比较好协调。

第二，要处理好各个方面的关系，争取各方面最大的理解和支持。由于风景名胜区的利益关系比较复杂，市政府跟县政府就有碰撞，跨地区就有碰撞，跨省的就有碰撞，这就需要按照地方组织法确定各自的工作范围。我提醒各位，国务院批准的国家重点风景名胜区，不管谁来管理，都要对国务院负责，都要按国务院规定办事。国务院批的规划主要有四类：土地利用规划，自然保护区规划，城市总体规划，国家重点风景名胜区规划。风景名胜区规划是国务院批准的，我们必须严格执行。当然规划执行过程中的深化是可以的，执行过程中的破坏肯定要查处。国务院确定的原则要在规划中体现，要确定风景名胜区管理机构对资源的监督管理的法律地位。要充分依靠地方政府研究各部门相应的责任、相互关系，强化综合协调职能和审批职能。城市规划区里规划机构不得下放为派出机构。风景名胜区与城市规划之间有交叉的先在规划上衔接好，管理上沟通好，审批的手续最终可以由规划部门办，审批的程序必须要征求风景名胜区主管部门意见。城市规划区以外的风景名胜区由省、自治区建设厅、直辖市园林局和当地政府商量，设立派出机构，搞好规划管理。各部门要研究现有问题和责任的调整，共同来把事情办好。

第三，转变政府职能。对于实现社会主义市场经济体制下政府职能的转变，国务院已经提出了宏观调控、市场监管、公共管理、社会服务的指导方针。大家不要只顾干具体事，不注意研究宏观问题，要站在宏观的、监管的和对全社会负责的角度去工作。这是我们风景名胜区深化经济体制改革中需要研究的问题，不研究，不改革，自己往往陷入具体复杂的事物堆当中去了。我去年到了黄山，觉得黄山有很大进步。由于大家都很努力，全国风景名胜区的管理状况也不断得到改善。下一步，大家还要继续努力，要按照宏观调控、市场监管、公共管理、社会服务的方针，进一步转变政府职能。

第四，要依法管理。依法管理有四个内容要研究。一是立法。实际上包括三部分，即行政法规、技术法规、技术标准。风景名胜区法规，既有行政法规，也要有技术法规，又要有技术标准。二是执法。当前有审批问题，也有监管和查处问题，也有领导责任的追究问题。有职责你没有行使，就是渎职，渎职也是违法。所以执法既要解决好审批问题，也要加大监管查处力度。希望大家加强日常监督工作，包括公众监督、上级对下级监督、人大监督等。三是科技手段。我们要充分利用现在的遥感手段、管理手段和其他科技手段，用于管理工作的实践，要走科学管理的道路。四是法律意识和守法。这要与前面讲到的干部教育培训结合起来开展工作。

刚才我就风景名胜区工作面临的形势、贯彻《通知》的主要问题以及发展中需要解决的问题谈了一些个人看法，目的是按照党中央、国务院的要求，进一步提高认识，统一思想，同时与大家交流、学习和讨论。希望同志们解放思想、集思广益，为风景名胜区保护与发展积极献计献策，共同把工作做好。

最后，强调一下当前的生产安全和社会稳定问题。黄金周高峰期就要到了，党的十六大也即将召开，稳定问题、安全问题也是各个风景名胜区的头等大事。要确保游客安全，不要出事故，特别不能出大事故。请大家多做细致的工作，以优良的成绩迎接十六大的召开。

这里我要感谢湖南省委、省政府，张家界市委、市政府为我们这次会议做的准备。

谢谢大家！

在人类口头和非物质遗产
保护工作座谈会上的讲话

中华人民共和国文化部部长　孙家正

（2003 年 11 月 13 日）

同志们：

11 月 7 日，中国古琴艺术被联合国教科文组织公布为第二批世界"人类口头和非物质遗产代表作"，这是继 2001 年"昆曲艺术"被列入"人类口头和非物质遗产代表作"名单之后，中国在保护文化遗产方面所取得的又一项重大成果。

在此次申报过程中，中国艺术研究院精心组织数位专家学者严密论证，他们以储养丰颐的学识、烛照机微的见解征服了国际评审委员会，使申报工作取得了极大的成功，我代表文化部向他们表示亲切的问候！

中国古琴艺术被列入"人类口头和非物质遗产代表作"名单，可以看作是中国开展"人类口头和非物质遗产"抢救、保护和承传工作的又一个里程碑。中国古琴有着三千年的悠久历史，它从形制到曲目，从特殊的记谱方式到丰富的演奏技巧，都体现了中国音乐艺术的至高境界，代表着中国文人怡情养性、寄情抒怀的生活方式，表现出完善自我人格修养的理想追求，蕴含着关爱自然、天人合一以及追求君子之道的人文精神。它所形成的独特文化记忆，对中国文化史、艺术史乃至中国人的精神、气度、品格、行为产生了持久而广泛的影响，它是中国文化的杰出代表。联合国教科文组织将其列入"人类口头和非物质遗产代表作"名单，既是对古琴艺术本身的肯定，也是对中国文化独特价值和理想的肯定。

站在现代文明发达的新世纪，回首数千年的人类文化史，我们可以清晰地看到，人类所创造的丰厚文化遗产，是由物质的、有形的和口头的、非物质的等各种不同存在形态所构成的有机整体。它们都是人类创造力、想象力、智慧与劳动的结晶，在文化价值上，它们应居于同等的地位。从文化记忆、精神传承的角度看，人类口头和非物质文化遗产包含了更为古老的文化观念和更为深远的精神根源，沉积着民族特有思维方式、心理活动的最深层结构，保留着民族文化的最原初状态。对它的发现与认识，人类将会在"我们从哪里来"，"我们是谁"这类伟大命题上找到自己的答案，并将据此探索出"我们向哪里去"的道路。在某种意义上说，保护人类口头和非物质文化遗产也就是保护人类赖以存在和发展的精神依据及文化资源。

中国拥有极为丰厚的非物质文化遗产。数千年来，各民族人民所创造的神话、谚语、音乐、舞蹈、戏曲、民俗、游艺、工艺、民族体育等非物质文化遗产，与有形的物质文化遗产共同书写出东方文明的壮丽史诗。在中华文明的演进史中，我们可以看到这样一个规律：每当有形的物质文化受到损毁时，口头的非物质文化就会发挥它的巨大的历史功能，维系、存护和传承着中华文明的精神血脉。中华文明之所以成为人类远古文明唯一延续至今的伟大文明，是和口头非物质文化具有绵延不断的强大生命力直接相关的。由此，我们可以肯定地说，口头和非物质文化遗产是中华民族信念的活史，是中华民族独立于世界之林的精神基石。抢救、保护口头和非物质文化遗产，既是我们这一代人的责任，更是我们这一代人的使命。

源于这种使命感，我们清醒地认识到中国口头与非物质文化遗产所面临的严峻的生存现状。近些年来，随着全球化趋势的日益增强，西方发达国家凭借着强大的综合国力、先进的传播手段和文化平台，在文化上实行"单边主义"政策，强行推广西方的价值观念，导致了世界文化的趋同现象，对中国的口头和非物质文化生态造成了巨大的冲击，使中国民族民间文化的多样性、丰富性受到了严重威胁。同时，现代科技的飞速发展，信息化时代的来临，也使口头和非物质文化遗产的生存环境遭到了极大的改变，加快了非物质文化遗产消失的速度，许多非物质文化遗产的种类已处于濒危或消亡的状态。更令人忧虑的是，大量散落于民间的具有民族特色的艺术品正通过各种走私渠道流落于海外，有的地方甚至出现了"铲地皮"的现象。凡此种种，都加强了我们对口头和非物质文化遗产抢救、保护的紧迫感。

中国所面临的问题也是世界性的课题。在现代化的进程中，许多国家已认识到保护口头和非物质文化遗产，尊重、弘扬文化传统的重要性。有的国家成立了专门的研究机构和基金会,建立了文化生态保护区,开展了各种类型的专项保护工程;有的国家还专门制定了口头与非物质文化遗产保护法。联合国教科文组织在《保护世界文化和自然遗产公约》的基础上,于1997年创立了人类口头及非物质遗产代表作公告的制度,在世界范围内强化了公众对无形文化遗产的保护意识,创建了保护无形文化遗产的良好的社会及政治基础。

中国政府一贯重视民族民间口头和非物质文化遗产的保护。早在上个世纪50年代,经典民族乐曲《二泉映月》等一大批濒临消亡的无形文化瑰宝便得以保存下来;80年代,经过广泛田野调查而编纂的一系列口头和非物质遗产的集成志书,有力地展示出中国在抢救和保护方面的成果。近些年特别近二、三年来,口头和非物质文化遗产的保护工作取得了突破性的进展。2002年起文化部正式启动了“中国民族民间文化保护工程”,开展了立法、建立保护机构和保护地等工作,这一切均标志着中国对无形文化遗产的抢救、保护和传承工作已进入一个新的历史时期。

同志们!

值此庆祝大会之际,我想就非物质文化遗产的保护工作与国家文化战略的关系谈谈自己的看法。

我们知道,文化创新是一个民族文化与时俱进,创造人类精神财富的核心与灵魂。但文化创新不是无源之水、无本之木,它必须建立在包括非物质文化遗产在内的文化传统之上。我早就说过,在当代文化建设中,我们要产生具有世界影响力的作品、文化名人、文化机构和文化品牌,靠的就是文化创新。文化创新又靠什么?靠的是文化的传承。在这方面,世界性的范例比比皆是。20世纪六、七十年代拉丁美洲文学大爆炸就得源于这块土地上积久弥醇的神话、传说与民间故事,日本现代文学的鼎盛受惠于《源氏物语》。因此,保护非物质文化遗产,对中国当代文化创新具有深远的现实意义。

随着全球化进程的加快,中国当代文化越来越多地受到发达国家文化的影响,这是一个发展中国家走向现代化历程中的必然现象。但我们应该认识到,在吸纳世界优秀文化成果的同时,必须从精神性、价值观、存在形态等各个方面保持本土文化的独特性,并以此来维系人类文明的多样性。保护口头和非物质文化遗产,是保持本土文化独特性的重要方式,非物质文化遗产所蕴含的中华民族所特有的精神价值、思维习惯、想象力和文化意识将是我们维护国际文化身份的最终依据。

中国口头和非物质文化历经数千年而不衰亡,生生不息地走到现代社会,构成了世界上独一无二的文化景观。它印证了这样一个事实:中国民族民间文化是一种可持续发展的文化。在一个以可持续发展为主题的现代社会中,中国非物质文化遗产中所积淀的可持续发展思想、方式、行为值得我们去发掘、传承和弘扬,它不仅对中国当代文化的可持续发展起到启示性作用,而且对中国社会、经济和自然生态的可持续发展具有启示性价值。

当今的中国,正以高速发展的经济和科技走向现代化。然而,建设一个富强、民主、文明的现代化国家,不仅仅要有经济、科技的指标,还要有国民人文素质的指标。不能想象高速增长的经济和低水平的国民素质能构成一个真正的现代化国家。在国民人文素质的培养中,口头和非物质文化遗产将起到不可替代的作用。在这一点上,有许多国家已走到我们前面,这些国家不仅为国民提供各种体会、领悟非物质文化遗产的方式,以此来满足国民的精神需求,而且还将一些非物质文化遗产的内容编入小学、中学乃至大学教材,以体制化的方式保证本土非物质文化的传承。这些经验,值得我们借鉴。这方面的工作,将是中国当代文化战略的重要组成部分。

同志们!

江泽民同志在我们党的十六大报告中指出,在当代中国,发展先进文化,就是发展面向现代化、面向世界、面向未来的、民族的、科学的、大众的社会主义文化,以此不断丰富人们的精神世界,增强人们的精神力量。抢救和保护中国的口头和非物质遗产,是弘扬民族优秀文化,促进社会主义精神文明建设的重要措施,是实践“三个代表”重要思想的具体举措。保护口头和非物质文化遗产的工作任重而道远,今后,在继续做好向联合国申报“人类口头和非物质遗产代表作”工作的同时,我们还要建立中国的“代表作”认证体系,开展田野调查和理论研究,加快立法进程。我们还要进一步加强国际间的联系与合作,充分借鉴世界各国的成功经验,为建立起同物质文化遗产保护一样完善的国内保护机制和国际合作体系而做出努力。

我们坚信,中国古琴艺术被列为“人类口头和非物质遗产代表作”名录,必将在促进中国民族民间文化抢救、保护和研究工作的同时,有力地推动中国当代文化的建设。拥有丰厚文化资源的中华民族,一定会在新的世纪中实现中华民族文化的全面复兴。

最后,我要感谢联合国教科文组织国际评审委员会,感谢负责古琴艺术申报的中国艺术研究院,感谢为古琴艺术抢救、保护和传承工作做出贡献的人们!

谢谢大家!

专　文

《世界遗产名录》与中国的世界遗产

罗哲文

世界上所有的一切,概括起来不外乎自然与人为两个方面。举凡山川河岳、树木花草、鸟兽虫鱼等等皆为自然之存在,所谓天公之赐予。而琼楼玉宇、雕栏玉砌等等皆为劳动之成果,所谓人工之创造者。有云:日月之精华,天地之灵气乃万物生长繁衍之根源,能工之技艺、哲匠之巧思乃文物典章、规矩准绳创立之所由来。然而自然之存在与人工之创造二者虽有不同的性质,但是两者之间又有不可分离的联系。尤其是在风景名胜、古建园林方面,两者更是相互依存,密不可分。自然的风景名胜需要人巧的安排,而人工的创造也要符合自然规律,我想这正是中国文化与自然遗产的一个重要的特色。

中国是世界著名的文明古国,有悠久的历史文化和丰富的文物古迹遗存,同时又是一个疆域辽阔、河山锦绣的国家,因而文化和自然遗产非常丰富,如万里长城、北京故宫、敦煌石窟、北京猿人遗址等早已名闻世界,万里长城在几百年前就被列入了中古世界七大奇迹之一。

自然和文化两个方面的财富是人类赖以生存和祖先世代劳动创造的成果,是人类的无价之宝,如何把它们保护好,传之子孙后代成了全人类共同的责任,对它的重要性越来越被人们所认识。多少年来,在中国,在世界,人类为了保护文化和自然遗产的事业都曾做出了不同程度的努力。公元前3世纪在埃及境内的勒米王朝就在亚历山大城的宫殿内建立了一座专门存放文物珍品的缪斯庙 MOUSEION,英语的博物馆 MUSEUM 一词,即是源于希腊的缪斯庙而来。古埃及的金字塔和世界其他许多国家的古建筑,也都同样受到当局的保护。中国在公元前18—前11世纪的商王朝时期就有甲骨文的收藏,周王时期则"多名器重宝",设有专门的"收藏室",并有《薄录》予以登记。宫室、陵园、宗庙、府库等大都保存了珍贵的文物。三千多年来,除了收藏保存珍贵文物之外,历代王朝和官府对宫殿、陵寝、寺观、山川树木、古迹园池等等也都明令加以保护。除此之外,我国民间还有一个优良的传统,就是以乡规民约的形式对公共建筑、祠庙会馆、水利工程、山川林木等等加以保护,刻碑立石共同遵守。

随着社会的发展、交通的发达、交往的频繁、信息传递的

方便和旅游事业的发展等等,人们对文化和自然财富的认识进一步提高,特别是在近现代工业化的进程中对文化和自然遗产所引起的破坏,以及其他人为和自然灾害等所造成的破坏,引起了人们高度的重视。如果不加以保护,将是人类的重大损失,而且这种损失是无法挽回的。为此,世界各国的一些专家学者、有识之士发起了联合起来保护人类共同财富的呼吁,先后通过了《雅典宪章》、《威尼斯宪章》、《华盛顿宪章》、《洛桑宪章》和保护考古及历史遗产的欧洲公约、美洲公约,以及教科文组织《关于保护景观和遗址风貌与特性的建议》等等。为了更进一步加强保护与管理的力度,得到国家政府的重视与支持,1972年11月联合国教科文组织在巴黎总部举行的17届大会上通过了一项《保护世界文化和自然遗产公约》,对世界文化和自然遗产的定义(范围)和标准作了明确的规定,并随之确定了实施公约的指导方针。这一公约,是联合国教科文组织在全球范围内制定和实施的一项具有深远影响的国际准则性文件。目前已有168个国家成为这一公约的缔约国。公约的主要任务之一就是确定世界范围的被认为是具有突出意义和普遍价值的文物古迹和自然景观列入《世界遗产名录》,使之作为人类共同的遗产,得到国际社会的重视与共同的保护。《保护世界文化和自然遗产公约》的宗旨也在于促进各国各族人民之间的合作与相互支持,为了保护人类共同的遗产作出积极的贡献。

为了更好的落实遗产公约的各项规定,得到各国的支持与合作,于是一个政府间国际的合作机构"世界遗产委员会"在1976年宣告成立,其日常办公机构为联合国教科文组织世界遗产保护中心。该委员会由《保护世界文化与自然遗产公约》缔约国中的21个国家组成,具体执行遗产保护的经常性工作。遗产委员会每年举行一次会议,主要进行以下三项工作:一、审议确定由缔约国申报要求列入《世界遗产名录》的项目。并提交缔约国代表会议通过公布。二、管理"世界遗产基金",审定各缔约国提出的财政和技术援助的申请项目。这笔基金的来源主要是来自缔约国固定交纳其向联合国教科文组织所交会费的1%的款项和缔约国政府以及其他机构与个人的自愿捐赠。这笔经费虽然为数不多,

但它对于促进世界各国特别是对发展中国家和不发达地区某些重要文化与自然遗产项目的保护起到了积极作用。三、对已列入《世界遗产名录》的文化与自然遗产项目的保护和管理情况进行了监测，以促进其保护与管理水平的改善与提高。

联合国教科文组织世界遗产委员会为使其保护、评审、监测、技术援助等工作质量水平得到提高，特约请国际上权威的专业机构国际古迹遗址理事会(ICOMOS)，国际自然及自然资源保护联盟(IUCN)和国际文物保护与修复研究中心(ICCROM)为其专业咨询顾问。凡遗产的考察、评审、监测、技术培训、财政与技术援助等等均由这几个专家集团派出专家予以帮助。ICCROM则主要负责文化遗产方面的培训、研究、宣传和为专家服务的工作。

截止到2002年，列入《世界遗产名录》的项目共有721项，分别在124个缔约国家和地区。其中文化遗产554项，自然遗产144项，文化与自然双重遗产23项(含文化景观)。在近年里增加文化景观作为遗产评审的内容，说明了这一人类伟大事业的进一步发展。现将遗产公约中关于遗产的主要内容和评审标准简要介绍如下：

文化遗产的定义(范围)

一、文物：从历史、艺术或科学的角度来看，具有突出的和普遍价值的建筑物、雕刻和绘画，具有考古意义的部件和结构、铭文、洞穴、住区及各类文物的组合体。

二、建筑群：从历史、艺术或科学的角度来看，因其建筑的形式、统一性和它在景观中的地位，具有突出与普遍价值的单独或相互联系的建筑群体。

三、遗址：从历史、美学、人种学或人类学的角度来看，它们具有突出与普遍价值的人造工程或人与自然的共同杰作以及考古遗址的地区。

文化遗产评审的标准

一、代表一种独特的成就，一种创造性天才的杰作。

二、能在一定时期内或世界某一文化区域内，对建筑艺术、纪念物艺术、城镇规划或景观设计方面的发展，产生过重大影响的作品。

三、能为一种已经消失的文明或文化传统提供一种独特的或至少是特殊的见证。

四、可作为一种类型建筑群或景观的杰作范例，展示出人类历史上一个(或几个)重要阶段的作品。

五、可作为传统的人类居住地或使用地的范例，代表一种(或几种)文化。尤其是处在不可挽回的变化之下，容易损毁的地址。

六、与现行传统思想、信仰或文学艺术作品有直接或实

质关联，具有特殊普遍意义的实物。(委员会认为，此一款理由只能在某些特殊情况下或该项标准与其他标准共同考虑时才能作为列入《世界遗产名录》的标准)。

自然遗产的定义(范围)

一、从美学或科学的角度来看，具有突出、普遍价值的地质和生物结构或这类结构群组成的自然面貌。

二、从科学或保护的角度来看，具有突出、普遍价值的地质和自然地理结构以及明确划定的濒危动植物物种生境区。

三、从科学或自然美学的角度来看，具有突出、普遍价值的天然名胜或明确划定的自然保护地区。

自然遗产评定的标准

一、构成代表地球演化史中重要阶段突出的例证。

二、构成代表地质、生物发展演化过程中的重要现象，以及人类自然环境相互关系的重要例证。

三、独特、稀少或绝妙的自然现象、地貌情况或罕见的自然美的地带。

四、尚存的珍稀或濒危动植物的栖息地区。

在近年对世界遗产的评审标准时，又增加了需有明确的保护范围和保护管理情况的条件。

此外世界遗产委员会，在列入《世界遗产名录》的文化与自然遗产如果受到严重威胁的时候，经过专家们的调查和审议，可以将其列入处于濒危之中的《世界遗产名录》，以待采取紧急的措施加以抢救保护。

中华人民共和国政府一贯对文化和自然遗产的保护十分重视，并积极参与联合国教科文组织和世界遗产委员会关于保护世界文化和自然遗产的活动。在有关专家学者全国政协委员的提案建议下，1985年11月，全国人大常委会批准了我国参加联合国教科文组织《保护世界文化和自然遗产公约》，使我国成为公约的缔约国之一。1986年我国首批将万里长城、北京故宫、周口店"北京人"遗址、敦煌莫高窟和秦始皇陵及兵马俑坑、泰山等六处申报列为《世界遗产名录》，1987年经过认真的评审，即得到遗产委员会的批准，列入了《世界遗产名录》之中。在1991年10月第八届《保护世界遗产公约》缔约国大会上，我国当选为世界遗产委员会成员，在1992、1993年12月第16、17届世界遗产委员会上，我国连续两届当选为委员会副主席，使我国对世界遗产委员会的工作作出了更多的努力。截止到2002年初，我国列入《世界遗产名录》的文化与自然遗产项目有万里长城、北京故宫、周口店北京猿人遗址、莫高窟、秦始皇陵及兵马俑坑、布达拉宫、承德避暑山庄及周围寺庙、曲阜孔庙孔林孔府、武当山古建筑群、泰山、庐山、峨眉山、乐山大佛、黄山、九寨沟、武陵源、黄龙、丽江古城、平遥古城、苏州古典园林、天坛、颐

和园等共计 28 处被批准公布列入《世界遗产名录》。其中文化遗产 21 项,自然遗产 3 项,文化与自然双重遗产 4 项,文化景观 1 项。此外还有约 50 处国家重点保护单位和国家风景名胜区,也已列入了世界遗产的预备名单,将逐年地分批分期予以申报列入。

截止到 2002 年我国已被正式批准公布列入《世界遗产名录》的有 28 处文化与自然遗产,从中已不难看出我国悠久的历史文化与独特的锦绣河山和自然风光。从历史文化来说,自 50 万年前的北京猿人遗址、春秋战国时期的万里长城到北京明清故宫、承德避暑山庄上下几十万年,还有代表中华民族传统文化的曲阜孔庙孔林孔府。这里要着重提出的是几千年来,几十万年来,中华民族的文化传统一直绵延不断,可以说在世界上,是任何一个文明古国难以相比的。再有中国自古是一个多民族国家,在悠久历史发展过程中,共同创造了光辉灿烂的多民族文化,在这 28 处遗产中的布达拉宫、承德避暑山庄及周围寺庙就是多民族代表性的杰作。此外,如敦煌莫高窟的壁画彩塑、秦始皇陵兵马俑均是世界著名的文化珍宝。至于自然遗产中的黄龙、九寨沟、武陵源等独特的地质、地形、动植物和优美的自然景观都是世界少有。如像泰山、武当山古建筑群、峨眉山—乐山大佛等文化与自然双重遗产正反映了中国悠久的历史文化与自然环境相结合的特色,在世界其他国家中也是罕见的。而作为近年(1993 年)才开始列入名录的文化景观,我国也被批准把"自然与人类共同的作品"结合得十分巧妙的庐山列入了名录。至此,可以说我国仅这 28 项已列入名录中的世界遗产的全部内容,文化、自然、文化与自然双重、文化景观几个方面都已经齐全了。这也是其他国家所罕见的。总之我国作为一个世界遗产大国是当之无愧的。此外还有昆曲近年也列入了口头和非物质遗产的名录,我国的世界遗产已有 29 项了。

如何把我国的世界遗产保护好,这是我们作为一个遗产大国十分光荣的职责和非常艰巨的任务。我们曾经把它称

之为:上对祖先,下对子孙负责的千秋伟业。因为这些文化与自然的瑰宝,一旦被破坏,将是不可能再造、不可复得、不可挽回的损失。因此,党中央国务院在文化遗产方面提出了"保护为主、抢救第一"的方针和"有效保护、合理利用、加强管理"的指导原则。在自然遗产方面提出了"严格保护、统一管理、合理开发、永续利用"的方针。这完全是必要的,是十分正确的,也是与《保护世界自然与文化遗产公约》、世界遗产委员会制定的规章、办法相一致的。首先在于保护,这是保护遗产的性质规定了的。另一方面保护的目的又在于要发挥遗产的作用,这也是不言而喻的。但是如果利用的不好,利用的不合理反而会影响保护,甚至造成破坏,所以又提出了"有效保护、合理利用、加强管理"的指导思想。在公约签定 30 年来《世界遗产名录》逐年增多的情况下,总结经验,越来越感到,单是公布了名单,列入了名录,不加强保护管理,也是达不到目的的。因而在近年来"世界遗产委员会"开拓了工作范畴,即,加强遗产保护的监测工作,不断派出专家分别到列入名录的各个国家的遗产地去进行考察监测。自 1994 年开始,得到我国政府同意,联合国教科文组织首次派专家小组来华,对我国 1987 年被批准列入《世界遗产名录》的万里长城、北京故宫、周口店北京猿人遗址、秦始皇陵兵马俑坑、敦煌莫高窟等五项世界遗产进行了实地监测考察,以后又不断派专家来华对我国的世界文化与自然遗产进行监测考察,专家们对我国世界遗产的保护管理工作给予了充分的肯定,同时也坦率地提出了存在的问题和改进的建议。他们的建议得到了我国主管部门的积极采纳,有力地推动了我国文化与自然遗产的保护管理工作。

世界遗产是人类世界最为宝贵的东西,可以说是"宝中之宝",如何更好地保护它、研究它、宣传它发挥其作用,实在是至关重要的事情。

(本文最初发表于 1994《文物通讯》上,此次发表略有修改)

中国的名山:自然与文化的有机融合

谢凝高

一、中国名山的特点与涵义

中国的名山是以具有美学和科学价值的自然景观为基础,自然与历史文化融为一体的,主要满足人们精神文化活动需求的地域空间综合体。它既是地球发展史上特有现象

的遗迹,也是人类历史上精神文化的积淀。它反映了人与自然精神文化关系的历史。它被从人类作为物质生产对象的自然环境中分离出来,保护起来,作为人类进行科学文化活动、体验与自然密切的精神联系的场所。这里的自然景观与人文景观不是数学上的相加,也不是普通的人居环境,而是

自然与人文的相互渗透和融合；不是简单的物质环境的利用，而是对大自然的情感寄托、精神体悟与心灵交往，它是求知求美的天然博物馆，是产生中国特有的山水文化的源泉，是陶冶人们思想情操的净境。随着时代的发展，名山的功能也在不断地发展和深化。这是一份极为珍贵的自然与文化遗产，对于今天和未来的人们具有重大的意义。

二、中国名山功能的发展与文化的积淀

1. 封禅祭祀与祭祀文化

中国的名山是从远古普遍的自然崇拜中产生的。大约在公元前21—16世纪的夏代，随着国家的建立，名山大川的祭祀活动逐渐形成等级。到了西周时期（前11世纪—前8世纪），随着宗法礼教制度的逐渐完善，遂形成了"天子祭天下名山大川"，"诸侯祭其疆内名山大川"的明确规定，"五岳四渎"为其代表。到公元前2世纪汉宣帝的时候，更进一步规定把对"五岳四渎"的祭祀列入国家最重要的祭祀体系中。

祭祀名山大川的最高形式是帝王巡狩泰山时的封禅活动。泰山为五岳之首，被看成天的象征。自命为天子的皇帝，在他统一天下、大功告成以后，都希望到泰山举行隆重的封禅大典。所谓封，就是皇帝登上泰山顶，聚土筑坛祭天帝（上帝），以报功于天；所谓禅，是在泰山下小山（如梁父山或社首山）上积土祭地，以谢地神的恩德。"天以高为尊，地以厚为德，故增泰山之高以报天，附梁父之厚以报地也。"

关于封禅活动的记载，最早见于2600年前政治家管仲所著的《管子·封禅》篇。《史记》转引该书说，"古天子封泰山禅梁父者七十有二家"，其中记得名字的有十二家。可见在秦以前就已存在封禅活动了。但有文字记载，并有刻石遗存的最早是秦始皇于公元前219年东巡泰山时所进行的封禅。当时令丞相李斯刻石纪功，现在泰山尚存十个字的残碑。

由于"五岳"的特殊地位和功能，所以朝廷命官专门管理，严格保护，一草一木不许伤害，连皇帝坐的车也要用蒲草裹好车轮，以免压坏花草。宋真宗封禅泰山，曾命令工匠修路时"树挡道者不伐"。泰山的保护范围有的朝代划到20公里以外，可见保护之严。

除"五岳"外，后来还规定了"五镇"，也由朝廷命官去祭祀。有的王朝由于政治需要，还加封其他名山为"岳"。如明太祖朱元璋封庐山为岳，明成祖朱棣封武当山为"大岳太和山"，也行祭祀礼，但不行封禅礼。

对名山的封神祭祀在中国数千年封建社会中，一直是历代帝王的重大礼仪活动，这在世界上是独有的现象，这些活动形成了特有的名山封禅祭祀文化。

2. 游览与陶冶情操

游览观赏优美的自然山水，在中国最早一部诗歌总集《诗经》（前11世纪—前771）中就有记录了，如"洪水悠悠，桧楫松舟；驾言出游，以写我忧"，就是写游览山水可以解忧的诗句。

孔子（前551—479）是中国古代最伟大的思想家、教育家，他曾"登东山而小鲁，登泰山而小天下"。他登东山（今名峄山）和泰山不是进行祭祀活动，而是游览欣赏大自然。他还带学生游览农山，让学生发表观感。孔子十分重视道德的修养，他的教育思想也渗透于游览山水之中，他说"智者乐水，仁者乐山"。为什么仁者、智者爱好山和水呢？因为山"耸乎天地之间"，"出云导雨"，"生养万物，取益四方"；水"缘理而行"，"历险致远，卒成不毁，群物以生"。山和水使"天地以成，国家以宁"。他把自然山水人格化，让智者、仁者在游览山水时领悟山和水生养万物、使百姓安宁、国家太平的无私品德以及山的安固、水的灵活之特性，以陶冶情操。这种以自然山水教化的"比德"观念，深深地影响了世世代代的中国人。

3. 山水审美

魏晋南北朝（265—589）时代，游览名山已成为士大夫、文人的时尚，审美已成为名山的重要功能。《世说新语》说，"顾长康从会稽还，人问山水之美。顾云：千岩竞秀，万壑争流，草木蒙笼其上，若云兴霞蔚"。名山大川在当时士人心目中已经不再是崇拜的对象，而是游览观赏场所。南朝文学家刘勰说："日月叠璧，以垂丽天之象；山川焕绮，以铺地理之形；此盖道之文也。"他认为日、月、山、川之美，都是天和地的自然规律所形成的，指出自然事物的美是由自然本身产生的。

唐宋时代，山水审美达到新高峰，评价名山的品位、自然美学价值成为最重要的因素，审美也成为名山的首要功能。从审美经验来看，山水之美包括形象美、色彩美、线条美、动静美、嗅觉美、味觉美等，已能够综合评价名山的各种美学因素。形象美是山岳整体宏观美的基础，包括：雄、奇、险、秀、幽、奥、旷等形象。雄——山体高大气势雄伟，"五岳"皆具有雄伟的形象；奇——山体结构奇特，景观变幻莫测；险——山岩峻峭，崖高坡陡；秀——山形起伏和缓，线条柔美，植被繁茂，山青水碧；幽——四面环山的围合、半围合空间，如山间小盆地、谷地；奥——高崖深壑，高度围合的空间或洞穴景观；旷——开阔的空间，有高旷，如山顶夷平面，有平旷，如海滨、平原等。在一座名山中，这些不同的美的形象往往互相交织，给人以丰富复杂的美感。如一座"雄伟"的泰山中又

由许多次一级的或微观的各种景观形象构成。在此基础上,再辅以色彩、线条、动、静、声等美的因素,构成极为丰富的山水美交响曲。

4. 寄情山水,隐读林泉与文人文化

春秋战国时期(前770—前221),奴隶制开始崩溃,思想解放,学派林立,出现百家争鸣的局面。其中对于山水文化影响比较大的,除前述孔子创立的儒家外,还有老子创始、庄子发展的道家。

道家崇尚自然,追求精神自由,他们置富贵、贫贱、得失、荣辱于度外,希望生活在"虚静恬淡,寂寞无为"的逍遥境地。老庄自身都是"隐君子",隐居于山水林泉之间,超脱世俗,读书写作。现在太白山下环境清幽的楼观台,相传就是老子隐居讲《道德经》的地方。老庄隐读名山的出世思想不但深深影响着后世的失意文人,而且也成了日后道教教义的一种理论依据。

名山的环境体现了儒家和道家所共同关注的天人合一、知行合一、心物交融、情景交融等思想。名山是排除干扰、专心读书的好地方,也是各家交流和传播学说的理想境地。唐宋(6世纪以后)以来,名山留下许多著名的书院,如南岳的邺侯书院,庐山白鹿洞书院,嵩山嵩阳书院,长沙岳麓书院等,此外还有许多名人读书处。隐读成了名山的一种功能,书院文化和文人文化成为名山文化的有机组成部分。

5. 宗教活动与宗教文化

东汉(25—220)末年,佛教传入,道教创立。在以后的历史中,它们对中国名山的发展也产生了悠久而深刻的影响。

道教以崇尚自然、反朴归真为主旨,奉老子为教主,希望通过修炼达到长生不老、得道成仙的目的。所谓"老而不死曰仙","仙,迁也,迁入山也",从而崇尚仙人的道教就与名山结下了不解之缘。唐宋之交的杜光庭(850—933)著《洞天福地岳渎名山记》,把全国的道教名山分为十大洞天、三十六小洞天、七十二福地。其中有三十座现已成为国家风景名胜区。道教崇尚自然、深深融入名山大川之中的思想,不但影响了佛教,也影响了整个中华民族的文化。

佛教自东汉传入中国后,首先在北方城市中进行译经活动,然后逐渐传播开去,产生巨大的影响。到北魏末年,各地寺院已达三万余所,僧侣约200万人。至隋唐进入全盛时期,深深渗透进中国文化的核心。佛教要求戒除世俗欲望,除烦恼,求解脱,脱离"红尘",通过潜心修持达到涅槃境界。为此,最佳的修持环境无疑是清净优美远离尘俗的深山老林。在由魏至唐的数百年中,寺庙纷纷进山。现在的佛教四大名山——峨嵋、九华、普陀和五台均奠基于这一时期,同时

有些名山中开凿了大批佛教石窟,如敦煌、麦积山、龙门、云岗等等。在中国二千年的佛教历史上,虽有起伏,但仍保持了"天下名山僧占多"的局面。佛教与名山结缘是受道、儒反朴归真、"天人合一"思想的影响。佛教文化景观是中国名山文化景观的重要内容。

6. 创作体验,师法自然

魏晋南北朝(220—589)时期,豪强混战,社会动荡,人口南迁,民族融合,思想活跃。当时的文士们游山玩水,清谈玄理成风。他们寄情于山水,触景生情,赋诗作文。谢灵运是当时诗坛领袖,史书说他"出为永嘉太守,郡有名山水,灵运素所爱好,出守即不得志,遂肆意邀游,遍历诸县"。他不但遍历永嘉山水,更是邀游大江南北,踏遍不少名山大川,在山水中寄托自己的情感抱负,赋以为诗,成为山水诗宗师。自此山水诗成为中国文学史上独立的诗派,得到迅速发展。李白说"名山发佳兴",正是中国丰富多彩的名山大川激发了诗人的灵感,而源源不断地汇成山水诗的巨流,流向人们的心田,净化心灵,陶冶情操,激发人热爱名山大川,热爱祖国的情感,起到强烈的教育作用。山水诗、词、散文、游记等所形成的内容丰富多彩、格调高雅清丽的山水文学是中国文学史重要的辉煌的组成部分。"山水借文章以显,文章亦凭山水以传",山水与文学相映生辉,人与自然的精神文化关系越来越紧密。

诗画同源,中国的山水画,也像山水诗一样,在南北朝时期形成独立画派,并以极强的生命力迅速地发展起来,历经一千余年而长盛不衰。南朝山水画家宗炳(375—433)深入名山大川体验写生,"栖丘饮谷三十余年","还不知老之将至"。他老了走不动了,还要把名山胜水画在墙壁上,"卧以游之",可见其神思。明清之际的僧人画家石涛,被黄山的自然美所吸引,师法自然,多次上黄山"搜尽奇峰打草稿",成了黄山画派的创始人之一。

中国的山水园林,被称为立体的画。它同样吸取自然美的规律,通过人工"叠山理水",巧植花草树木,艺术地再现自然山水于庭院。

我们把中国的山水诗、山水画、山水游记、散文以及山水园林、山水盆景等源于自然、而艺术地再现自然山水之美的文学艺术形式,称之为山水文化。名山大川是源,山水文化是流,相映生辉。如果源遭破坏,流也就会失去旺盛的生命力,所以历来十分重视名山大川的保护。

7. 问奇于名山大川——科学考察山水的成因

名山大川不仅以优美景观激发人的灵感,使人触景生情,创作诗画,而且以其特有的自然景观启迪人的理性思考。且不说公元前二千多年的老子,观察"滴水穿石"以柔克刚,

是对水蚀作用的发现。就以科学的观点研究名山景观的成因来说,亦有不少实例。如宋代博物学家沈括,他游雁荡山时,不仅研究雁荡山作为名山的发展历史,而且还研究雁荡山地貌的成因,他在《梦溪笔谈》中说雁荡山"皆峭拔险峻,上耸千尺,穹崖巨谷,不类他山,皆包在诸谷中。自岭外望之,都无所见,至谷中则森然干霄。"并通过与黄土地貌作比较,认为其成因是"当初为谷中大水冲激,沙土尽去,惟有巨石岿然挺立耳。如大小龙湫、水帘、初月谷之类,皆是水凿之穴。"现代地理学家竺可桢教授认为,"沈括对于流水对地形的侵蚀作用已经有了相当正确的认识"。

明代旅行家、地理学家徐霞客(1586—1641)"问奇于天下名山大川",用三十多年时间实地考察中国各地名山胜水。他以"灵性游"求美,"驱命游"求真,既欣赏山水的形式美,又探索山水的成因规律。他以很高的审美素养与自然山水进行情感交流,进入忘我境界,并以很高的文学修养用日记体裁写下了《徐霞客游记》,更难得的是他还以科学家的眼光探索自然山水的成因。例如在西南喀斯特地貌区,他深入考察过200多个喀斯特洞穴。他十分仔细地观察并解释喀斯特洞穴的成因,并为多种碳酸钙积淀物起了专有名词。有的名字如钟乳、石笋等,沿用至今。他还正确地总结了中国名山建设中,自然景观与人文景观的关系,指出人工建设的原则是"点缀得宜,不掩其胜",就是说名山风景区的人工建筑,只是少量的点缀品,不能掩盖自然美景。这既是中国风景区处理自然与人文关系的传统,也是今天应该继承的原则。

徐霞客对名山风景提出较为科学的定义,并深入到景观结构及其成因的研究,使名山风景研究超前进入到了科学时代。他以美学家的心灵、地学家的眼光,高度评价过的名山风景区中,已有31处成为现在的国家级风景名胜区,100多处成为省市级风景区。徐霞客不仅是旅行家、文学家、地理学家而且是名山风景科学家,正如英国科学技术史学家李约瑟博士评价徐霞客成就时所说:"他的游记,读起来并不像是17世纪学者所写的东西,倒像是一位20世纪的野外勘察家所写的考察日记。"《徐霞客游记》现存1463天详实的名山大川考察日记,是科学史上的珍贵文献,其内容包括地质、地理、水文、气候、风景、动植物、民族、宗教、饮食、特产、文学、历史等等,都很有研究价值。

到本世纪初,随着近现代科学的兴起,中国名山逐渐成为科学研究对象,很多名山都发现具有很高的自然科学研究价值,如具有突出普遍价值的地质遗产、特殊的地貌形态或生物多样性等。由于我们对名山风景区的研究起步较晚,条件有限,还有大量科学研究工作要做,我们正在进行中。由

于中国疆域广大,地形复杂,气候多样,历史悠久,以及民族有崇尚自然、热爱山水的传统,因而以自然为主、自然与人文融为一体的名山风景资源极为丰富,有待于发掘、保护和研究。

三、自然与文化融为一体的中国名山

从中国五千年连续发展的名山及其文化来看,随着名山功能的发展,名山文化也随之而形成。所谓名山文化,包括两种形式,一是精神文化(无形文化)——如受灵感于名山而创作的山水诗、山水画、山水游记以及祭祀、宗教、民俗、神话等意识形态传播。二是物质文化(有形文化)——人们进行精神文化活动时所创造的人文景观,如寺庙、摩崖石刻、书院、道路、桥梁等等。

在精神文化系统中,以儒家山水文化、道教文化、佛教文化、文人文化为主要脉络,它们彼此渗透,延续数千年。科学文化虽然较晚兴起,但发展较快,并越来越重要。具体到每座名山的文化系统,既有各自的特殊性,又有共同的普遍性。以下就已列入世界自然与文化遗产名录的五座名山作简要的分析。

1. 泰山

泰山是由古老的变质岩(20多亿年)和寒武纪地层构成。山体呈掀斜式断块上升,南坡比北坡上升幅度大,因而形成山南三条北盘上升的正断层,形成泰山南坡陡峻高拔的台阶式地貌景观,从而构成人们"朝天"景观带上富有节奏感的自然美。

泰山海拔1545米,是华北大平原与山东丘陵地区最高的山峰,相对高度大,因而有通天拔地之势,被古人称为"泰山天下雄"。泰山北坡寒武地层出露齐全,化石丰富,确定为中国寒武纪标准剖面,是泰山很有科学价值的自然遗产,成为地质学家、地质院校师生实习的基地。这是本世纪以来,对泰山科学价值的认识。

泰山地处暖温带,受地形的影响,形成山顶多云雾、降雨量多于山下的自然现象。山顶年降雨量1000毫米,山下700毫米。古人对此不得其解,认为泰山能"出云导雨",是神灵所居,遂成为祈求风调雨顺、国泰民安的神山。泰山作为帝王封禅的神山,除了战争,历来一草一木受到皇帝、朝廷的严格保护。寺庙周围的古树名木,保存完好,尚有100—2000年树龄的古树34种,一万余株,成为有生命的文物,深深地吸引游人。如岱庙内的汉柏(公元前110年汉武帝封禅时种植)、六朝松、五大夫松等。

泰山地处黄河下游,是中华民族古代文化发祥地之一。泰山之南有大汶口文化(4400—4300年前)遗存,北有龙山

文化（4400—3900 年前）遗存。从大汶口文化的陶器图案 分析，当时的先民们就已对这座通天拔地的泰山十分崇拜，以后逐渐成为帝王封禅祭祀的神山。

据文献记载，秦汉以后至明清有十二代皇帝三十次到泰山举行封禅或祭祀。这是数千年封建时代代表国家的旷代大典，不但详细记录在中国历代正史中，也在当地留下大量文化遗存——碑刻、牌坊、古建筑等。如秦李斯刻石（十个字的残碑），汉武帝无字碑，唐玄宗纪泰山铭，宋真宗等。一条封禅朝天大道自山下至山顶：禅地的蒿里山遗址，遥参亭，岱庙（东岳庙），岱宗坊，一天门—中天门—南天门—大观峰—无字碑—天柱峰古登封台。构成十分壮观的封禅祭祀文化。

儒家创始人孔子不但赋"邱陵歌"，为泰山留下第一首完整的诗歌，而且他也是游览泰山的第一个名人。孟子说："孔子登泰山而小天下。"现留有"孔子登临处"、"孔子小天下处"等遗迹。

泰山象征国家与天地，是自然与人和谐发展、天人合一的体现。因此，登临泰山，俯仰宇宙，体悟泰山精神成为历代志士仁人的崇高举动。历代文官武将、文人学士登临泰山留下大批诗词歌赋。从《诗经》的"泰山岩岩，鲁邦所詹"，孔子的"邱陵歌"，到李白的"天门一长啸，万里清风来"，杜甫的"会当临绝顶，一览众山小"，前后有数以万计的泰山诗文，它们在名山中起源最早、延续时间最长。

泰山摩崖石刻从最早的秦李斯刻石，代代相继，至清末，计有 1600 多处，仅岱庙至岱顶登道两侧就有 823 处，时代从公元前 219 年到本世纪 40 年代。历史久，时代连续，作者广泛，上自帝王下至百姓，内容丰富，书体流派应有尽有。艺术之精湛、构思之巧妙都是无与伦比的，不愧是"中国历代摩崖石刻艺术博物馆"。

道教与封禅祭祀密切联系，从东汉末年诞生开始，在泰山就一直占重要地位。至今泰山还留有保存完好的二十余处道教宫观。

佛教在泰山的势力虽然不及道教，但在魏晋南北朝时就已进入泰山，先后创建了灵岩寺、神通寺、普照寺等。誉为大字鼻祖的经石《金刚经》摩崖石刻，就是北齐时的佛教作品。这里的摩崖石刻与自然山石融合得天衣无缝，对于自然岩石的裂缝或高低起伏，都不加整平，而是因岩琢字，自然天成。它为后来摩崖石刻树立了良好的榜样。泰山北麓还有许多北魏至唐代的摩崖造像，灵岩寺内有极为精美的宋代彩塑（国家文物保护单位），这些都是佛教文化的精品。

积淀于泰山的物质文化，经过数千年的发展与融合，形成以封禅祭祀文化为主线，儒、道、佛、游、赏……等文化融为一体的人文景观。它们比较集中地分布在雄伟高峻的南坡，在严格保护自然景观的前提下，以登山封禅为主题，以朝天览胜、祈求国泰民安为主要思想内容，形成一条从祭地的蒿里山，到祭天的玉皇顶，长达十公里的自然与人文融为一体的景观带。

这条景观带大体分成三重空间，由一条轴线贯串。三重空间，一是泰安城为中心的人间城市（古代封禅祭祀、朝山进香的服务基地），二是城西南祭地的蒿里山、社首山构成的"阴曹地府"（据佛教的"轮回说"与道教的"魂归泰山"说），三是南天门以上至岱顶的"天堂仙界"。一条轴线是联接人间至天堂长达 6300 多级石阶组成的通天道——"天衢"。自山下到山顶，建筑体量随地形越高越小。三条断层形成的三级台阶，巧妙安排了一天门、中天门和南天门。构成自然有境、人工有意、意境相融的杰作。

泰山是中华民族五千年文化的缩影和民族崇高精神的象征。在帝王的封禅祭祀活动中，它是"神道设教"、国泰民安的精神支柱；在文人墨客、志士仁人的思想中，它是伟大、崇高、壮美形象的化身；在百姓心中，泰山是神圣、崇高精神的代表。"稳如泰山"、"重如泰山"的意识深入人心。因此登泰山是体悟民族精神、树立宏图大志的活动。"志欲小天下，特来登泰山。"几千年来在泰山留下的足迹是难以计数了。

正因为泰山具有特殊的内蕴，即自然山体之宏大，景观形象之雄伟，赋存精神之崇高，山水文化之灿烂，名山历史之悠久，所以泰山无论在帝王面前，百姓心中，都是至高无上的。凡我炎黄子孙，无不敬仰泰山精神。世界上很难有第二座山能像泰山那样，几千年来深入到亿万人的心坎中，并以自然为主、自然与文化融为一体的独特价值，立于世界遗产之林。

2. 黄山

黄山位于安徽省长江以南，地处亚热带，海拔 1864 米，是一座典型的峰林状花岗岩高山，景观奇特，素有"黄山天下奇"之称。所谓奇，是指山水美的一种类型，是一种不同寻常、变幻莫测的自然景观形式美。黄山奇观以巨大魅力吸引和激发了历代文学艺术家的灵感，赋诗作画，形成独特的黄山文化。黄山特有的自然美及其引发的精神文化是其他名山无法比拟的。

黄山的自然美，美在峰、石、松、云及其巧妙结合。

峰美。黄山山峰，一是高，相对高度 500—600 米；二是陡，山峰坡度大，如天都峰平均坡度 70 度以上：三是多，千米以上高峰有 77 座，奇峰林立，景象万千；四是姿态各异，大中小峰高低错落，层次丰富。

石美。黄山花岗岩,节理发育、风化形成的造型石,如柱,如笔,如人,如物,形象十分生动。,

松美。黄山松是植物学上的一个独立树种,分布在海拔800米以上,生命力极强。尤其在悬崖和山脊峰顶的石缝中生长,迎风傲雪,生机勃勃。中国人自古以青松来比喻人的高风亮节和威武不屈的情操,黄山松是最有代表性的。如迎客松、探海松等广为人们所赞颂。

云美。黄山山高谷深,多云雾,一年有256天云雾日,有"云雾之乡"的别称。云的动、静、生、灭变幻无穷,为静态的峰、石、松增添了许多神秘色彩。

由于峰、石、松、云的巧妙结合,产生无穷无尽的景象与画面,如"仙人踩高跷"、"梦笔生花"、"蓬莱仙岛"、"猴子观海"等等。黄山名峰有72座,奇松、巧石成千上万,构成难以计数的自然奇观。每组景观要素的组合,都是一幅杰出的天然中国画。

黄山地形复杂,生态健全,因世代保护,自然生态系统很少受破坏。黄山现有1450多种植物,300多种脊椎动物,170多种鸟类。其中,黄山短尾猴、白鹇、八音鸟都是珍稀品种。

与泰山文化不同,黄山文化主要是精神文化。奇观激奇文,美景发画图,黄山之美深深地激发历代的诗人、画家,为之赋诗、泼墨。李白为黄山写下两首诗,开辟了黄山诗源,此后一千三百多年来,仅赞美黄山的诗词就有两万多首,真可谓是诗海了。明末清初画家石涛说:"黄山是我师,我是黄山友",他多次上黄山,"搜尽奇峰打草稿"。有人说"石涛得黄山之灵,梅清得黄山之影,弘仁得黄山之质",他们开创了中国绘画史上的"黄山画派"。尽管黄山诗成海,画成山,也都永远画不完、唱不尽黄山的美景。不少名山文化中,道、佛及其宫观、寺庙是重要组成部分,而黄山虽然历史上也有过不少寺观庙宇,然而,任何人工的东西在天生丽质的黄山自然美面前都显得逊色、多余,甚至破坏风景。黄山的佛教虽然在历史上没有多大影响,然而黄山的和尚因受黄山自然美的感悟,倒出了不少"诗僧"和"画僧"。自唐朝以来,有诗画传世的黄山和尚就有十余人。清初中国画坛上的"四大名僧"中就有两位——弘仁和石涛师出黄山,成为黄山画派的奠基人。"名师出高徒",这就是黄山文化的特有价值。黄山作为画家的名师,将永世长名。

3. 武当山

武当山又名玄岳、太和山,主峰金顶海拔1612米。山体由变质岩构成,山顶云母片岩闪闪发光,形成"采石片片玉"的奇丽景观,为金顶增加了几分神秘色彩。

武当山地形复杂,雨量充沛,植被繁茂,海拔1000米以

上基本保持原生植被,保存了生物多样性。武当山自然景观丰富多彩,著名的景点,有72峰、36岩、24洞、11涧、三潭、九泉、十池、九井、九台、十石等风景名胜,是道教所追求的理想的仙境。

武当山是一座历史悠久的道教名山。自汉代以来,就有道教活动。最兴盛的时代是明朝(1368—1644)。明成祖朱棣夺取帝位迁都北京后,出于政治上的需要,大造"君权神授"的舆论,制造真武神保佑他治世的神话。从永乐十年(1412)开始,组织20万人,历时12年,建筑了9宫、9观、36庵、72岩庙以及大量亭、桥等,利用各种地形巧妙点缀、分布在70公里长的"神道"两侧,构成宏大的道教建筑群,体现了道教玄妙神奇和皇家庄严威武的意境,这座渗透着道教文化的名山,如此浩大的工程规模,在全国名山开发史上是仅有的一次。朱棣还封武当山为"大岳太和山"。

值得指出的是武当山的建设成就,是我国名山风景区建设的理论和实践的最高体现。它与其他名山不同之处,是在皇帝朱棣直接指挥下,经过统一规划设计,由国家投资,统一建设,连续十二年建成。

首先是规划,他下旨派规划设计人员到武当山作实地勘测,"尔往审度其地,相其广狭,定其规制,悉以来闻,联将卜日营建其体"。另一道重要的圣旨是"今大岳太和山舍顶砌造四周墙垣,其山本身分毫不要修动,其墙务随地势高下,不论丈尺,但人过不去即止,务要坚固壮实,万万年与天地同久远"。因山就势,不破坏地形,以自然为主,自然与人文融为一体,是名山风景建设的典范。

武当山人文景观的文化内涵,乃至自然景物的命名,都体现了修炼成仙的道教教义。如磨针井,相传太子上山学道,因意志不坚,而思归,下山途中见一老姆在井边磨铁杵,太子惊问何为? 老姆点化道:"铁杵磨绣针,功到自然成。"太子感悟,回山苦修,终于得道成仙。现院中井边插有两根碗口粗细的铁杵,以启示后人。

从整体来看,全山自然景观以"一柱擎天"的天柱峰为首、七十二峰朝金顶构成其宏观格局,结合众多的岩、崖、洞、潭、瀑和生机勃勃的植被及云雾飘渺的灵气,成为一座神秘的仙山。与此相应的,道教建筑体系亦以金顶金殿统八宫为主体,盘旋曲折达70公里长的神道为脉络,把时隐时现有藏有露的宫、观、堂、桥等联成一体,使仙山配上琼阁,成为道教追求的最高境界。形成自然景观与人文景观高度融合的道教名山。

4. 庐山

庐山雄峙于长江南岸,鄱阳湖之滨,主峰汉阳峰海拔1474米,重山叠岭,云雾缭绕。山体以砂页岩、变质岩为主,

水平层理清晰,有强烈的节奏感。庐山受周围断层切割,呈断块上升,故四周多悬崖峭壁、峡谷、飞瀑等壮观景象。不但美学价值很高,在生物多样性和第四纪冰川等自然科学领域也有很高的科研价值。

因庐山位于中国古代东西南北水路交通的枢纽,成为传统的战略要地。几千年来吸引了无数文人、画家、高僧、道士、文官、武将。他们徜徉流连,兴之所至,泼墨挥毫,吟诗题咏,为庐山留下极为丰富的文化遗产,成为我国著名的山水文化名山。

庐山虽然早有佛、道活动,而且东晋时庐山东林寺开山祖师、净土宗创始人慧远,曾产生很大影响,但宗教影响比起庐山士人文化在全国的影响来说,仍是第二位的。即使是祖师慧远,也是一位精通儒、道、释三家奥旨的学者和散文家,他还为佛、道教输入了文化血液。

庐山与文人结下不解之缘,最早是在西汉,伟大的历史学家司马迁"南登庐山"。此后晋代书圣王羲之(340)在玉帘泉旁建舍欣赏山水,习字养鹅,田园诗祖陶渊明,山水诗祖谢灵运,都从庐山吸取灵感,为中国的山水田园诗创作开了先河。唐宋时期,来庐山的文人墨客及其作品之多,影响之大,都是其他名山所不及的。如唐代的宋之问、张九龄、孟浩然、颜真卿、柳公权、韦应物……,宋代的范仲淹、欧阳修、苏轼、苏辙、黄庭坚、米芾、陆游等。在庐山游览隐居的则有李白、李渤、白居易、刘恕等,来庐山办书院讲学的则有朱熹、周敦颐等。明清时期更络绎不绝,如王守仁、唐寅、袁宏道、徐霞客、李时珍、康有为等等。这些在我国文化史上有一定地位的人物,都在庐山留下足迹和作品,为庐山增光添彩。例如李白"飞流直下三千尺,疑是银河落九天":苏东坡"不识庐山真面目,只缘身在此山中"等等就是吟咏庐山的不朽诗句。

名山与诗歌之间有什么关系呢?"一生好入名山游",五上庐山的李白深有体会,作了回答:"名山发佳兴",这生动地说明了名山与佳兴之间的内在联系。名山美景,激发了作者的灵感兴志,创作了表现名山佳景的文学艺术作品。李白特别欣赏庐山五老峰,并在其东侧筑庐隐居,与白云和青松作伴,体悟名山之美。诗人白居易,亦在他最欣赏的香炉峰下筑"三间两柱"草堂,闲居赏景,与大自然精神往来,作体验性的山居。"仰观山,俯听泉,傍睨竹树云石,自辰及酉,应接不暇。俄而物诱气随,外适内和。一宿体宁,再宿心恬,三宿后颓然嗒然,不知其然而然。""庐山以灵胜待我,是天与我时,地与我所,卒获所好,又何以求焉!""终老于斯,以成就我平生之志。"白氏草堂简朴而充满文化内容,重视环境而不讲究豪华,正是风景区审美体验建筑的佳作。它与

本世纪初,列强侵占庐山,为功利性的物质享受而建的避暑度假别墅有本质的不同。如果名山风景区,都建了功利性的建筑,那么名山也就不成其为名山了。

庐山文化中最有代表性的文化就是书院文化。庐山先后有不少书院,其中最有影响的是白鹿洞书院和濂溪书院。濂溪书院是宋哲学家周敦颐(1017—1073)创办的。书院在庐山莲花峰麓濂溪畔。周敦颐说:"庐山我久爱,置田山之阴。"他的学说对以后理学的发展有很大影响。

白鹿洞书院始建于唐贞元六年(785),为李渤、李涉兄弟读书处,宋初扩建为白鹿洞书院,与睢阳、石鼓、岳麓并称为天下"四大书院"。南宋(1179)朱熹重修,在此讲学,并制定教规。他是著名的理学家和教育家,一生以读书为乐,把"奇秀甲天下"的庐山作为传授知识、发展文化教育的地方。他主持的白鹿洞书院,达到历史上的鼎盛时期,"遂为海内书院第一"。白鹿洞书院位于五老峰南麓,四面环山,清溪迂回,苍松参天,修竹蔽日,环境秀丽而幽静,是典型的风水宝地。书院内外,清溪两岸,遍布各时代的碑刻和摩崖石刻,从中可以感受到庐山历史上浓郁的书院文化气息。名山几乎都有"读书处"和书院,庐山最有代表性。

5.峨眉山

峨眉山耸立于四川盆地西南,素有"雄秀西南"之美誉。它既有雄伟高大的阳刚之美,又有柔曲如眉的阴柔之美。峨眉山主峰金顶海拔3099米,相对高差达2600米,望之如凌云屏峰。

峨眉之高,是因强烈的地壳运动——褶皱、断裂活动,纵横切割、断块抬升所造成。剧烈的上升,必然伴随着流水的强烈下切和古冰川的刨蚀作用,于是形成千峰竞秀、万壑争流的壮丽景观。这不但对研究地质、地貌和生态科学有很大价值,而且在雄秀的宏观结构中,显出幽深、奇险和奥秘的形象美。

峨眉山地层,除缺失中、上奥陶统,志留系、泥盆系和石炭系以外,其余各时代地层均有沉积,并有丰富的古生物化石。特别是峨眉山东麓的前寒武纪(震旦纪)—寒武纪地层剖面,对于研究和划分相应的地层具有重要的科学价值。不愧被称为"地质博物馆"。

峨眉山又因生物多样性而有"植物王国"和"天然动物园"之称。这是因为它地处亚热带,复杂的地形和垂直气候带相互影响,给生物多样性创造了优越的环境。在峨眉山154平方公里内,高等植物有242科3200种以上,占中国植物物种的1/10,其中峨眉山特有种或中国特有种就有320种。从山下至山顶,由常绿阔叶林—常绿与落叶阔叶混交林—针阔叶混交林—亚高山针叶林,形成了完整的森林垂直

带谱,是当今世界亚热带山地保存最完好的原始植被景观。

峨眉山的动物约有 2300 种,其中珍稀特产和以峨眉山为模式产地的有 157 种,国家列级保护的有 29 种。峨眉山生物之多样性,是同纬度地带所罕见的。

峨眉山是中国四大佛教名山之一。自公元 1 世纪中叶,佛教传入峨眉山以后,公元 3 世纪营建普贤寺(今万年寺),至 6 世纪达到鼎盛时期,寺庙多达 100 余座。9 世纪中叶,僧继业奉宋太祖之诏,铸造重 62 吨、高 7.85 米的普贤铜佛像后,峨眉山便以"普贤道场"而闻名中外。现在尚存寺庙 30 余处,其中飞来殿、无梁殿为国家一、二级文物保护单位。庙藏和馆藏的佛教文物很多,其中华严铜塔、普贤铜像和明代暹罗国所赠《贝叶经》均为国家珍宝(一级文物保护)。

著名的乐山大佛,雕凿于峨眉山东麓凌云山,濒临岷江、大渡河、青衣江三江汇流处,依悬崖面三江而凿,历时 90 年(713—803)才完成。这尊弥勒坐像身高 71 米,肩宽 24 米,耳长 6.2 米,眼长 3.3 米。比例匀称,慈祥庄重,与山崖结为一体,是世界上最大的石佛像,具有很高的艺术价值。

近两千来年,峨眉山的最主要功能是佛教圣地——"普贤道场",由此而产生的佛教文化系统,贯串古今。但本世纪以来,峨眉山的现代科学研究(地质学和生物学)发展十分迅速,取得了丰硕的成果。其他功能,如游览、创作体验等亦得到相应发展。

峨眉山人文景观的最大特点是佛教寺庙建筑和摩崖造像。峨眉山寺庙建筑与自然融合的特点是:藏寺庙于幽境,求佛家之清静,如报国寺、伏虎寺、千佛庵等;建亭阁于溪谷流泉之间,听清泉之音,如清音阁;山中平台取秀景,如万年寺、洗象池;金顶梵宫显雄奇;绝壁危崖凿大佛,以镇江水保平安。总之,自然景观有境——雄奇险秀幽,人文景点有意——因形点题,天人合一,使雄者益雄,秀者益秀,幽者益幽,形成人与自然情景交融、和谐发展的美好意境。

四、中国名山的价值和保护

中国名山是自然景观与人文景观的有机融合,即在具有美学、科学价值的自然景观基础上,连续融入数千年的历史文化积淀,形成以自然景观为主,自然与文化融为一体的地域空间综合体。这种集科学、美学、文化价值于一体的自然文化遗产是人类极珍贵的财富。

中国名山中自然与人文融合的思想理论基础是人与自然的和谐协调发展、融合的形式,一是精神文化的融合,即通过山水审美陶冶情操,净化心灵,促进人的身心健康,增进人与自然的情感,保护人类生存的自然环境;二是物质文化融合,就是凝固在名山之中的人文景观,它是体现人与自然协

调发展的融合点,这种点只能在以自然为主体的原则下,通过精心选择,做到"点缀得宜,不掩其胜",做到真正融入自然之中。从而达到雄者益雄、秀者益秀、幽者益幽的境界。这些原则在今天仍有其现实意义。

每座名山都是一部人与自然精神文化关系的史诗,是自然文化遗产的博物馆。其内容非常丰富。中国山水画家说"师法自然",把名山当作创作山水画的老师。何止画家,中国历史上许多文人学士都受到过名山大川的启迪和感悟。我研究中国名山的启蒙老师就是家乡的浙江雁荡山。

中国名山是中国山水文化的主要源泉,它不但启悟作者自己,更感染千千万万读者,使他们间接享受到自然山水之美,激发人们热爱祖国大好河山。山水文化将随时代发展而不断丰富其内容,扩大其影响。

中国名山历史悠久,类型多样,各有特色。从公元 10—13 世纪的宋朝开始,在全国性的名山大川以外,各省、市、县域内,也都逐渐形成了自己的"十景"、"八景"等。这些景,绝大部分都是有山有水、规模不等的名山风景区。这是一种优良的文化传统。到今天,全国保存较好的县级以上名山,至少还有上千座。这是一批十分宝贵的自然和文化遗产。

在中国名山的发展历史中,除了战争时期以外,都会得到很好的保护。保护是名山发展的前提。作为精神文化功能的名山,从普通经济活动功能的山岳中分离出来的同时,一直存在着保护与破坏的矛盾。所谓破坏,是指对保护性的名山自然风景资源,进行功利性的经济开发。从某种意义上讲,没有保护,也就没有名山。历史上不少名山,因失去保护,改变了性质,成为普通山地。在中国几千年的农业社会中,最常见最大量的破坏活动就是伐木、樵采、开山取石等行为。为了保护名山自然景观,几千年来,逐渐形成一套与名山功能相适应的保护系统。国家级名山,皇帝下令保护,"禁樵采"如五岳。地区性名山,由地方政府保护,成为"守土者"的职责。宗教名山,寺庙保护。文人学士包括不少文官,不但发现名山价值、歌颂名山,而且是保护名山、建设名山的主导力量。深入人心的风水意识也成为各阶层人士保护名山的思想行为。上述各系统保护力量构成古代中国保护名山的社会行为,虽然名山不时受到威胁和破坏,但保护总是占上风,因此,为我们留下一大批十分珍贵的自然与文化遗产。破坏最严重的是清末以来列强入侵中国,战争所及之处无不遭到浩劫。中华人民共和国建国之后,就开始对主要的名山,如五岳等进行造林绿化。70 年代末实行改革开放以来,名山的建设引起国家到地方的高度重视。从 1982 年国务院公布了第一批 43 处,至今总计已经公布三批共 119 处国家风景名胜区(国家公园),第四批正在申报审批之

中。同期也确定了省市级风景区 500 多处。已经形成了以国家风景区为主,包括各级地方风景区共同组成的风景名胜区体系。相应建立了管理体制和管理条例,实行了较为有效的管理。

但是在商品经济的冲击下,有些风景区也出现了一些功利性、商业性的开发,背离了精神文化功能,对名山造成了严重威胁。我们应当继承中国名山建设为精神文化活动服务的优良传统,坚持以自然为主、人工建设要与自然紧密融合

的原则。否则名山的自然度降低,美感度、灵感度也随之下降,乃至消失。那样就谈不上山水审美、游览陶冶、创作体验等功能了,山水文化也会因为失去了源泉而丧失生命力。因此,保护无疑是当务之急。我们正为此而努力,让这份珍贵的遗产能永葆青春,为世世代代研究、学习和享用。

（本文是作者 1998 年应邀参加联合国教科文组织世界遗产中心在荷兰阿姆斯特丹召开的世界遗产全球战略——自然与文化遗产专家会议上提交并宣讲的论文）

国家自然文化遗产及其所处环境的分类价值

王秉洛

新中国建立以来十分重视对自然文化遗产的保护和管理。到目前为止,对国家遗产实行分部门按多项法规实施保护和管理。1961 年开始国务院审定公布全国重点文物保护单位,1982 年全国人大颁发《文物保护法》,现由国家文物局依法主管全国重点文物保护单位。1982 年开始国务院审定公布全国重点风景名胜区,1985 年国务院颁发《风景名胜区管理暂行条例》,由建设部依法主管风景名胜区工作。我国于 1956 年建立鼎湖山国家级自然保护区,国务院于 1985 年颁发《森林和野生动物类型自然保护区管理办法》,1994 年颁发《自然保护区管理条例》,规定由国家环保局负责自然保护区管理工作,各种类型的自然保护区由林业、农业、海洋、地矿、环保、城建、水利等部门分别实施管理。迄今我国尚缺少对国家自然文化遗产资源的统一政策和管理,现仅就建设部门负责管理的历史园林和风景名胜区部分加以介绍和讨论。

1.分类及其所处环境

按《保护世界文化与自然遗产公约》对遗产的分类,在此领域内遗产种类全面,价值珍贵。

1.1 文化遗产(包括文物、建筑群和名胜地)

① 文物:任何被认定具有国家意义的考古、历史和艺术或科学价值的文物都有其产生的历史背景和存在的空间,如龙门石窟的伊阙,麦积山石窟的麦积岩。正如联合国教科文组织在《关于在国家一级保护文化和自然遗产的建议》中所强调的,"文化和自然遗产构成一种协调的整体,其各组成部分均属不可分割","不应把上述任何一种创作与物件同其环境分离"。我们必须保护其完整性。

② 建筑群:作为文化遗产,分散的(或独立的)或相互

关联的成组建筑,除其本身的价值外,必然还会有其历史存在、艺术整体性或科学功能的环境。代表时代特征的建筑形式,群体建筑的整体协调一致性,都存在于一定的空间和环境中,而在特定景观中的建筑物同其环境则更形成完整的整体,不允许干扰或损毁,如北岳恒山的悬空寺正是因为所处"面对恒峰、背倚翠屏、上载危岩、下临深谷"的环境,才显示出"楼阁悬空,结构惊险"的景象。又如九华山的百岁宫临崖而起,浑然一体。岳阳楼同烟波浩渺的洞庭湖,毛泽东故居同韶山冲的依存关系等,进而如武当山以金殿为中心的庞大古建筑群和承德拱围避暑山庄的庙宇群更是突出的范例。

③ 名胜区:利用自然的条件如水文、地貌、植被等在其中的人工创造物,或按人的意向对自然加以利用或改造的再创造物。它们或是吸引人的美景,或是对考古学、历史学、人种学、人类学具有特别意义,或是在艺术、科学上具有特殊价值,如杭州"三潭印月"就是在西湖山水的大氛围中稍加人工巧妙点缀形成的人文精萃。"雷峰夕照"中的塔和"卢沟晓月"中的桥都是在辽阔无际的环境中起主导作用的精妙历史构筑。峨眉山的"双桥清音"又是人工建筑同白黑两龙江水、江心石绝妙的组合。新疆的高昌、交河故城又可说明环境的改变对整座繁荣的城池带来的严重后果。

我国历来有欣赏自然和对自然再创造的悠久传统,在世界独树一帜的中国历史园林是最具代表性的典型。中国园林"虽由人作,宛自天开",以自然的和生物的材料堆山、理水、构筑建筑、种植花木、模拟自然、营构空间。"具有生命的古迹",这是历史园林区别于其他文化遗产的最大特征。历史园林是"文明与自然直接关系的表现"(见 1982 年《佛罗伦萨宪章》)。历史园林作为理想的境域,又是一个时代的文化艺术风格的表现,是连同许多自然因素的优美空间环

境的总体,颐和园、避暑山庄、寄畅园、拙政园、沧浪亭等许多实例可以雄辩地证明这一点。

1.2 自然遗产

作为大自然的产物,它们具有更久远的历史和更庞大的规模,因而不可避免地同更大的范围的环境相联系,受到诸多自然因素的影响,构成相互更为紧密的关系。

① 物理形成物和生物形成物,如风蚀、水蚀、海蚀地貌,溶洞、化石,恐龙遗骸化石等。云南石林、九乡溶岩,大连金石滩、山东成山角、贵州龙宫等都具有突出的美学、科学和自然史的价值。

② 地质和地文形成物及濒危动植物栖息地、生长区,如庐山、峨眉山冰川遗迹;火山、火山遗迹,如五大连池十四座火山锥、岩浆流和火山爆发后生物的复苏和演替。四川贡嘎山海螺沟的现代冰川,云南西双版纳我国大陆仅存的热带雨林,九寨沟大熊猫栖息地和普陀山仅存一株的鹅耳枥,都是弥足珍贵的。

③ 天然名胜:即自然风景,其壮美是最富吸引力和科学价值的。如黄山、九寨沟、黄龙、三江并流都是著名的自然奇观,其自然生态整体环境是价值的核心,也是遗产持续保护的基础。

1.3 自然文化双重遗产

我国许多著名的风景名胜区,在形成过程中自然史和人类文化史的双重作用下,具有最鲜明的双重遗产的典型特征。正如尼罗河文化对太阳神的崇拜,两河流域文化对水的崇拜,恒河流域对星辰的崇拜,我国山岳壮美,自古就有对山岳的崇拜。三山、五岳,各类宗教神山中丰富多彩的自然表征和数千年的历史文化积淀相互融为一体,难于割裂。

1.4 其 他

在研究美国国家公园系统时,发现他们在国家公园的多种分类之外,还包括有三种地区,虽然其多数不属于国家公园系统的单位,但他们认为在保护资源上具有重要意义,是保护国家遗产的重要环节,所以也通过国家公园管理局实施管理。这也值得我们借鉴。

① 从属地区和保留地。同国家公园系统的单位有关的土地和民族聚居的保留地,其中包含着多种多样的资产,保存着有价值的资源,依法都受国家公园管理局保护并受其技术和财政的支援。我国风景名胜区在规划时,对关系到景观和生态完整性的外围保护地带给予了关注,但是在管理上仍缺乏有力措施。至于对民族文化、特种生活方式的保存,还缺乏政策和措施。

② 自然风景河道系统。根据法律规定,对河道进行系统地研究,按景观特点和被人为干扰的程度对其系统或某个河段分别规定为自然河道、风景河道或游乐河道,以便分别加以保护,提高其环境质量,即使是游乐河道的利用也必须同保护的要求相协调。河道在环境和景观上是极为活跃的因素,理应给予关注,但在我国主要是作为水、水力、水产、航运资源加以利用并且无一例外地作为排污通道,程度不同地被污染。虽然如长江三峡、黄河壶口、澜沧江、漓江、楠溪江、瑞丽江、舞阳河等河段被划为风景区,但大量的自然河道缺乏保护管理。即使这些风景区内的河段,水利的开发仍然是第一位的因素,缺乏作为国家遗产价值的认定。

③ 国家游览线路。美国依法开辟和设置商业、勘察和迁徙线路的历史游览路线,提供进入这些线路的公共通道,保护自然风景,设置标志,提供室外旅行、游览和欣赏的条件并保持其完整性。在我国,这种具有历史和景观价值的线路可以说有无数条,但并没有引起必要的重视。如在1982年就将剑门蜀道列为国家重点风景区,其中以三国为核心的历史遗迹、壮丽的景观如剑门关、翠云廊、栈道等绵延数百公里,可是一条线很难形成连续的区域,其保护和管理都成为问题,至今规划都难于编制。

1.5 讨 论

以上是对国家遗产的系统进行分类。当然分类的方法还有多种。对分类的研究具有两个方面的意义。首先,从总体上掌握全局,了解遗产的林林总总,给予统筹规划。特别像我们这样的遗产大国,更有必要从宏观上控制。其次,是便于对各项遗产准确定位,掌握各自的特点及其同所处环境的关系,以便分类指导,根据其特点搞好保护和管理。我们看到美国国家公园系统,对其369处国家遗产分成21种类型进行管理,有人反映难于区分其中一些类型的差别,有的近于繁琐,但对其每种类型确实可以规定不同政策,给予区别对待。相比之下,我国的风景名胜区,情况千差万别,目前统归在一个名下,用同一个模式,按一种政策来调整和管理,势必是顾此失彼,这不能不引起注意,研究相应的对策。

2. 价值分析

作为国家遗产的风景名胜区和历史园林,其共有的特点和优势就是每项遗产都包括了其所处的环境,即一定范围的优美自然环境。因而研究其价值时,就要通过保存遗产完整性来考核。现在从总体上分析遗产价值评估的项目和内容,大致应包括如下方面。

2.1 直接产出实物价值

区域内自然产出的实物产品的市场货币价值,但不包括不可再生的资源或经人工培育加工的产品。

① 矿产、土地资源:如淡水、矿泉水、盐水、地热等,可

供农牧副业生产的土地资源价值。

② 野生植物资源:如材用植物、药用植物、食用植物(干鲜果品、蔬菜、谷类、菌类等)、蜜源植物、香料植物、纤维植物、观赏植物等所允许提供产品的价值。

③ 野生动物资源:如鱼类及水产品,动物生长可供药用、食用、装饰用的产品,工业用原料,可能提供的观赏、科研、医用动物等。

2.2 直接服务价值(指以不引起资源的消耗和退化为前提的服务)

① 科研服务:提供自然科学的基础研究,自然历史进化演替研究,应用开发的实验研究,社会历史、文化、技术进步的研究,提供国际合作、比较研究。作为已有的研究试验基地,可以免去建设费用,对于许多研究课题来说,这些研究基地是无法人工营造的,其价值是独特的。这些研究的成果,对人类知识的积累,所产生的各项效益应该是能够量度的。

② 文化服务:作为无形资产,可以提供的文化服务所产生的精神产品和社会效益是难于估量的,仅从便于考核的几个方面举例,如教育服务,作为自然、文化教育课堂的作用;精神产品的价值资源对诗歌、绘画、摄影、文学作品的启迪作用;对各类文字、图片、音像出版物的作用及商业价值;对各类影视、广告产品提供现场和外景的作用等。

③ 旅游服务:其价值包括游人购买门票和各项休闲、游憩、观赏服务的直接支出;食宿费用;旅行费用和旅游用装备、器材、购纪念品的消费等。

2.3 间接生态价值

保持风景名胜区良好的生态环境是国家遗产景观可持续发展所必须的,同时又产生巨大的生态价值。

① 生物量增殖:首先是植物叶绿素固定太阳能,促使生物量增加,构成生物链第一环,保持生态良性循环,进而是各种生物的繁衍、增量。

② 固定 CO_2,释放 O_2,保持大气的动态平衡。

③ 涵养水源,保护土壤,防止水土流失和土壤沙化。

④ 保持营养物质循环与养分积累。

⑤ 降解污染物,防风固沙,改善气候,抑制病虫蔓延,防止自然灾害。

⑥ 保持野生动、植物栖息生长,保持物种多样性,保持多样基因的遗传。

2.4 存在价值

《保护世界文化和自然遗产公约》告诫:"任何一项的毁灭或消失都将造成世界各民族遗产之有害的匮乏","保证

传之于后代"是"当前和将来文化的丰富与和谐发展的一个源泉"。保持遗产完整、真实地存在是人类可持续发展的必要条件,怎样估计其存在价值都不会过分。对于这种非直接利用价值,有的学者建议用人们对遗产的完好存在志愿捐献的数额来计量其价值。这种非功利的、着重为后代人考虑的慷慨解囊越来越普遍,而且为数不菲。

2.5 讨　论

① 以上价值的分析估算,肯定是不全面不完善的,实际遗产价值远不仅于此。

② 每项遗产随规模、构成、特点不同,其价值取向会有所不同。从总体上分析各项价值构成,特别是自然遗产,其间接生态和遗传价值,即自然生态对人类社会、经济的贡献远远要比遗产直接产出和服务价值要高。因此,对于国家遗产要注意发挥其整体效益,从国家和人民的全局和长远利益出发,特别要注意发挥其生态、遗传和存在价值。

③ 在可以直接获得货币回报的直接产出和服务价值中,前者随着对遗产的保护和管理加强,不会有较大的增长。着重加强工作的应是使遗产的直接服务价值得到充分的实现,为科学文化的繁荣服务,为人民的休闲游憩服务,并且在服务中增加对遗产的保护和管理的回报。遗产在旅游服务中带动了消费,为国民经济的发展起到拉动作用,但我们也要看到旅游消费额中直接返还遗产的门票和服务费用只占很少的一部分,这一方面说明门票不能反映遗产价值的全部,另一方面也说明以遗产为目的地的旅游收入,应该给予遗产一定数额的补偿,以保证遗产的保护和管理。

④ 薛达元先生对长白山的价值作了深入细致的分析研究,现谨以薛先生的研究结果作为以上价值分析的实证:研究范围 1965 平方公里内,核算 1996 年总经济价值为 73 亿元,总效益为保护管理投资的 3400 倍。其中直接实物产出值占 1.15%,直接服务价值占 6.54%。部分可测算的生态、遗传价值占 24.21%,存在、遗产等非使用价值占 68.1%。其旅游价值中游人门票、游憩休闲直接支出占旅游总支出的 7.67%(薛达元,1997)。

3. 保护和管理

改革开放以来,我国加大了风景名胜区保护管理的力度,在全国实行风景名胜区三级管理体制。经各级人民政府审定的风景名胜区有 512 处,面积 9.6 万平方公里,占国土总面积 1%。其中,国务院先后分三批审定国家重点风景名胜区共 119 处,总面积 4.7 万平方公里,约占国土总面积 0.5%。并制订了行政法规和技术规范,开展资源调查鉴定,进行规划编制、审定,建立管理机构,创造了一些保护和管理

的经验,取得了很大的成绩,顺应了国际趋势,适应了经济建设和文化发展需要。但同我国经济文化发展的速度,同可持续发展社会的要求相比,工作的总体水平仍然不高,目前许多工作亟待加强。

① 立法建设。国家遗产的法律地位亟待以法律固定,以法的形式阐明其珍贵价值和神圣地位,规定同国家遗产地位相适应的管理体制和保护管理机制,排除部门、地方狭隘眼界的干扰。制定严谨、科学的资源评价标准,规定保护管理规划内容,编制、审批、修订程序;严格限制开发建设规模;规范利用行为;制定监测、研究制度,严格保护管理责任和处罚办法等。在行政立法的同时,要配套搞好各种规章制度和技术规范标准系列的建设,并明确执法主体,严格依法行政。

② 加强资源的调查鉴定,加速审定国家遗产,适应发展的需要。我国号称遗产资源大国,目前审定的遗产远不能同资源优势相称,更不能适应社会发展的需要。我国大陆同一些国家和地区在遗产所占土地面积上比十分落后。如美国国家公园系统占国土面积3.5%,仅51个国家公园就占2.07%,日本28处国家公园占5.48%,泰国6.6%,新西兰为7.7%,台湾省为省域面积8.4%。我们要抓紧资源的调查和鉴定,凡符合标准的都应及早审定公布。我国现有风景名胜区在分布上仍集中于东部地区,在目前的西部大开发过程中,首先要注意对西部资源的调查评价、鉴定,在西部审定一批具有规模的风景名胜区,以平衡西部广袤的国土。

③ 规范规划编制,限制开发建设。目前我国风景名胜区规划受城市规划的影响很大,许多城市规划技术人员掌握风景名胜区规划,在风景名胜区内搞人为空间构图,进行用地功能平衡和开发建设项目布局。规划审批中重在确定性质和指导原则,缺乏对资源保护的具体规定,对建设管理的控制作用不强,实际工作受投资者的牵制,在风景名胜区内大搞以盈利为目的服务、游乐项目建设,导致许多风景区城市化、人工化,环境污染、景观破坏、生态失衡、物种多样性趋向匮乏,使我国风景名胜区以野生动物贫乏而国际知名。今后编制风景名胜区规划必须加强技术队伍的资质审查,应有

多专业构成的规划组,在对资源作深入调查研究论证基础上,编制针对资源特点的保护、抚育、管理规划,提出资源观察、监测,进行动态研究的课题,指导科学、文明的游览服务。对于其中的服务区和重点开发部分,要做出控制性详细规划,经批准后据以指导开发建设。风景名胜区的管理部门要真正负起规划管理、监督的责任。

④ 严格保护管理制度,提高服务质量。现有风景名胜区管理部门缺乏必要的工作条件和资金保障,往往工作的重点在于为旅游服务、创收上,有的还承担着沉重的向地方财政上缴的任务。这同国家遗产的地位和任务极不相称。《关于在国家一级保护文化和自然遗产的建议》指出:对遗产要进行"有效的保护、保存和介绍","进行有指导的参观游览",弘扬遗产的价值。满足人们获取信息和发展的需求,同遗产的完好保护、保存是要同时实现的。因此,"其接待量必须限制在其容量所能承受的范围,以便其自然构造物和文化信息得以保存"(《佛罗伦萨宪章》)。目前的偏向是旅游需求是第一位的,以遗产作为商品向市场推销,广泛招徕游人,造成人满为患,遗产和旅游两败俱伤。一些地方以遗产招商,以牺牲遗产作为引入资金的条件;有的不恰当地将遗产定位为地方经济支柱,迫使遗产承担不应承受的压力;有的以遗产门票作股份,捆绑上市;有的干脆将遗产批租变卖。所有这些都是不符合国家全局和长远利益的。风景名胜区管理单位应该明确行政管理责任,国家给予保护和管理资金的保证。其工作人员要经过培训,持证上岗,真正承担起对遗产的保护、观察、监测、研究责任,以保护文化自然遗产、保护生态系统、保护物种的多样性为第一位任务。按规划要求实施管理,对游览进行指导,为游人提供高品质的服务。这些应在加强管理、提高国家机关管理水平中很好地研究实施。

⑤ 认真研究国际国家公园体制和经验,为在我国实施对国家遗产统一、有效、全面的管理创造条件。

(本文载于《中国自然文化遗产资源管理》,社会科学文献出版社,2001年)

加强我国的世界遗产保护与防止"濒危"的问题

郑孝燮

公约和国法结成的法网

保护、抢救世界文化和自然遗产,是人类文明和国际社

会可持续发展战略的一个重要组成部分,是每个国家的重要职责,也是全人类的共同义务。为此1972年11月16日联合国教科文组织在巴黎举行会议并通过了《保护世界文化

和自然遗产公约》。在这以前，鉴于战争灾难的破坏，特别是第二次世界大战的破坏及战后工程建设时无视保护遗产的不断破坏，从1954年至1968年联合国教科文组织曾出台了《武装冲突情况下保护文化财产公约》（在海牙通过）、《关于保护受到公共或私人工程危害的文化财产的建议》（在巴黎通过）等国际性法制性的重要文件。就是在这样的基础上，进而产生了《保护世界文化和自然遗产公约》。联合国教科文组织还陆续通过了《关于在国家一级保护文化和自然财产的建议》、《关于历史地区的保护及当代作用的建议》等加强保护遗产的重要文件。此外，尚有属于有关国际学术组织通过的"历史古迹建筑师及技师国际会议"、"国际古迹遗址理事会"等的"宪章"。又如《国际古迹保护与修复宪章》（1964年5月在威尼斯通过）、《保护历史城镇与城区宪章》（1987年10月在华盛顿通过）等。毫无疑问，加强保护我国的世界遗产完全应遵守公约和体现宪章的原则。否则，一旦出现"濒危"性的破坏，必将严重地影响国家的声誉、国家的形象。

1985年11月在全国人大常委会批准了我国参加联合国教科文组织《保护世界文化和自然遗产公约》。接着于1991年10月我国当选为世界遗产委员会成员。目前我国被列入世界文化和自然遗产的项目，已由1991年最初的7处，增加至28处。全世界现在共有世界遗产731处，我国的世界遗产总数仅次于西班牙和意大利。

保护我国的世界遗产必须遵守上述的国家公约和体现上述的国际宪章原则，同时必须执行国家制定的有关法律法规。这里首先指《中华人民共和国文物法》、《中华人民共和国城市规划法》、《国务院风景名胜管理暂行条例》、《中华人民共和国环境保护法》，另外还有其它有关的法规。事实上从国际公约到国法，基本上已经形成了一个法网，必须紧紧依靠这个法网，加强对我国世界遗产的保护。当前我们不仅需要有识之士，尤其需要"有识之官"正确对待世界遗产。这正是加强"依法行政"工作急需改进的重要问题，更是直接关系到中国政府如何履行国际公约的大事。

当前面临的主要矛盾

当前我国有些世界遗产在保护与开发利用之间存在着不少矛盾。因此，国务院九个部委局在前不久联合发布了《关于加强和改善世界遗产保护管理工作的意见》（简称《联合意见》），特别着重提出：一切开发、利用和管理工作，首先必须把遗产的保护和保存放在第一位，都应以遗产的保护和保存为前提，都要以有利于遗产的保护和保存为根本。《联合意见》应该使我们清晰地认识到，那些存在着矛盾的我国

的世界遗产，尽管原因可能是多方面的，但是最基本的原因就在于不把遗产的保护和保存"放在第一位"、"为前提"、"为根本"。

现在我国的世界遗产保护总的状况是：多数好、少数差、个别很差——有的已被亮了"黄牌"。在差的方面，矛盾主要集中在有些地方或有的业务单位片面地看待世界遗产的价值。"黄牌"警告就是认识错位的必然结果。北京大学世界遗产研究中心主任谢凝高教授认为，其中"亟待解决的共性问题"就是不可以把世界遗产"单纯当作旅游资源，一切为了开发旅游服务"。也就是说，决不应当把世界遗产当作财源滚滚而来的"摇钱树"。如果热衷于单一的经济目的，势必就会出现开发利用过度，或者错位利用、忽视保护，因而不断出现建设性破坏、旅游性破坏的种种问题。尤其莫名其妙，有的世界遗产竟然搞出股票上市，或者转包、出售经营权等非常错误的想法或做法。按国家建设部2000年4月的《关于加强风景名胜区规划管理工作的通知》指出：在风景名胜区内，一是"不准规划建设宾馆、招待所、各类培训中心及休疗养院（所）"。二是"各地区、各部门不得以任何名义和方式出让或变相出让风景名胜资源及景区土地"。是"不准设立各类开发区、度假区等。擅自进行开发建设者，要坚决予以纠正"。（见《风景园林通讯》2000年第5期）。这些问题究其原因，往往直接来自有些地方的管理者不遵守"依法行政"。最近，国务委员兼国务院秘书长王忠禹在"加快政府职能转变，全面推进依法行政"的讲话时指出，"不允许各自为政、各立章法、各搞一套"。显然是有的放矢的。

发展旅游业，为国家带来了巨大的经济效益，做出了重大贡献，然而不要忘记历史是根，文化是灵魂，在中华大地上的世界遗产蕴藏的和生发出来的物质和精神文明的文化价值才真正是永恒的和无法衡量的。寓教于游的文化效益，更是旅游发展的第一位的目的。试看联合国教科文组织的官员对中国的世界遗产的价值观的说法：一位是世界遗产中心主任伯尔德·冯·德罗斯特先生（Mr. Brend Von Droste）1997年为《中国的世界遗产》写的"序言"说："中国的文化在文化史上的杰出作品中，在变幻多端的自然面貌和雄伟壮丽的风景区域中有着深厚的根基。丰富的名胜古迹是中华民族流传不朽的珍宝。""文化和自然并蓄的观念是中国文明的基本观念。"第二位是中国联合国教科文组织委员会主任韦钰女士1997年为《中国的世界遗产》题词："让更多的世界人民共享中华文明宝库及领悟中国风光之神采。"

本来"旅游资源"这个概念，如果不被扭曲为"商品"、"产品"，推出什么"品牌"之类的话，原是无可非议的。然而一旦抛弃"旅游资源"本质属性的文化价值和品位高低，而

只顾追求商品化的利益,追求打什么"品牌"或做什么"包装"的价值,甚至贪婪地挤进股市的股票价值,那就不可避免地误导为急功近利、单一经济的目的。又怎么能不出现以下要谈的有关"亟需整治"的问题呢?

亟需加强保护与整治的我国世界遗产

由于前面提到的原因,我国有些世界遗产出现了建设性破坏。亟需对照"保护为主,抢救第一"的精神,进行整治,以免有可能沦入世界遗产的"濒危"名单。这是一个非常严肃的并非国家的小事。

例一:张家界武陵源国家森林公园和国家风景名胜区的整治——联合国教科文组织的官员1998年9月到这里考察后,认为该世界遗产的自然景区出现了"城市化倾向"的建设性破坏。于是张家界市政府即于1999年8月开始为恢复和保护核心风景区的原貌,进行整治大工程,预计今年底完工。完工后所有不协调的建设性破坏带来的人造痕迹均将消除。伴随绿化面积的恢复和扩大,武陵源景区的"峰林"生态环境自然景观也将得到恢复。

武陵源是以砂岩大峰林为主体,包括森林、水源、地貌等自然纯朴的山光水色与珍奇动植物等天然形成的自然遗产,荣获了世界遗产的桂冠。可是过度的旅游十年开发规划,使它遭到建设性破坏,不但开放景点要达65处、旅游床位达1.7万个,年接待中外游客达120万人已经过度,尤其还要"抓紧兴建"天际大观园、湘西大观园、台湾山庄、台北城、民族贸易中心、食品城、夜总会、桑拿浴、高尔夫球场、白虎堂天然狩猎场以及山上索道、升降电梯等旅游建设。更打算进一步放宽政策,在引进外资14.5亿元人民币的基础上,再争取外资30亿元人民币,50个建设项目(《中国旅游报》1993.1.19)这就是这一世界遗产被过度开发而必须大规模整治的事实依据。

例二:西安秦始皇陵及兵马俑坑的整治——轰动世界的这一考古发掘,1978年9月和1991年11月当时任法国总理现任总统的希拉克先生两次前来参观时称赞为"世界第八奇迹"。皇陵占地(包括内外城)2.13平方公里,80%的地下属文物遗址范围,地面以下一定深度就有文物埋藏,就是文化层。国家计委今年7月正式批准建设"秦始皇陵遗址公园",规定按照世界遗产的保护标准进行规划设计,充分体现秦始皇陵的整体风貌和历史格局,并预计2005年完成。

2.13平方公里陵区的地上,原来被3个村落6000多居民和24个企事业单位所占,包括文化大革命从上海迁来的缝纫机厂,现名陕西缝纫机厂。这种状况如果不进行彻底整治,必将造成地下珍贵的文化遗产毁灭性破坏。

秦陵遗址公园实际是一项列为国家计划,主要由政府操作,实现彻底"保护陵区,另辟新区,移民建镇"的整治工程,而不是采取依靠房地产开发的决策。报载陕西省政府将由一位副省长坐镇现场。

例三:保护北京皇城,争取纳入世界遗产的名录——北京明清故宫是联合国公布的五处北京世界遗产之一,皇城是紫禁城不可分割的外院。明清由大太监掌管的专为皇帝管家、服侍、供应、保卫的内务府就设在四周高筑"黄瓦红墙"属于禁区的皇城。

皇城占地6.8平方公里,对故宫四面围护烘托,使雄峙都城中央的紫禁城的气势更加巍峨壮丽。加上从太和殿宝座生发出来的庄严端直、修长的南北中轴线,如同强大而有力的中枢神经脊椎一样,主宰着都城全局,象征着"惟我独尊、一统天下"。皇城之内布置有左祖右社、三海官苑、皇家寺观和景山,还有内务府系统司、局、署的衙门及府宅、居处、仓库、作坊、堂所等四合院胡同以及教场等的统一布置。现在,皇城仍保存着较多的这类低缓、平和、虚实互补的建筑布置全局,虽然历经沧桑,但整体文态环境仍然能够明确反映"封建礼制"留下的等级森严、主体突出、中轴对称、高低错落、内外有别、完美有序的历史文化烙印。北京古都风貌中心区的皇城保护区从来都具有与故宫密切相连的历史、艺术、科学价值。北京市政协文史委员会为此举行过委员座谈,并邀请几位专家参加,然后向北京市政府提出建议:一要编制北京历史文化名城保护规划,二要皇城整体划定为历史保护区并争取申报为世界遗产。建议已被市政府采纳。

罗哲文先生曾几次口谈笔述介绍:1998年2月联合国教科文组织派国际古迹遗址理事会主席席尔瓦先生来北京考察天坛和颐和园列入《世界遗产名录》时,就深情地说:"我很早就仰慕古都北京,今天终于来了。北京虽然未像巴黎、罗马那样保存完整,但是我看中心部位的皇城区域尚基本保存。这是北京古都的核心部位,还是够条件的。""在其它一些国家也有把古城的一部分列入《世界遗产名录》的。"席尔瓦先生最后表示:"在他任期内,希望能为北京城列入世界文化遗产做出最大的努力。"

最近,北京市正式公布了《北京历史文化名城保护规划》。其中关于"皇城历史文化保护区的保护",指出了皇城的性质为:"以皇家宫殿、坛庙建筑群、皇家园林为特征,以平房四合院民居为衬托,具有浓厚的皇家传统文化特色的历史文化保护区。"为此要求实行降低人口密度、停审三层及三层以上房屋和与传统皇家风貌不协调的建筑,以及合理利用文物和道路改造要慎重等保护原则。以上虽然指的是皇城保护区的性质,其实也正是针对眼前亟待保护抢救与整治的古都剩下的惟一面积较大的历史中心区即皇城古都风貌的基本要求。我认为这就是皇城保护所需的三低原则——低人口密度、低建筑高度、低交通流量。申报皇城列入联合国世界遗产，实行三低原则的力度还要加大，以便更能体现《世界遗产公约》的精神。

中国历史上的七大古都，如今只有明清北京还剩有地面上的古建筑和历史保护区，作为历史见证。其它六大古都，仅有地下考古遗址，地面上建筑几乎绝迹了。

为保护世界遗产做出更大的贡献

文化和自然遗产的最大价值在于它们本身的存在。托物寄史、托物寄美、托物寄意等等，必须是遗产的真实物体、物境的存在才能够依托。重点遗产必须具有的历史价值、艺术价值、科学价值，无一不是通过保护文化的或自然的遗存实体而体现的。尤其是不论文化的或自然的遗产都是不可能再生的或再造的。只有保护才可以使它们延年益寿。

建议请有关部门研究考虑，除重点完成上述那些保护、保存整治的遗产外，是否也有必要研究确定一种保护、检查、整治的普遍性工作方式，好像定期普查身体一样，从而预防出现"濒危"的可能。例如前年完成定海检查、制止破坏名城的经验，采取多种专业配合，新闻记者、法律专家、名城和文物建筑专家等三方面协同进行诊断和抢救。当时如果仅是某一专业单打一，说不定会是另一种结果。

人类只有一个地球，地球上只有为数很少的世界文化和自然遗产。这些寥寥的世界遗产是人类文明延续和进步的历史见证，是人类文化与自然的共同财富。当前十分需要提高我们对这个问题的认识，并且进一步加强保护的工作，承担好应尽的国际义务。这是一项事关人类文明和社会可持续发展的壮举。有五千年文明史和处在当代发展中国家的中国，相信必定能够进一步为保护世界遗产作出更大的贡献。

四种倾向危害当代中国文物保护

谢辰生

一、新中国文物保护的辉煌成就

新中国文物保护工作54年，是辉煌的54年，取得了旧中国无法比拟的巨大成就。经过几十年的文物普查、复查，发现不可移动文物近40万处。已有29处文物古迹和风景名胜区被列入世界文化和自然遗产名单，国务院先后公布了三批共101个城市为国家历史文化名城，五批共1271处全国重点文物保护单位，各地方政府还分别公布7000余处省（市、自治区）级文物保护单位和6万余处县级文物保护单位。这些各种类型的不可移动文物，已经初步形成能够从不同的侧面系统地反映中华民族灿烂古代文化以及近现代反帝反封建革命斗争的文物史迹网。其中古建筑方面，不仅保护修缮了大量濒危的建筑，而且在文物普查中还新发现了许多各个时期的代表性古建筑，构成了一部用实物组成的中国古代建筑发展史。在考古发掘方面，从旧石器、新石器时代以及夏、商、周以来的各个历史时期都有大量具有重要科学价值的考古新发现，基本上建立起了中国古代文化谱系的框架，许多重大考古成果赢得了全世界的瞩目。田野考古发掘技术水平已经居于世界前列。从实践到理论形成了自己独具特色的考古学体系，并且进行了新的探索。多年来运用考古学手段考察历史地震、古代水文、沙漠变迁取得可喜成绩，为考古学的应用开辟了新的领域。在文物征集方面，国家通过接受捐献、收购、拣选等渠道对流散在民间的传世文物进行了大量的收集工作，许多著名的爱国文物收藏家把他们毕生辛勤收集的珍贵文物，无偿地捐献给国家收藏，反映了新时代人们精神面貌的深刻变化。同时从建国初期就陆续从海外不断收购过去流失境外的传世著名文物珍品，使之重归祖国怀抱。特别是还大力开展了1840年以来近现代文物资料的保护和征集工作。所有这些极大地丰富了博物馆的馆藏，促进了博物馆建设的发展。从建国初期全国只有21座博物馆发展到现在，全国博物馆已达2000余座。它们不仅在形式和内容上各具特色、丰富多彩，而且近年来新建的上海博物馆等已经达到了国际的现代化水平。新中国文物、博物馆事业已成为社会主义文化事业的重要组成部分，在宣传教育、科学研究、丰富人民文化生活等方面，为促进社会主义精神文明建设做出了积极的贡献。

新中国文物保护工作54年，又是经历了曲折的54年。50多年来之所以能够取得辉煌的成就，主要是因为国家对文物保护工作制定了正确的方针政策、指导思想，并且用法律形式固定下来。从新中国成立初期颁布的一系列的文物法令法规,到现在已经基本形成了以《中华人民共和国文物保护法》为主体,各地方、各部门颁布的行政法规为辅的中国文物保护法规体系。可以说,每当认真贯彻正确的方针政策、指导思想依法办事的时候,我们的事业就兴旺发达。反之,在正确的方针政策、指导思想受到干扰,有法不依的时候,我们的事业就遭受挫折。

二、改革开放以来的成绩与问题

自1978年中国实施改革开放以来的20多年,新中国文物保护工作发展的速度和规模都远远超过了过去的30年,而且在认识上也有了新的发展。在这20多年中,从1987年12月联合国教科文组织《保护世界文化和自然遗产公约》世界遗产委员会正式批准我国6项文化和自然遗产列入《世界遗产名录》起,至今已达29项,跃居世界第三位。经全国人大常委会、国务院批准,我国签署了全部有关文物保护的国际公约(共4个)。在国务院公布的五批共1271处全国重点文物保护单位中,有四批1088处是在这20年中公布的,为前30年的6倍多。目前已发现的40万处不可移动文物也主要是1981年开始历时10年的文物普查、复查工作的成果。关于文物维修,仅"九五"计划期间,国家拨款和地方自筹共达10亿多元,完成了2228个(次)文物保护项目。考古发掘以配合三峡工程、小浪底水库、京九铁路等重大工程为重点,并集中全国考古力量开展了大规模的配合基建的考古发掘工作,取得了重大成果。特别是公布保护历史文化名城,不仅要做好名城范围内各级文物保护单位和历史街区的保护工作,而且还要求保护名城固有的整体格局和风貌,注意整个城市空间的协调。这是我国文物保护工作从认识到实践的一个新发展。此外,在文物保护领域应用高科技、现代化手段和文物信息系统的建设工作也有了新的进展,使文物保护和管理的现代化有了良好的开端。

改革开放的20多年,文物破坏、盗掘、走私等情况之严重,也远远超过了过去的30年。

随着城市建设和各项基本建设的发展,建设工程与文物保护的矛盾十分突出,虽然由于多方支持和考古工作者的努力,在三峡、小浪底等重大工程和其他许多已知建设项目范围内,抢救了不少重要文物,而且不断地有重大发现,但是真正经过科学发掘并保护下来的在新发现的文物总数中所占比重很小。在城市建设中除了少数城市如广州的西汉南越王宫苑遗址为正确处理城建与文物保护矛盾提供了成功经验外,全国更多的城市在旧城改造和各种建设工程中,有相当数量偶然发现的文物被破坏了。甚至在被评为"十大重要考古新发现"的项目中,往往也伴随着一些令人遗憾和痛

心的破坏。湖南长沙走马楼出土的三国时期竹简,是建国后最为重要的发现之一,但它并没有经过科学的发掘,而是在工程中抢救出来的。与竹简相关的考古遗迹,已在施工过程中被毁得荡然无存,极大地降低了它的科学价值。这种损失是永远无法弥补的。可以说,它们既是十分重要的考古新发现,同时又是极为严重的文物破坏!

历史文化名城的保护更令人忧虑。在已公布的名城中只有平遥、丽江极少数得到了完整有效的保护。不少城市重开发、轻保护,在旧城改造中大拆大建,致使许多有价值的街区和建筑遭到破坏,甚至有的地方拆除真文物,大造假古董,搞得不伦不类,破坏了名城风貌。舟山定海旧城的破坏,是一个突出的例子。当地一些领导不听专家呼吁,无视国务院职能部门的意见,强行拆除了旧城的主要街区和有价值的历史建筑,造成名城无可挽回的破坏。

盗掘、走私文物等犯罪活动,在1987年国务院发出《关于打击盗掘和走私文物活动的通告》之后,曾一度得到遏止,但由于打击力度不够,致使这一问题不但没有根本解决,而且到90年代以后愈演愈烈,不仅在河南、山西、陕西等文物集中地区活动猖獗,乃至杳无人烟的大漠,地下文物遭到破坏的厄运也未能幸免。据了解,遍布内蒙草原的辽代墓葬,从90年代以来,几经洗劫,有90%以上被盗掘一空,出土的许多过去国内外罕见的珍贵辽代文物被走私出境,大量出现在英国伦敦文物市场上。

混乱失控的文物市场与上述各种犯罪活动有千丝万缕的联系。20世纪90年代以来,在全国范围内,从城市到农村,涌现出无数的文物自由市场,一直没有采取有效的规范措施,致使有些经批准设立的文物监管品市场,非法经营现象十分严重,合法的场所掩护了非法的活动,成为助长盗掘、盗窃、走私文物犯罪活动猖獗的重要原因。

上述情况之严重,为建国以来所未有,也为历史上所罕见,如果不及时采取果断措施,严加整治,遏止其继续发展,将会造成更加严重的后果。

三、值得警惕的四种倾向

在改革开放以来的20余年中,早在1982年就颁布了《中华人民共和国文物保护法》。这是对"文化大革命"期间"四人帮"等煽动极"左"思潮、严重破坏法制的拨乱反正。2002年10月为适应新形势发展的要求,又由第九届全国人大常委会通过了新修订的《文物保护法》,并由国家主席江泽民签署第76号令公布实施。在新法中把长期以来在实践中行之有效的"保护为主、抢救第一、合理利用、加强管理"的文物保护工作方针写进了新法,上升为法律准则。这是国

家保护祖国文化遗产的重大举措,是标志我国文物保护工作又进入了一新的历史发展阶段的里程碑。但是近几年来随着社会主义市场经济的发展,社会上各种思潮也普遍活跃起来。在文物保护问题上,出现了一些值得重视的倾向,不断地干扰和影响着《中华人民共和国文物保护法》的实施以及有关方针和原则的贯彻执行。它们是当前文物保护工作中出现的严重问题的重要原因之一。这些倾向主要表现在四个方面。

第一,文物价值经济化。即用商品经济的理论来判断文物的价值,从经济效应来衡量文物工作的意义,从市场效应来确定文物利用的取向。这是与文物保护工作内在的本质要求相违背的。文物是一个国家和民族的历史文化遗产。就本质上说,它不是商品;只有一小部分在国家政策允许下进入流通领域,才成为区别于一般商品的特殊商品。从总体上说,文物的价值是它固有的历史、艺术、科学价值,而不是经济价值。它对社会发展的贡献,在于为社会提供精神力量和智力支持,而不是创造物质财富。它是文化现象,不是经济现象,是属于精神文明建设范畴,不属于物质文明建设的范畴。因此,只能从社会效益来判断文物工作意义和确定对文物利用的取向。在坚持社会效益的前提下,同样会取得相应的经济效益,在这里,二者是统一的,而且是成正比的。越是重视社会效益,经济效益就越好。反之,如果只是单纯地追求局部的暂时的经济效益,不仅会损害社会效益,归根到底还会损害长远的经济效益。

第二,文物工作产业化。这是文物价值经济化的表现和发展。近10年来在文物界内外,都有人提倡文物工作产业化的主张。他们要求把文物保护维修、考古发掘、科学研究、宣传展示等各个部门和各个环节统统按市场经营机制运作,以期取得最高的经济效益,并以此作为文物工作改革创新的标志。这是完全错误的理论。产业主要是指在社会分工条件下从事经济活动的国民经济各部门。文物工作所从事的不是经济活动而是文化活动,不是国民经济部门,而是不以营利为目标的社会公益事业,二者性质是根本不同的。如果文物工作实行产业化,就从根本上改变了文物工作的基本性质,也必然要改变它的正确方向而走到邪路上去。但这并不排斥文物部门办产业。完全可以从宣传群众、服务群众出发,密切结合自己业务特点,兴办具有行业特色的文物第三产业,并且应当努力做到社会效益与经济效益的最佳组合。这对文物工作发展是有利的。因此,文物工作可以办产业,但不能产业化。

第三,文物管理市场化。这主要是指一个时期以来,在一些地方由于领导的错误决定,以管理权与经营权分离为理由,由旅游公司兼并文物单位,进行所谓"强强联合、捆绑上市",试图实行文物管理市场化。这种管理体制的改变,现已导致了"水洗三孔"等严重的文物破坏事件。文物是国家的历史文化遗产,保护文物是政府行为,对文物的保护管理只能由政府的职能部门负责,而不能由其他任何部门特别是旅游企业来越俎代庖。旅游业不是资源型产业,不应掌握资源,它是服务型的第三产业,是为人民生活、公共需求服务的经济部门,几年来的实践证明,旅游公司兼并文物单位的做法是行不通的,是十分有害的,必须纠正。但是文物与旅游两个部门又必须进行合作,因为保护好文物是促进旅游发展的重要条件。同时,通过旅游活动,可以更充分、更广泛地发挥文物在宣传教育、丰富人民文化生活以及促进中外文化交流等多方面的积极作用。因此,两个部门是应当相互促进、相辅相成的,文物部门应当加强旅游意识,在保护文物的前提下,为旅游发展创造条件;旅游部门则应当认真执行国家文物法律和文物工作方针,尊重文物工作的客观规律。两个部门必须合作,但不能合并。只有这样,才能相互促进,共同发展,形成良性循环,达到"两利"目的。反之,势必造成两不利,既不利于文物保护,更不利于旅游的可持续发展。

第四,文物产权国际化。早在20世纪90年代初,就有人提出历史文化遗产应是"世界共有"的观点。从此,一些媒体为之广泛宣传,有的文章认为这是文物理论上的突破。他们认为,文物无国界,任何珍贵文物摆在中国故宫和摆在法国卢浮宫其"性质没有什么差异"。有人还宣扬掠夺文物有功,为帝国主义者盗窃敦煌文物翻案,甚至将斯坦因、伯希和等美化为"旷世大师"、"功臣"等,对他们"大可不必计较恩怨",应该给予"百分之百的宽容"。这种观点如果成立,过去列强掠夺其他国家文物,岂不都是合理合法了吗? 因此,共有的观点是极其有害的。而且不管其主观动机如何,至少客观的效果就是要否定国家禁止珍贵文物出境的法律,为敞开国门卖文物制造"理论"根据。文物是历史文化的载体,它所体现的文化和科学成果,作为一种精神财富可以是属于全世界的,但具体到每一件文物本身,则只能是属于它的国家甚至个人。在这里,必须把精神财富与文物所有权区别开来。正如一项科学技术全世界都能应用,但还有着知识产权问题,具体的产品则是有国别乃至厂别的。因此,文物只能共享,不能共有。

以上所列举的种种倾向,其产生的一个重要原因,是不少同志没有正确认识文物保护与市场经济的关系。仿佛实行市场经济体制,一切社会领域都必须按市场经济规律来运作,这是走入了对市场经济认识的误区。因此,一个时期以来,特别是在《文物保护法》修订过程中,不少人说,原来的

《中华人民共和国文物保护法》是计划经济的产物,实行市场经济就必须打破它所规定的条条框框。应当承认,原来《中华人民共和国文物保护法》规定的一些具体要求和措施,已经不能完全适应客观情况的发展与变化,需要进行必要的补充和完善。但绝不是要修改它所确定的而且实践证明是正确的文物保护基本原则和基本方法。这些原则和方法是遵循文物保护工作自身发展规律而制定的,而且大都是国际社会共同确认的规则。它是国际社会总结了一百多年来在文物保护问题上的正反两方面的经验教训而形成的。它所体现的客观规律,并不因为国家、民族和社会制度的不同而有所区别,更不能因为经济体制的改变而改变。那种认为随着社会主义市场经济体制的确立,文物保护工作也要完全改变成为"经济行为",并且必须照搬经济领域中的原则和做法来规范文物保护工作的观点是完全错误的。因此,在《文物保护法》的修订中理所当然地没有采纳上述意见。文物保护与市场经济是分别属于两个性质不同的社会领域,都有各自的客观规律,二者是不能相互取代的。否则就混淆了事物质的区别,就会把事情搞乱。

市场经济是法制经济,越是改革开放,越要加强管理,越是市场经济,越要加强法治,要警惕伪市场经济的陷阱。在市场经济条件下,绝不是要用市场经济规律取代文物保护工作规律,而是要更加坚定地遵循体现了文物保护自身发展规律的基本原则和方法,研究因社会主义市场经济体制的建立而变化了的社会环境和出现的新情况、新问题,从现实存在的实际出发,有针对性地把这些原则和方法具体化,提出更明确、更具体、更具有操作性的新措施,并在执行中大力加强执法力度。因此,在文物保护的指导思想上绝不是要放松、

放宽,而是要更加严格、更加严密。只有这样,才能保证在社会主义市场经济的条件下,能更加科学、规范和有效地保护好文物,使我国的文物事业沿着正确的方向,持续健康地向前发展。

邓小平同志明确提出:"思想文化教育卫生等部门都要以社会效益为一切活动的唯一准则,它们所属的企业,也要以社会效益为最高准则。"并且,他还对精神产品商品化的倾向提出了尖锐的批评。他指出:"有些混迹于文艺界、出版界、文物界的人简直成了唯利是图的商人。"文物事业是文化事业的一个重要组成部分,是社会主义精神文明建设的阵地。保护好中华民族珍贵的历史文化遗产正是体现了广大人民群众的根本利益和长远利益。前述四种倾向都是违背邓小平理论的。我们必须从党的十六届三中全会提出的全面、协调、可持续发展这个新的科学发展观高度,认识和理解文物事业在社会全面发展过程中的地位和作用,处理好它与各有关方面的关系。当前,中国文物保护工作面临的形势,既有机遇又有严峻的挑战。我们要抓住机遇,迎接挑战;在工作中严格执法,全面准确地认真贯彻执行国家的文物工作方针;正确处理文物保护与利用的关系、社会效益与经济效益的关系,特别是文物保护与市场经济的关系;坚持把保护放在首位,以社会效益为最高准则。只有这样,才能在邓小平理论的指导下,实践"三个代表"重要思想的要求,克服危害文物事业的种种倾向,巩固50多年来取得的光辉成就和成果,把新中国文物保护工作提高到一个新的水平,为建设有中国特色的社会主义做出自己的贡献。

(本文刊于《文化遗产保护与经营——中国实践与理论进展》,社会科学文献出版社,2003年)

风景名胜和历史文化名城资源的保护策略

仇保兴

在我国城镇化和旅游业高速发展的今天,作为旅游业发展最主要载体的城市历史文化和风景名胜资源的保护与开发利用,既受到了前所未有的重视,也因为思想认识的不统一及工作方式方法的偏差,出现了大规模的破坏现象。本文从加深对城市高等资源特征的认识入手,介绍城市环境中现存的各类资源的特征和保护开发的例子,并力求吸取国内外的历史教训,探索在新时期如何处理保护和利用好此类资源的基本手段与方法。

一、加深对城市高等资源特征的认识

所谓一个地方的某些资源等级比较高,一般具有以下五个特征即独特性、垄断性、稀缺性、脆弱性和不可再生性。这五大特性决定了这些资源与别的资源不一样,不像一般的农业资源、工厂资源或者其它的资源,损失了可以拿回来,或者这个资源可以被别的资源代替。城市高等资源概括起来有以下几个方面:

1、城市古建筑和历史街区

欧洲许多国家,像意大利、法国、英国以及丹麦、挪威、芬兰等,其中任何一个国家留给游客的基本印象就是这些国家的城市历史建筑的保存非常好,而正因为这些历史建筑,使她们成为世界各地游客游览观光的地方。英国城市规划协会会长认为:二次世界大战使得欧洲许多国家城市的80%建筑被毁坏,但是二战以后,这些国家的城市规划师们,在城市的恢复重建上,不约而同地选择了同一条修复之路,就是按照原来的图纸进行修复性建设,把这些历史性建筑恢复到二战以前的风貌。想不到40年以后,这批历史建筑观赏价值越来越高,成为城市不可估量的宝贵资产,也成为许多国家和城市赖以生存和发展的主要资源。他认为,其他的资源都会枯竭或贬值,惟独城市的风貌、历史古建筑、历史街区等资源,一年比一年值钱,来这里的游客越来越多,相关产业赚的钱也越来越多,这是我们当时实施保护时所没有想到的。随着全球旅游业的兴起,现在这些资源增值相当快,而且可以世世代代地增值下去。

欧洲国家之所以较好地保存了城市历史建筑风貌,缘于当时有一个制度起了重大作用。法国、意大利、英国都适时建立了国家规划师制度。二战结束以后,如何进行城市的恢复重建?法国就在全国所有的规划师中,经过考试选择了350名规划师作为国家规划师,由法国建设部负责把这些国家规划师派驻到历史文化古迹比较多的城市规划局工作,该城市所有的建设项目,必须先经派驻的国家规划师签字同意,再上报市长批准后才可以动工建设,所以这些城市的历史风貌、古建筑保存得非常好。到了城市化和城市修复完成后,350名规划师中有一半转到了文化部,因为这时主要的任务是对古建筑的维护而不是修复。至今为止,法国经历了三次国家规划调控权利下放的过程,惟独这个权利始终没有下放。法国、英国、意大利等这些国家的城市,尽管遭受了战火的蹂躏,许多城市毁灭了好几次,但是现在我们还能在这些城市中清晰地看到几百年前甚至是一千年前的建筑。当时他们的市长、规划师们为他们的子孙后代留下了不可估量的、不断增值的、不可再生的资源。

在我国的历史上,许多文人志士对中国的古建筑,也是非常珍惜的,都认识到其价值的无限性。鲁迅先生曾经说过:有个性的,才是美的;是民族的,才是世界的。他这句话非常深刻。所谓有个性的,就是代表了城市的个性,代表了地方的个性,这才真正叫美。而现在,我们一些城市的领导,看到国外某个城市的高楼大厦好,就把它拷贝下来,模仿建设,结果造成了千城一面,每一个城市都是一个模样,这就是没有个性,没有美感。所谓是民族的,就是体现了东方美,体现了中国特有的美、特有的建筑、特有的文化。如果每一座

城市都能保留自己的特色,都能展示自身悠久的历史文化传承和绚丽多姿的人文风貌,这才是属于世界的,世人也才会赞扬。如果外国游客到中国来,看到的城市尽是欧式风格,他们会乘兴而来,扫兴而归,他们想要看的是凝结着东方美的建筑。记得几年前,世界建筑师协会在我国举行世界大会,并在北京签署了《北京宪章》。会议期间,我们组织建筑师参观游览,他们本以为具有五千年文明史的中国,其城市风貌肯定是非常奇特的。但结果一看,到处都一样,与欧洲国家的新城没有区别,后来安排他们到苏州老城参观,他们说,终于看到了中国城市。苏州老城令世界建筑师们留连忘返。当然,这样令人留连忘返的城市还有丽江、平遥。

世界著名的美国规划师沙里宁说过,城市是一本打开的书,从这本书中可以看到这座城市市民的抱负、市长的抱负。也就是说从城市的外在表象,就可以判断该城市市长文化境界的高低和城市居民在文化上的追求和文化品位。许多人都到过云南的丽江古城,十年前的大地震使得丽江古城基本毁坏,当时丽江四套班子在讨论灾后重建时,有相当一部分人主张填平城内三条小溪,修建宽马路,学东南沿海地区,建设现代化建筑,搞高楼大厦,以体现丽江的现代化气派。当时,云南省建设厅组织了一批专家指导丽江的灾后重建工作,并指出,丽江如要申报世界文化遗产,灾后重建的建筑,一砖一木都应按照原来的式样。丽江四套班子的领导最后统一了思想,原汁原味地按照原有的格局、风貌进行恢复建设。现在,丽江GDP的85%以上来自于旅游业的发展。如果当时按照他们原来的设想,把古城改建成高楼大厦、宽马路,与其他城市没有任何区别的话,还会有85%的GDP存在吗?旅游业收入占GDP的85%意味着什么?城市居民的收入提高了3倍。所以,从这里我们可以看出,是不是真正贯彻"三个代表",体现在我们正确的决策上,体现在对城市高等资源的可持续利用上。空话是没有用的,历史是最终的仲裁者。

又如美国,只有300年的历史,城市中高楼大厦林立,基本没有什么历史悠久的东西,50年前的建筑就可以成为国宝级,其修复工作的任何细节都要受联邦内政部的严格审查。这次我带团参加了在美国斯坦福大学举办的城市化与信息化专题研究班的学习培训。在学习期间,我们参观了加州沿海小镇卡梅尔,这座小镇居民只有4000人。在这座小镇内,一百多年前的古街道格局一点都没有变化,所有的建筑都延续着原来的风貌,小镇附近的海岸建筑风貌、道路建设全部按照加州海岸规划局制订的详细规划来做(有厚厚的三本),所有的楼房不得超过两层。海南三亚市的市长也参加了这期研究班,先前大家还在讨论三亚市海边是建高楼

好还是矮楼好，参观了卡梅尔小城以后，所有的争论也随之平息。因为卡梅尔小镇海边的建筑不超过两层，使得建筑与海岸线及周围的自然风貌完全融合在一起，给人以浑然一体的感觉。如果在海边建几座高楼，与自然风光争奇斗艳，那就没有卡梅尔小镇了。一座只有4000人的海边小镇，每年的游客达100万，小镇98%的收入来自于旅游业，就是因为保持了这个古老小镇的原有风貌，不动一草一木，房子的外貌也必须依照历史原貌装修。这样的房子转让价格至少是两百万美元，最高的达一千万美元，成为全球艺术家长期和短期休憩和创作的地方。怎么样叫创造财富？怎么样叫可持续发展？人家只有300年的历史，我们一看都明白这是怎么回事。所以，除了历史文化名城，建设部今年还推出了中国历史文化名镇、名村的评选活动。一些小镇乡村一旦被评为中国历史文化名镇、名村，很可能就会成为宝贵的旅游资源，就可吸引游客。如果再加上管理得当的话，就会产生经济和社会良性循环的发展机制。但在我们城市建设的实际过程中，有时拆除的是宝贝，建起来的却是假古董或是"垃圾"。

古建筑和历史文化街区的特征：（1）历史的积累性。古建筑和历史文化街区是经过几百年甚至上千年的历史积累，是一代一代人智慧的结晶，而不是现在某个"聪明绝顶"的当权者在一年之间可以重建完成的。对任何古建筑和历史街区以推倒重建的方法进行旧城改造，只会破坏其历史积累性，导致历史信息的丢失。（2）创作的艺术性。古代建房哪像我们现在一年半载就可以建成一座高楼，古时建一座建筑，经常是一群艺术家和建筑师的长期创作过程，再加房主当时也有闲情逸致，建设周期可长达五年；一些复杂的建筑，需要几十年甚至上百年才将它研磨成功，而且参与创作的这些人都是当代的艺术大师。（3）鲜明的时代性。每幢历史建筑都体现着不同时代的风格，我们所说的唐风、明风或清朝建筑，都有着不同的特色风貌。（4）文脉的继承性。一座城市的历史文化是不断延续的。巴黎塞纳河中的西岱岛，巴黎最古老的古建筑大都集中在该岛上，有着800多年历史的巴黎圣母院就建在这个岛上。西岱岛是巴黎的发祥地，然后是螺旋式地发展扩大，最早开发的那个区域最为闪光。所以，在这里可以找到巴黎城市的起源、文脉的起点，找到那个时代最辉煌的一笔。再如，在意大利的罗马，从2000年前的斗兽场到二战时期意大利统治者墨索里尼执政时所建的建筑都保存着。墨索里尼是法西斯的头子，但是这个人酷爱建筑，在其法西斯统治时期，所建的一些建筑如民族宫等，都是庞大无比而又功能混乱。如在我们中国，这样的建筑早被拆除了，但是罗马人胸怀开阔，他们认为这些建筑不是墨索

里尼个人的，而是罗马人民的，它反映了一个时代特征，所以那些建筑现在都保存得非常好。罗马城两千年前、五百年前的城市风貌，包括法西斯统治时代的建筑，不同时期的文化脉络非常清晰，所有对不同历史感兴趣的人，都可以在这里找到自己心爱的东西，找到自己对艺术的崇敬和值得临摹的对象。

2、自然景观

古人选址建城，都是将城市建在风光秀丽、山水环抱的地方。有人说中国建筑讲究风水，实质上是追求人与自然的和谐相处。杭州西湖三面环山，一面临城，城与西湖之间的关系处理得非常好，山不高不低，离城不远不近，湖不大不小、不深不浅，经过2000多年来的不断研磨，相互之间的尺度连接可以说是没有更和谐的了。以至于有人感叹，杭州美啊！你们的市长、书记当得好啊！我认为我们不能太贪前功和天功为己有，西湖这颗明珠已研磨了2000多年，到了我们手里无非是拿块抹布擦了一擦。广州以前叫云山珠水，古人曰"六脉皆通海，青山半入城"，形容这座城市非常美。被国外称之为"东方莎士比亚"的我国古代戏曲学家李渔曾说过："山水者，情怀也；情怀者，心中之山水也。"前一句说明什么叫山水？就是你心中对他的描绘和领悟能力。后一句指的是一个人的品位高不高？心中有没有山水？说明了一个人的境界和审美能力，这句话印证了现代美学的观点：美是客观和主观的统一。我们搞城市建设，经常说要依山就势，讲究的就是人工建筑与自然环境的和谐相处。这需要很高的文化素质。

美国旧金山市市长曾对他管辖的城市有一番评价。他说，旧金山这座城市的可爱之处在什么地方？200年前美国西部发现黄金，当时全世界的人涌到旧金山来，旧金山成了进入美国的一个大门，旧金山是全美华人所占比例最高的城市。就是因为受不同文化背景居民的偏爱尤其是东方文化的影响，旧金山所有的建筑都是沿小山包而建，城内44个小山包没有一个被推平，整座城市呈现波浪型的地理特征，融合了湖泊、河流、海滩、沙漠、森林、大洋、山丘所有的大自然特性，所以这座城市就是世界上独一无二的，每年吸引着众多的游客。如果按照西方的建设哲学，先用推土机把44个小山包全部推平，那就没有我们现代的旧金山了。

自然景观特点：（1）生态特征。联合国专家们在有一次会议上提出，城市要保留自然的痕迹，那怕是一个水塘、一条沟渠、一片林地，因为它是没有经过人工改造的自然斑痕。这种自然斑痕是独一无二的，其独特性是因为这是大自然的创造，而不是人工创造，人工创造是互相可以临摹的。（2）高度的可观赏性。（3）无限的增值性。自然景观资源已是

越来越少，尤其是与城市临近的国家级风景区和省级风景区等自然景观，有些是与城市重叠的，更是宝中之宝。如杭州、丽水、金华等城市，风景区与城市连在一起，这就使得这些城市有一种非常独特的美。金华城因背靠金华山而得名，婺江穿城而过，城市的地理特征非常丰富。金华山就是国家级风景名胜区的双龙风景区，城市与风景区相邻，名山、名城、名景三者珠联璧合，像这样的城市，在我国是相当普遍的。以前因为古人选址选得好，那么现在就要看我们怎么去保护它了。

3、城市的园林与河道

以前我们对城市绿化的概念看得比较淡薄。实际上，城市绿化有以下六个方面的作用：（1）视觉美感。它对好的建筑，可以起衬托作用，所谓"绿叶扶红"。而对丑陋的建筑，又可以起遮掩作用。（2）空气过滤。国外许多城市为什么种那么多银杏树，因为发现银杏树的气味对人类有好处，可以过滤有害气体，增强人的抵抗力。（3）生态空间。绿化地带是生态多样化的载体，是人类活动的相对隔离空间，也是城市应急系统的重要组成部分。（4）文化积淀。中国的园林绿化与国外的不同，中国人讲究叫天人合一、师法自然，就是向自然学习，虽为人工，宛如天开。（5）调节气候。城市的热岛效应只有通过绿化来调节，一片森林就是一个巨大的水分蒸馏器，起到降温作用。（6）城市基础设施的载体。城市大量的管网都建成在绿地下面，这也是城市绿带之所以比较宽的原因。

再说城市的河道，现在很多人没有注意，但这却是非常值得发挥的地方。城市有水，就有了灵气。北京投资20多亿元，以恢复城市河道水系，而我们过去填埋了多少城市河道啊！城市河道不仅仅是用于泄洪排水，还有其它许多功能，如城市备用水源、防灾，更重要的是它是历史的遗存。每一座城市都是先有河、后有城，许多城市就是因为河运的发展而兴起的，城市所有的历史痕迹都印刻在河道上。有的城市河道名字非常漂亮，如杭州市区有一条河道名叫浣纱河，"西施浣纱"，多美的河道啊！可惜被填埋了，变成了如今的浣纱路了。河道是城市最主要的公共空间，这个公共空间所构成的景观是最丰富多彩的。河道又是城市生态的结合点。水陆交接处是物种多样化和生育繁殖的最主要的环境。所以，城市河道和城市绿化都属城市的高等资源。对于这样的高等资源，我们应在城市规划上逐步地加以调控。建设部自去年出台《城市绿线管制办法》后，今年将要推出《城市蓝线管制办法》。蓝线管制就是调控城市的河网水系，绿线管制就是调控城市绿化，保障这两类资源不断地增值。但是，我们有的城市为河道治理投资了几十亿，两岸护坡是整齐划一

的水泥驳坎，看上去如刀切一样，这样的河道除了排洪泄洪，几十公里的河道两岸景观没有任何变化，看不到任何多样化的景观，这就违背了高等资源可持续利用的原则。

4、城市的总体形象

美国规划师凯文·林奇（Kevin Lynch）是这方面的祖师爷，他所著的《The Image of the City》（中译为《城市的意象》）一书流传非常广。他把城市主要景观分为五种元素（道路、边缘、区域、节点、标志）来表达。一是城市道路，道路两边的景观与道路之间的关系，是城市景观的主要元素。二是城市边缘，就像我们说的城市入城口、城市与其他自然物的边缘带，是城市主要的形象交汇点。三是城市不同的区域。如城市商业区、文化区、旅游区、步行街不同的区域，每个区域就是城市螺旋式发展的硬件。四是节点。交通道路与河道、森林与山脉、城市与海洋等直接的交叉口，这是最主要的景观。芝加哥城市为什么美？最根本的原因是将湖泊、高楼群、绿化三者处理得非常协调。五是标志物。通常是一个定义简单的有形物体如雕塑、建筑、山峦等。在这方面我们最容易犯错误，如许多城市动辄就要建什么标志性建筑。杭州就有很多人提出，杭州应该搞一些标志性建筑物，但是搞得再好，也不可能超过保俶塔。竖立在西湖北边宝石山上的保俶塔，距今已有1400年的历史，成为杭州城市久立不衰的地标。为什么？因为（1）历史形成的。（2）自然的。是人工建筑与自然山体环境的完美结合。（3）尺度是和谐的。（4）独特的。城市标志、地标和标志性建筑，并不是以体形是否高大为标准的。

5、人造景观包括主题公园

人造景观、主题公园对城市发展的促进作用不小。像洛杉矶的迪斯尼乐园、好莱坞电影城已成为当地经济的一个增长点。深圳的华侨城、世界之窗也历久不衰，管理者对公园的品位、内容的更新等方面都力求精益求精，每次去参观都有些变化。还有城市博物馆，凡到英国伦敦去的人，都要到大英帝国博物馆、国家自然博物馆去参观。现在，英国政府对这两个最主要的博物馆实行免费开放。为什么？就是为了吸引更多的游客到英国来，他们关心的不是博物馆自身，而是看重博物馆带来的周边效应，整座城市的效应。如在美国哈佛大学，每年来校参观的游客达五、六百万。为什么？因为在哈佛大学的校园里，遍布着80个博物馆。城市规划学中有一新理论称之为景观走廊，就是把一座城市的中轴线建成一条景观集中的走廊，而不是一条开阔的道路，将公园、广场、博物馆、雕塑、市场、历史古迹等景观要素串接起来，并在设计、修建中着重尺度的宜人和步行的需要，而成为城市的景观高潮。开阔的道路就像一张破相的脸一样难看。有

些城市配合景观走廊建设了步行街，效果就非常好。

6、城市的历史事件

城市历史事件同样可以给一座城市带来财富，这是许多人没有想到的。如到法国的游客，一定会去参观著名的滑铁卢战役的发生地，就是那么一个小城，一堆土包，有什么东西好看呢？但是每年却有成千上万的人到这里瞻仰参观，就是因为这个地方充满着神秘感，大家都是带着战无不胜的拿破仑为什么最后兵败滑铁卢之谜，来这里看地形风貌，就把钱就撒在这儿了。40年前，美国黑人活动家马丁·路德·金在华盛顿发表了一个著名的宣言——《我有一个梦想》，这一梦想的发表地现也成为旅游的热点，而且每年的宣言发表纪念日都举行集会，约有50万人参加，那几天该地的旅馆住宿费是成倍地涨价。在这方面，我们就做得不够好。如杭州雷峰塔的重修，当时就犯了一个错误，认为雷峰塔底没有地宫，就开始挖掘。金华有座万佛塔，从地宫中挖出来的东西不少。塔底的地宫与坟墓不同，坟墓容易被盗挖，因为荒山野岭的也许一个月都没有人去。而塔则不同，每天都会有人去游览，况且塔底地宫也不是一天能挖穿的，所以一般塔底的地宫保存得比较好。雷峰塔的地宫打开后，里面宝贝确实非常多，但是新闻价值就少了。如果当时开挖地宫时有一个比较好的策划方案，新闻效果就大不一样了。如先人已给世人以白娘子镇压在雷峰塔底下的悬念，然后慢慢地开挖，或许挖掘五年，那每年就陆续不断地有人因这一悬念的轰动效应到这里来。雷峰塔开挖本来可以为我们带来无穷的宝藏，我们却没有很好地加以利用。所以说，我们在进行城市建设时，经常会这样地犯错误。

除了城市历史事件外，还有城市文化特征。有的城市就是一出戏，如纽约的百老汇剧场，可以演上一百年而经久不衰；巴黎的红磨坊，一天到晚就是一出戏，同样的场景，同样的内容，就是不断地有人来观看。还有我国的丽江也有一台戏，就是一位名叫宣科的老头子在捣鼓，其"三老"（老人、老乐器、老曲子）是丽江的一宝。这些活的文化遗产，具有少数民族本地特征的文化都是无价之宝。对这些由城市历史事件、地区文化特征构成的高等资源，我们都没有很好地去认识、保护和开发。

二、如何有效地保护利用城市高等资源

1、注重文化自然遗产的多功能性、独特性、不可再生性和脆弱性

文化自然遗产的保护和开发利用，如果不注意这四大特性，就会犯重大的错误。可能你的愿望是好的，但结果却是毁灭性的。风景名胜区除了旅游功能以外，它还有其他诸多

功能。（1）遗产保护的功能。文化自然遗产是国家和民族的象征，是几千年文化的积累和几百万年甚至是数亿年自然的造化，所以保护这一遗产就是保护了国家和民族的特征。这也是西方发达的国家把所有的东西都私有化了，而国家公园却是国有的，并由中央政府直接管理的原因。当然，我国也有许多专家提出建立这样的管理体制，但我认为，至少目前我们还行不通，因为我国与西方国家的土地制度不一样，我国风景区的土地属集体所有，且国家目前也没有足够的财力全部将其征用。（2）生态的载体。维护良好的生态，保持生物的多样性，主要靠占国土面积1%的风景名胜区。（3）科教的场所。风景名胜区是自然科学研究和教学的主要场所。斯坦福大学旁边有一个自然保护区，60年来都是作为旅游基地来开发，但是最近20年，斯坦福大学将这一区域予以封闭，把它作为研究地球历史和气候演变的全球科研中心，所以这个地方就更加引人注目，世界银行投资也比过去大大增加。（4）对中国人而言，城市传统文化资源、历史街区和风景区资源，是三千万华侨的文化桥梁、景观桥梁，也是我们两岸统一的一件"武器"。海外华人问祖寻根，主要是看老城、看自然风貌，这是他们最为留恋的。正因为文化自然遗产有以上这些特点，所以，参观美国国家公园如黄石国家公园、科罗拉多大峡谷，必须限时、限人并预约参观时间，有的要提前半年、一年预约才能进入参观。因为这些资源是脆弱的和不可再生的。

2、推行可持续的旅游发展战略

世界旅游业的发展也有个名为WTO的机构即世界旅游组织，而且今年的世界旅游大会将在北京举行，同时还有一个WTTC即世界旅游理事会，这些组织先后提出《可持续的二十一世纪旅游发展纲要》、《可持续的旅游发展战略》。在《二十一世纪旅游发展议程》中明确提出了，要在保护和增强未来机会的同时，来满足现实旅游者的需要。这就是说明，当代人的开发不能给下一代的开发留下遗憾，首先要在保护和增强未来的机会的基础上，才能满足现在旅游者的需要。同时指出，旅游产品应与当地的环境、社区、文化保护协调一致，这些产品是旅游发展永久的受益者，而不是牺牲者。在保护资源和环境的前提下，最大限度地增加它的可观赏性和带来的长久利益，将旅游开发对当地的消极影响限制在最小的限度之内。因为旅游开发，必然会带来一定的消极影响，那么多人来了，怎么办？这么多人来，会把草地踩平；还有许多人在珍稀的摩崖石刻上，刻上"××到此一游"等等，这些是难以避免的，关键是要把这些东西限制在最低的程度。世界旅游组织认为，《二十一世纪旅游发展议程》是旅游发展最主要的指导原则，并根据这一原则，提出了三个要

素：(1)任何旅游资源都要考虑承载能力。例如我国的九寨沟风景区，限定进入景区参观的人数，这是做得比较好。我们不鼓励进入景区的游客越多越好，如果进入的人过多，就会引发当地的生态失衡和资源破坏，以后就没人来了，这还算什么发展？所以必须考虑景区的承载能力。每一个风景点，根据不同的时间、条件承受人类活动有个法则即旅游环境容量，不能超过最高旅游环境容量。(2)推行绿色旅游产品。根据《二十一世纪旅游发展议程》，绿色旅游产品指的是符合可持续发展、永续利用的产品。旅游开发本身，就应以资源的保护为前提，为核心。(3)取之于资源，用之于资源保护。来自于资源的收入，应用之于资源的保护。现在有的城市就不是这样，景区门票收入一卷而光，成为政府的第二财政，不是用于资源的保护和再利用，而是用到别的地方上去，这就不对了。

3、着眼于整体上保护城市的风貌和特点

城市的风貌特点本身就是不断增值的财富。如何从整体加以保护？

(1)辟新区，保旧城。因为我国大多数城市的历史都是非常悠久的，都有一个旧城。在我国城镇化高速发展期，旧城的保护要通过建设新区，尤其是各类开发区、大学园区都要结合卫星城的规划建设来完善城市布局，给老城减压、疏散人口，像李瑞环同志说的那样，把这个"肚子"泄掉才能保持旧城。但当前我们遇到的最大问题是各地旧城改造力度过大，以至于集中体现城市历史文化遗存的历史街区和古建筑被大批毁坏，取而代之的是大量毫无地方和历史特色的多层或高层建筑，这也是造成各城市千城一面的基本原因之一。另一方面，许多人不明白，城市景观的多样性和"丰富性"，乃是历史长河长期积累的结果，而历史文化遗产保护工作，必须把真实的历史留下的全部信息完整地传给下一代，因而更需要持之以恒地长期工作，决不能按所谓的"一年一个样、三年大变样"的急功近利心态去搞掠夺性的建设。

(2)复风貌，保子城。子城是城市的起源，要通过风貌的延续和保护，与之相匹配，从而达到风貌协调和一致性。我们现在的控制性详规，是学自于美国的 Zoning，而 Zoning 是学自于德国的控规。德国的控规对历史文化建筑风貌的保护有着明确的规定，所以现代建筑与历史建筑比较协调。但到了美国的控规中，由于美国只有三百年的历史，就把历史建筑风貌保护的内容去掉了。我国向美国学习 Zoning，结果把美国三百年历史的城市建设规划当成了全部的内容，所以我国的控规也没有历史建筑风貌保护这个内容。现在建设部准备要恢复。

(3)继文脉，保重点。城市的文脉一定要保护，每个阶段、每个时期的建筑都要保留，这是非常有价值的。重点怎么保护呢？也分三大块：第一是核心保护区。核心区内的历史性建筑的保护，按梁思成先生的说法，就是延年益寿。这些建筑不能随便涂脂抹粉，更不能大规模地进行修补。第二是整个历史街区。要编制整修规划而不是重建规划，对街区建筑的维修保护，就像补牙齿一样，什么地方坏了，哪个牙齿有洞，就予以修补。而我们许多地方的老城改造，往往是把一口牙齿不论好坏统统拔光，然后镶上两片假牙。这样的操作确实省力气，但把城市所有的宝贝都毁了，则建起来的却是垃圾。第三是要在修复保护过程中注重贯彻整体性、原真性、可读性和可持续性。这是国际遗产保护组织在威尼斯签订的《威尼斯宪章》中提出的几大特性。所谓整体性，指的是一幢古建筑与整个区域环境是分不开的，如果改变了这个区域环境，古建筑本身也就失效了。如上海的新天地，当时投资建设新天地的老板就差点犯错误。中国共产党第一次代表大会旧址位于新天地的石库门建筑群中，他说，这幢建筑我们要保存下来，旁边的其他建筑予以拆除，改建成一片绿地，把这个建筑衬托出来，像座纪念碑一样。有的人说好，也有人提醒他，如果照你这样做的话，这还是"一大"的旧址吗？中国共产党当时是地下党，在白色恐怖中活动，如果当年是在一个像纪念碑一样的地方开会，这共产党还能发展到现在吗？肯定是深藏在哪片民宅中的，如果把整片民宅都拆掉，就把开会的地方孤零零地保留下来了，把它亮出来，用灯光聚焦，以绿地衬托，人们就无法想象当年开会的场景，这就破坏了整体性原则。历史文化名城的记忆是由各个时代的建筑和其他构筑物所逐渐形成的，在这些城市中展现的是与它们悠久历史相匹配的清晰的文化脉络，也就是城市的可读性。所以，千万要防止以现代人的审美观去草率处置历史建筑，尤其要保留与历史文化环境相协调的近、现代建筑，保护历史的延续性，反对造假和抹杀近、现代建筑对城市历史的创造。近来山东等地建设部门对近代历史优秀建筑进行认证和保护，就是一项保存城市历史文化的壮举。

4、处理好政府管制和企业经营的关系

政府管制，主要侧重于弥补市场机制的不足。通过什么手段呢？主要是通过规划。规划有几大功能：(1)保护性的控制作用。对资源的不可再生性、脆弱性进行有效的保护，并且要划定保护区。对历史文化名城，有历史文化名城保护区；对风景名胜区，有绝对保护区、二类保护区、外围影响区，不同区域有不同的保护等级。在绝对保护区里，就不能建任何建筑，动任何地形、地貌。(2)保护和利用协调性。什么地方能够开发？开发什么？都要达到资源永续利用的目的，

处理好长远和眼前的关系。通过规划，使自然、社会、经济协调合理发展。(3)统一性。国务院制定的《风景名胜区的保护条例》，是城市规划法的延续，它的母法是《规划法》。风景名胜区要按照《规划法》来统一管理，凡是与《规划法》相违背的，都要统一到《规划法》上来。(4)前瞻性。按照国际旅游协会提出的可持续发展的特征和绿色旅游产品的特征，对资源保护所有的不利因素都要估计到，并将其限制在最低的水平上。(5)过程性。因为一个规划的编制，首先是评估分析；第二是编制审查；第三是公示反馈；第四是实施监督；第五是定期修订。规划是一个过程，而不是画了一张图，墙上一挂就算数了。尤其是历史文化名城和风景名胜区的规划，做这样的规划相当于什么呢？就是要类同于对历史画卷、名画的保护修复。比如家里有一幅张大千的名画，我们总不会拿来教孩子在上面去乱画吧。如果这幅名画局部有点破损，咱们就要找名家来修补。现在有的地方则不对，亿万年大自然的鬼斧神工，几千年的历史古城，都是经典名画，

但是我们有的人却是在乱图、乱写，就如同把家里的古画拿出来给小孩子涂鸦一样，这确确实实是一件破坏宝贵资源对子孙后代犯罪的坏事。

企业的作用主要在于提高效率。为什么推出景区内部的特许经营？特许经营是美国人发明的，就是法律规定这个责任属于政府，但是政府为了提高效率，在某些项目上特别允许企业来经营，如景区缆车、索道、宾馆、住宿导游、物业、保洁、保安等，通过特许经营的办法，明确政府管制和企业经营各自的范围，把企业经营对资源保护的副作用限制在最低的水平上，将经济效益提高。

搞城市建设，发展旅游事业，是一件流芳千古的事情，但做得不好也可能遗臭万年。尤其是在当今城市化发展之迅猛、旅游需求之紧迫、资源保护岌岌可危之形势前，我们要通过掌握真正的永续利用资源和合理保护开发的办法，切实处理好保护和利用这对矛盾。

世界遗产保护观念的发展与变化

吕　舟

世界遗产保护的概念是在人类社会经历着巨大的社会变革时期提出来的。它反映了人类对于自身文化发展的关注和人类心灵成长的需求。同样世界遗产中文化遗产的概念更随着时代的变化，而不断变化和发展。

从第二次世界大战结束以后，人类开始建立一种全球治理的机制，以通过和平协商的方式解决国家之间的争执和冲突，同时也开始关注那些属于人类文明共同成就的历史、文化遗迹，特别是在武装冲突中如何能使这些重要的遗产得到保护。1954年联合国教科文组织在海牙通过了《武装冲突情况下保护文化财产公约》。公约提出："对任何民族文化财产的损害即是对全人类文化遗产的损害"，"文化遗产的保存对于世界各民族具有重大意义"。同时，这一公约把文化财产的定义确定为："对每一民族文化遗产具有重大意义的可移动或不可移动的财产，例如建筑、艺术或历史纪念物而不论其为宗教或非宗教；考古遗址；作为整体具有历史或艺术价值的建筑群；艺术作品；具有艺术、历史或考古价值的手稿、书籍及其它物品；以及科学收藏品和书籍或档案的重要藏品或者上述财产的复制品。"其中建筑、艺术或历史纪念物、考古遗址和建筑群构成了不可移动的文化财产。这一内容反映了18世纪以来欧洲国家文化财产保护的基本概

念。从艺术价值和历史信息含量的角度理解、认识文化财产对于当代生活的意义是18世纪以来人们保护文化财产的基本出发点。基于这样的认识，那些作为城镇的标志的教堂、府邸、重要的历史古迹得到了人们的普遍关注，也受到了较好的保护。

1959年，埃及政府决定在尼罗河上建造阿斯旺大坝，永久解决尼罗河泛滥的问题。水库的淹没范围是埃及文明的摇篮，这里有着大量重要的历史遗迹，其中就包括著名的阿布辛贝勒的神庙。从1959年开始，在联合国教科文组织的组织下在埃及开始了一个抢救重要历史遗迹的国际合作。这也是针对文化遗产的第一次人类的共同合作行动。

在对这些文化财产的保护过程中人们也积累了大量的经验，逐渐形成了一些基本的保护原则。1964年第二届从事历史建筑保护的建筑师及技师国际会议在威尼斯召开，并通过了《关于历史建筑保护的国际宪章》即著名的《威尼斯宪章》。在《威尼斯宪章》中除了提出了针对历史建筑保护的一些基本原则之外，对历史古迹的概念做了进一步的定义："历史古迹的概念不仅包括单个建筑物，而且包括能从中找出一种独特的文明、一种有意义的发展或一个历史事件见证的城市或乡村环境。这不仅适用于伟大的艺术品，而且

亦适用于随时光流逝而获得文化意义的过去一些较为朴实的艺术品。"

1966 年意大利著名的历史城市威尼斯遭受洪水灾害，联合国教科文组织发起了拯救威尼斯的国际运动，不仅对一些重要的保护原则进行了实践，而且又一次把对属于特定国家的文化遗产的保护变成了一项人类共同的事业。

在这样的背景下，1972 年在瑞典的斯德哥尔摩召开的联合国人类环境大会，在这次会议上由包括世界保护联盟、国际古迹遗址理事会和联合国教科文组织在内的几个工作小组，建议并起草了《保护世界文化和自然遗产公约》（简称《世界遗产公约》），这一公约在 1972 年 11 月 16 日召开的联合国教科文组织第十七届大会上获得通过。

《世界遗产公约》对世界遗产的概念进行了明确的限定，其中文化遗产为：

"文物：从历史、艺术或科学角度看，具有突出的普遍价值的建筑物、碑雕和碑画、具有考古性质成份或结构、铭文、窟洞以及联合体；

建筑群：从历史、艺术或科学角度看，在建筑式样、分布均匀或与环境景色结合方面具有突出的普遍价值的单立或连接的建筑群；

遗址：从历史、审美、人种学或人类学角度看，具有突出的普遍价值的人类工程或自然与人联合工程以及考古地址等地方。"

显然，这一关于文化遗产的概念是《武装冲突情况下保护文化财产公约》中关于文化财产概念的继续。

根据《世界遗产公约》需要制定一个保护具有突出的世界性价值的文化与自然遗产的名单，以使国际社会能够真正关注这些遗产的保护。同时根据公约要由公约的缔约国成立一个由 15—21 个国家的代表组成的世界遗产委员会负责制定保护名单和对列入保护名单的文化和自然遗产的保护进行管理。

20 世纪 70 年代是文化遗产保护迅速发展的时期，欧洲战后重建已经完成，欧美已经进入后工业化时代，工业化时代带来的一系列问题引发的各种矛盾日趋尖锐，对工业化带来的各种负面效益的批判，推动了对文化遗产历史价值的关注和保护，艺术界、建筑界的后现代主义思潮也进一步影响了文化遗产的保护。对现代主义国际式建筑风格的批判导致了对地方传统、地方文化的关注、保护和发掘。地方主义、文化多样性成为新的热点问题。如同《威尼斯宪章》所倡导的那样，那些原本并不特别被人们所关注的传统城市和乡村环境越来越多地受到重视和保护。有关国际组织的推动，更使得这种趋势得到加强。

1976 年联合国教科文组织第十九届会议通过了《关于历史地区的保护及其当代作用的建议》。这一建议对历史地区的概念进行了限定，即：史前遗址、历史城镇、老城区、老村庄以及相似的古迹群落，并认为："历史地区是各地人类日常环境的组成部分，它们代表着形成过去的生动的见证，提供了与社会多样化相对应所需的生活背景的多样化"，"历史地区为文化、宗教及社会活动的多样化和财富提供了最确切的见证"。基于这种认识，对历史地区或者历史城镇的保护已经成为人们的共识，甚至成为世界遗产保护的重要内容。

1977 年第一届世界遗产委员会大会召开，世界遗产的保护工作正式开始启动。为了使即将制定的《世界遗产名录》具有权威性和可操作性，世界遗产委员会通过了《实施世界遗产公约的操作指南》。在这一指南中对申请、评审以及有关的程序和标准作出了明确的规定。

1978 年第二届世界遗产委员会公布了第一批 12 项世界遗产项目的名单，其中文化遗产八项。特别值得注意的是，在这个名单中，包括了厄瓜多尔的奎多古城（City of Quito）、和波兰的科瑞考历史中心区（Cracow's Historic Centre）。这使得世界遗产，特别是文化遗产的保护已经不仅仅是对《世界遗产公约》中所规定的历史纪念物、遗址和建筑群的保护，而开始包括更为复杂、内涵也更为丰富的历史城市的保护。基于这样一种发展的趋势，在 1978 年的《实施世界遗产公约的操作指南》中开始出现对反映具有突出的世界性价值的城市规划进行保护的内容。需要指出的是城镇类文化遗产所涉及的内容较之传统的历史纪念物、遗址和建筑群要复杂得多，对其价值的判定和保护都要困难得多，特别是对反映地方文化特色的遗产的价值判断就变得更难以用明确和固定的标准去衡量。

对于历史城市作为世界遗产的保护，或许与保护这些城市本身相比，更重要的是提出了一种新的保护思想。并促使人们去思考世界遗产，特别是文化遗产所具有的价值，去探索对这些仍然保持着生活活力的遗产项目的保护方法。在这些历史城市当中，人们除了可以感受到艺术和历史价值之外，更可以强烈地感受到它们的文化和社会学价值。历史城市和城市中历史中心的申报成为世界遗产申报中的热点。1987 年国际古迹遗址理事会（ICOMOS）通过了《保护历史城镇与城区宪章》。这一宪章的公布不仅反映了对历史城镇和历史中心区的保护已经积累了一定的经验，而且表示已经开始形成一种国际间的共识。

根据《实施世界遗产公约的操作指南》列入《世界遗产名录》的文化遗产需要至少符合相关六项价值标准中的一

项或两项。这六项标准为：

"(1)人类创造性的智慧的杰作；

(2)一段时间内或文化期内，在建筑或技术、艺术、城镇规划或景观设计中一项人类价值的重要转变；

(3)反映一项独有或至少特别的现存或已消失的文化传统或文明；

(4)是描绘出人类历史上一个重大时期的建筑物、建筑风格、科技组合或景观的范例；

(5)代表了一种(或多种)文化，特别是在其面临不可逆转的变迁时的传统人类居住或使用土地的突出范例；

(6)直接或明显地与具有突出普遍重要意义的事件、生活传统、信仰、文学艺术作品相关(通常该项标准不单独作为列入条件)。"

显然在对这六项价值标准的评判过程中存在着不确定的或者无法量化的内容，这必然导致在世界遗产申报和评价过程中主观因素和其他不确定因素影响的增加，与自然遗产相对较为客观的标准相比，文化遗产评定过程中非确定性因素的影响就更为明显一些。随着《世界遗产公约》缔约国和《世界遗产名录》上项目的不断增加，文化遗产评价标准本身所带来的这种影响逐渐凸显出来。

对文化遗产的评价标准是一个复杂的问题，它涉及到长期以来对文化的认识和评价。对文化遗产的评价标准本身也是在对文化和文明认知的基础上形成的，它本身难免带有认识的局限性，甚至偏见。在这样的情况下文化遗产的评价就变得更加困难。为了在一定程度上解决这一问题，在1992年世界遗产委员会提出了文化景观列入《世界遗产名录》的问题。根据《实施世界遗产公约的操作指南》，文化景观是"自然与人类的共同结晶"，它反映了人类社会在其自身制约下，在自然环境提供的条件下，发生的进化及变迁。作为世界遗产的文化景观要有突出的普遍价值和明确的地理文化区域的代表性，反映本区域本色的独特的文化内涵。

文化景观包括三类：

(1)由人类设计、建造的具有明确规划的景观，如具有美学价值的花园或广场景观；

(2)有机发展而成的景观，最初基于社会、文化、行政或者宗教要求，并与环境相适应。这种景观反映其形式的演变过程及构成特点；

(3)结合类文化景观，如将其列入《世界遗产名录》须具备通过某些物质遗产所展现的强烈的宗教、艺术或文化影响。

文化景观概念的提出有助于扩大文化遗产的概念，有助于一些非传统定义所能涵盖的遗产项目列入《世界遗产名录》。例如1995年被列入《世界遗产名录》的菲律宾水稻梯田，1996年列入《世界遗产名录》的我国的庐山国家公园，1999年列入《世界遗产名录》的法国圣埃米利昂葡萄园，2002年列入《世界遗产名录》的匈牙利图加葡萄酒产区历史文化景观以及2003年列入《世界遗产名录》的阿富汗巴米扬河谷文化景观都属于这样的类型。这样一个作为文化遗产的新的遗产品类的出现，无疑对世界遗产的保护有积极的作用。

文化景观这一新的文化遗产品类的出现，并没有改变《世界遗产名录》开始出现越来越明显的不平衡性。这种不平衡性主要表现在文化遗产自身品类的不平衡和所在地区的不平衡。到1993年被列入《世界遗产名录》的世界遗产项目已经从1978年的12项发展到了410项。其中欧洲和北美189项，非洲、阿拉伯地区85项，亚洲、太平洋地区81项，拉丁美洲和加勒比地区55项。其中文化遗产超过了300个，自然遗产仅为88个。当时共有136个《世界遗产公约》的缔约国，其中有44个国家没有遗产项目被列入《世界遗产名录》。

如果对这种不平衡性进行一下深入的分析，不难看出决定于评价标准、对遗产的研究、保护、管理水平和更深刻的历史、文化原因。特别是品类的不平衡本身就反映了对文化遗产认识的阶段性。但这种不平衡性却毫无疑问地影响了世界遗产保护事业的发展方向、它的示范性和权威性。

1994年世界遗产委员会召开了专家特别会议开始对世界遗产保护的发展方向和平衡性的问题进行研究，并提出了世界遗产保护的全球战略。它包括四个方面的内容，即：建立具有权威性的平衡的《世界遗产名录》，加强对世界遗产的保护，进行保护、管理能力的建设和进行广泛的世界遗产保护的沟通与交流。这一全球战略的提出影响了世界遗产保护的发展方向。

同时文化遗产的保护也面临着自身的转折，长期以来保护与修复的争论，不同保护学派间关于保护原则的争论也在1994年在日本奈良召开的会议上就真实性的原则达成了共识。所谓真实性根据奈良会议文件，包括了针对文化遗产的"设计的真实性"、"材料的真实性"、"工艺的真实性"和"地点环境的真实性"。随着真实性标准的提出，这一标准很快便成为世界遗产评价标准中对文化遗产评价的核心标准之一。修订后的《实施世界遗产公约的操作指南》规定：文化遗产项目除了满足六项价值标准的一或两项之外，还必须满足对文化遗产真实性的检验和是否有必要的法律或传统的管理体制保证文化遗产能够得到妥善的保护。这在很大程度上提高了对文化遗产保护水平的要求，严格了文化遗产的评定标准。作为《世界遗产公约》指定的咨询机构，国际古迹遗址理事会也试图通过其自身的工作改变《世界遗产名录》的不平衡问题。1993 年它提出了一个"未来发展纲要"，确定了未来工作的十六个方向，其中包括：民居建筑和乡村环境的保护、20 世纪现代建筑的保护、工业遗产的保护、文化与历史景观的保护、生土建筑保护等内容。

这些工作无疑有助于扩大文化遗产的概念范围，使之更全面地反映人类文明的总体成就。

20 世纪 90 年代是世界遗产保护迅速发展的时期，随着《世界遗产名录》上项目的不断增加，国际社会对世界遗产的保护也越来越关注，遗产的保护与申报给遗产地的发展带来了新的机会，同时也激发了遗产地所在国对自己文化、历史的自豪感。事实上对遗产的保护已经超出了遗产本身，在这种情况下遗产名录的不平衡性更被人为地突显出来。另一方面随着世界遗产数量的增加，遗产的保护和管理问题变得日益突出，如何维护世界遗产的声誉，对那些遗产价值受到损害或者威胁的遗产地状况加以控制和改进也成为国际社会，特别是《世界遗产公约》各缔约国的关注。联合国教科文组织、国际文物保护与修复研究中心（ICCROM）、国际古迹遗址理事会、国际自然与自然资源保护联盟（IUCN）等相关组织在世界遗产保护领域的活动也日趋积极。世界遗产保护事实上已经成为了联合国教科文组织的旗舰项目，成为实现全球治理的实验场。到新世纪来临之际，解决和如何解决《世界遗产名录》所反映的不平衡性已经是决定世界遗产保护事业发展方向的最重要的课题。

2000 年世界遗产委员会在澳大利亚的凯恩斯召开第二十四届大会。这次大会最重要的成功之一是形成了一个被称之为《凯恩斯决定》的文件。这个决定的核心是对世界遗产的申报进行控制。它要求在每年受理的申请量有限的条件下，《世界遗产名录》上有较多遗产项目的国家放慢申报的速度，主动帮助那些在《世界遗产名录》没有遗产项目的国家或者遗产数量很少，缺乏申报、保护、管理能力的国家进行申报，并保护、管理好他们的遗产。《凯恩斯决定》规定从 2001 年开始试行《世界遗产名录》有遗产项目缔约国每年不超过申报 1 项新的遗产项目，没有遗产项目的缔约国可以申请 2—3 项；每年受理的申请不超过 30 项；试行期为两年，2003 年对《凯恩斯决定》作出评价。2003 年又形成新的补充决议，将试行期延期至 2004 年，并在 2004 年的第二十八届世界遗产委员会大会上进行评价。实际上《凯恩斯决定》实行以来每年的世界遗产中心受理的新申请大约在 40 项左右，2004 年二十八届世界遗产委员会大会将讨论的申请项目（包括 2003 年被推迟，要求采取必要技术措施进行改进的

项目）为 51 项。

《凯恩斯决定》实施 3 年来，对世界遗产的保护产生了相当明显的影响。一些缔约国认为《凯恩斯决定》违背了《世界遗产公约》的基本精神，另一些国家则表示《凯恩斯决定》有助于改善《世界遗产名录》不平衡的状况，法国甚至自动暂停了申报工作。另外一些缔约国则表达了对现有世界遗产的质量的质疑。显然世界遗产的保护正从数量迅速增加的阶段转向强调保护、管理，注重遗产质量的阶段。

由于《凯恩斯决定》的影响，一些缔约国也相应地调整了申报的策略，从而使世界遗产的申报和保护呈现出了一些新的趋向。这些趋向包括：增加扩展项目的申报，由于《凯恩斯决定》没有对《世界遗产名录》上原有遗产项目的扩展申报进行限制，因此增加扩展项目是增加各缔约国遗产数量和涵盖范围的有效途径。我国 2004 年除了一项新的申报之外，还有两项扩展项目（作为明清皇家宫殿的扩展内容的沈阳故宫和作为明清皇家陵寝扩展项目的沈阳的三座清初皇陵）。除中国之外，俄罗斯、英国也都除了一项新的申请之外，另外还各有两项扩展申报。在联合国教科文组织世界遗产委员会和世界遗产中心的鼓励下，大型综合性项目、跨国项目和强调自然与文化相结合的文化景观项目成为新的申报热点。2004 年第二十八届世界遗产委员会大会将要讨论的 25 个文化遗产类型的项目中文化线路项目有 2 项，文化景观项目 11 项，城镇类 2 项。这些综合性项目已经超过了全部当年文化项目总量的 50%。

文化线路项目是文化遗产中新的品类，其综合性和遗产所涉及的范围远远超过以往文化遗产项目。2004 年第二十八届世界遗产委员会大会将要讨论的以色列内盖夫沙漠的香和香料之路以及日本纪伊的朝圣之路都是这样的综合性项目。

以色列内盖夫沙漠的香和香料之路起始于南阿拉伯半岛最东端，结束于西奈半岛的北端。总长度超过 2000 公里。其中有大约 100 公里的部分穿过以色列南部的内盖夫地区。驼队跨越阿拉伯沙漠，沿南阿拉伯海岸港口城市皆为这个庞大的贸易网的一部分，涵盖了希腊罗马时代的地理学家所知道的大部分地区。

日本纪伊区的圣迹和朝圣路线以及周边围绕的文化景观项目包括了沿着 300 公里的朝圣道路的 23 处被确定为文化财富的古迹。这里有佛教和神道教派的宗教中心，吸引着大量虔诚的信徒。

除了这两个项目之外，联合国教科文组织正在支持并准备在适当时间进行申报的类似的项目还有跨越拉丁美洲六国的印加文化线路项目和包括我国在内跨越亚非欧三大洲

的陆上和海上丝绸之路。

事实上这样的项目已经不是传统的世界遗产的概念所能涵盖的了,它正在逐步形成一种跨国界的、甚至包含了若干个国家的遗产保护单元,并由这些单元再构成一个庞大的世界遗产保护网络。对世界遗产的保护将进一步向全球治理的方向发展。

2003年联合国教科文组织第三十二届大会通过《保护非物质文化遗产公约》,使非物质文化遗产的保护进入了一个新的阶段。尽管非物质文化遗产的保护,与世界遗产的保护属于不同的公约所规定的内容,但二者的结合也正成为世界遗产保护的一个新的发展趋势。2002年联合国教科文组织亚太办事处在老挝的世界遗产地伦布拉邦进行的通过当地僧侣、信众用传统的方式,传承传统技艺的实验,把世界遗产地的保护与非物质文化遗产的保护结合在了一起。事实上,无论是文化线路、文化景观还是历史文化城市的保护甚至传统的历史纪念物、建筑群都在不同程度上存在着非物质

文化遗产的保护问题。世界遗产的保护与非物质文化遗产的保护的相互促进已成为新的保护方向。

联合国教科文组织通过《世界遗产公约》已经32年,《世界遗产名录》的申请,世界遗产项目的保护也已经走过了26年的历程。《世界遗产名录》上的项目从最初的12个,增加到了今天的754个。世界遗产的保护已经发展成为人类社会的共同事业。同时我们也看到,在这26年中人类保护意识的觉醒。今天世界遗产的保护已经变成一种体系化的保护,在全球化不断发展的今天,世界遗产的保护反映了人类保护自身文化和环境多样性的要求。同时世界遗产的保护与管理,甚至包括能力建设已经成为全球治理的重要组成部分。对中国这样一个有着丰富的文化和自然遗产资源的国家,需要思考的并不仅仅是保护好自己的遗产,而且更应当思考我们在整个世界遗产保护事业中应当发挥什么样的作用。

非物质文化遗产与大学教育和民族文化资源整合

乔晓光

一、一体与多元·人类非物质文化遗产认知

联合国教科文组织"世界遗产"中刚启动的非物质文化遗产项目,对许多人来说是陌生的,但世界已开始把口传的民间文化遗产提到了一个新的历史日程上来。非物质文化遗产又称无形文化遗产,主要指非文字的、以人类口传方式为主的、具有民族历史积淀和广泛突出代表性的民间文化(艺术)遗产。中国作为一个古老的农耕文明之国,八千年的文化绵延不断,非物质文化遗产丰富。如果说中华文明源远流长,首先反映在活态的民间文化传统上。实际上在我们辽阔的疆土上,许多偏远的乡村仍然是靠着口头文化传统的维系生存着,这是一个熟悉而又令人陌生惊奇的现实。

让我们回顾联合国教科文组织"世界遗产"的发展历程,可以看出对非物质文化遗产、对人类熟悉而又陌生的民间现实的认识过程,同样经历了时间的代价。三十年前,形成了最早的《世界遗产公约》(1972),当时主要是历史遗产和自然遗产两项,主要指有固定空间形式的文化遗产,简称物质遗产或有形遗产。工业文明的迅速发展、全球经济一体化的大趋势,逐渐形成强势文化对弱势边缘文化的侵蚀,当经济迅猛发展到每个地域后,相应而来的是物质消费方式和生存观念的急剧改变,导致许多民族的无形文化急剧消亡和

流变。世界似乎朝着一种经济方式、一种物质方式、一种价值观念发展,不同民族、不同文化、不同宗教、不同习俗、不同生存价值观被忽略,被强势文化统辖。但实际上经济的迅猛发展并没有解决人类和谐生存的精神问题,幸福的概念被物化。在这样一种背景下,人们开始关注文化本土化的问题,关注人类自己生存的根系,关注不同族群的历史生命记忆和独特的生存象征,开始关注人类文化不同的精神存在,尤其是发展中国家的文化传统存在与可持续发展。于是,联合国教科文组织2000年设立了《人类口头和非物质遗产代表作名录》,2001年公布了世界19项非物质文化遗产,亚洲四项,中国的昆曲入选。

非物质文化遗产名录的评选工作是积极的,尤其对发展中国家,在经济快速发展的初期,如何保护自己的活态文化传统,不走西方工业文明发展初期时活态文化传统消亡的老路,是非常赋有建设意义的工作。中国的昆曲已经面临消失,入选世界非物质文化遗产名录后,开始起死回生,受到政府及专业人士的积极抢救,目前对六百个传统剧目的抢救,以及各地区昆曲团的重新整组成立,及昆曲教育方式的传承问题,都已紧锣密鼓地在进行。虽然许多工作仍存在着诸多困难,但柳暗花明必竟又有了一个新的开始。

非物质文化遗产对于刚进入 WTO 的中国来说，确实是一个陌生的课题，在大学的学生与教授中间同样是这样。一方面我们在告别古老的农耕传统，另一方面我们在迅速开放地追赶着西方的科技与工业文明。在传统与现代之间，似乎形成了一种分离对立的思维定式。发展的欲望似乎并没有提供一个联接传统与现代的情感逻辑。

联合国教科文组织在《人类口头和非物质遗产代表作名录》的申报规定中，为我们提供了广泛的文化选择，规定指出："列入《名录》作品必须是代表性的传统杰出工艺，有代表性的非文字形式的艺术、文学，突出代表民族文化认同，又因种种原因濒于失传或正在失传的文化表现形式。这些文化表现形式包括各类戏曲和相关的面具、服装制作工艺；舞蹈，如民族民间节日舞蹈、祭祀舞蹈、礼仪；音乐，如各类民族民间音乐以及乐器制作工艺；口传文学；如神话、传说、史诗、游戏和故事；各种精湛杰出的工艺、手工艺；比如针织、织染、刺绣、雕刻、竹藤编织、面人制作、玩具制作和剪纸等。"中国的非物质文化遗产像一个汪洋大海，每个人回到故乡，走到乡村生活中去，你就会发现许多令人感动的非物质文化。但在当今转型期的中国，非物质文化遗产像退潮的大海，每时每刻地在迅速消失着，老一辈艺人默默地故去，文化也悄悄地消失了。活态的非物质文化，它的消失是永远的，是不可再生的。

20 世纪 60 年代，法国和日本在现代化发展的高潮时期，都不约而同地开展了对本国民间文化遗产的抢救工程。法国进行了全国性的，也是其文化史上最重要的一次文化遗产大普查，提出"大到教堂、小到汤匙"的普查观念，对文化遗产巨细无遗地登记造册。日本也实施了由国家组织的民俗资料、民谣方面的紧急调查，80 年代政府又专项拨款进行无形文化财产的记录工作。法国与日本的行动无遗是面对现代化发展，对即将消失的本土文化、尤其是乡土文化的抢救，是面对工业文明迅速发展，对民族文化之根的维护。

二、中国无形文化资源·丰富深厚的民族活态文化

对文化有很多定义，但有一点是公认的，即文化传承创造的主体是由世界不同国家、不同民族群体之人构成的。文化经历了人类社会漫长的发展过程，它都是通过一种活生生的、可视的、可感知的、实体的真实进程来实现相互沟通的。

当代社会，已经形成了全球经济一体化的格局，但这个格局在文化上不应是单一的。在一体化内部应该是具有丰富的文化存在，多元文化彼此之间又进行沟通和变化。目前，经济一体化作为信息时代的一种价值观和操作方式发展速度非常之快，甚至可以说在市场领域当中，有时已经超过

了国家权力的限制。在这样的全球经济一体化的氛围之下，任何一个国家都回避不了这样一种趋势。所以，我们必须站在人类文化整体的大格局中去认识我们民族整体的文化资源价值，认识这种价值在社会现代化可持续发展中的生产力价值。

中国的文化，具有一定特殊性。其一，几千年文明发展没有断裂，而现在又是一个发展中国家，农耕文化占的比重还比较大，农业占有绝大部分的人口，有八亿之多。他们真实的文化状态我们关注得很少。比方说我们有精英文化、官方文化及现代文化，同时在大片土地上生存的农民是依赖于自身的农业传统文化来维系其自身的生存。比方说情感、道德、伦理价值，包括很多生存方式，比如农耕和居住方式，这些都是十分具体的文化。以往我们讲"文化"常指书本上的，或理论体系的文化，而民间文化多是指非文字的、活态的生存文化。在农村，其文化形式不是通过文字与书本传承的，它是通过民间几千年来在农村生活形态、生存心理意识当中积淀传承下来的这样一种文化，其表现方式是非文字的，主要是通过口传心授方式，是一种口传文化。这种文化的另一个特点便是约定俗成。它是祖祖辈辈依民俗形成的，没有官方倡导，没有明显的时代性，像春节、端午节以及许多民俗祭祀仪式等等。乡村一年三百六十五天，文字的使用非常少，但口传文化方式的交流天天都在进行。这种活态语言的文化，是民间的主要语言方式，是被我们长期忽视的一种文化存在。

这方面在我国的少数民族地区表现得更加鲜明。其文化承传方式都是通过民族方言式的口头文化保持本民族族群文化特性的。同时也通过民间艺术方式，如音乐、歌舞、祭祀仪式及文化符号等实现其文化象征。比如苗族的服饰文化，通过一代代的穿戴及祭祀、民俗活动等，来认知、传承民族的历史、神话、族群特征等文化内涵与主题。从这方面讲民间的活态文化资源不是孤立、简单表面的艺术样式，它体现的是一种生存的需要，一种时间顺序的生存行为，是通过一种整体的活动来再现一种生存的主题。例如许多少数民族的习俗仪式，体现出对祖先的崇拜、图腾的祭祀，通过这些仪式，来认知自己的民族，知道我们从哪里来，知道民族的文化特征。还有少数民族大量的歌谣、史诗都反映同样的主题。如藏族的《格萨尔》、蒙族的《江格尔》等英雄史诗，傣族、纳西等民族的叙事诗，都通过一种口传方式讲叙本民族的历史、来源、英雄事迹及物质创造，反映出民族活态文化的整体精神面貌。这实际上反映的是活生生的民族文化长卷，这个长卷是通过他们原生态的生活行为体现的。所以说这是一部无字的"生活之书"，也是常春的"生活之树"。正是

它维系着中国文化独特的几千年的连续性。因此活态文化不是狭义的文化观，它是由生活体现，慰藉精神与心灵的整体的生存文化形态。

在中国，经历了无数天灾人祸、几千年的历史沧桑，还能保持民族的凝聚力和健康的生存心态及纯朴善良的文化品性，劳动人民自己为自身生存而创造的丰富多彩的文化资源起着重要的支撑作用，这是在封建社会长期被忽视的文化。我们应该走进田野、走进农村来认读它、了解它，并作为民族文化复兴，作为整体民族文化可持续发展的源泉。在人民传承创造的文化基础上探究其价值和意义，这方面我们做得远远不够。在今天快速的经济发展和全球一体化的大背景下，我们应该更深入地认识我们民族丰富多彩的多民族多元的文化资源，认识这种资源潜在的发展价值。

三、文化生态资源·中国农耕（牧）文化产业发展的可能性和前景

作为国家生产力的发展，首先是经济的发展。但是文化与经济发展并不是一个简单的对立关系，也不是简单的补充关系，像我们通常讲的"文化搭台，经济唱戏"。反过来讲，"文化搭台"是否可以由文化来"唱戏"，也可以"经济搭台，文化唱戏"。比方说开发大西北。东部沿海作为经济发达地区，取得了好的经验，而西部地区由于封闭性和交通等原因，经济发展滞后，缺少现代意识。但是文化与经济却不是等值的，不是经济发达了，文化也就发达了、丰富了。现代经济可创造强势文化，但创造不了积淀深厚、历史悠久的传统。大西北是中华文明重要的发祥地，许多古老的民族今天仍在承传着在这个发祥地产生的古老的文化传统。在这样一个前提下，发展工业化和现代化要考虑当地的自然条件和文化传统。要根据这个地区真正的资源特点，尤其是整体的资源价值、农业资源、自然资源、包括丰富多彩的文化资源，来寻找适合这一地域的发展方式。

这就提出一个文化资源与生产力发展的关系问题。许多西部地区的文化资源，是否具有生产力价值，是否可以成为向现代化发展的重要桥梁和方式。尤其是现在加大经济发展力度的同时，保持适应经济发展的自然生态、文化生态。文化生态的保护，不仅仅作为一个文化遗产、民族标志的问题，同时也应作为独特的文化资源转化为生产力发展的问题。中国农业文化资源是一个有待整体评估和认知的新课题，只有资源价值的确立、农业文化整体发展的战略规划才能使发展具有可能性和前景。

四、民族资源整合·农村现代化发展中经济与文化平台的共同打造

伴随着旅游业在中国西部与少数民族地区的迅速开展，发展农耕（牧、渔）文化资源已经提到议事日程上来。目前的旅游业常把民俗文化功利化、廉价化、随意化。由于利益趋动，很多是对本地域文化资源的曲解和破坏。其原因之一就是我们没有把它当成文化生产力的资源来认识，缺少对文化资源可持续发展的整体认识和规划。观念滞后对文化处理自然就相对随意、粗糙，也就发现不了文化资源潜在的生产力价值。农村文化资源的存在，是与地域内自然环境、人的生存方式等融为一体的，是一种活态整体的文化存在，其文化魅力是有巨大吸引力的，同时，也潜在着巨大的文化产业价值。

在农业经济发展过程中，我们提出过"绿色革命"、"蓝色革命"，又依据中国耕地现状提出"白色革命"。这三次革命都与中国民间乡村的经济发展有着直接关系。但农村不仅是物质生产基地，也是文化生产、承传的基地。对乡村的文化生产，我们是认识不足的。用西方的单一化的经济观点认为农村是一个封闭的、落后的地区，而看不到其文化资源的价值，就会造成决策上的失误，容易造成经济发展以破坏农业文化资源为代价的情况。在这方面，欧洲、日本在二战后的发展经验已经有过教训。这种破坏是不可逆转的，一旦消亡难以再生。中国农业现代化的发展，正处于工业现代化的初期，处于农耕文化向工业文明转型的两种文化作为文化生物链的衔接期，这是文化发展的重要时期，这时候正是我们经济与文化双向发展的良机。我们完全可以不走西方发展的老路，依据我国特有的国情，提出经济与文化的可持续发展战略。有些边远少数民族地区的物质资源，比如矿业，短期开采利用获得有限的利益，而从长远看是破坏了本地域的山地文化资源，产生负面作用，造成文化传承中的断裂。这里，我们不应该为了一个短期利益而把文化资源破坏掉，这无疑是不负责任的，而从长远的经济利益上讲，同样是不合算的。所以，经济的发展方式同样是多元的，是追求更持久利益的。

因此，从长远的可持续发展的角度上看，是一个经济平台与文化平台共同打造的问题。这一问题所涉及的是，在社会经济发展层面上，需要对自己的文化有一个认识的深化和提升。从世界经济发展过程中不难看到，经济发展越快的民族，对自己文化认识的愿望就越迫切，他们需要知道"我是谁，我从哪里来"，这涉及到一个族群自身的文化价值、文化存在的主权和在世界范围内文化地位的确立，也就是一种身份感，这是经过证明的历史。所以，我们在经济发展初期的时候来积极地、合理地、长远地保护不同民族的文化身份、象征标志，这也就是当前世界遗产中，已开始启动的非物质文

化遗产项目的宗旨所在。非物质文化遗产的存在往往成为一个社区、一个地域生命发展的源泉与动力，成为情感凝聚力和认知自身与文化创造力的依托。

五、非物质文化遗产在大学教育中的学科建设

中央美术学院在原民间美术研究室近二十多年的学科研究、教学、发展基础上，为适应新的国际、国内社会发展的紧迫形势，更好地发挥大学教育在文化遗产方面的重要作用，于2002年5月正式建立非物质文化遗产研究中心。在国内高校率先创建并完善以非物质文化遗产——中国民间文化艺术研究为主旨的新学科，将民间美术作为人类文化遗产，正式系统地列入大学艺术教育，填补了"学院派"教育中长期忽视民间文化艺术认知教育的空白。中央美术学院非物质文化遗产研究中心正在进行和即将启动的一系列科研及社会策划项目，标志着中国高等艺术教育在社会大转型变革时期，将在非物质文化遗产传承保护、研究、社区文化发展以及专门人才培训等方面发挥重要的历史作用。

中央美术学院建立非物质文化遗产的新学科，来不断地与当代信息沟通，意在使学科成为一个文化信息的集聚地、文化遗产的学习传承地、一个以青年与知识集中的文化信息平台。在这个平台上，我们一方面要解决文化遗产在大学里的认知学习、传承创造的问题，另一方面大学教育要与民族现代化发展相结合，培养具有适应社会发展的复合型人才、具有文化创造力的人才。反过来讲，大学也关系到民族文化发展是否真正具有创造力问题的探索。作为信息平台，大学教育的终极目的是为社会发展提供人才和信息。所以说我们在积极与社会不同领域的学科进行沟通，我们根据社会发展的前瞻来进行学科知识结构的调整和重组。

与原中国农科院院长卢良恕院士的交流，其意义十分重要。在一个和农业文化相关的领域进行关于农业现代化发展问题的探讨，认识文化资源，沟通信息，应该是非常重要的课题。一个国家的社会文化需要发展，但文化发展绝不是一种单一模式化的保护或发展，传承也是一种发展。发展的观念应该是多元的、多层次的，而且要面对现实，具有可行性。它不是单一的理想化和西方工业文明价值的观念化，更不是文本化、学究式的。我们的学科正是适应文化保护与社会生产力发展需求而不断改革、补充，进行结构调整，进行对中国文化资源重组的研究，对中国文化基因可持续发展的研究，这才是新学科，也是大学教育不应推辞的文化使命。

非物质文化遗产研究中心学科建设理念：

关注人类文化遗产、关注本民族优秀文化传统的可持续发展价值、关注民间文化遗产保护传承、关注民间社区文化发展创造、关注大学教育在社会转型期对文化与遗产方面的

重要作用，探索以产、官、学、民的科研操作理念，实现科研社会参与和新型专业人才培养。

非物质文化遗产研究中心发展宗旨

1. 中心是具有独立操作性质和广泛合作方式的科研与教学并重的信息基地。

2. 中心职能

a 面对教育：中心的职能是把民间艺术作为文化遗产引入大学艺术教育体系，加强中国本原文化基因的认知，推动当代多元文化教育的改革发展，推动民族、民间优秀传统创造性的传承发展，推动大学相同学科的普及建立，培养非物质文化遗产研究与规划管理专门人才。

b 面对社会：中心的职能是参与国际、国内人类文化遗产的保护传承及民间社区可持续发展方面的工作，发挥大学教育在文化遗产方面的重要作用，参与民间社区文化遗产保护、文化生产力的发展创造，创立具有国际化水准的学科与学术中心。

非物质文化遗产研究中心学科发展简介：（2002—2006）

以民间原生态文化信息抢救、集聚、整理、研究为基础，将信息转化为知识体系，在教育和社会发展需求中发挥作用。

1. 建立视觉文化符号工作室，加强视觉民俗文化学及民间符号学的研究与教学。

2. 建立非物质文化遗产传媒与规划工作室，加强原生态文化抢救及可持续发展参与。

3. 建立中国非物质文化遗产档案库。

4. 建立民间美术（科研与教学）信息库。

5. 配合国家民间文化遗产普查抢救工程，开始民间文化遗产（尤其是少数民族地区）抢救行动和民间原生态信息考察采集工作。

6. 完成大学非物质文化遗产教学教材的编写工作，为启动"文化遗产规划管理专业"本科教学做准备。

7. 开展中国民间符号学的课题研究工作，将视觉文化符号学作为新的信息传播方式纳入艺术教育，寻找中国本源文化和现代教育更广泛更具实效的切入点。

8. 开展原生态民间社区非物质文化遗产保护项目，目前启动陕北延川民间剪纸保护传承项目，计划开展甘肃陇东道情皮影原生态文化保护传承项目。

9. 启动教育领域内艺术与右脑智能发展研究及非物质文化遗产认知普及的科研项目。与北京市（或大西北少数民族地区、汉族乡村地区）品牌中小学合作完成创意课题。

10. 申请联合国教科文组织亚太地区文化遗产培训基

地,进行非物质文化遗产普查保护人才培训及少数民族濒危民间文化遗产项目抢救行动。

11. 筹备召开2002年10月的"中国高等院校首届非物质文化遗产教育教学研讨会",在全国大学推广普及非物质文化遗产学科建设及教育教学。

12. 继续协助中国民间剪纸研究会完成联合国教科文组织非物质文化遗产项目申报后续工作。

13. 建立中央美术学院西北、西南民族文化遗产研究基地。目前正在筹备申请资金支持,启动中国西北多民族区域非物质文化遗产现状调查,计划完成《中国西北多民族区域非物质文化遗产资源价值评估报告》、《中国西北多民族区域民间社区文化遗产保护及可持续发展现状分析报告》。

六、传承与发展·举办"中国高等院校首届非物质文化遗产教育教学研讨会"的历史意义

美术学院的教学体系基本上是西方18、19世纪学院派的教学体系,是以西方视觉价值体系的文化方式来进行教育的。而中国作为几千年来文化没有断裂的一个民族,有丰富的文化遗产,比如中国画已进入到学院教学体系当中。中国传统艺术的发生与发展在文化上是时空一体的,与西方单纯强调视觉的空间价值相异,这种差异不仅是中国画一类,还包括壁画、民间艺术、民间戏曲及口传文化等。学院派的中国画认识与发展,应该是建立在中国本原哲学与认知方式上的,它的语言体系是在时空一体方式上观察、认知、觉悟、积累、修炼等因素基础上形成的。所以中国画的艺术语言不同于西方,比如西方的素描是在纯视觉价值观念上形成的,中国绘画更强调对自然时空一体的感悟。比如画黄山,通过一年四季的观察体验在绘画中强调对自然(包括自身人格心灵)文化品性的认读。中国的绘画强调内功的修炼,强调与艺术相通的综合文化素质的修炼与人格文化品质的综合实现。

民间艺术学科在学院教育中的发展,无疑将涉及到艺术院校文化与艺术教育体系的扩展与整合。美术学院不仅要教西方的视觉价值体系,同时也要关注本民族自身的文化传统在大学艺术教育中的实现,研究寻找一种符合这种艺术价值文化体系的教学方式。这个问题在美术学院始终没有解决好。目前的学院派在文化价值观念上是单一的、西化的,教学体系和教学方式也是单一的。民间艺术学科的建立,首先在艺术院校当中,应该能够解决这样一个问题,学院教育应当探索解决多元文化教育的实践。

民间艺术学科在中央美院的大力支持下发展很快。尤其是最近在教育教学改革的大环境下,把民间美术作为一个完整的艺术文化体系及教学体系引入了中央美术学院教学。

美术教育应该与本民族的文化传统接轨、与西方文化接轨,与民间文化传统也要接轨。如果文化资源(文化遗产)有一百种,而在学院教育教学只反映一两种,那么这种教育是滞后和狭隘的,同时也是失败的。所以,中央美院在开放包容的教育观念上支持新学科的发展,在民间美术研究中心基础上,又新建立了非物质文化遗产研究中心,其意义是明确了民间美术不仅作为艺术院校学习本民族文化传统的补充,同时也提出了一个非常急迫的问题:作为一个古老文化积淀与传承极为丰厚的民族,如何对待自己的文化遗产。首先应该明确大学就是一个文化遗产的学习地,以青年为主体的大学,也是民族文化遗产传承、创造发展的主体。

一个民族文化的创造力是建立在民族文化基因发展基础上的,其实现也是要靠青年群体来参与的。所以说把文化遗产引入大学是非常重要的。2002年10月22至23日在中央美术学院召开"中国高等院校首届非物质文化遗产教育教学研讨会"的宗旨,即在于倡导呼吁中国高校及教育领域都来关注本民族文化遗产传承与发展。比如文科类院校、农业大学等都涉及此类问题。在目前改革发展的过程中,听说十几所大学的中文系要取消民间文学课,其中可能有人认为民间文学消亡了,我们学习它已没有用。实际上,如果把它简单地作为一种文学样式,那是与西方现代化、都市化的生活与工业化传媒不相称的,但是要把它作为一种文学遗产,作为几千年的口头文化传统,作为依然在民间起着重要作用的活态文化,那么作为口头传统和活态文化的民间文学与我们民族的现代化发展都是有着紧密联系和研究意义的。在广大的农村及少数民族地区,大量的口传文化通过民间交往、民俗仪式、民间艺术方式来实现其文化的承传及本民族的认同,仍在民族凝聚力方面起着作用。当文字记录的文化衰弱死亡时,在民间的大量活态文化依然像河流一样生生不息。作为大学教育这样一个智能的、知识与信息的基地,不了解自身本民族的现实及文化丰富的存在,而单一地学习西方,那么大学教育为社会国家全面发展的目的在能力实现上将受到怀疑。因为单一西方的方式是不能完全解决中国现实问题的。

在世界经济一体化的今天,首先要关注的应该是人类文化的多元性。由于经济一体化而把文化单一化,这种发展是失败的。如果人类的发展失去了丰富性与多元性,很多人性的价值也会丢失。对这个问题,国际上已经提出经济一体化,文化却一定要多元化、本土化。中国在这样的背景下,只有既保持经济可持续发展,又保持民族有价值的文化资源可持续的发展,才有可能在精神上真正独立成熟起来。

文化是一定要发展的,一个民族的文化像大河,它是不

断发展的。但是怎样发展,这里存在着自发与自觉两方面的问题。此次全国会议所要解决的一个问题不仅是在大学里把文化遗产引入教学体系,并培养这方面的人才,反馈到社会之中发挥作用。同时,我们也倡导全国所有高等院校来积极地、紧迫地以民族文化整合心态来认知自己的文化资源。尤其是文化遗产丰富地区的大学,都应对当地文化遗产的保护与传承及文化生产力的发展发挥积极的桥梁作用。我们不能把学术做成单一的文本化,也不能让学术脱离开文化活态的研究呆死掉,我们应当使学术在社会发展中起到作用,让教育成为文化资源可持续发展的重要桥梁,保持文化健康有朝气的发展。我们要有前瞻性、可持续性和创造性的学术研究。这方面更需对本民族文化的深刻理解与研究。

在此,需要提出一个命题:"民族文化的整合"。民族文化的整合是在一个更宽泛的、更完整的,包括静态与活态文化的,汉民族与少数民族多样丰富性的整体基础上,来认识我们文化的生长、发生、传承、演变。只有深刻地认识了我们自己的过去,才知道我们未来的发展方向。这就要求我们要有新的学科理念,要有复合性的知识结构,并且要对我们自己文化资源进行重组。新的文化资源重组产生新的学科,新的学科培养新的复合型人才,提供有创造性的信息,促进社会及文化的有力发展。

这次全国会议首先是一个中国民间文化遗产进入高校的宣传大会,是一次付诸行动的誓师大会。同时也标志着建国以来,真正在中国教育体系当中把自己的民族、民间文化资源引入高校教育教学体系的开始,并且预示着更多与文化遗产相关新学科的诞生,预示着多元文化在大学教育中的实现。新学科发展应建立在中国国情需要的前提下,借鉴西方多领域优秀的文化理念及研究方法,来真正地进行本民族文化资源的研究与重组。这应是大学教育改革深化的重要课题。

这次来参加会议的全国各地大学代表、研究机构专家及文化部、教育部等部委社团组织的领导、联合国教科文组织官员,包括文化遗产地政府代表及优秀民间艺术家代表,来中央美院搭建一个互相沟通信息的文化平台,来共同探讨中国非物质文化遗产作为教育事业究竟如何发展,如何为社会发展作出新的贡献。这无疑是一个非常好的开端,具有深远的历史意义,也标志着中国民族文化整合在大学教育中开始起步。

(2002 年 10 月 30 日"中国高等院校首届非物质文化遗产教育教学研讨会"论文)

学习国际先进经验做好
我国非物质文化遗产保护工作

乌丙安

自从 2003 年初我国全面启动民族民间文化遗产保护工程以来,全国各地的文化部门、艺术机构或团体都不同程度地加强了民族民间文化遗产的保护工作,同时在一定程度上也提高了各民族人民群众对民族民间文化遗产的保护意识。特别是随着近三年来我国的昆曲艺术和古琴艺术连续被联合国教科文组织评定为"人类口头和非物质遗产代表作"之后,保护工程的全面进展出现了好势头。举世闻名,中国是人类口头和非物质遗产最丰富多彩的文化大国之一,但是,由于已往在较长的特殊历史条件下,我国的民族民间文化遗产曾经遭到过种种破坏,现在又随着全球化发展的冲击和环境恶化的威胁,面临消失的危险,再加上我国在这方面的工作起步太晚,既缺乏应有的科学方法,又没有成套的经验,因而,很有必要认真学习国际先进经验,把我国民族民间文化遗产的保护工作做好。

学习国际先进经验,当务之急就需要从制订并颁布文化遗产保护法和推行保护措施两大成功的经验入手。

一、文化保护,立法先行。这是所有先进国家保护民族民间文化遗产首要的成功经验,其中以日本最有代表性。日本的传统文化遗产直到 19 世纪中叶的江户幕府时代,几乎保护得完整无缺;明治维新以后,资本主义的大发展使传统文化受到剧烈冲击。特别是第二次世界大战使日本文化财产遭到惨重破坏。1945 年战后,日本在废墟上重建国家、复兴民族的最初阶段,政府广泛采纳了社会开明人士和学术界的强烈呼吁,实施了复兴日本民族文化的战略方针。1950 年颁布了《文化财产保护法》,明令规定不仅由国家保护有形的文化遗产,还着重强调由国家保护无形的文化艺术遗产。经过实施,这部法律经过了几次修改和补充,已经成为十分完善的一部民族文化保护法典。它不仅在日本国内发挥了文化遗产保护的决定性作用,还在国际上享有盛名,成为近些年来很多发展中国家学习或借鉴的样板。

日本的《文化财产保护法》规定了国家保护的文化财产五大门类:一是有形文化财产:包括有很高艺术价值和历史价值的建筑物和美术工艺品。工艺品里包含有绘画、雕刻、书法、工艺制品、典籍、古书及历史和考古资料。二是无形文化财产:包括在历史上和艺术上具有很高价值的戏剧、音乐及乐舞、工艺技术。三是民俗文化财产:包括有形民俗文化财产和无形民俗文化财产。前者包含有民间生活用具和民俗生活设施;后者包含有民间的各种风俗习惯和多种多样的民间艺术,特别是村社民众年节庆典祭祀时的各种表演艺术节目,都在其中。四是纪念物:包括有很高历史、学术、艺术价值的寺院、古宅、坟冢、城池、宫殿、名胜、动植矿物等。五是传统建筑物群。在这部法律中确定的无形文化财产和无形民俗文化财产,在今天的联合国教科文组织的标准文件中,一律称之为"人类口头和非物质遗产",和我国的民族民间文化遗产的概念大致相同。这部法律在突出保护具有很高历史价值和艺术价值的同时,还突出强调了优先保护那些濒临消亡的文化财产。经过日本举国上下依法保护非物质遗产的半个多世纪的努力,使日本在这一重大文化建设领域,走在世界前列,独领风骚。

过了十年,韩国在出台《无形文化财产保护法》方面也创造了好经验。二战后,韩国从被占领的状态下急剧转入建国复兴,朝鲜战争停战后不久,又出现了现代化发展的准备。上个世纪60年代,现代化进程加快,西方文化来势迅猛,严重冲击了韩国本土的民俗文化,使得许多有价值的文化艺术遗产濒临消亡。1960年,在一大批民俗文化学者的倡导和参与下,韩国政府颁布了《无形文化财产保护法》。经过40年的上下推动,韩国的民族民间文化得到全面保护和振兴,很大一批民俗艺术被国家认定为"重要无形文化财产",并使它们在保护过程中得到了传承,许多民俗艺术在国内外广泛展演,赢得普遍赞誉。

此外,在欧洲各国,诸如法、德、芬兰、挪威等国,在近半个世纪中,先后都颁布了相关的文化保护法案,建立了严密的保护机制,形成了文化遗产保护的法制秩序和良好的人文环境,促进了人类文明的发展进程。

我国民族民间文化遗产保护的重要关键也不例外,首先应当尽快出台一部有权威的民族民间文化遗产保护法,依法推行文化遗产保护。这既是国际已有的范例,也是我国的当务之急,切不可在许多民族民间文化遗产相继消亡的危难中一拖再拖了。

二、推行保护,重在措施。这是国际保护非物质遗产先进经验中的基本经验。许多国家都采取了有效的措施,建立了一些有效的机制,创造了不少有效的方法,保证了文化保护工程的顺利完成。在这里,日本的经验也很突出。他们采取了科学的认定程序,用来认定"重要无形文化财产"的项目和"人间国宝"的命名。项目的认定多属于综合认定或持有团体认定,最有特色的是"人间国宝"的认定。他们把工艺技术上或表演艺术上有"绝技"、"绝艺"、"绝活儿"的老艺人认定为"人间国宝"。一旦认定后,国家就会拨出可观的专项资金,录制他的艺术,保存他的作品,资助他传习技艺,培养传人,改善他的生活和从艺条件。几十年来,文化激励机制的推行,已经使日本戏剧、乐舞、曲艺等表演艺术类的"能"、"文乐"、"狂言"、"讲谈"等都在强有力的保护措施下从濒危到重生再走向新的繁荣。日本还建立了从县市到乡村的覆盖全国的保护重要无形文化财产的专业协会,凝聚了千万民俗文化艺术的传人,从事乐舞表演和传承活动。像各地有名的狮子舞保护协会、田乐保护协会、太鼓舞保护协会、人形地戏保护协会等等数以千百计,都使民间文化遗产保护得到长期有效的保证。此外还有一系列的保护制度和做法值得借鉴。

在韩国的有效措施中,由国家对重要无形文化财产进行认定统一编号的激励措施,发挥了很好的推进作用。像江陵端午祭和祭日演出的假面戏就被国家认定为"重要无形文化财产第13号",记录在案,公之于世,从此当地年年举办盛大的端午节,使这一非物质遗产转化为巨大的文化产业,"文化财产13号"也成了价值连城的品牌。在对有很高价值的民俗文物保护方面,既经认定为宝物级文物,便立即命名为"宝物第XX号",国家出资给予有效收藏保存。

法国为了发动民众投入文化遗产保护工作,定期办好"国家遗产日"活动。德国为了保护好城乡古民居建筑艺术,每年都举行全国传统民居艺术大赛,吸引国内外游客到处参观各地参赛的不同年代的民居艺术。在德国,几乎每一个乡村都有几座或十几座古老的民居被政府认定为保护单位,政府给予民居主人以资助,定期由专业民居技工指导修缮保护。

总之,值得我国学习借鉴的文化保护措施很多,只要我们认真汲取和借鉴,一定会对我国的民族民间文化保护工作产生巨大的助力。

UNESCO 中国世界遗产年鉴 2004

文化遗产

长城

嘉峪关

万里长城

明清故宫

日咎

故宫角楼

太和殿全景

莫高窟

千佛洞

217窟唐代壁画《观无量寿经变》（上） 摄影／茹遂初

《观无量寿经变》（局部，盛唐）

菩萨（盛唐）

秦始皇陵及兵马俑

跪射俑

将军俑

2号坑发掘现场

1 号坑兵马俑

周口店北京猿人遗址

周口店遗址博物馆外景

1936 年发掘猿人洞

1936 年发掘猿人洞

北京周口店猿人洞

承德避暑山庄及周围寺庙

承德避暑山庄

承德金山寺

承德外八庙

曲阜孔庙、孔林、孔府

孔庙大成殿

孔林万古长春坊

孔府全景

武当山古建筑群

南岩雄姿　摄影／银道禄

天柱峰紫金城和金顶　摄影／汪传树　陈守义

布达拉宫、大昭寺、罗布林卡

布达拉宫

大昭寺内的佛像　摄影／谢新发

庐山

云海日出

湖光山色

三叠泉瀑布　摄影／罗克恒

丽江古城

古街一角

古街一角

丽江古城的主要水源——黑龙潭

小桥流水人家　摄影／刘建明

平遥古城

平遥古城城墙　摄影／张国田

街巷交错　摄影　袁学军

苏州古典园林

苏州留园五峰秀山林科阳景象

沧浪亭　摄影／周仁德

五峰仙馆内景　摄影／张振光

颐和园

昆明湖初雪

众香界

石舫

鸟瞰万寿山

天坛

圜丘坛皇穹宇内景　摄影／高明义

天坛南北中轴线鸟瞰　摄影　张肇基

大足石刻

柳本尊行化道场

华严三圣像　　释迦涅槃圣迹像

十圣观音窟

青城山和都江堰

都江堰宝瓶口。摄影／王敏

皖南古村落——西递和宏村

宏村古民居之一

宏村古民居之二　摄影/潘维明

西递绣楼一角

西递大夫第

宏村南湖书院

龙门石窟

奉先寺大佛

龙门石窟鸟瞰

莲花洞北魏造像

古阳洞北魏造像

明清皇家陵寝 明显陵

大殿遗址

棂星门

武将石像

文官石像

明清皇家陵寝 清东陵
清西陵

清西陵泰陵的碑楼和华表　摄影＼孙树明

清东陵隆恩殿

清东陵石牌坊

清东陵全景

明清皇家陵寝 明孝陵

神道

大金门

文武坊门

明孝陵鸟瞰

明清皇家陵寝 明十三陵

永陵

神道

云冈石窟

第二○窟，释迦牟尼坐像

五华洞彩绘造像

长　城

中文名称:长城
英文名称: The Great Wall
列入年份:1987 年
管理机构:中华人民共和国国家文物局

概　况

万里长城是我国古代各族劳动人民创造的伟大奇迹,是中华民族勤劳、智慧和坚强不屈精神的象征,也是世界文明的瑰宝。

历史地看长城,它本是军事斗争的产物,是我国历代统治者为维护其政权而构筑的永久性防御工事。但客观地分析一下,历史上长城确实对我国的政治、经济、科学技术发展、民族交融、文化交流、中西交通等诸方面产生过很大的积极影响。

我国修筑长城的历史很早。战国时期,七个大国各霸一方,不相统属,各国为了互相防御,都在自己的辖境边地筑起一条很长的城墙防线,这就是长城。

战国中后期,游牧民族匈奴、东胡,开始进入奴隶制社会。奴隶主贵族经常率兵到秦、赵、燕三国的北部地区掳掠牲畜、财物和人口,所以这时期秦、赵、燕三国分别在其北方修筑了长城。

公元前 221 年,秦国灭掉了其它六国,建立了我国历史上第一个专制主义中央集权的封建王朝。为防御匈奴的侵扰,秦始皇下令大规模地修筑长城,但秦始皇时期所筑长城,基本上是在秦、赵、燕三国长城的基础上增修扩建并将其连成一线的。自秦始皇修筑长城之后,始有万里长城之称。

西汉时,大体因秦之旧,尽管改筑不多,亦有相当之工程。东汉时期,长城改变较大,向南移了很远,东段甚至接近后世长城的位置,而工程也较前为逊色。以后西晋、北魏、东魏、北齐、北周、隋、唐等王朝,都筑过规模不等的长城。除此之外,高句丽、辽、金也都筑有长城,并且多为新的线路。元代也曾部分修缮过前代长城。今天,在我们祖国北方辽阔的土地上,还保存着一条基本连贯的长城。它从鸭绿江畔起,

翻越燕山,沿太行山、贺兰山、祁连山,穿沙漠,越戈壁,遥遥向西,一直到大西北的嘉峪雄关。这条东西横亘、气势雄伟的长城,为明代所修。明代在其 277 年的统治期间,把古代长城的修建推至最后的也是最高的地位。

如今,长城的军事作用虽然消失,但是由于其承载着极为丰富、厚重的历史文化信息,因而已经成为中华民族精神的象征,成了世界各国人民感受中国历史、进行文化交流的场所。

*　*　*　*　*　*

长城是中国也是世界上修建时间最长、工程量最大的一项古代防御工程。自公元前七八世纪开始,延续不断修筑了2000 多年,分布于中国北部和中部的广大土地上,总计长度达 50000 多公里,被称之为"上下两千多年,纵横十万余里"。如此浩大的工程不仅在中国就是在世界上,也是绝无仅有的,因而在几百年前就与罗马斗兽场、比萨斜塔等列为中古世界七大奇迹之一。

长城修筑的历史　长城修筑的历史可上溯到公元前 9世纪的西周时期,周王朝为了防御北方游牧民族猃狁的袭击,曾筑连续排列的城堡"列城"以作防御。到了公元前七八世纪,春秋战国时期列国诸侯为了相互争霸,互相防守,根据各自的防守需要,在自己的边境上修筑起长城。最早建筑的是公元前 7 世纪的楚长城,其后齐、韩、魏、赵、燕、秦、中山等大小诸侯国家都相继修筑长城以自卫。这时长城的特点是东、南、西、北方向各不相同,长度较短、从几百公里到1000—2000 公里不等。为了与后来秦始皇所修万里长城区别,史家称之为"先秦长城"。

公元前 221 年,秦始皇并灭了六国诸侯,统一了天下,结束了春秋战国纷争的局面,完成了中国历史上第一个封建集权统一国家的大业。为了巩固统一帝国的安全和生产的安

定,防御北方强大匈奴游牧民族奴隶主的侵扰,便大修长城。除了利用原来燕、赵、秦部分北方长城的基础之外,还增筑扩修了很多部分,"西起临洮,东止辽东,蜿蜒一万余里",从此便有了万里长城的称号。自秦始皇以后,凡是统治着中原地区的朝代,几乎都要修筑长城。计有汉、晋、北魏、东魏、西魏、北齐、北周、隋、唐、宋、辽、金、元、明、清等十多个朝代,都不同规模地修筑过长城。其中以汉、金、明三个朝代的长城规模最大,都达到了5000公里或10000公里。它们都不在一个位置上。从修筑长城的统治民族看,除汉族之外,许多少数民族统治中国的朝代也修长城。清朝康熙时期,虽然停止了大规模的长城修筑,但后来也曾在个别地方修筑了长城。可以说自春秋战国时期开始到清代的2000多年一直没有停止过对长城的修筑。

长城的防御工程体系　绵延万里的长城并不只是一道单独的城墙,而是由城墙、敌楼、关城、墩堡、营城、卫所、镇城烽火台等多种防御工事所组成的一个完整的防御工程体系。这一防御工程体系,由各级军事指挥系统层层指挥、节节控制。以明长城为例,在万里长城防线上分设了辽东、蓟、宣府、大同、山西、榆林、宁夏、固原、甘肃等九个军事管辖区来分段防守和修缮东起鸭绿江,西止嘉峪关,全长7000多公里的长城,称作"九边重镇"。每镇设总兵官作为这一段长城的军事长官,受兵部的指挥,负责所辖军区内的防务或奉命支援相邻军区的防务。明代长城沿线约有100万人的兵力防守。总兵官平时驻守在镇城内,其余各级官员分驻于卫所、营城、关城和城墙上的敌楼和墩堡之内。

长城的防御工程建筑　长城的防御工程建筑,在2000多年的修筑过程中积累了丰富的经验。首先是在布局上,秦始皇修筑万里长城时就总结出了"因地形,用险制塞"的经验,2000多年一直遵循这一原则,成为军事布防上的重要依据。在建筑材料和建筑结构上以"就地取材、因材施用"的原则,创造了许多种结构方法,有夯土、块石片石、砖石混合等结构;在沙漠中还利用了红柳枝条、芦苇与砂粒层层铺筑的结构,可称得上是"巧夺天工"的创造,在今甘肃玉门关、阳关和新疆境内还保存了2000多年前西汉时期这种长城的遗迹。

长城的城墙是这一防御工程中的主体部分。它建于高山峻岭或平原险阻之处,根据地形和防御功能的需要而修建,凡在平原或要隘之处修筑得十分高大坚固,而在高山险处则较为低矮狭窄,以节约人力和费用,甚至一些最为陡峻之处无法修筑的地方便采取了"山险墙"和"劈山墙"的办法。在居庸关、八达岭和河北、山西、甘肃等地区的长城城墙,一般平均高约七八米,底部厚约六七米,墙顶宽约四五

米。在城墙顶上,内侧设宇墙,高一米余,以防巡逻士兵跌落,外侧一面设垛口墙,高2米左右,垛口墙的上部设有望口,下部有射洞和擂石孔,以观看敌情和射击、滚放擂石之用。有的重要城墙顶上,还建有层层障墙,以抵抗万一登上城墙的敌人。到了明代中期,抗倭名将戚继光调任蓟镇总兵时,对长城的防御工事作了重大的改进,在城墙顶上设置了敌楼或敌台,以住宿巡逻士兵和储存武器粮秣,使长城的防御功能极大地加强。

关城是万里长城防线上最为集中的防御据点。关城设置的位置至关重要,均是选择在有利防守的地形之处,以收到用极少的兵力抵御强大的入侵者的效果,古称"一夫当关,万夫莫开",生动地说明了关城的重要性。长城沿线的关城有大有小,数量很多。就以明长城的关城来说,大大小小有近千处之多,著名的如山海关、黄崖关、居庸关、紫荆关、倒马关、平型关、雁门关、偏关、嘉峪关以及汉代的阳关、玉门关等。有些大的关城附近还带有许多小关,如山海关附近就有十多处小关城,共同组成了万里长城的防御工程建筑系统。有些重要的关城,本身就有几重防线,如居庸关除本关外,尚有南口、北口、上关三道防线。北口即八达岭,是居庸关最重要的前哨防线。

烽火台是万里长城防御工程中最为重要的组成部分之一。它的作用是作为传递军情的设施。烽火台这种传递信息的工具很早就有了,长城一开始修筑的时候就很好地利用了它而且逐步加以完善,成了古代传递军情的一种最好的方法。传递的方法是白天燃烟,夜间举火,因白天阳光很强,火光不易见到,夜间火光很远就能看见。这是一传递信息很科学又很迅速的方法。为了报告敌兵来犯的多少,采用了以燃烟、举火数目的多少来加以区别。到了明朝还在燃烟、举火数目的同时加放炮声,以增强报警的效果,使军情传递顷刻千里。在古代没有电话、无线电通讯的情况下,这种传递军情信息的办法可以说十分迅速了。关于烽火台的布局也是十分重要的,要紧的是要把它布置在高山险处或是峰回路转的地方,而且必须是要三个台都能相互望见,以便于看见和传递信息。烽火台在汉代曾经称过亭、亭隧、烽燧等名称,明代称作烟墩。它除了传递军情之外,还为来往使节保护安全,提供食宿、供应马匹粮秣等服务。还有些地段的长城只设烽台、亭燧而不筑墙的,可见烽火台在长城防御体系中的重要性。

申报理由

万里长城这一凝结着中华民族几千年的智慧与力量的宏伟建筑在人类历史上留下的是永恒的痕迹。它构成世界

文化遗产重要组成部分的理由如下：

一、历史的跨度是长城具有永恒魅力的一个重要方面。中国的文明史走过了5000年，而长城从最初修建到达顶点就有2200年，是我们的祖先写在大地上的历史画卷。它的兴衰是对我国古代封建社会各个朝代历史演变的记录，它的最终废弃也是时代进步的反映。

二、长城的建筑规模是古代历史上人造工程之最。把各个时代修筑的长城的长度加在一起，大约有十万里以上。其中秦、明两朝超过一万里，而汉朝更是达到两万里。我国新疆、甘肃、宁夏、陕西、内蒙古、山西、河北、北京、天津、辽宁、吉林、黑龙江、河南、山东、湖北、湖南等十多个省、市、自治区都有古代长城、烽火台的遗迹，仅在内蒙古自治区境内的长城长度就达三万里。这也从一个侧面反映了当时的社会和经济发展水平，没有巨大的财力支撑，长城是修不起来的。

三、在形态上，长城兼具阳刚与阴柔之美。它的存在，使人工美与自然美巧妙地结合到一起，并大大超越了自然美。长城以伟岸的身躯穿行于戈壁荒漠，横亘在茫茫草原，伸展到大海岸边。长城所到之处给人们展现的是一幅幅绮丽的美景，使大自然平添了灵性。长城写不尽的美感道不尽的沧桑，使人们领略了古人的匠心，心灵可得到升华。巍巍矗立的座座雄关，高低起伏、蜿蜒曲折的道道城墙，无不展示着我国古代劳动人民的非凡创造力。看过它的人们无不被它的巨大魅力所征服。

四、从军事方面来说，长城所体现出的军事防御思想，在军事发展史上有重要地位。冷兵器时代，在战略防御上，高大的城墙是一种很难逾越的障碍。对于当时中国农耕民族来说，要防御游牧民族的入侵、掠扰，修筑长城还是较好的办法。中原的农业生产需要安定，方能耕种收获；而游牧民族则逐水草而居，迁移不定，对农业生产存在威胁，所以筑长城成了许多封建王朝的必然选择，并持续了两千多年。古代筑长城是有备无患、积极防御思想的体现。长城的产生和发展是和我国古代的整个军事发展同步前进的，对研究古代军事作战思想形成和发展具有重要意义。

五、在文化方面，长城文化成为中华民族传统文化的一个组成部分。长城以其在时间和空间上的绵延悠远、在形态上的雄伟坚强成为中华民族悠久历史和不屈精神的象征物。同时，围绕着长城，历代产生了众多的诗歌、散文、美丽动人的传说等等，长城已成为文学艺术创作的无尽源泉。

世界遗产委员会评价

约公元前220年，一统天下的秦始皇，将修建于早些时候的一些断续的防御工事连接成一个完整的防御系统，用以抵抗来自北方的侵略。在明代(1368—1644)，又继续加以修筑，使长城成为世界上最长的军事设施。它在文化艺术上的价值，足以与其在历史和战略上的重要性相媲美。

保护情况

保护长城，就是要保护我们民族的历史，就是珍惜、热爱我们祖先劳动和智慧创造的成果；也是留给子孙研究我国古代政治、经济、军事、文化、建筑工程、民族关系等历史和科学的丰富的实物例证。

新中国成立初期，国家在财政极其艰难的情况下，仍多次对长城和许多关隘及相关的名胜古迹进行维修，并将八达岭、居庸关、山海关、嘉峪关和附近的长城列为第一批全国重点文物保护单位，同时设立了文物保护机构，设专职人员进行保护和管理。特别是20世纪80年代以后由于"爱我中华，修我长城"社会赞助活动的深入开展，大大地提高了全社会保护文物，爱护长城的意识，促使长城保护工作进入了一个新的历史阶段。其保护措施主要有：

1、长城普查。长城沿线各省、市、自治区对其境内所辖的长城及相关的文物古迹，进行了全面的实地调查、登记和拍照，基本摸清了长城的长度、走向和现状，发现了许多石刻、竹简、兵器、铭文砖等珍贵的文物，编写了长城考察报告，发表了大量有价值的专著和论文。中国长城学会成立之初，支持地矿部遥感中心运用现代化科技手段，对北京等地区长城进行了遥感测量工作，使长城的勘查工作更加科学化。

2、长城维修。在长城普查的基础上，按照"修旧如旧，保持原状"的八字方针，相继对北京八达岭、居庸关、慕田峪、司马台，河北山海关、金山岭，天津黄崖关，辽宁九门口、虎山，甘肃嘉峪关以及内蒙古、陕西、宁夏等处长城和卫、所、关口、墩台、烽堡进行了重点修复。经过维修整理后的长城，不仅再现了长城当年的雄风，加强了保护，同时还增加了相应的旅游设施，为国内外游客游览长城提供了方便。

3、发布保护长城公告。长城所在地各级政府发布了《关于保护长城的公告》，其主要内容有：第一，长城经过的各市、县，要通过各种形式，广泛深入宣传保护长城的重要意义和国家保护长城、保护历史文物的政策、法令；第二、各有关地、县，要在调查的基础上，划出保护范围，建立保护标志；第三、未经国务院批准，任何单位和个人，不得以任何借口拆长城的砖石，挖长城的墙土，毁长城城楼等建筑；第四、对保护长城有贡献的单位和个人，要给予表扬和奖励；对破坏长城者，要进行严厉惩罚。布告在长城沿线广泛张贴、宣传，发动群众保护长城，起到了良好的作用。

4、公布各级重点文物保护单位。在调查、研究的前提下,按其历史、艺术、科学三大价值,选择主要地段或关隘、城堡,由省、市各级人民政府公布为相应级别的文物保护单位,并分别由相应的级别的人民政府和文物主管部门划定范围和建设控制地带。其中保护范围一般规定,"以长城两侧墙体外皮为基线,各向外扩散 150 米"。在此范围内,不得超标准排放气、水,不乱倒垃圾或从事其它污染环境的活动,不得建筑危及长城安全、破坏长城景观的设施。

5、长城保护中的奖惩。妥善保护好长城,使它能世代留存下去,确实是一项极为艰巨的长期任务,需要对日常保护工作中,及时反映情况、制止破坏、维修长城有功的组织和个人根据其保护事迹给予表彰和奖励,对肆意破坏长城的行为进行处理,情节严重的要追究其刑事责任。实践证明,执行奖惩制度是保护长城非常必要的一项措施,是使长城保护工作纳入制度化、法制化的一个重要方面。

(中国长城学会)

明清故宫

中文名称:明清故宫
英文名称: Imperial Palace of the Ming and Qing Dynasties
地理坐标:东经 39°54′　北纬 116°23′
列入年份:1987 年
管理机构:中国人民共和国文化部

概　况

故宫博物院是在明、清皇宫和清宫旧藏文物的基础上建立起来的,以宫殿建筑群、古代艺术品及宫廷文化史迹为主要展示内容的大型、综合性国家级博物馆。位于北京市中心。1961 年,经国务院批准,故宫被确定为全国第一批国家重点文物保护单位。1987 年,联合国教科文组织将故宫列入"世界文化遗产"名录。

依照中国古代星象学说,紫微垣(即北极星)位于中天,乃天帝所居,天人对应,是以故宫又称紫禁城。建于明永乐四年(1406),永乐十八年(1420)落成。1911 年,辛亥革命推翻了清王朝,1924 年逊帝溥仪被逐出宫禁。在 500 余年中,共有 24 位皇帝曾在这里生活居住和对全国实行统治。

紫禁城四面环有高 10 米的城墙和宽 52 米的护城河。城南北长 961 米,东西宽 753 米,占地面积达 78 万平方米,宫殿建筑总面积达 16.7 万平方米。城墙四面各设城门一座,城内宫殿建筑布局沿中轴线向东西两侧展开。红墙黄瓦,画栋雕梁。殿宇楼台,高低错落。城之南半部以太和、中和、保和三大殿为中心,两侧辅以文华、武英两殿,是皇帝举行朝会的地方,称为"前朝"。北半部则以乾清、交泰、坤宁三宫及东西六宫和御花园为中心,其外东侧有奉先、皇极等殿,西侧有养心殿、雨花阁、慈宁宫等,是皇帝和后妃们居住、举行祭祀和宗教活动以及处理日常政务的地方,称为"后寝"。

1911 年辛亥革命后,按照当时拟定的《清室优待条件》,逊帝溥仪被允许"暂居宫禁",即"后寝"部分。当时的政府决定,将热河(承德)行宫和盛京(沈阳)故宫的文物移至故宫的"前朝"部分,于 1914 年成立了"古物陈列所"。溥仪居宫内,一直与亡清残余势力勾结,图谋复辟,且以赏赐、典当、修补等名目,从宫中盗窃大量文物,引起了社会各界的严重关注。1924 年,冯玉祥发动"北京政变",将溥仪逐出宫禁,同时成立"清室善后委员会",接管了故宫,对宫内文物进行清点。1925 年 10 月 10 日故宫博物院正式成立。

世界遗产委员会评价

紫禁城是中国五个多世纪以来的最高权力中心,它以园林景观和容纳了家具及工艺品的 9000 个房间的庞大建筑群,成为明清时代中国文明无价的历史见证。

保护情况

一、中华人民共和国成立前

经初步清点,清代宫廷遗留下来的文物,据 1925 年公开出版的二十八册《清室善后委员会点查报告》一书所载,计有一百一十七万余件，包括三代鼎彝、远古玉器、唐宋元明之法书名画、宋元陶瓷、珐琅、漆器、金银器、竹木牙角匏、金铜宗教造像以及大量的帝后妃嫔服饰、衣料和家具等等。此外，还有大量图书典籍、文献档案。故宫博物院组织人力继续对文物进行整理，并开辟展室，举办陈列。

1931 年"九·一八"事变后，为保护故宫文物不至遭战火毁灭或被日本帝国主义掠夺，故宫博物院决定采取文物避敌南迁之策。从 1933 年 2 月至 5 月，宫内重要文物被装成 13,427 箱又 64 包，分五批先运抵上海，后又运至南京。遂于南京建立文物库房，并成立了故宫博物院南京分院。1937 年，"七·七卢沟桥事变"爆发，抗日战争全面展开。南迁文物又沿三路辗转迁徙至四川，分别存于四川省的巴县、峨嵋和乐山。直到抗日战争胜利后，三处文物复集中于重庆，于 1947 年运回南京。在中国人民解放军即将渡江之际，自 1948 年底至 1949 年初，南京国民党政府从南京库房中挑选出 2,972 箱文物运往台湾，后于台北市士林外双溪建立新馆，公开对外展出。余下的大批文物，在 1949 年以后陆续运回故宫博物院一万余箱，但至今还有 2,221 箱仍封存于南京库房，委托南京博物院代为保管。在这场长达十余年的惨烈的战争期间，由于故宫博物院的工作人员不畏艰难险阻，尽职尽责，南迁文物数量虽巨，却没有一件丢失和损伤，故宫人员的精神、事迹，可歌可泣。可又是因为这场战争，致使故宫的文物分处异地。

二、中华人民共和国成立以后

故宫博物院的职工以崭新的精神面貌投入工作。拔除杂草，疏通河道，清理垃圾。50 年代初，从宫内清除出去的上百年的垃圾竟达 250,000 立方米，自此院容焕然一新。故宫博物院制定了"着重保护、重点修缮、全面规划、逐步实施"的古建维修方针，经过几十年的努力，许多残破、渗漏、濒临倒塌的大小殿堂楼阁得到了修复和油饰，愈显金碧辉煌。院内各处高大宫殿都安装了避雷设施，又以巨额投资建设了防火防盗监控系统和高压消防给水管网，使这座古老的宫殿建筑得到了更加有效的保护。特别是改革开放后，在人民政府的大力支持下，彻底整治了环绕故宫的筒子河，更好地凸现了昔日皇城的风貌。

在文物工作方面，20 世纪五六十年代的重点是对故宫博物院旧藏的清宫文物重新清点核对，登记造册，进行鉴别、分类和建档，纠正了过去计件不确之处并增补了遗漏的文物。通过长达 10 余年的工作，总计清理出清宫旧藏文物 71 万余件。与此同时，还通过国家调拨、向社会征集和接受私人捐赠等方式，新入藏文物达 22 万余件之多，大幅度地填补了清宫旧藏文物时代、类别的空缺和不足。

从上世纪五六十年代起，还对原有库房进行了大规模的修整，采取了防潮、防虫的各种措施。90 年代后又建立了新的文物库房，可入藏文物 60 余万件。新库房恒温、恒湿，防火、防盗，并采用现代化技术自动控制，可保文物安全无虞。自 1950 年开始，组建了文物修复工厂，1980 年扩建为文物保护科学技术部，继承、利用传统工艺技术和引进自然科学新成果，对残损的文物进行修复，数十年来为本院及兄弟单位累计修复文物达 11 万余件。

在陈列展览方面，除了保存和复原三大殿、后三宫和西六宫等处的原状陈列之外，又不定期开辟了青铜、陶瓷、工艺、书画、珍宝、钟表等专馆，供参观者欣赏。还开设有临时展厅，举办各种主题性展览，同时也引进国内各兄弟博物馆和国外的收藏文物展。故宫博物院还组织小型文物展到各省市博物馆展出，并应邀到国外举办各种形式的展览，特别是改革开放以来，此类展览愈见频繁。曾赴展的国家有英国、美国、法国、前苏联、德国、奥地利、西班牙、澳大利亚、日本、新加坡等，所到之处，无不引起当地观众的极大兴趣，使异国的人民得以了解中华民族悠久的历史和光辉灿烂的民族文化艺术，为促进我国与世界各国人民的友好关系和文化交流作出了应有的贡献。

（故宫博物院办公室）

莫 高 窟

中文名称:莫高窟
英文名称: Mogao Grottoes
地理坐标:东经 94°50′　北纬 40°
列入年份:1987 年

管理机构:中华人民共和国国家文物局
　　　　甘肃省文化厅
　　　　甘肃省敦煌研究院

概　况

　　莫高窟位于今敦煌市东南25公里的宕泉河岸。始建于公元366年,经十六国、北魏、西魏、北周、隋、唐、五代、西夏、宋、元一千多年间持续不断的营造,至今仍保存洞窟735个石窟,包括南区492座,北区243个,其中图绘壁画达45000平方米,彩塑2000多身。

　　莫高窟开凿在酒泉系砾岩层上,南北长3公里多,高40—50米,岩质为积沙与卵石沉淀粘接而成,沙质疏松,难御水浸风蚀,不适于雕刻。洞窟形制主要有三种。一是禅窟,主要供僧人坐禅修行所用。二是中心柱窟,平面为长方形,在洞窟的后部有一个方形的柱子,直通窟顶,称为塔柱,象征着佛塔,供人们进入窟内绕塔礼拜。三是殿堂窟,通常平面为方形,在石窟正面开一大龛。因窟顶为覆斗顶形,也叫覆斗顶窟。此外,还有大像窟和涅槃窟。

　　在古代石窟建成的时候,除了大型洞窟在窟前建有殿堂外,一般的洞窟也通常在窟外建立木构的窟檐,所谓“窟檐”,现存仅有五座。

　　佛像彩塑在古代是崇拜的对象,是洞窟的主体,在洞窟中位于中心位置。主要有佛、弟子、菩萨、天王、力士等,也有少量高僧的塑像。

　　早期的敦煌彩塑流行浮塑的形式,塑像的背后总是与墙壁连在一起。还有一种称为影塑的形式,即用模子成批地制作出浮塑的佛像,粘贴在墙壁上,然后再分别加以彩绘,通常用于小型塑像。唐代以后流行圆塑的形式。唐代的大佛像多为石胎泥塑的办法,即在开窟的同时,先在崖面上凿出佛像的大体形状,然后再以泥塑的形式塑制各个细部,最后加彩完成。隋唐以后的彩塑,色彩丰富而细腻,多用金箔,显得金碧辉煌、灿烂无比。

　　敦煌壁画的内容主要包括七类:一、尊像画,包括释迦牟尼佛、药师佛、弥勒佛、阿弥陀佛、观音菩萨、文殊菩萨、普贤菩萨、迦叶、阿难、天王、罗汉等等,这些都是佛教信仰者礼拜的对象,往往画在窟内的重要位置。二、佛经故事画,包括佛教经典及相关文献所记载的故事。主要有如下几类:1、本生故事,讲述释迦牟尼佛前世为菩萨时,为教化众生而忍辱、施舍、牺牲的故事;2、因缘故事,讲述释迦牟尼成佛后,说法、教化的种种故事;3、佛传故事,讲述释迦牟尼生平故事。三、佛教史迹故事画,描绘佛教发展历史上的一些历史或传说故事。四、中国传统神怪像,主要描绘那些来源于中国古代传说中的神怪形象,如东王公、西王母、伏羲、女娲及风神、雷神、电神、雨神等。五、经变画,概括地表现一部佛经的主题思想或主要内容的规模较大的绘画。六、供养人画像,供养人是指出资修建洞窟的人,洞窟中往往画出供养者的形象,是研究石窟开凿历史以及古代历史文化的重要资料。七、装饰图案画,包括洞窟中除佛像等有具体内容的形象以外的所有装饰图案。主要有窟顶的藻井图案、人字披图案、平棋图案、佛光图案、边饰图案等。

　　敦煌石窟一千年间的壁画艺术反映了中国佛教绘画在接受外来的和中原本土风格影响下逐步融合的发展过程,特别是反映了一些重大历史时代中国绘画发展变化的特征,在中国美术史上具有不可替代的作用。

　　北凉至北魏时代的绘画主要受西域壁画的影响,佛、菩萨较多地体现着印度式或犍陀罗式的形象特征。人物的比例合度,形体健壮,菩萨的身体多呈“S”形弯曲,上身半裸,下着长裙。飞天和药叉动作幅度较大,充满力量感。特别是以重色晕染的技法,是典型的西域风格画法。

　　东晋、南朝时代,南方贵族阶层崇尚清谈和神仙思想,对那种身体清瘦、飘飘欲仙的人体形象有特别的爱好,绘画中表现出“秀骨清像”、“褒衣博带”的特色。随着北魏孝文帝改革,大力倡导学习汉民族文化,南方的文化艺术便大举影响到北方,敦煌在西魏以后,出现了人体比例修长,身体苗条,眉目清秀,动作飘举,如神仙般的形象。在技法上则注重线描,色彩简淡,不重立体感,而追求一种平面的装饰性。

　　隋代以后,中原式的造型与西域式的造型逐渐融合,并形成了新的造型风格。唐代以后,由于统一的国家高度发达,敦煌美术与中原美术发展几乎同步,以当时的首都长安为中心的中原地区流行的风格很快就影响到敦煌。如莫高窟初唐第220窟东壁、第335窟北壁的维摩诘经变中的帝王图,可以与阎立本的《步辇图》和《历代帝王图》媲美。盛唐时代,被称为画圣的吴道子活跃于画坛,吴道子创造了兰叶描的技法,“其势圆转而衣服飘举”,即所谓“吴带当风”。这种线描的特点在于“用笔磊落”而富于变化,能表现完整的气韵,且重线描而减淡色彩。盛唐第103窟维摩诘经变、第217窟龛内及南北壁经变画中的人物形象,第158窟涅槃经变中的人物形象等等就可以看作是吴道子一派的绘画风格。盛唐时期李思训、李昭道父子开创了青绿山水画。以青绿重色表现出富丽堂皇的气象。深受时人喜欢。可惜他的山水画真迹已经不存,但在敦煌壁画中却有不少青绿山水画面,为我们了解李思训一派山水画的原貌提供了真实的依据。盛唐第217窟和103窟的法华经变·化城喻品,具有相对的独立性,山水构图完整,线描劲健,色彩绚丽而不俗,体现出李思训画风。

1900年,在莫高窟第16窟甬道北侧发现了复壁中的第17窟(藏经洞),出土了5万多件古代文书和绘画品等文物,当时这一发现未能立即受到政府的重视,却被一些外国探险家大量劫往外国,分别存于英国、法国、俄国等国的博物馆。1910年在中国学者的呼吁下,清政府下令把剩余文物全部送到北京,当时只有1万多件,且多为残损者。藏经洞出土的5万多件文物,记录了中古时期敦煌、河西走廊和西域的历史,还涉及到当时的佛教、道教、摩尼教、景教等宗教信仰,展示了中古时期广阔的经济、文化、科技等社会生活场景,反映了一千多年间文化的流传及演变。藏经洞文物的重大发现,引起世界对敦煌莫高窟的广泛关注。以藏经洞出土文物和敦煌石窟艺术为研究对象的"敦煌学"在全世界兴起,使国际人文科学领域大放异彩。

世界遗产委员会评价

莫高窟地处丝绸之路的一个战略要点。它不仅是东西方贸易的中转站,同时也是宗教、文化和知识的交汇处。莫高窟的492个小石窟和洞穴庙宇,以其雕像和壁画闻名于世,展示了延续千年的佛教艺术。

保护情况

1944年,国民政府于敦煌莫高窟建立敦煌艺术研究所,开始了对敦煌莫高窟进行有计划的保护和研究工作。1951年,中华人民共和国政府改敦煌艺术研究所为敦煌文物研究所,并加大了对文物保护的力度。1961年,敦煌莫高窟被列为国务院公布的第一批全国重点文物保护单位。1964年国务院拨专款对莫高窟进行了大规模的加固工程。1984年,敦煌文物研究所扩建为敦煌研究院。20世纪80年代以后,敦煌研究院通过扩大建制,引进人才,充实保护手段,与国内外科研机构合作,引进先进的保护理念和先进的科学技术,使得莫高窟的保护跨上了新的台阶:制定莫高窟保护总体规划,全面规划保护、研究工作和利用多方面的工作;配合甘肃省人大制定《甘肃敦煌莫高窟保护条例》专项法规,并制定保护和管理的制度;进行多学科结合的保护科技研究和敦煌学的研究;在研究的基础上做好了敦煌石窟危崖的加固和壁画、彩塑病害修复;在保护好的前提下,向游人充分开放,在

开放中做好保护。

20世纪80年代以后的敦煌石窟保护主要体现在以下几方面:

一、多学科的综合性科学保护,使保护工作从原来的抢救性保护过渡到科学保护阶段。一方面,通过人文社会科学的多学科结合,开展敦煌石窟和敦煌文献的研究,对其所承载的信息和价值进行调查、整理、考证、解读,取得了丰硕的成果,出版180多种专著,2600多篇论文,对莫高窟的历史、艺术、科技、社会等多元价值进行了全面揭示。另一方面,通过自然科学多学科的结合和多层面的工作,开展对莫高窟及其环境的调查、分析、研究,主要有石窟窟区环境与洞窟内微环境的监测研究、砂砾岩风化机理研究、风沙危害和防治研究、壁画材质分析研究、壁画病害机理研究、壁画修复材料和砂砾岩石窟岩体裂隙灌浆材料筛选研究、土遗址保护研究等等,取得了一大批科研成果。这些成果逐步解决了石窟本体和其赋存环境的依存关系,以及石窟本体为什么有病害,病害机理是什么,应采用什么材料和技术加固和修复保护等一系列长期困扰敦煌石窟保护的难题,从而使莫高窟的岩体加固、壁画和彩塑修复取得了较好的成效,使敦煌石窟及其环境得到了很好的保护。

二、主动的预防性保护,如"洞窟游客承载量"的综合研究项目。这个项目的提出是为了应对逐步升温的旅游压力,切实处理好文物保护与旅游发展的关系,预防不适当的开放给文物带来的破坏,采取缓解游客对洞窟造成压力的措施提供科学依据。又如为了抢救敦煌石窟珍贵的文物信息,使之得到永久真实的保存,国家科技部、国家文物局和甘肃省科委先后立项,将计算机技术和数字技术应用到敦煌石窟文物保护工作中来,开展壁画图像数字化存贮与再现技术的科技攻关。美国梅隆基金会和美国西北大学也参与了该项目的合作研究,目前项目已取得突破性进展并付诸实施。

三、开拓国际合作保护的路子。敦煌研究院利用莫高窟高知名度的有利条件,先后与日本东京文化财研究所、美国盖蒂保护研究所、澳大利亚遗产委员会、美国梅隆基金会、美国西北大学、日本东京艺术大学、日本大阪大学等保护机构和大学开展合作。引进先进的保护科学和技术,以及先进的保护理念和管理方法,开展了莫高窟窟区环境治理、风沙治理研究、莫高窟第85窟以及第194等窟壁画保护研究、数字化莫高窟研究等项目,都取得了成果。

四、利用和保护的新思路,在保护好的前提下,则应积极地使文化遗产为学术研究、创造先进文化、振奋民族精神、进行爱国主义教育和旅游休闲发挥重要作用。根据这一思路,并吸收国际文化遗产保护利用方面的先进经验,敦煌研究院

制定了以下对策:1、开展游客承载量试验研究,通过这项研究,找出莫高窟可以接纳的科学合理的游客承载量;2、增加参观景点,以疏导游客,减轻洞窟的压力;3 加强开放接待管理,实施参观预约制度,以控制参观人数;4、加大保护和利用基础设施建设,建设具有综合功能的莫高窟数字展示中心。中心内充分利用当代信息技术和展示手段,设置演播厅、洞窟虚拟漫游厅等设施。游客这个中心可以全面了解敦煌和

莫高窟的历史文化背景,在虚拟漫游厅身临其境地欣赏典型洞窟和丰富的敦煌文化,又结合参观洞窟实景,这样既使游客获得更多、更清晰的敦煌文化信息,又可提高接待能力,极大地缓解游客给莫高窟保护带来的压力。

敦煌研究院正在为逐步把敦煌石窟建成世界一流的遗址博物馆而努力。

(敦煌研究院 赵声良)

秦始皇陵及兵马俑

中文名称:秦始皇陵及兵马俑

英文名称: Mausoleum of the First Qin Emperor

地理坐标:东经 109°　北纬 34°

列入年份:1987 年

管理机构:中华人民共和国国家文物局
　　　　　陕西省文物事业管理局
　　　　　秦始皇兵马俑博物馆

概　况

秦始皇陵及兵马俑是迄今为止在我国发现的最为完整的古代帝王陵墓之一。秦陵兵马俑是秦始皇陵的陪葬坑之一,秦俑军阵反映的是秦始皇生前率领千军万马征战六国、统一天下的壮观场面。秦始皇兵马俑博物馆是在兵马俑坑的遗址上建起的保护、陈列兵马俑的著名遗址博物馆。

1961 年,秦始皇陵作为首批国宝单位被列入全国重点文物保护单位。43 年来,考古工作者对秦陵的勘查、钻探和保护工作一刻也没有停止过。43 年来,考古工作者经过钻探和试掘,在 56.25 平方公里的陵园保护区范围内已详细钻探的部分仅占陵园总面积的 1/10。陵园核心部分的面积约为 2.135 万平方米,对其地下埋藏情况比较清楚的部分,也只占核心区的 1/3。在陵域内已发现的 600 多座陪葬坑和各种墓葬,以及数百万平方米的宫殿建筑基址,大部分还没有正式发掘。可以说,列入《世界文化遗产名录》的秦始皇陵和兵马俑,始终以其独特的魅力吸引着人们。

申报理由

秦始皇帝陵及兵马俑坑以其自身具有的普遍价值,构成

世界文化遗产的重要组成部分。理由如下:

首先,符合入选世界遗产的第一项标准:表现出人类创造才能和智慧的杰作。

秦始皇陵始建于公元前 246 年,直到秦始皇帝死后的第二年即公元前 208 年才草草收工建成,其间共修建了 38 年,最多时动用劳动力 72 万人,约占当时全国男劳力的 1/8。有人会问:这样巨大的工程,到底完成了哪些项目呢?

秦始皇陵规模宏大,占地面积达 56.25 平方公里。陵园外城周长 6321 米,南北长 2188 米,东西宽 578 米。目前在秦始皇陵园内共发现陪葬坑、陪葬墓达 600 多处。这些陪葬坑、陪葬墓是严格遵循一定的规划,即按照“事死如事生”的礼制营建的。陪葬坑主要有兵马俑坑、石铠甲坑、百戏俑坑、铜车马坑、马厩坑、珍禽异兽坑、动物坑、青铜水禽坑等。陪葬墓主要有公子公主墓、修陵人墓等。大型建筑遗址有寝殿、便殿、飤官遗址等。

1961 年,秦始皇陵被列入全国重点文物保护单位,1962 年,陕西省文管会首次对秦陵园进行全面的考古勘探。43 年来,考古工作者对秦陵的勘察和钻探工作始终没有停止过,尤其是在秦兵马俑发现以来的 25 年里,一代又一代的考古人冒酷暑,顶严寒,在陵园内外勘探发掘了数百万平方米的建筑基址,钻探出数百处的陪葬坑、陪葬墓及修陵人墓,发

掘出五万多件各类文物。由此可见陵园埋藏物之丰富。

秦始皇陵园内发现的遗址、墓坑的面积都非常大,这是非常引人注目的一点。面积在1万平方米以上的有兵马俑坑和石铠甲坑两座陪葬坑。兵马俑三坑总面积达2万平方米,最大的一号坑面积14260平方米。石铠甲坑面积达13800平方米。秦陵出土的文物的个体也都是按照原大仿制的。陶制的兵马俑是仿照真人、真马的大小制作的,体量异常高大,塑造非常真实,气势宏伟壮观,塑造精细逼真。夔纹大瓦当、花纹铺地砖、云纹瓦当、五角形下水道等不仅质地细密,纹饰精美,而且也是原大制作。青铜器物同样是超乎寻常地大,铜车马、青铜大鼎、青铜剑、青铜水禽类文物等与一般实用器物一样大,这也具备了吸引世人目光的资格。经过多次钻探和试掘,整个陵园的结构和布局基本搞清楚了。整个陵园是由陵墓、城垣与门阙,各种陪葬坑、礼制性建筑、陪葬墓,各种附属建筑及陵邑等组成。

陵墓是整个陵园的核心,由封土和地宫两部分组成。

始皇陵园的周围有内外两重南北狭长形的城垣。内城中部有道东西向的墙将其分为南、北两部;北半部又有南北向的夹墙把其分为东、西两区。外城的四周各有一门;内城的南、东、西三面各有一门,北面二门,中部的隔墙上一门,共六门。门上均有门阙建筑,其架构为门、阙组合式。

始皇陵园内的各种陪葬坑已发现180余座,其中面积在100—14000平方米的大型陪葬坑有24座。

始皇陵封土的北侧发现大型礼制性建筑三组,规模宏阔,装饰华丽,俨然是京师大型宫殿建筑的模写。

始皇陵的陪葬墓区已发现四处:一处位于封土的西北角,发现甲字型大墓一座;第二处位于内城的北部东区,发现墓葬33座;第三处位于陵园西侧的内外城垣之间,有墓葬61座;第四处位于陵园外城的东侧,有墓葬17座。

始皇陵园的附属建筑有园寺吏舍遗址、鱼池遗址。

丽邑遗址是秦陵的陵邑。

秦陵布局的突出特征是围绕着一个核心,一条轴线,内、中、外三个不同的层面展开的。一个核心,即秦始皇的陵冢。一条轴线,即以始皇陵的封土为中心向东、西伸展,通过内外城垣上的东、西门阙、独立双阙、司马道等构成一条东西向的轴线,整个陵园的方向为坐西面东。三个层面:内层为内城垣以内的区域,中层为内外城垣之间,外层为外城垣以外的陵域,主次非常分明。这样严谨的布局,如此精心的规划,在中国帝王陵墓中都是极为罕见的。这就越发显出秦始皇陵厚重、丰富的历史内涵。

其次,符合入选世界遗产的第三项标准:目前仍存在着或已消失或还存在有少量证据、带有独特色彩的传统文化和传统文明。

能被岁月留存到今天的,都是一段奇迹。在秦始皇陵以东1.5公里处的西杨村,因为农民打井偶然挖出了陪葬秦始皇的兵马俑而出名。在兵马俑坑的遗址上建起的秦始皇兵马俑博物馆因保护、陈列兵马俑而出名。秦俑军阵反映的是秦始皇生前率领千军万马征战六国、统一天下的壮观场面。

秦始皇兵马俑博物馆完整地展出了秦陵陪葬坑中的三个俑坑。一号坑东西长230米,南北宽72米,是一个长方形的军阵,坑内有步兵和车兵。前面三排是部队的前锋,每排68人,共有204人,两侧有面向外站立的侧翼部队,后面有一列面向外站立的后卫部队,从而形成一个整体面向东、由38路纵队组成的军阵。一号坑是三个坑中面积最大的一个,内约有兵马俑6000尊。二号坑是秦俑三坑中内容最丰富、兵俑形象最好的一个坑,它是一个多兵种组成的集团军,有步兵、车兵、骑兵、弩兵等方阵组成一个大的军阵。三号坑是一个军事指挥部,面积520平方米,面积虽小但意义重大。现代汉语中还用"运筹帷幄"来形容指挥者的智慧与镇定,因为古代的将军就坐在"帷幄"中处理军务的。秦俑三号坑就是将军的"帷幄"。

君王之墓最早称陵始于春秋战国。陵,原指山陵,从战国中期起,因推崇皇权把君王的陵墓造得"高大若山",于是开始称君王的坟墓为"陵"。《史记·赵世家》记载:赵肃侯十五年(前335)起"寿陵"。人还健在就开始修造陵墓,这陵便是"寿陵"。据说赵肃侯陵是中国古代君王坟墓称"陵"之始,也是为活着的君主建造寿陵的最早记录。

秦陵是秦始皇死后的居住地。为了建造陵墓,他在即位初年就着手修陵工程,为自己在阴间继续享受荣华富贵做准备。公元前246年,秦国为年仅13岁的嬴政开始建造陵墓,此后,陵墓的建设工程一直没有停止过。公元前221年,秦统一六国,又从全国征调70万人到骊山,按照"事死如事生"的原则,由丞相李斯设计,大将章邯监工修建陵墓,至嬴政50岁驾崩,陵墓仍旧没有修成。到秦二世时,修陵工程还在继续。

秦陵最初高120米,后来历经两千多年的风雨及人为破坏,已经降低了很多,但即使如此,秦始皇陵现在仍然是历代帝王陵墓中最高大的一个。

寝殿、便殿早在秦东陵时已经出现,形成规模是在秦始皇时期。20世纪80年代,在秦始皇陵北侧发现了寝殿和便殿遗址。寝殿、便殿是做什么的?为什么要设立在陵墓旁?其作用是什么?汉蔡邕《独断》中说:"宗庙之制,古者以为人君之居,前有'庙',后有'寝';终则前制'朝'以象朝,后制'寝'以象寝。'庙'以藏主,列昭穆;'寝'有衣冠、几杖、象生(日常生活)之具,总谓之宫。"类似的记录在《历代山陵考》

中也有："三代以前无墓祭,至秦始皇起寝于墓侧。"这样就把祭祀的地点由陵上移到了陵侧,形成了陵侧起寝、陵旁建庙的制度。这种制度在中国延续了两千多年。

陵邑制度也是从秦始皇陵开始的。《后汉书·东平宪王苍传》记载:"园邑之兴,始自强秦。"《史记·秦始皇本纪》秦始皇十六年(公元前215年)更有"置丽邑"及"徙三万家丽邑"的明确记载。"丽邑"是专为秦始皇陵而设立的。目前已经在秦始皇陵附近发现了刻有"丽邑"、"丽邑二升半八厨"和"丽邑五斗崔"的陶文。秦之丽邑故城位于秦始皇陵园北侧2.5公里的刘家村东,占地面积达250万平方米。

在陵园建神道、立石刻也始于秦始皇陵。西汉茂陵霍去病墓前就有石刻,应该是沿用了秦始皇陵的做法。到后代,像这种墓前立石刻的做法更加普遍,存留至今的很多有名的石刻艺术品就是这种礼制的产物。

再次,符合入选世界遗产的第四项标准:显现了人类历史发展中的某一重要阶段的建筑风格或表现了建筑物与建筑技术结合的完美性,或与所置身的景观相宜相称的东西。

兵马俑坑的建筑形式是非常讲究的。俑坑为地下坑道式建筑,陶俑均站立在铺地砖上,隔梁是用土夯筑起来的,然后用袱木、立木和棚木组成一个完整的地下建筑。棚木上面铺席子,席子上面再用土夯实。地下坑道是用土铺地,之上用砖砌地,地面经过处理后,再在上面按照事先设计的样式放置陶俑。

秦俑坑是一个完整的地下土木结构建筑,从一定程度上反映了秦代的建筑技术水平。在当时的生产力状况下,建造如此大的俑坑决非易事。

从三个兵马俑坑的遗迹可以推测其建筑方法:首先根据俑坑的形制、大小挖成土圹,沿土圹周边的内侧包镶夯土,用以加固墙体,土圹的底部用填土逐层夯筑作为地基,再在土圹的内部筑成一条条的夯土隔墙,在隔墙的两侧及夯土的四周密排木质立柱,立柱的下端有横置的木头作为地栿。立柱的顶端承托着梁枋,从而构成井口式的木构立体框架。在此框架及夯土隔墙上搭盖密集的棚木。棚木上覆盖一层芦席或竹席。席上覆盖一层胶泥土,厚10—30厘米,再覆盖黄土逐层夯筑,以形成坑顶。如果将俑坑内塌的填土加以复原,坑顶似高出当时的地表2—3米。俑坑的底部用青砖墁铺。坑底至坑顶的内部空间高度为3.2米。把陶俑、陶马放进俑坑后,即把门用立木封堵,门道用夯土填实,于是就形成了一座封闭式的地下军事营垒。

俑坑为土木结构建筑,夯土墙起承重作用。立柱起壁柱作用,辅助夯土墙起承重作用。俑坑的立体木质结构为梁柱式构架。柱子排列得比较整齐,个别柱头与枋木的接头处有

榫卯结构,这无疑是建筑上的一大进步。

从考古发掘中可以推测,秦俑坑的建筑经过了挖坑、铺地、筑墙、架木、覆土等环节。

最后,符合入选世界遗产的第六项标准:能够引起人们共鸣,并且具有生动鲜明的传统、思想、信仰、艺术作品,或是与文学作品有着直接的或有着实质联系的东西。

1980年发掘的铜车马是秦陵考古的惊人发现。它是按照秦始皇御用车队中属车的尺寸缩小1/2,全部用青铜制成的,车马上配有大量的金银饰件,又施以重彩,经过多种工序、采用多种工艺铸造而成的,整套车马看起来既庄重典雅又雍容华贵。铜车马可以说是科技与艺术、雕塑与绘画、造型与装饰完美结合的典范。其巨大的形体、复杂的结构和精美的工艺,令人叹为观止,被誉为"青铜之冠"。它以浓重的皇家车马的富贵气派,使中国所有已出土的古代车马黯然失色。

秦陵铜车马的主要成分是铜、锡、铅,总重量达到2000多公斤,由6000多个部件组成的。可想而知,其制造工艺是相当复杂的。对不同的部件采取不同的制作方法,主要采用了铸造、焊接、嵌接、插接、活铰连接等方法,制作工艺极为精细。

铜车马的装饰富丽堂皇,不同凡响,不仅车舆、车盖、车伞上有大量的装饰花纹,而且在车篷、车舆内的四周箱板、车门、车轼、车底、车轮、车辕、车马附件上都铸有或彩绘有几何纹、云纹、夔纹等图案。图案层次分明,色彩淡雅,极富节奏感,更突出了铜车马的装饰意味,增强了铜车马的华贵效果。

与装饰花纹并存的是它的彩绘。铜御官俑的面部和手是粉红色的,头发是黑色的,在天蓝色的长襦袖缘和衣缘上,用黑色作底,用朱红色绘几何花纹。甚至连铜御官俑配剑的剑柄和剑鞘上也有花纹。车舆的装饰花纹也是用不同颜色作底并勾勒出不同的纹样。

铜车的确是一件工艺精致的艺术品,雕塑、装饰花纹及彩绘三者结合,华丽中显出淡雅。整个主题表现出帝王车驾的庄严、华贵,与皇帝至高无上、君临天下的气势相呼应。

最引人注目的还是铜车马魅力四射的艺术神韵。铜车马制作精细、比例准确。它不仅追求形式的逼真,例如车舆上编织的皮革、束缚的绳索、毛发、织物等,无不惟妙惟肖,酷似原物。而且更追求神韵的表达,尤其是马匹的神韵。站在铜车马前凝神注视,这铜铸的马仿佛有了生命,正拉着车子"踏、踏、踏"地奔跑,你会听到马身上的璎珞配饰发出清脆悦耳的叮当声,把你拉到亘古遥远的秦朝。

众所周知,古代造车是一种集大成的工艺,工艺复杂而分工细致,几乎可以看作是社会经济和科技发展水平的标志。然而用木材和其他有机材料制作的古代车辆在地下环境里无法摆脱腐朽的命运,此前一直未有一辆完好保存的古

代车子出土。

秦陵出土的两辆铜车马按照实物的 1/2 铸造并精心彩绘，忠实反映了原车面貌。两车都是典型的御车，单辕、双轮、驾四马，长分别为 2.25 和 3.17 米，高 1 米多。每辆车都由 3000 多个复杂零部件组合而成，其中既有每匹重达 230 公斤的铜马，也有重不足克的附属零件；既有极难把握的人物铸造，又有构思奇巧的各种衔接。人、马造型栩栩如生，精美绝伦；车饰铸件环环紧扣，细致入微。

一号车重 1061 公斤，二号车重 1241 公斤。其零部件制作极为精细繁杂，最大的部件是龟背形的车盖，长达 246 米，面积约 2.5 平方米；最小的零件面积不足 0.5 平方厘米。从重量上来说，最重的铸件是马，每匹马重达 230 公斤，最轻的是辔绳的销钉，重量尚不足克。铜车马制作精细、比例严格，对细部的刻画一丝不苟，就连车舆上编织的皮革、绳索、毛发、织物等，也与原物近乎一样。

两乘大型彩绘铜车马雍容华贵、富丽堂皇。不管是铸件艺术，还是雕塑艺术，都是非常高超的，是难得的艺术精品，被称为国之瑰宝是当之无愧的。

正因为秦陵兵马俑符合以上世界文化遗产所具备的四个条件，1987 年 12 月 11 日才得以入选《世界文化遗产名录》。这是一个令人激动的时刻，从此，秦始皇陵和兵马俑具有了世界性，成为全人类共同拥有的文化遗产。

世界遗产委员会评价

毫无疑问，如果不是 1974 年被发现，这座考古遗址上的成千件陶俑将依旧沉睡于地下。秦始皇，这个第一个统一中国的皇帝，殁于公元前 210 年，葬于陵墓的中心。在他陵墓的周围环绕着那些著名的陶俑。结构复杂的秦始皇陵是仿照其生前的都城——咸阳的格局而设计和建造的。那些略小于人形的陶俑形态各异，连同他们的战马、战车和武器，成为现实主义的完美杰作，同时也保留了极高的历史价值。

保护情况

随着秦俑的面世和对外展出，武士俑裸露在阳光下、空气中，随时遭受着病菌的侵袭。有鉴于此，秦兵马俑的保护工作任重道远。目前保护措施主要在土遗址保护、隔梁加固、彩绘保护、霉菌防治、温湿度监控等方面，并取得了一些成绩。

秦兵马俑曾经遭到过人为破坏以及火焚，再经过 2200 多年的覆土重压，在刚刚发掘面世之时，均已残破不堪，几乎没有一件完整的，每件陶俑、陶马都是由几十片或百余片破碎陶片粘接起来的。

因秦兵马俑坑曾被人为破坏过、坑体进过水、长期埋在地下受到地下环境影响等因素，秦兵马俑出土时大多数俑已没有彩绘，只有极少数俑上保存较好；在出土过程中，有的彩绘还直接脱离了俑体，而与土块粘连在一起；最后剩下来与俑体仍连为一体的彩绘，如果保护措施不到位，仍然会很快出现卷起、龟裂、起泡、脱落等现象。为此，文物保护人员调查了秦俑彩绘的层次结构，即在烧烤的俑体上涂上一层生漆，后在生漆层上涂矿物质颜料，其中有些是人造的，如铅白、铅旦等铅系颜料；分析出了颜料的物质组成，确定了底层的主要成分为中国生漆；并进一步查明了彩绘损坏的主要原因：颜料颗粒之间及彩绘和层次之间粘附力很微弱，特别是底层（生漆）对失水非常敏感，在干燥过程中底层剧烈收缩，引起底层起翘卷曲，造成整个彩绘层脱离陶体。

在清楚了彩绘层次、颜料组成和损坏原因的基础上，文物保护人员开始了如何使彩绘层不再继续脱落陶体的研究工作。在运用过多种物理干燥方法与物理加固方法而彩绘层的保护效果仍不理想后，文物专家们提出了新的保护思路：彩绘保护的关键是稳定漆层，因此其保护方法必须包含防皱缩和加固两个方面；同时，要使加固剂在漆层和陶体之间生效，必须进行单体渗透、然后引发聚合这种新方法的试验。于是，彩绘保护工作在两个方面同时展开：一是通过对 20 余种加固剂和 19 种抗皱缩剂的模拟实验和对比评估，筛选出效果较好的加固剂；二是在 20 多种单体进行聚合后性质的模拟实验后，选出适用的单体。功夫不负有心人，参与保护秦俑的文保人员利用现代科技，终于在两个方面全都取得了突破性进展，找到了有效的彩绘保护法：一为 PEG200 和聚氨酯乳液联合处理法，一是单体材料渗透、电子束固化的保护方法。单体材料的分子量小，容易渗入陶体表面，而且没有粘性，但用电子束照射聚合后，形成高分子材料，其保护效果最好。而利用 PEG200 和聚氨酯乳液联合处理法，则能防止生漆层收缩，并改善生漆层的性能，如同用来抹手的甘油一般，对俑的"皮肤"起到柔化作用，并减慢其干燥速度，使俑的彩绘易于保护，二号坑的彩绘俑即用其处理后，效果较好。彩绘保护的成功标志着秦兵马俑保护的最重要问题解决了。

与此同时，在兵马俑的防霉、防风化与修复、秦俑"小气候"研究与环境监测以及土遗址的保护等方面的研究工作，也取得了进展。但是，文物保护是补救性的，尽管秦俑保护问题基本得到解决，但保护是一项长期事业，秦俑保护工作中还有许多新情况、新材料正在研究或等待研究。

（秦始皇兵马俑博物馆　田静）

周口店北京人遗址

中文名称:周口店北京人遗址
英文名称: Peking Man Site at Zhoukoudian
地理坐标:东经 115°51′　北纬 39°41′
列入年份:1987 年
管理机构:中华人民共和国国家文物局
　　　　　　北京市房山区人民政府
　　　　　　周口店北京人遗址博物馆

概　　况

　　周口店北京人遗址在中华人民共和国北京市西南约 50 公里的北京市房山区境内,位于太行山脉与华北平原的接壤处。这一地区的石灰岩裂隙和洞穴中常含有丰富的脊椎动物化石。上世纪 20 年代以来,周口店北京人遗址共发现和发掘 27 个具有学术价值的地点,出土了大量的古人类化石、石器、更新世动物化石和丰富的用火遗迹,并且在山顶洞中出土了我国最早的墓葬和装饰品,成为世界上惟一保存纵贯五六十万年史前人类活动遗迹和人类最早用火证据的遗址。在世界范围内(尤其是东亚地区),直立人和智人演化与生存模式在很大程度上是在周口店遗址的基础上建立起来的。同时,周口店北京人遗址还是我国北方的一处第四纪标准剖面,在地层划分对比,生物演化与环境变迁方面蕴藏着巨大的信息资源。

　　周口店第一地点(又称猿人洞)是其中最著名的一处。它位于龙骨山上,于 1921 年开始发掘,是目前世界上同时期人类遗址中材料最丰富的一个,在古人类学和第四纪地质学上均占有很重要的地位。周口店北京人遗址 1961 年 3 月 4 日被国务院定为全国第一批重点文物保护单位,1987 年 12 月 11 日被联合国教科文组织列入世界文化遗产名录。

　　距周口店第一地点不远处的山顶洞和第四地点也产出过人类的化石、文化遗物和动物化石;第十三地点和第十五地点产出过文化遗物和动物化石。2003 年 6 月田园洞的发现,又为人类进化研究提供了新的证据,田园洞也因此成为周口店遗址群的第二十七个具有科学价值的系统编号地点。

　　周口店北京人遗址博物馆始建于 1953 年 9 月 21 日,当时叫做"中国猿人陈列室",面积不足 300 平方米。1971 年进行修缮和扩大,面积增至 1000 平方米,并更名为"北京猿人展览馆"。1994 年起更名为"周口店遗址博物馆"。2002 年 8 月 16 日北京市人民政府和中国科学院签署协议,将管理权移交给北京市政府,中国科学院负责遗址的科学研究工作,根据编制委员会批准成立了"周口店北京人遗址博物馆、周口店北京人遗址管理处"两块牌子一个单位的管理机构。目前馆内陈列着从周口店遗址群出土的人类化石模型、动物化石、石器等展品 600 余件,每天有来自世界各地的朋友来这里参观远古人类的文明和古老文化的辉煌成就。

申报理由

　　周口店北京人遗址是目前世界上同时期古人类遗址中材料最丰富、最系统的一个,在古人类学和第四纪地质学研究中占有重要的位置。"北京人"及其文化遗物、遗迹的发现和研究圆满解决了 19 世纪爪哇猿人发现以来困扰科学界近半个世纪的"直立人"究竟是猿还是人的争论,确立了直立人这一演化阶段,填补了从猿到人这一完整发展序列中最为重要的中间环节,是认识人类起源和发展过程中的一个突破性贡献。1929 年 12 月 2 日,在第一地点发现了距今约五六十万年前的第一具完整的北京人头盖骨,轰动了世界学术界。随后又发现了石器及其北京人用火的证据,直立人的存在得到了肯定,从而基本上明确了人类进化的序列,肯定了从猿到人的学说,确立了周口店在古人类发展史上的地位和古人类研究上的地位。

世界遗产委员会的评价

　　周口店北京人遗址位于北京西南约 50 公里,那里的发掘工作仍在进行中。到目前为止,那里已经发现了生活在中更新世的北京猿人的遗迹,伴随着北京猿人的发现还发现了多种多样的文化遗物和距今 18000—11000 年的晚期智人的遗迹,这个遗址不仅是一个亚洲大陆史前人类社会的遗存,并且阐述了进化的过程。

保护情况

中华人民共和国成立后,中央和北京市人民政府为保护周口店北京人遗址作了大量工作。1961 年 3 月 4 日,周口店北京人遗址被国务院列为首批全国重点文物保护单位;1987 年 12 月 11 日,被联合国教科文组织列入"世界文化遗产"清单。

为更好地保护周口店,充分发挥政府部门的保护优势和科研部门的科研优势,2002 年 8 月 16 日,中国科学院与北京市人民政府签署了共建协议。北京市政府负责遗址及建设控制地带的保护、建设、管理及科普教育工作;中国科学院负责遗址的发掘、研究、标本保管工作,以及为遗址提供科学指导。

"市院共建"以来,北京市、房山区政府和周口店北京人遗址管理处为遗址的管理与保护作了大量工作。

在环境治理方面:

首先,根据市院共建精神,房山区制定了《周口店北京人遗址及周边环境整治方案》和《周口店北京人遗址周边环境建设工程实施方案》,对遗址及周边环境进行综合整治。整治了"三区"、"一河"、"一带"、"一个产业";实现了环境治理五项工程:一是建设龙骨山纪念林;二是建设北京人遗址"后花园"——规划面积 10 平方公里的黄金峪小流域生态环境综合治理示范区;三是治理周口河,将河道由 25 米拓宽到 50 米,根据落差建设连拱闸 15 座,并在堤坝两侧建花坛,种植垂柳,在河岸上形成绿色走廊;四是改造周口店大街,总拆迁面积 21400 平方米;五是及时治理和关闭一批不符合环保要求的"五小"企业,使遗址周边的粉尘污染、空气质量得到极大的改观。2003 年 4 月 5 日,北京市副市长张茅在有关领导的陪同下,来到周口店北京人遗址视察工作,主持了首都大学生"青春奥运林"揭幕仪式并参加了植树活动。

其次,加大内部环境整治力度。自 2002 年 8 月 16 日"市院共建"以来,本着"短期有改观,长远有变化"的指导思想,在市、区两级政府的重视下,周口店北京人遗址管理处对 0.24 平方公里的遗址核心区环境进行综合整治。展馆外部铺设生态大理石 3160 平方米,铺设生态参观甬道 1123 米,核心区内绿化面积 3580 平方米;整修树木 350 株。完善区

内服务设施,新建二星级厕所 1 座,四星级厕所 1 座,整修厕所 2 座。为使遗址整体有所改观,增加了中、英、日文说明牌、指示牌等基础设施。

第三、调整完善展陈,充实展览内容。周口店北京人遗址博物馆于 1971 年改建馆,展陈方式比较落后,处于 70 年代的水平,远远落后于其它世界遗产地。为使遗址整体有所改观,遗址管理处首先对馆内进行整体装修、馆藏 500 余件化石标本重新按系统布置、陈设,并充实展陈内容,将"田园洞"这一重大发掘成果于 2003 年 8 月 16 日向社会公开展出,使其成为展现遗址丰富的科学和文化内涵的窗口。

第四、修缮科学家墓地。为加强科普教育宣传,使社会各界充分了解杨钟健、裴文中、贾兰坡等几位科学家对周口店北京人遗址所做的贡献,管理处对科学家墓地进行了修缮。

在文物保护方面:

第一、依法作好遗址的管理和保护。距遗址发掘年代已近一个世纪,部分地层本身的风化和断裂较严重,遗址内有 6 个地点共 19 处存在着不同程度的安全隐患,上级领导和管理处对此极为重视。2003 年 7 月至 10 月,遗址管理处组织有关专家召开了 4 次抢险座谈会,专家们对存在隐患的各个地点进行了多次勘查,并制定了抢险方案,现已上报国家文物局,待批准后进行抢险加固。

第二、周口店北京人遗址管理处积极配合市规划委和市文物局做好《周口店北京人遗址公园规划》和《遗址保护规划》,贯彻执行"保护为主、抢救第一、合理利用、加强管理"的文物工作方针。管理处委托中国文物研究所制定遗址专项保护规划,并成立工作小组,做好规划所需资料如历史资料、研究成果、环境、大气监测、地质、图纸的准备工作,并与中国文物研究所签订周口店北京人遗址保护规划编制《协议书》,预计遗址保护规划方案在 2004 年 6 月底完成。

第三、2003 年 12 月 2 日—3 日组织召开了周口店北京人遗址保护与研究专家论坛。国家文物局、中国科学院、北京市文物局、市规划院、房山区政府及周口店北京人遗址管理处的领导、专家参加了论坛。国家文物局局长单霁翔在会上指出,要加大遗址的保护力度,切实将周口店遗址保护好、建设好、研究好。让周口店的天更蓝、水更清、山更绿。一要做好遗址整体规划和遗址保护规划;二要完善法制建设;三要充分发挥科普教育基地的作用,把科研、科普有机地结合。同时,充分利用中国科学院与北京市共建的契机,加强遗址内外环境及遗址基础设施建设,加强展示陈列方面的研究,利用高科技手段,改造设计水平,推出更多的精品陈列,充分发挥遗址的作用。与会的专家学者对周口店北京人遗址的

保护与利用相结合及发挥其科学教育基地的作用展开了讨论，也对化石地点的研究、地质病害、抢险加固对策交换了意见。根据北京市规划院的规划编制和研究，遗址地区概念性保护和研究利用的规划思路已经成形，按照"整体保护、科学整修、合理利用"的原则，准备在遗址核心区外建设一座12000 平方米的博物馆，改造外围环境影响区。目前规划正在进一步完善，以求尽快出台。

第五、2003 年 11 月 8 日，中科院古脊椎所同号文博士、联合国教科文组织世界文化遗产处董为博士同法国电力公司、法国桥梁研究中心的人员在遗址进行遗址物理探测。勘察表明，遗址核心区内还蕴藏着丰富的文化遗物。

（周口店北京人遗址博物馆）

承德避暑山庄及周围寺庙

中文名称：承德避暑山庄及周围寺庙
英文名称：Mountain Resort and its Outlying Temples, Chengde
地理坐标：东经 118°　北纬 41°
列入年份：1994 年
管理机构：中华人民共和国国家文物局
　　　　　　河北省文物事业管理局
　　　　　　承德市文物园林管理局

概　况

避暑山庄及周围寺庙是清朝皇帝的夏宫，又称热河行宫。位于中华人民共和国河北省承德市。建造于 18 世纪初期，由皇帝宫室、皇家园林和宏伟壮观的寺庙群组成。清朝的康熙、乾隆皇帝，每年大约有半年时间要在承德度过，清前期重要的政治、军事、民族和外交等国家大事，都曾在这里处理。因此，避暑山庄也就成了北京以外的陪都和第二个政治中心。它不仅有丰富的文化内涵，同时，是中国统一多民族国家巩固和发展的象征，也是一部研究中国 18 世纪历史的教科书和珍贵历史文化遗产的博物馆。

避暑山庄占地 564 万平方米，环绕山庄蜿蜒起伏的宫墙长达万米，是中国现存最大的皇家园林。避暑山庄借助自然和野趣的风景，形成了东南湖区、西北山区和东北草原的布局，共同构成了中国版图的缩影。宫殿区建于南端，是皇帝行使权力、居住、读书和娱乐的场所，至今珍藏着两万余件皇帝的陈设品和生活用品。避暑山庄这座皇帝的夏宫，以多种传统手法，营造了 120 多组建筑，融会了江南水乡和北方草原的特色，成为中国皇家园林艺术荟萃的典范。

避暑山庄周围寺庙由溥仁寺、溥善寺、普仁寺、安远寺、普宁寺、普佑寺、广缘寺、须弥福寿之寺、普陀宗乘之庙、广安寺、罗汉堂、殊像寺等 12 座金碧辉煌、雄伟壮观的喇嘛寺庙组成，这些寺庙环列在山庄的东部和北部的山麓，共占地 47.2 万平方米。每处寺庙都像一座座丰碑，记载着清朝统一和团结的历史，因此又有"一座喇嘛庙，胜抵十万兵"之说。这些寺庙融汉藏文化艺术和建筑风格于一体，寺庙殿堂中，完好地保存和供奉着精美的佛像和法器近万件，共同构成了 18 世纪中国古代建筑富于融合性和创造性的杰作。

避暑山庄及周围寺庙是一个紧密关联的有机整体，同时又具有不同风格的强烈对比，避暑山庄朴素淡雅，其周围寺庙金碧辉煌。由于存在众多群体的历史文化遗产，避暑山庄及周围寺庙成为国家级重点文物保护区和风景名胜保护区，承德市也因此成为国家历史文化名城。

申报理由

避暑山庄及周围寺庙，以其自身所具有的突出普遍价值，构成世界文化遗产的重要组成部分。理由如下：

一、避暑山庄是中国清朝的园林式皇宫，具有丰富的社会政治历史意义。

避暑山庄是中国清朝皇帝为了实现安抚、团结中国边疆少数民族，巩固国家统一的政治目的而修建的一座夏宫。避暑山庄修建后，清帝每年都有大量时间在此处理军政要事，接见外国使节和边疆少数民族政教首领，使这里成为中国清朝的第二个政治中心。这里发生的一系列重要事件、重要遗迹和重要文物,成为中国多民族统一国家最后形成的历史见证。

二、避暑山庄及周围寺庙是中国古代帝王宫苑和皇家寺庙完美融合的典型范例。

避暑山庄及周围寺庙产生于中国封建社会最后一个盛世——康乾盛世,历经康雍乾三代帝王,历时八十九年,集中全国人力物力建造而成。它是帝王苑囿和皇家寺庙建筑经验的结晶。它成为与私园并称的中国两大园林体系中帝王宫苑体系中的典范之作。园林建造实现了"宫"与"苑"形式上的完美结合和"理朝听政"与"游息娱乐"功能上的高度统一。寺庙建筑具有鲜明的政治功用。

三、避暑山庄及周围寺庙标志着中国古代造园与建筑艺术的巨大成就。

避暑山庄及周围寺庙是中国现存最大的古代帝王苑囿和皇家寺庙群。它集中国古代造园艺术和建筑艺术之大成,是具有创造力的杰作。在造园上,它继承和发展了中国古典园林"以人为之美入自然,符合自然而又超越自然"的传统造园思想,总结并创造性地运用了各种造园素材、造园技法,使其成为自然山水园和建筑园林化的杰出代表。在建筑上,它继承、发展并创造性地运用各种建筑技艺,撷取中国南北名园名寺的精华,仿中有创,表达了"移天缩地在君怀"的建筑主题。在园林与寺庙、单体与组群建筑的具体构建上,避暑山庄及周围寺庙实现了中国古代南北造园与建筑艺术的融合,它囊括了亭台阁寺等中国古代大部分建筑形象,展示了中国古代木架结构建筑的高超技艺,并实现了木架结构与砖石结构、汉式建筑形式与少数民族建筑形式的完美结合。加之建筑装饰及佛教造像等中国古代最高超技艺的运用,构成了中国古代建筑史上的奇观。

四、避暑山庄及周围寺庙是世界了解中国文化的实物资料。

避暑山庄及周围寺庙,不管是园林还是建筑,都不仅仅是素材与技艺的单纯运用,而是把中国古典哲学、美学、文学等多方面文化的内涵融注其中,使其成为中国传统文化的缩影。

如上所述,这样一座具有世界性普遍突出价值的艺术杰作,只有列入世界文化遗产加以保护才能使其得以永久传世并更好发挥其所具有的世界意义。

世界遗产委员会评价

承德避暑山庄,是清王朝的夏季行宫,位于河北省境内,修建于公元1703年到1792年。它是由众多的宫殿以及其它处理政务、举行仪式的建筑构成的一个庞大的建筑群。建筑风格各异的庙宇和皇家园林同周围的湖泊、牧场和森林巧妙地融为一体。避暑山庄不仅具有极高的美学研究价值,而且还保留着中国封建社会发展末期的罕见的历史遗迹。

保护情况

1949年中华人民共和国成立以后,中央政府和地方各级政府为保护避暑山庄及周围寺庙做了大量工作。如建立和健全管理机构,制定法律法规,制定可行规划,积极抢救维修,加强保护区环境的综合治理等。申报世界遗产工作的启动及成功,使避暑山庄及周围寺庙的管理保护工作迈上了一个新的台阶。2003年7月18日,河北省第十届人民代表大会常务委员会第四次会议通过了《承德避暑山庄及周围寺庙保护管理条例》,为承德避暑山庄及周围寺庙的保护管理提供了强有力的法律保障和手段。以此为依据,承德避暑山庄及周围寺庙的保护管理工作日见成效:

(一)严格依法管理。依据国家和地方法规,河北省人民政府制定、国家建设部批准了《避暑山庄外八庙风景名胜区总体规划》、承德市人民政府制定了《承德市城市综合整治与生态规划》等具体实施措施和目标。

(二)加强科学管理。所制定的规划、实施方案等均邀请有关科研单位和专家评论审定。如中国城市规划设计院、中国环境科学院、英国利物浦大学等。

(三)坚持"抢救为主,保护第一"的原则,在实施两个十年整修规划的基础上,制定中、长期整修规划,有计划地开展修复工作。采取国家投资、地方筹资、社会各界集资等多渠道筹资金,加快整修步伐。积极创造条件,建立"中国避暑山庄及周围寺庙保护基金会"。

(四)加强风景名胜区规划。以河北省政府制定的"保护范围和建设控制地带"为依据,以"近限远迁"为原则,在重点保护区内,违章建筑,临时设施近期搬迁;一般保护区内,不得新建与保护文物有碍的构筑和设施,历史遗留的限制其发展;建设控制地带内,控制新建筑的形式、体量;外围保护带内的建筑都考虑向景区的过渡性。

(五)搞好大气、水系综合治理和植被恢复。继续扩大集中供热面积,建立城市烟尘控制区;大幅度减少大气污染。水系治理和植被的恢复相结合,划定水源保护区并继续修建第三道橡胶坝。另一方面,大力植被种草,减少水土流失。

(六)加强宣传工作,增加国民文物保护意识。广泛宣传《文物保护法》《承德避暑山庄及周围寺庙保护管理条例》等有关法律、法规,使人人树立爱护文物意识,以保护好文物为己任。

(承德市文物园林管理局)

曲阜孔庙、孔林、孔府

中文名称:曲阜孔庙、孔林、孔府

英文名称: Temple and Cemetery of Confucius and the Kong Family Mansion in Qufu

地理坐标:东经 116°58′30″　北纬 35°36′42″

列入年份:1994 年

管理机构:中华人民共和国国家文物局

　　　　　　山东省文物管理局

　　　　　　济宁市文物管理局

　　　　　　曲阜市文物管理局、曲阜市文物管理委员会

概　　况

　　曲阜孔庙、孔林、孔府是由于孔子在中国 2500 多年历史上的地位和影响而形成的。孔子是中国古代伟大的思想家、政治家、教育家,杰出的世界文化巨人。他所创立的以仁政德治为核心的儒家学说在中国乃至朝鲜、日本、越南等亚洲国家,被奉为封建社会的正统思想。中国历代王朝为了显示对孔子的推崇和对儒家思想的尊奉,在他的故乡曲阜建立了规模宏大的孔庙、孔林、孔府。

　　孔庙是奉祀孔子的庙宇,此类庙宇在亚洲地区曾多达 2000 余座。曲阜孔庙既是本庙,也是其中历史最悠久、规模最宏大、形制最典型的一座。它位于曲阜城的中央,是在孔子故居的基础上逐步形成和发展起来的一组具有东方建筑特色和格调、气势雄伟壮丽的庞大古代建筑群。孔庙存有历代(前 149—1949)碑刻 1000 余块,它们是研究历代政治、思想、文化以及孔庙历代沿革的珍贵资料,也是中国书法艺术的瑰宝。庙内还存有大量石刻艺术品,尤以汉画像石、圣迹图石刻和明清雕龙石柱最为著名。

　　孔林是孔子及其后裔的家族墓地,位于曲阜城北的泗河南岸,是世界上延时最久、规模最大的家族墓地,共有墓葬 10 万余座。汉代以来,孔氏子孙始立墓碑,现有历代墓碑 4000 余块,是中国数量最多的碑林。孔林不仅是一座集墓葬、建筑、石雕、碑刻为一体的露天博物馆,还是一座天然植物园。

　　孔府是孔子嫡长孙世袭衍圣公的衙署,位于孔庙东侧。整座宅第建于一条中轴线上,形成前衙后宅的建筑布局。明末清初,东西两路陆续添建部分建筑,其后几次重修,形成现

在规模。孔府还珍藏有明清文书档案,它是孔府 400 多年各种活动的实录,共有 6 万多件,是中国数量最多、时代最久的私家档案,对于研究中国明清史特别是明清经济史具有重要价值。

申报理由

　　孔庙是奉祀孔子的庙宇,孔林是孔子及其后裔的墓园,孔府是封建社会孔子嫡长孙奉敕而建的贵族官府。因此,孔庙、孔林、孔府都涉及到中国古代伟大的思想家、哲学家、教育家、儒家学派创始人和世界文化名人孔子。他的思想和他所创立的儒家学说在中国两千多年的封建社会被奉为正统思想,也长期被亚洲的朝鲜、日本、越南等国奉为正统思想,对欧洲的启蒙运动产生过积极作用。当今许多发达国家正在研究和探讨如何用孔子的思想纠正现代文明带来的弊端。孔子是一位具有重大历史意义的世界文化名人。在中国和亚洲、美洲的一些国家,曾先后建起了两千多座奉祀他的庙宇,孔子故乡曲阜孔庙是其中驰名中外的一座。曲阜孔庙由孔子生前的三间故居发展成为与北京紫禁城相仿的庞大建筑群,孔林由一片私家墓地扩大为 200 万平方米受国家保护的大型墓园,孔府由一般民居扩建为拥有各类房屋达 560 余间的衙宅合一的贵族府第,它们的发展一直和孔子地位的变化紧密地联系在一起,形象地反映了封建王朝对尊孔崇儒的代增隆宠,对研究孔子和孔子思想的历史作用具有极大的历史价值。

　　由于孔子及其思想在中国和亚洲东部地区影响至为深远,形成了一个以孔子思想为特色的东方文化圈。建筑作为重要的社会物质文明和精神文明的产物,其形成与发展以及

在建筑技法和艺术上的特色,必然要受到社会意识形态的影响,中国建筑就是根据儒家仁、礼、中庸思想的要求在很长的时期内,保持和发展它的独特风格,曲阜孔庙、孔林和孔府是中国古代祠庙、陵墓、官府建筑门类中以其体制完备、布局严整和富有纪念意义在建筑史上占有特殊的地位。在中国和东方文化圈内,对建筑具有纪念意义的雕刻、园林和风景设计、有关艺术或人类住所均具有较大的影响,至今中国、朝鲜、日本、越南等东方文化圈内的国家不少建筑仍保留着迥别于西方的传统格调和色彩。

孔庙、孔林、孔府以其独具一格、稀有和历史悠久而著称于世。曲阜孔庙是由当年孔子的住宅发展而成的,从公元前478年利用孔子的旧居改作庙堂起,至今已有近2500年的历史。在如此漫长的岁月中,由于战乱、兵灾、雷火等原因而使其屡遭破坏,但毁后不久,又总是很快被重建起来,而且规模越来越宏大,庙貌越来越壮观,以至明清两代,大成殿的华丽程度比之北京皇宫有过之而无不及。根据现有资料,在1911年以前,有记载可查的重大维修活动共有60多次,其它经常性的岁修就无法计算了。孔庙的总平面是一种在发展中不断变化的总平面,这种现象在其它中国建筑群中也同样存在,不过孔庙历史最久,修葺和改建的次数最多,文献记载最丰富,因此表现得最突出。孔林、孔府的情况也是如此,这同时也就构成了孔庙、孔林和孔府的独具一格和稀有性。

曲阜孔庙、孔林、孔府是历代封建王朝严格按照儒家思想的要求精心设计刻意建造起来的,标志着中国古代建筑独特的艺术和美学成就,是中国古代建筑中具有创造力的杰作。现存的孔庙、孔林、孔府最后完成于明清两代,明代中叶曲阜建筑达到鼎盛,征调了大批京畿和各王府的能工巧匠汇集曲阜,代表着当时最先进的技术水平。孔庙殿宇用料讲究、技术成熟,加工细腻,雕刻精湛,具有全国一流的工艺水平。石刻以龙柱、石牌坊、云龙陛石、碑首为代表,具有构图匀称、线条流畅、技法娴熟的特点,标志着雕镂技艺的光辉成就。大成殿、大成门、寝殿都是清朝鼎盛的雍正年间所建,动用了朝廷内务府的工匠,工程质量很高,特别是石雕龙柱造型优美,加工精细,栩栩如生。孔庙主要殿堂门房石柱的运用,带来了檐柱比例的粗壮,使曲阜建筑的外观显得更为浑厚凝重。用材尺度大,个别甚至超过皇宫,而斗栱的布置和细部做法形式自由,灵活多变,殿堂及门房屋顶坡度比较陡峻,增加了屋顶的视觉分量,从而获得了隆重庄严的效果,堪称清代建筑的精品。

孔庙空间环境的布局,沿轴线平面延伸,由层层院落组成的序列向主体建筑大成殿引导展开,空间由窄而宽,建筑由少而多、由低而高,由郁郁葱葱的丛翠环抱逐渐向殿阁巍峨轮奂金碧辉煌的殿庭。为了突出大成殿的崇高地位,在体量和形制上、尺寸上、色彩和装饰上,使它和周围的门庑殿阁依次区分出不同的高低、大小、繁简、多少、华朴、明暗,用等级概念来塑造建筑美,以表现主次和秩序。儒家学说不论从政治上还是从哲学、论理观上都强调"和",反映到美学观上,则是追求和谐、协调、敦厚、温良,而不是大起大落、充满突变和激荡的美,这是中国艺术风骨和格调的重要特点。曲阜孔庙的整座建筑群掩映于郁郁葱葱的树丛中,室内与室外相互渗透,各座单体建筑之间,细部与整体之间,既有变化而又相互协调。孔庙的这种变化都是在理性概念指导下形成的有规律的渐变。孔庙建筑群堪称为"和"的建筑美学观的一个杰出作品,是一座屹立于世界东方的崇高的文化和艺术殿堂。

孔庙、孔林、孔府是历代尊孔崇儒的结果,孔子逝世虽然已经2400多年,但他的思想仍然在中国乃至世界上有着广泛的影响,发挥着积极作用。他的以"仁"为体系的思想精华,符合人类共同生存共同进化的需要,是世界上最古老的颠扑不破的具有真理的哲学人类学。他的物我一体的自然观,进步的社会历史观,以普遍提高人民文化意识为本的政治观,维护社会秩序的伦理道德观、教育观,和平相处、亲睦相助的民族观等都是符合社会发展的客观规律的。20世纪的今天,高度发展的现代物质文明带来了诸如人与自然的对立,环境污染、生态平衡、道德沦丧、家庭解体等社会弊端。如何解决这些令人困惑的迫切问题,人们在思索,在探讨,向东方儒家文化去寻找。1988年1月诺贝尔奖金得奖人在法国巴黎开会时发表宣言说"如果人类要在二十一世纪生存下去,必须回头二千五百年去吸取孔子的智慧"。同时,人们也在重新审视儒家思想与现代化的关系问题。1989年10月中国孔子基金会与联合国教科文组织共同发起在北京曲阜两地召开国际孔子学术讨论会,主题就是孔子儒家思想的历史地位和现代社会的影响。专家学者从属于东方文化圈的亚洲地区的日本、韩国、新加坡、香港、台湾等国家和地区经济崛起、东亚在世界经济不景气的情况下一枝独秀、仍然保持较高的速度增长的事实,探讨了儒家思想在现代物质文明建设中的积极作用。

曲阜孔庙、孔林、孔府不仅是东方建筑技艺的杰出代表,而且有着极为丰富的历史内涵,是全人类文化遗产的重要组成部分,吸引着越来越多的各国政治家、思想家以及各界人士前来参观。联合国教科文组织总干事马约尔,法国总统密特朗,北爱兰总统希勒里,越南民主共和国主席胡志明,柬埔寨国家元首西哈努克,新加坡总理李光耀、吴作栋,美国国务卿舒尔茨等都曾专程到曲阜瞻仰孔子遗迹。曲阜孔庙、孔林、孔府列入世界遗产名录,将会进一步促进其保护和利用,使其成为世界性的孔子和儒家思想的研究、宣传、教育中心。悠久丰富的儒家文化遗产定能给世界的发展、人类社会的进步以有益的启示。

世界遗产委员会评价

孔子是公元前6世纪到公元前5世纪中国春秋时期伟大的哲学家、政治家和教育家。孔夫子的庙宇、墓地和府邸位于山东省的曲阜。孔庙是公元前478年为纪念孔夫子而兴建的,千百年来屡毁屡建,到今天已经发展成超过100座殿堂的建筑群。孔林里不仅容纳了孔夫子的坟墓,而且他的后裔中,有超过10万人也葬在这里。当初小小的孔宅如今已经扩建成一个庞大显赫的府邸,整个宅院包括了152座殿堂。曲阜的古建筑群之所以具有独特的艺术和历史特色,应

归功于2000多年来中国历代帝王对孔夫子的大力推崇。

保护情况

1949年新中国成立以后,中央政府和地方各级政府为保护孔庙、孔林、孔府做了大量工作,如建立和健全了专门的文物管理机构,制定完善了法律法规,投入大量资金对古建筑和文物进行抢救维修,加强对保护区周围环境的综合治理,成功申报世界文化遗产等。具体有:制定了《曲阜市文物保护管理办法》,正在制定《"三孔"世界遗产保护管理条例》,邀请专家制订了孔庙、孔林、孔府古建筑维修与保护管理计划,加强对古建筑的维修和保养,加固支撑古树名木,开展病虫害防治,对"三孔"的碑刻进行拍照、测量、拓印,建立档案,完成对古建筑数字化测绘等。

（曲阜市文物管理委员会张龙　杨廷　徐金磊）

武当山古建筑群

中文名称:武当山古建筑群
英文名称: Ancient Building Complex in the Wudang Mountains
地理坐标:东经110°56′15″—111°15′23″
　　　　　北纬32°22′30″—32°35′06″
列入年份:1994年
管理机构:中国人民共和国国家文物局
　　　　　湖北省文物事业管理局
　　　　　武当山文物宗教局

概　　况

武当山,又名太和山,明代皇帝曾封其为"大岳"、"玄岳"。位于中国湖北省十堰市境内,方圆400平方公里,主峰天柱峰,海拔高度1612米,如擎天一柱,拔地冲霄,周围有七十二峰耸立,二十四涧环流,灵岩奇洞幽藏其间,白云绿树交相笼映,蔚为壮观。明代地理学家徐霞客游此盛赞"山峦清秀、风景幽奇",认为"玄岳出五岳上"。

武当山道教建筑,始建于唐贞观年间(627—649),宋代又有增建。元世祖忽必烈入主中原后,利用道教笼络人心,在皇室的资助下,进一步扩大了建筑规模。明代大兴修建,朱元璋之子朱棣即帝位后,自永乐十年至二十二年(1412—

1424),多次下达旨令,策划营建武当山道教宫观,并派遣工部大臣率军民工匠30万人,在武当山大兴土木。经12年的营建,形成了号称九宫九观、三十六庵堂、七十二岩庙的道教建筑群,并派遣道官、道士驻守、修炼,使之成为皇朝利用宗教实行思想统治的重要场所。嘉靖三十一年(1552)又进行全面维修,并给武当山赐名"玄岳",新建"治世玄岳"牌坊以示旌表,经此次维修,较好地保持了以八宫二观为主体的建筑体系。

同时,皇帝下令拨徒流犯人到武当山拓荒,供养宫观;令均州驻军专一巡视山场,派役夫洒扫宫观,"设官铸印"以守,封为"大岳太和山"。至此,武当山成为皇家庙观。200多年来,明代每个皇帝都遵从祖制,对全山建筑进行维修和保护,委派亲信内臣进行管理,使之得到很好的保存。建筑

群不仅规模巨大,而且整体性强,全山建筑以金殿为中心,宫、观、庵、堂按序列为不同规制,具有很强的等级观念。由于施工中征集了全国各地的工匠,各种建筑手法在此得以汇集。特别是在建筑选址上,指派著名的风水家进行地形勘测,使这些建筑物在体量和规模上与环境高度协调,体现了道教玄妙神奇的风格。

武当山建筑群现存太和宫、南岩宫、紫霄宫三座宫殿(遇真宫2003年1月19日焚毁),玉虚宫、五龙宫两处遗址和元和观、复真观以及大量庵堂、神祠、岩庙等,共有古建筑200余栋,建筑面积5万平方米,占地100余万平方米。

武当山古建筑群在建筑艺术和建筑美学上达到了很高的成就,有着丰富的中国古代文化和科技内涵,是研究明初政治和中国宗教历史的重要实物见证。

申报理由

一、武当山古建筑群总体规划严密,主次分明,大小有序,布局合理。建筑位置注重环境选择,讲究山形水脉,聚气藏风。具体建筑设计规制严谨,或宏伟壮观,或小巧玲珑,或深藏山坳,或濒临险崖,都十分注重与环境的相互补益,达到了建筑与自然的高度和谐,是具有天才创造力的规划与建筑杰作。(符合[标准 I])

二、武当山古建筑群类型多样,用材广泛,各项建筑的设计、构造、装饰、陈设,不论木构宫观、铜铸殿堂、石作岩庙以及铜铸、木雕、石雕、泥塑等各类神像都达到了很高的技术和艺术成就。(符合[标准 II])

三、武当山古建筑群的兴建,是明初皇帝朱棣用武功取得政权后大修文治的例证。他在扩展外交的同时对内大力推崇道教,利用"太子修仙"、"仙台受诏"的传说,宣扬和灌输"皇权神授"的思想,以巩固其内部统治。因而具有重大的历史意义和思想信仰等意义。(符合[标准 VI])

世界遗产委员会评价

武当山古建筑中的宫阙庙宇集中体现了中国元、明、清三代世俗和宗教建筑的建筑学和艺术成就。古建筑群坐落在沟壑纵横、风景如画的湖北省武当山麓。在明代期间逐渐形成规模,其中的道教可以追溯到公元7世纪,这些建筑代表了近千年的中国艺术和建筑的最高水平。

保护情况

1949年中华人民共和国成立以后,中央政府和地方各级政府为保护武当山古建筑群做了大量工作。如建立健全保护管理机构,制定法律法规,制定科学可行的保护规划,积极抢救维修,加强保护区环境的综合治理等。申报世界遗产工作的启动和成功,使武当山古建筑群的保护管理工作迈上了一个新台阶。主要的工作如下:

建立和健全管理机构 在原有武当山文物管理所的基础上,设立了武当山旅游经济特区文物局,负责对武当山古建筑群的行政管理工作。在原有湖北省武当山风景区管理局体制基础上,成立武当山旅游经济特区,由十堰市直管,赋予其县级政府职能,组织和协调该行政区域内的遗产管理。保留武当山文物管理所,升格为正科级事业单位,具体实施对武当山古建筑群的保护管理工作。

制定并完善法律法规 省市各级人民政府相继制定颁布了《武当山文物保护管理办法》、《武当山风景名胜区管理实施办法》、《武当山世界文化遗产保护管理实施办法》。这些法规、规章的颁布和实施,达到了更好地保存、保护、展示和修缮武当山古建筑群的目的。

确定了保护范围和建设控制地带 1993年,丹江口市人民政府划定公布了全山62处文物保护单位的保护范围和建设控制地带。经国家批准实施的《武当山风景区总体规划》,确定了特级、一、二、三级4种保护区域。

制定并实施了科学的保护规划 《武当山文物保护管理五年计划》于1994年至1998年已实施;《武当山古建筑群抢救保护计划》于1999年至2002年已实施;《武当山古建筑群保护管理规划》已于2003年起正式启动实施。

古建筑群修缮 建国后,党和政府十分重视武当山古建筑群的保护维修工作。50年代至60年代,中央政府下拨专款对紫霄宫、太和宫等进行了局部修缮。1981年至1995年,湖北省政府每年拨出50万元专款用于武当山古建筑维修。1996年至今,每年维修专款增至100万元,先后对磨针井、太子坡、剑河桥、回心庵、泰山庙、南岩宫、榔梅祠、太常观、朝天宫、黄龙洞、琼台中观、太和宫、紫霄宫、玉虚宫20多处古建筑群进行了修缮,使其真实性和完整性得到了很好的保存。

全面治理古建筑群外部环境 1994年,投入资金1000多万元,撤迁保护范围内民居26户,拆除各类违章建筑200多间,治理环境达10余万平方米。2000年,武当山特区筹集资金60万元,对太子坡周围27户村民进行了迁移,拆除房屋82间1800多平方米。同年,结合创建全国文明风景区、4A级旅游区等活动,对全山环境进行了综合整治,改造了旅游公厕,配套完善了环卫设施。2001年,对武当山古建筑群保护范围内的土地全部实行了退耕还林,退耕面积达6000多亩。2001至2003年,实施了太子坡生态旅游建设项

目,使该景区古建筑群与外部环境更趋谐调。 （武当山旅游经济区文物宗教局）

拉萨布达拉宫（大昭寺、罗布林卡）

中文名称：拉萨布达拉宫（大昭寺、罗布林卡）
英文名称：Historic Ensemble of the Potala Palace,Lhasa

根据世界文化遗产遴选标准 C(Ⅰ)(Ⅳ)(Ⅵ)，布达拉宫于 1994 年 12 月入选《世界遗产名录》，后来又加入了拉萨的大昭寺。2001 年 12 月，拉萨的罗布林卡也被补充加入此项世界文化遗产。

世界遗产委员会评价

布达拉宫和大昭寺，坐落在拉萨河谷中心海拔 3700 米的红色山峰之上，是集行政、宗教、政治事务于一体的综合性建筑。它由白宫和红宫及其附属建筑组成。布达拉宫自公元 7 世纪起就成为达赖喇嘛的冬宫，象征着西藏佛教和历代行政统治的中心。优美而又独具匠心的建筑、华美绚丽的装饰、与天然美景间的和谐融洽，使布达拉宫在历史和宗教特色之外平添几分丰采。大昭寺是一组极具特色的宗教建筑群。建造于公元 18 世纪的罗布林卡，是达赖喇嘛的夏宫，也是西藏艺术的杰作。

这三处地点风景优美，建筑创意新颖。加之它们在历史和宗教上的重要性，构成一幅和谐融入了装饰艺术之美的惊人胜景。

布达拉宫

中文名称：布达拉宫
英文名称：LhaSa PoDala Palace
地理坐标：东经 91°2′　北纬 29°7′
列入年份：1994 年
管理机构：中华人民共和国国家文物局
　　　　　　西藏自治区文物局
　　　　　　西藏拉萨布达拉宫管理处

概　况

布达拉宫始建于公元 7 世纪藏王松赞干布时期，屹立在世界屋脊的雪域古城——拉萨市内的红山之颠。海拔 3700 余米，建筑总面积 138025 平方米，宫殿高 115.703 米，是西藏现存规模最大、最完整的古代藏族宫堡式建筑群。布达拉宫是藏民族勤劳、勇敢、智慧的结晶，它不仅具有较高的历史、艺术和科学价值，更具有独特的建筑风格。它的建筑造型别具特色，融入了藏、汉及印度、尼泊尔等诸多建筑特征，是世界建筑史上一颗璀璨的明珠。

布达拉宫作为西藏地区现存规模最大、最完整的古代宫堡式建筑群，集中体现了藏民族传统的土、石、木结构和碉楼形式，包括宫殿、灵塔殿、佛殿、经堂、僧舍、庭院等。整个建筑依山而建，基础坐落于山岩之上，外观造型凌空耸峙，高入云霄犹如腾空飞起，气势磅礴，雄伟壮观。建筑内容由宫殿、佛堂和灵塔殿三位一体组成，而且按照佛教坛城布局来设计建造。主体建筑分为白宫和红宫,白宫因外涂白色而得名。从宫前"之"字形坡道而上,可达白宫正门的平坦广场德阳夏(东庭院)。庭院西边为白宫主楼,白宫的主殿为东大殿,是历代达赖喇嘛举行坐床典礼等重大庆典活动的场所。白宫顶部为达赖喇嘛的寝宫,包括朝拜殿、会客室、习经修法殿和卧室等建筑。现在寝宫的一切陈设依然保持着历史原貌。

红宫位于白宫的西部,因其宫墙外涂红色而得名。它与白宫紧密相连,正处于布达拉宫的中心,而且突起于红山的中央,加上红宫顶层的七组金顶,整座布达拉宫呈现出雄伟、庄严而又绚丽多姿的气概。红宫主要由安置历代达赖喇嘛的灵塔和其它各种功能的佛塔、经堂等建筑组成。

现存于布达拉宫的大小殿堂、门厅、走道、回廊等处的数以万计的精美壁画,是由西藏地区的优秀画师创造的。壁画题材多样,内容丰富,有表现人类起源、历史人物、历史故事的;有表现宗教神话、佛教故事的;也有表现建筑、民俗、体育、娱乐等生活内容的。壁画技法精细,色泽明艳,是藏族绘画艺术的精华。

布达拉宫内收藏了极为丰富的各类文物,如雕塑、唐卡、陶瓷、玉器、宗教法器、经幡、华盖、幔帐以及浩如烟海的典籍,内容涉及天文、医学、工艺、历史、佛学等,具有极高的艺术价值和学术价值。

这座被誉为"世界屋脊明珠"的宫殿,无论从宫殿布局、土木石工程、金属冶炼,还是从雕塑、壁画以及收藏的各类文物等方面,都集中体现了古代藏族人民的勤劳智慧和藏族建筑艺术的伟大成就,几乎浓缩了我国藏民族的全部历史,是研究我国藏民族历史、文化、艺术和多民族文化融合成就的宝贵实物例证。

申报理由

布达拉宫,以其自身所具有的各种历史、文化艺术、科学价值构成了她的世界文化遗产的重要组成部分。理由如下:

一、布达拉宫的历史宗教价值

公元7世纪松赞干布迁都拉萨,始建布达拉宫作为王宫,在此划立行政区域,分官建制、立法定律、号令群臣、施政全藏,派遣、迎送来往于周边各国的使者,或与邻邦结成婚亲关系以加强吐蕃与周边各民族经济、文化的交流,促进吐蕃社会的繁荣。布达拉宫成为当时吐蕃王朝统一的政治中心,地位十分显赫。

17世纪,五世达赖喇嘛建立政教合一政权,重建布达拉宫,并将统治中心设立于此。在此后几个世纪里,布达拉宫成为西藏政教领袖的居住宫殿,是西藏政权的枢纽中心。政令从此而出,重大政教活动在此举行,权力机构分布宫内外,

布达拉宫成为政教合一的政权职能部门的所在地,地位神圣而崇高。

布达拉宫在藏传佛教发展史上具有重要地位,吐蕃王朝时代曾是佛教在西藏传播的据点,历史上又是众多藏传佛教领袖从事宗教活动的重要场所,尤其是17世纪以后,它成为西藏最高的政权统治中心,更是在促进藏传佛教发展方面起到了重要的作用。这不仅表现在建筑本身内部结构上宫殿与佛殿的完美结合,还表现为通过内部的设施、构造处处体现藏传佛教的思想特色。宫内数量众多的佛殿、经堂、造像、绘画、灵塔、经典等,既是对佛教思想材料的保存和宣传,又是对佛教理论的解释和弘扬。布达拉宫红宫内的"时轮坛城"殿在这方面具有典型的意义。《时轮经》是佛教的重要经典,11世纪从印度传入西藏后,成为藏传佛教发展的重要思想依据。对《时轮经》思想的阐释是藏传佛教思想脉络发展的轨道之一。布达拉宫内的"时轮坛城"殿,将《时轮经》的核心意旨采用实物立体造型、全方位展示,构成一种对思想的经典解释,以及对解释的形象表达,成为藏传佛教发展史上的经典之作。正由于布达拉宫所具有的不同寻常的历史宗教价值,因而它在广大群众心目中拥有特殊的思想信仰意义。

二、布达拉宫的文化艺术价值

在没有任何现代化建筑设备的前提下,布达拉宫修建过程中十分巧妙地利用了山形地势修建,表现出藏式建筑敦实、凝重的风格。墙体和檐部砌筑"白玛"等饰物,加上造型各异的金顶、胜利幢、牦、宝瓶等装饰物,充分表现了整个建筑浓郁的民族文化特色。外部墙面粉饰红、白、黄、黑等颜色,对比强烈醒目,突出了藏民族的建筑装饰艺术的表现效果。建筑总体结构一般采用几何图形,形象、突出,增强了建筑艺术的表现力。布达拉宫的建筑艺术,具有藏传佛教寺庙中与宫殿相结合的建筑类型里最高特色的特征,不仅将各个殿堂设计得驳彩斑斓、绚丽多姿,而且在外观上整体建筑雄伟壮观,协调完整,在建筑艺术的美学上达到无比的高度,构成了一项建筑的天才杰作。

布达拉宫作为民族艺术宝库,宫内藏存大量的壁画、唐卡、雕塑等,都显示出高超的技艺和非凡的成就。壁画是布达拉宫中最为丰富且价值又高的艺术品,宫内全部壁画数以万计,权西大殿二楼回廊就有698幅。壁画题材有历史、人物、神话、佛像、高僧传、民俗、体育、娱乐等,笔工细,着色艳丽,形象生动,是藏族绘画艺术的精华,又是距今四百年前形成的藏族两大画派的代表作。宫内唐卡有近万幅之多,其中包括刺绣、织锦、缂丝、贴花的唐卡,工艺复杂,画技很高。布达拉宫保存了大批塑艺术珍品,有金雕、银雕、铜雕、石雕、

木雕、泥雕等,尤其是雕模铸制的金属像大多鎏金,光彩夺目。另外宫内珍藏大量的藏毯、卡垫、陶瓷、玉器、金银器等,年代久远而具有时间的连续性,反映出各历史时期的工艺特征和艺术风格。

三、布达拉宫的文物价值

布达拉宫众多建筑虽属历代不同时期建造,其设计、材料工艺、布局均全面保存有公元7世纪始建以来历次重大增扩和重建时期的原状。位于山顶的法王修行洞和圣观音殿是吐蕃松赞干布时代的建筑物,被和谐地结合在整个建筑群中成为该宫最早的建筑遗存。因此,布达拉宫本身就是一座很具有文物价值的建筑物。

布达拉宫拥有包括金银器、铜铁器、珐琅器、漆器、竹雕器、骨角象牙器、玉石器、织绣器、石刻、印章、货币、典籍,以及宗教上法器、贡器等各类的珍贵历史文物数量巨大。其中佛教《贝叶经》目前在原产地已很难寻觅,但自8世纪开始传入西藏后却被很好地保存了下来,现藏有上百部《贝叶经》极为珍贵。布达拉宫内藏有自公元7世纪以来的,用合金材料制作的佛像、佛塔上千余尊,它们中有的来自印度、尼泊尔和中国内地,有的是本地制造,这些佛像佛塔年代久远,具有很高的宗教文物价值。法王修行洞内塑的松赞干布、文成公主、尺尊公主等像均为7世纪时的作品。圣观音殿供奉的檀香木质"帕巴洛格夏热"佛,是7世纪时从印度、尼泊尔边界迎请而来,成为松赞干布本尊佛,对佛教信徒具有特殊意义。宫内以五世达赖喇嘛灵塔为首的八座达赖灵塔是重要的宗教文物,不仅造型宏伟、金碧辉煌,每座灵塔所用黄金都达上万两,镶嵌珠宝无数。仅五世达赖喇嘛灵塔,就用119082两纯金包裹,上嵌珍珠、玛瑙等宝石总共达18800余颗。据《灵塔目录》记载,与五世达赖喇嘛法体合葬的有松赞干布的鞋饰、迦叶佛舍利、释迦牟尼大拇指骨等具非凡意义的珍品。在整个布达拉宫内,诸如上述的稀世文物众多,足证其文物价值之高。

四、布达拉宫的科学价值

布达拉宫整体无论从宫殿布局、土木工程,还是金属冶炼等都体现了藏族建筑科学的成就。在造型、结构、材料使用方面既具浓厚的民族特色,又是世界古代建筑史上的经典作品之一。特别是金顶尖端装置铁叉,通过铜制排水管道接地,起到避雷作用,在建筑学上具有很高的科学研究价值。而且,布达拉宫内藏有数量众多的工匠学、医学、天文历算学、造像学等典籍,均是比较完整系统的藏族传统科学的资料,值得人们对其进行科学研究。

综上所述,布达拉宫这样一座雄伟壮丽而举世闻名的宫殿所具有的各种价值,堪称世界艺术杰作,只有列入世界文化遗产加以保护才能使其得以永久传世并更好地发挥其所具有的世界意义。

保护情况

布达拉宫作为藏族文化的象征受世人瞩目,因其在历史上神圣崇高的地位和作用,从而对人们有天然的吸引力和凝聚力,世界各地的人都纷纷前来朝拜、参观。党和国家十分重视对布达拉宫的保护。1961年,国务院将布达拉宫列为第一批全国重点文物保护单位。1989年,国家拨款5000余万元对布达拉宫施行抢险加固的维修工程,为此成立了专门的维修工程施工办公室主持维修工作。这次大规模的维修历时五年,在"不改变文物原状"的前提下,取得了很大成就,使布达拉宫这一独一无二珍贵的文化遗产本质、原状的真实性得到了保存。

于1994年12月17日布达拉宫以其特殊的价值被联合国教科文组织列入《世界遗产名录》。为有效地保护布达拉宫,西藏自治区人民政府于1997年颁布了《布达拉宫管理办法》,使布达拉宫从国家的法律和地方性法规以及国际性法律法规上得到了保护。

(西藏自治区文物局)

大 昭 寺

中文名称:大昭寺

英文名称:JOKHANG TEMPIE MONASTERY

地理坐标:东经90°07′50″　北纬29°39′10″

列入年份:2000年

管理机构: 中华人民共和国国家文物局
　　　　　西藏自治区文物管理局
　　　　　拉萨市文物保护管理局
　　　　　拉萨市民族宗教事务局

概　　况

　　大昭寺位于西藏自治区拉萨市中心的八廓街,始建于公元7世纪中叶,相传由文成公主择址,尼泊尔尺尊公主修建。初名惹刹,后改称祖拉康、觉康,清代命名大昭寺。经元、明、清历代重修增建,形成现存庞大的建筑群。大昭寺殿堂4层,上覆金顶,辉煌壮观。大昭寺为木石混合结构,建筑造型别具风格,并融入了藏、汉及印度、尼泊尔等诸多建筑特征。大昭寺与拉萨市三大寺不同,它统摄西藏佛教的本教、宁玛、萨迦、噶举、格鲁五大教派,不拘一格,崇奉藏传佛教各教派的佛、菩萨、本尊、祖师、护法诸神像,这使它独异于西藏各个寺庙。大昭寺建筑大体沿纵向中轴线分布,基本由门廊、庭院、佛殿及分布在四周的僧舍、库房等组成。大昭寺分早期建筑和晚期建筑,这些建筑基本保存完整。寺内正殿有大木柱20根,柱上斗拱、架梁浮雕精美,有人物、动物等造型。主殿二、三层檐有成排木雕伏兽和狮身人面泥质半圆塑像。四周回廊的殿堂布满藏式壁画,绘历史人物、神话故事近千米。大殿正中供释迦牟尼12岁等身镀金佛像,两侧配殿供吐蕃赞普松赞干布和文成公主,尼泊尔尺尊公主等塑像。寺内还保存有唐代以来各时期来自印度、尼泊尔、内地和雪域藏区用不同材质制造的各种佛、菩萨、本尊、护法以及历史人物像3299尊、唐卡1324幅、佛塔595个,其它各种宗教法器150多件等。大殿内布满藏式壁画,其中《文成公主进藏图》、《大昭寺修建图》具有很高的史料、艺术价值。寺内存唐卡数千,有明永乐皇帝颁赐的胜乐金刚和大威德金刚唐卡,其它典籍文物也很多。寺前有唐蕃会盟碑,公主柳等文物古迹。

申报理由

一、意义

　　大昭寺与布达拉宫都始建于7世纪松赞干布时期。它们同为拉萨政治、经济、文化和宗教中心,至今是西藏最具特色的古代建筑和历史中心区域之一。五世达赖以来布达拉宫与大昭寺皆在外转经道(林廓)之内。

　　大昭寺至今仍是西藏最具特色的古代建筑和历史中心区域之一。它同布达拉宫一样,在世界佛教发展史,特别是在藏传佛教的形成和发展史中占有突出地位,对西藏的历史和社会文化产生过重要的影响。1350余年前,吐蕃王室为兴教,在拉萨古城的这块沼泽地方建立了大昭寺。此寺对于传播弘扬佛教,对于促进佛教在西藏的发展起了重要作用。这不仅仅表现在建筑本身,也表现在寺内佛殿格局、经堂设置、造像、绘画、经典等各方面。由于大昭寺内主供的是文成公主带来的12岁等身释迦牟尼如意像,为"觉卧释迦牟尼",广大的佛教徒无不以今生能够亲见为最大的福报和解脱。同时,大昭寺也吸引着藏族、蒙族、土家族、羌族、裕固族乃至尼泊尔、不丹、锡金、印度等国的信教徒不远万里前来朝拜。作为经国家登记注册的宗教活动场所,大昭寺是至今朝拜最为兴旺、久盛不衰、香火源源不断、有着极高名望的宗教活动场所之一。

　　八廓街区也由于大昭寺而发展,此街是1643年五世达赖扩建大昭寺门廊等以后形成的。大昭寺及其周围的八廓街保持着拉萨古城的精髓。这里密集着颇具民族风格的房屋和街道,至今保存基本完整,仍是古城的传统文化中心区。

　　大昭寺文化遗产及其周围的历史中心区,保存的大量文物及古建筑具有很高的历史、科学、文化和研究观赏价值,值得全人类永久保护。

二、比较分析

　　大昭寺与布达拉宫既有相似的宗教、文化内涵,又有着各自特有的建筑风格。布达拉宫依山而建,高大巍峨。大昭寺建在平地,坐东向西,大殿高4层,平面布局严谨,殿顶覆盖着独具一格的金顶,光彩夺目,别具风格。大昭寺第一、二层属早期建筑;门、千佛廊院、中心佛殿外围的转经道的中心佛殿第三、四层,是五世达赖主持扩建,属后期建筑。这些建筑总体保存完整。

　　大昭寺中心佛殿及佛殿布局与北印度比哈尔邦巴特耶县巴罗贡村的那烂陀寺僧房院遗址很接近。所建方形内院或绕置小室的布局和雕饰的木质构件等较多地接受了印度、尼泊尔寺院影响。大昭寺与印度、尼泊尔寺院关系密切,即可与藏文文献所记松赞干布妃——尼泊尔(泥婆罗)尺尊公主创建大昭寺的传说相符合。

三、真实性与完整性

　　大昭寺经历了1350余年的风风雨雨,虽然岁月漫长,但在历史的长河中,它的建筑没有受到大的破坏。

大昭寺分早期建筑与晚期建筑。一、二层为早期建筑，第一层前壁（西壁）正中建筑突出为门庭，门庭中间设殿门，门西向，殿门内侧沿前壁建小室四间（北侧三间，南侧一间）。左、右、后三壁前各建小室一列五间，正中一间略宽阔，后壁中心间尤为突出。此诸小室虽屡经后世重修，但其位置皆与其原有的廊柱相对应，而且仍保存了原来的形制。原有廊柱共28柱，即四壁小室每面竖8廊柱。小室与廊柱之间为通道，四面通道连接呈 h 形廊道，此廊道也符合原始设计。h 形廊道里侧即此内院式佛殿的方形天井。第二层除相当于第一层殿门处建小室和四壁各小壁皆开小窗外，大抵与第一层同。它的建筑类似尼泊尔印度佛寺的建筑。

后期建筑建于五世达赖（1617—1682）时期和桑结嘉措任第巴（1679—1703）时期。大昭寺大门、千佛廊院、中心佛殿外围的礼拜廊道和中心佛殿三、四两层等均为这一时期扩建。

上述两期建筑基本完整，保存至今，没有根本的变动和毁坏，具有真实性和完整性。

四、列入遗产所依据的标准

（一）大昭寺建筑是一处独特的建筑与宗教艺术杰作，它的建筑造型别具风格，并融入了藏、汉及印度、尼泊尔等诸多建筑特征。

与藏传佛教（格鲁派）拉萨三大寺——甘丹寺、哲蚌寺、色拉寺以及其他教派的寺不同的是：大昭寺统摄本教、宁玛、萨迦、噶举、格鲁等西藏佛教的五大教派，不拘一格，崇奉藏传佛教各教派的佛、菩萨、本尊、祖师、护法诸神像。这使它独异于西藏各个寺庙。

大昭寺建筑一般是在基槽挖好后，素土夯实。然后铺填卵石或碎石一层（大殿等高级房屋则铺块石或片石），再填黏土夯实。一般为三层卵石，三层黏土，分层夯实，然后砌筑墙身。柱子的基础做法大致相同，一般是挖一米见方的基坑，分层夯实卵石黏土，再放置柱础石，最后在柱础石上立柱。

大昭寺墙多为石墙，比较厚。外墙的内壁垂直，外部有较大收分，大约每层（层高2.2—3米）收分23厘米—25厘米。这种砌筑方法，有利于建筑物的稳定。墙厚，可以满足高原地区防寒保暖的需要，墙体砌筑一般为干砌，墙身两侧叠砌石块，在块石之间充填碎石，然后再垫铺有粘性的红土，使之完全平整，以避免因受力不匀引起墙身破裂。砌好的墙体，块石叠压咬合参差如鳞状，块石缝隙填夹小石片，富有装饰效果。藏族工匠砌筑技术很高，施工时内外拉线，砌出的墙体美观、牢固。大昭寺屋顶楼面构造，分为三层，最下为圆（方）木椽上铺木片或树枝，形成承重层，中层为小卵石加黏

土夯实成垫层，面层为藏式建筑最典型的建筑材料——亚嘎土防水层。层面略呈坡状，形成一套排水系统，雨水经铜质排水管排下。

亚嘎土面层制作方法，是在卵石黏土夯实的垫层上铺10厘米的粗亚嘎土，人工踩实。之后，用石块或木棒拍打，边拍边泼水。亚嘎土吸水性强，要不断泼水，使之充分吸收水分直至能够起浆时止。亚嘎土拍实后，再铺一层细亚嘎土，泼水拍打。拍打时起的细浆最后用水冲洗掉。亚嘎土面的拍打时间视质量而定，一般为2—7天。拍实后的面层，边涂抹槐树皮熬的浆汁，边用卵石磨光找平。然后涂青油2—7次，一般以青油渗入面层5厘米为好。

大昭寺的木构架主要由梁、柱组成，平面为正方形格网。木柱带收杀，柱顶承大斗，斗下柱头有木雕缨络，斗上承垫木和大雀替，雀替上再放梁枋。一般梁与纵墙平行、木椽横摆，梁柱榫接，不用铁件。各层木构间无连接措施，只是保持柱位重叠，上层柱直接摆在楼面柱石上。木构件中，斗拱在大昭寺中被广泛采用，常作为承托的支架，既恰当地发挥了斗拱悬挑的功能作用，又有装饰效果。

觉康主殿金顶檐下的斗拱铺作排列十分丛密，形制纤细精巧，做法与明、清时期中国内地斗拱基本相似。

金顶与镏金技术是大昭寺引人注目的特色之一。大昭寺有歇山式镏金顶五座，为整个建筑群增添了异彩。金顶在藏族建筑中没有实用的功能，只是一种纪念性的标志，具有装饰性。藏族的镏金技术具有悠久的历史，是藏族工匠世代相传的绝技之一。整个制作过程所需设备不多，工序也很简单，但镀层牢固，厚薄随意，其光泽夺目，历经几百年而不晦。大昭寺的大小镏金饰物和铜胎镏金佛像，是藏族镏金匠师的代表作品。

（二）藏传佛教由此弘扬光大，对西藏整个社会生活有着极其深远的影响。从松赞干布时期至今漫长的岁月之中，藏族崇佛，普遍而又诚笃。在任何一个荒凉的角落，哪里有人迹，就有路，就有嘛尼堆，就有寺院。头顶上飘动着五彩经幡，山边、崖畔、路口的青石上，刻着菩萨和神秘的宗教文字。大昭寺的建筑及其珍藏的7、8世纪的壁画、雕刻，曾对西藏悠久的历史、文化、宗教建筑等产生过持久的重大影响。

拉萨老城区以大昭寺为中心。八廓街今天的建筑与街区，由于大昭寺而逐步形成，1463年以后形成现在廓街的格局。

由于修建年代不同，再加上不断的维修和扩建，大昭寺反映出不同历史时期西藏建筑技术的特点。比如，觉康主殿底层有吐蕃式的门楣、柱头，有中原样式斗拱，四层金顶和檐部的斗拱，又都是接近明代中原地区的官式作法，这些都反

映出西藏建筑技术和西藏社会生产力的发展情况。

（三）大昭寺是历史上拉萨城市生活的中心。

在封建农奴制的旧西藏，佛教是社会的主宰力量之一。朝佛活动成为人们日常生活中不可缺少的一部分。三条朝拜道，郎廓是内朝拜道，帕廓是中朝拜道，林廓是外朝拜道。特别是八廓街中路朝拜道上的转经人群络绎不绝。人民群众至今依然保持着这转经的习俗。

中路朝拜道，最初是宗教信徒转经的路线，后来演为商业街道。那里商品琳琅满目，有说不出年代的古董、各种供品及工艺品、传统日用品、旅游纪念品等。

（四）大昭寺是藏族古代建筑杰出代表作。它虽然融入了汉族以及尼泊尔、印度建筑艺术风格，但是在建筑选材、用料方面仍继承西藏建筑传统，其建筑色彩更具有鲜明的民族特色。这主要表现在：用色强烈，敢于使用一些较难处理的颜色黑、白、金等；用色追求对比，红与绿，黑与白等无不对比使用；注重本色，大量使用红、黄、绿、群青等颜色；用色还特别讲究等级，和内地一样，等级制度在建筑色彩上也有反映，黄、红色为尊，赭红色的"贝玛草"只有在宫殿、寺庙建筑中才能使用。大昭寺在建筑色彩的运用、彩画等方面都是最高等级。

五座歇山式鎏金顶，有金碧辉煌、丹垩相映的高墙和富丽堂皇的装饰、鎏金宝盘、宝珠、金幢、法轮、卧鹿等，将空间艺术推向高潮，形成了突出的主体空间和整组建筑的整体性。从高处鸟瞰古城，大昭寺主殿高于群房之上，4座辉煌夺目的金顶，形成了整个古代城市空间的构图中心，增添了浓厚别具的宗教色彩。金顶尖端装置铁叉，通过铜制排水管道接地，可起避雷作用。大昭寺的建筑堪为西藏众多的寺庙建筑之首。

（五）大昭寺既是宗教活动的重要场所，其周围又是具有传统民族建筑特色的民居和街区。大昭寺每年要举行大昭、小昭两次法会，这一制度始于1409年，以藏历正月期间大昭法会规模为大。其时拉萨地区各大寺庙的喇嘛2—3万人云集大昭寺，进行讲经、传法和考学位（格西）等宗教活动。

八廓街区位于拉萨市旧城区的东部，街区内保存大量的文物古迹，如小昭寺、日松贡布惜德寺（林）等。八廓街北起林廓北路，南至沿河路，东至林廓东路，西至朵森格路。它是最著名的街道，藏语为"帕廓"，意为中转经道，表示向供奉在大昭寺内的释迦牟尼像朝拜。八廓街仍然保持着拉萨古城的传统风貌、布局形态和历史文化环境，街区内众多的文物古迹和寺庙，各种类型的、价值较高的藏式建筑，成街成片的传统街区，风貌独特、古朴的藏式民居和传统街巷，使八廓街保持着藏式文化传统特色的社会生活环境，最具代表性、民族性。

（六）与历史、人物、信仰密切相关。

松赞干布是西藏历史上最伟大的藏王。第32代赞普松赞干布自13岁即位起，便致力于统一吐蕃的宏图大业。他平定内乱，兼并邻近诸邦，遂由雅垄河谷崛起，后将统治中心由雅垄河谷迁往"青雪卧塘"并在红山顶修布达拉宫居住。古藏历史上盛极一时的吐蕃王朝由此形成。

尺尊公主为尼泊尔（尼婆罗）人。"尺"是王者的尊号；尊，具言"尊莫"，王妃之意。尺尊公主即松赞干布之尼泊尔妃，主建大昭寺。

文成公主的故事在中国历史上十分著名。7世纪，松赞干布即位后，以武力征服四邻，统一大蕃，武功极盛，为求文治，一心仰慕汉族文化，故派遣使者向唐室求婚。大唐帝国皇帝以宗室女文成公主远嫁吐蕃赞普松赞干布。文成公主为西藏的文化发展、社会发展、宗教发展和汉藏两个民族的团结作出了贡献。

822年在大昭寺前10米处，立下《唐蕃会盟碑》，这是吐蕃时期汉藏兄弟情深谊厚、友好相处的历史见证。

宗喀巴（1357—1419）大师是藏传佛教格鲁派的创始人。大师出生在青海湟中，他的湟中藏名为宗喀，即宗喀人，本名罗桑扎巴。宗喀巴7岁出家，依噶当派名僧顿珠仁钦学习藏文和佛典，在文学和显教经论、密宗仪轨等方面打下坚实基础；17岁赴西藏学经，在噶当诸大师指导下研究五论、五明，并兼通显、密两宗经典，造诣颇深；29岁受比丘戒，然后就在西藏招收门徒讲经传教；44岁时以噶当派教义本立说，结合自己的见解著述了《菩提道次第广论》和《密宗道次第文论》，为"宗教改革"建立了理论基础。他集藏传佛教各派之长，改革藏传佛教，整顿教风，创立了格鲁派。1409年的藏历正月间，宗喀巴在拉萨大昭寺创立了大法会。

西藏在元代正式归入中国版图。明朝初年，明太祖先后在西藏敕封了一些国师，明成祖更进一步制定了西藏的僧官制度，把僧官分为支王、西天佛子、大国师、国师、禅师、都纲、喇嘛各种等级，给各级僧官予以不同的品级和职务。

清初，重要历史人物五世达赖用30年的时间对大昭寺进行了扩建、维修，形成庞大的建筑群。五世达赖1652年进京朝见中央王朝皇帝，清世祖顺治帝赐他金册金印，封五世达赖阿旺较桑嘉措为"西天大善自在佛所领天下释教普达瓦赤喇怛喇达赖喇嘛"。此后历世达赖喇嘛转世必经中央政府册封。五世达赖执政期间，经常派人进京朝贡，与清中央政权保持了密切的关系。1713年，清圣祖康熙帝鉴于西藏地方动乱，要五世班禅协助管理藏务，安定政局，故与顺治帝册封五世达赖一样,封五世班禅罗桑益西为"班禅额尔德尼",赐班禅金册金印,并重新划定班禅在后藏的辖区,提高了班禅在政教事务中的地位。以后,历世班禅转世也必经中央政府批准。

清高宗乾隆帝于1792年赐金奔巴瓶,即金瓶,是寻找达赖、班禅和其他活佛、呼图克图转世灵童用的。金瓶高34厘米,通体以莲瓣纹、如意纹、缠枝纹等图案组成,外包五色锦缎制成的瓶衣。瓶内插有签筒,筒内放置五支如意象牙签。1959年以前,该瓶即保藏于大昭寺中心佛殿最上层西北隅的波仁拉康宗喀巴像前镂雕柜文门扉内的木框内。

大昭寺二楼西南侧为噶厦政府的办公地点。为维护祖国的统一,清政府从1718年到1720年间先后两次派兵入藏,在藏族人民的密切配合下平息内忧外患。截止1720年8月,清军驱走了全部准噶尔侵略军,巩固了祖国西南边疆。之后鉴于第巴总揽大权形成的弊端,清廷决定在西藏废除第巴,设立四名噶伦,共同主管政务。1727年,清廷又在拉萨设置驻藏办事大臣2人,这是清廷在西藏直接派遣常驻官的

开始。清廷在拉萨设置驻藏大臣和设立噶伦联合掌政制度,是加强对西藏施政的重要措施。这些活动都与大昭寺有关。

综上所述,我们认为,大昭寺应根据世界遗产全部6条标准扩展为拉萨布达拉宫世界遗产项目的一部分,并建议将原拉萨布达拉宫世界遗产名称更名为拉萨布达拉宫—大昭寺。

保护情况

1949年中华人民共和国成立以后,中央政府和地方各级政府为保护大昭寺做了大量工作,如积极抢救维修,加强大昭寺周边环境的综合治理等。申报世界遗产工作的启动及成功,使大昭寺的保护管理工作迈上了一个新的台阶。和中国城市规划设计研究院合作,制定大昭寺及老城区的保护规划,并严格按规划方案进行保护管理等各项工作。

(西藏自治区文物局)

罗布林卡

中文名称:罗布林卡

英文名称: Norbulingka

地理位置:东经90°07′40″　北纬29°39′10″

列入年份:2001年

管理机构:中华人民共和国国家文物局
　　　　　西藏自治区文化厅
　　　　　西藏自治区文物管理局
　　　　　罗布林卡管理处

概　　况

罗布林卡位于拉萨市布达拉宫西约二公里处的拉萨河畔,是一座林木参天、花团锦簇的园林。罗布林卡意为"宝贝园林",是一座占地36公顷、殿堂亭榭林立拥有大小房间400多套(间)的大型园林。

建筑按其自然区域可分为五个部分。以"格桑颇章"宫为主体的建筑群为第一部分,该殿内设卧室,是历代达赖喇嘛习修经法的房间。它包括"乌尧颇章"宫、"格桑颇章"宫、"缺扎"、"曲然"、"康松思轮"等建筑。其中"乌尧颇章"宫

为二层藏式建筑,底层很低,类似半地下式,面积179平方米,各个房间均有当时著名画师精心绘制的壁画。"康松思轮"威镇三界阁为二层亭台建筑覆汉式金顶,是达赖喇嘛观看藏戏的地方。以"措吉颇章"宫建筑为主体建筑的是第二部分,包括"措吉颇章"宫(湖心宫)、"鲁康"(龙王亭)、"鲁康厦"(东龙王亭)、"准增颇章"宫、休息室等建筑。其中"措吉颇章"宫建筑外形与内地水榭建筑类似,属歇山博脊挑角汉式结构。"鲁康"殿每年进行祭祀龙王、卜算吉凶等活动。以"金色颇章"宫、"格桑德吉"宫、"曲敏确杰"宫等建筑为主体的是第三部分。"金色颇章"宫殿内绘有北京颐和园,此

宫以精美的雕刻著称,与布达拉宫白宫东日光殿的雕刻相同,有透雕之特点。以"夏布典拉康"殿为主体的建筑群为第四部分,包括"夏布典拉康"殿、旧西藏地方政府办公室、"议仓"办公室等;"达旦明久颇章"宫二层内有一称"思西堆古"的小经堂,其内壁画以连环画的形式展现了西藏历史和人物的传记,每组壁画下都有藏文说明,以达史书之功效。壁画由301幅组成,讲述了藏族祖先由猿变人的传说至西藏和平解放,毛泽东主席接见十四世达赖喇嘛和十世班禅大师的上下数千年西藏的重要历史事件和历史人物。"艾邦格吉"经堂是达赖喇嘛修炼显宗和密宗的场所。"达旦明久颇章"宫堪称近代西藏官邸建筑的典型代表。它的布局复杂、装饰性强、宗教色彩浓厚,适应办公、休闲娱乐活动的需要。

从七世达赖喇嘛以后,历代达赖在未执政之前,在罗布林卡习文、学经、修法。执政后,每年3—9月由布达拉宫迁居于此,因此人们称罗布林卡为达赖喇嘛的夏宫。

申报理由

一、意义

历史上,自七世达赖喇嘛创建乌尧颇章之后,罗布林卡成为历代达赖喇嘛长期生活居住的场所,俗称夏宫。每年藏历3月至9月达赖喇嘛从布达拉宫移居到罗布林卡。西藏地方政府的各主要办事机构也迁到罗布林卡办公。罗布林卡与布达拉宫、大昭寺一样,对西藏历史和社会文化产生过重要的影响。

罗布林卡集中体现了藏民族园林、建筑、绘画、雕塑等多方面的艺术成就,也体现着汉文化和其他民族文化的鲜明影响,是西藏最具有特色的集园林与宫殿建筑为一体的别墅式园林,是西藏规模最大、营造最精美的园林,是一份珍贵的历史文化及园林遗产。

罗布林卡现有馆藏文物约二万件。其中有不少中央皇帝御赐之物,包括历代诏书、封印,是研究元、明、清时期藏、汉关系的珍贵文物。

罗布林卡现有各类树种162种,其中有国家一、二级保护树种喜玛拉雅巨柏、雪松、大果圆柏、文冠果、热带植物箭竹、合欢,有珍稀花种——八仙花等。罗布林卡除各种具有西藏高原特色的名花异草外,还有200年以上树龄的参天古木,堪称高原植物的荟萃之园。

罗布林卡动物园占地4000平方米,拥有14种130头(只、匹)动物,其中大部分为青藏高原所特有的野生动物,如国家二类保护动物白唇鹿、马熊、斑头雁等。

罗布林卡园新老建筑的格调既和谐统一,又富于变化,金顶辉煌,彩绘绚丽。殿堂内壁画琳琅满目,主要包括西藏

人类进化、历史演进、佛教典故和传说故事,反映了西藏民族传统文化特色。罗布林卡是一座集园林建筑、宫殿建筑、高原动植物、历史文物、民族民俗文物为一体的多学科、多门类的博物馆,向人们展示了西藏独有的自然、历史、人文等风貌,具有极高的历史、科学、艺术等研究观赏价值,是全人类珍贵的历史文化遗产,值得永久保护。

二、比较分析

罗布林卡与布达拉宫、大昭寺既有相似的宗教、文化内涵,又有各自特有的建筑风格。布达拉宫依山而建高大巍峨;大昭寺地处拉萨河谷平地,与布达拉宫东西相望,坐东向西,布局严谨小巧。罗布林卡建在布达拉宫西面,风光秀丽,园林特点极为显著,但又融宫殿、寺庙于一体。罗布林卡面积虽然很大,但各组建筑错落有致、布局严谨,园林建筑与宫殿建筑完美的组合,使罗布林卡光彩夺目、别具风格。从规模、格局、设置等方面,既有艺术成就,又有高原风光和宗教色彩,与中国内地的皇家园林、苏州园林均有不同。从建筑风格看,则有突出的地方特点和明显的文化融合。

罗布林卡自18世纪至20世纪50年代屡有修建、扩建,且越来越雄伟,室内陈设、装饰也越来越富丽堂皇,其中"达旦明久颇章"宫堪称近代西藏官邸建筑的典型代表。它既有浓厚的宗教色彩,同时又适应官场活动的需要,又有着较过去同类建筑复杂得多的使用功能和建筑格局。

三、真实性和完整性

罗布林卡经历了二百余年的风风雨雨、沧海桑田,在历史长河中,其建筑、生态环境依然基本保存完好。从1751年至1956年先后落成的五个主要建筑群及环绕的园林保存完整,没有变动和毁坏,具有良好的真实性和完整性。

四、列入遗产所依据的标准

(一)罗布林卡建筑是一处独特的建筑艺术、宗教艺术与园林艺术相结合的西藏艺术的杰作,它的建筑造型以藏式建筑为主,融入了汉族等多民族宫殿建筑、园林建筑的诸多特征。

(二)从罗布林卡整体布局到单体建筑内部的装饰,以及一些木构件的处理,体现了在继承优秀传统工艺的同时,又充分吸收外来建筑工艺技术,特别是中原内地园林建筑的布局和局部处理方法。反映了西藏建筑技术与社会生产力的发展情况。其中,"措吉颇章"宫是一座典型的藏、汉结合的建筑,有小桥流水式的汉式园林建筑的特色。龙王殿屋顶没有采用藏式传统的平顶夯阿嘎土结构,而是采用了汉式歇山顶覆琉璃瓦的结构。"达旦明久颇章"宫是近代藏式建筑的杰出代表作,由车仁·晋美松赞旺布设计并主持施工,吸收了外地建筑艺术风格和采用了一些新型建筑材料,但在建

筑选材、用料方面仍继承西藏建筑的传统,具有鲜明的民族特色。

（三）罗布林卡是海拔位置最高的大型园林,在低压、缺氧的3650米高度,是氧气相对丰富、风景优美、环境宜人的一处大规模人工绿地和人与自然相结合的佳作,并具有鲜明的高原风光特色和宗教色彩。罗布林卡堪称人类在高海拔地区与自然和谐相处、保持与创造优良生态环境的代表作。

（四）罗布林卡既是历代达赖喇嘛的重要起居地,又是现代人民群众节庆活动的场所之一。每年藏历七月的雪顿节,全藏具有代表性的藏戏（藏戏分为南、北两派）在此会演,拉萨及各地的农、牧民群众届时纷纷前来观戏、朝佛、游园。可谓西藏歌舞的荟萃之园。

罗布林卡的建造与发展与近200余年著名的历史事件,人物、信仰密切相关。

1751年,七世达赖喇嘛格桑嘉措始建罗布林卡乌尧颇章。十三世达赖喇嘛根据清政府的邀请于1908年到达北京。1931年,西藏地方政府派楚臣丹增等官员前往南京,正式建立西藏驻南京办事处,恢复和发展了中央政府与西藏地方之间的关系。建国后,1951年5月23日,中央人民政府同西藏地方政府签定了《关于和平解放西藏办法的协议》。1956年中央人民政府派代表进藏,并赠送给十四世达赖喇嘛礼物,这些珍贵的物品至今还完整地保存在罗布林卡。

过去宫廷的各佛堂,现在完全开放供信教群众和旅游者参观。

综上所述,我们建议根据世界文化遗产标准的第Ⅰ、Ⅱ、Ⅴ、Ⅵ等4条标准将罗布林卡扩展为拉萨布达拉宫世界遗产项目的一部分。

保护情况

罗布林卡保存较完好,基本上不存在不谐调的设施,为了配合游人参观,在院内新建的一些公用厕所、购物小卖部,皆注意了不对总体景观造成不良影响。

（西藏自治区文物局）

庐山国家公园

中文名称:庐山国家公园
英文名称:Lushan National Park
地理名称:东经115°52′—116°08′　北纬29°26′—29°41′
列入年份:1996年
管理机构:中华人民共和国建设部
　　　　　中华人民共和国国家文物局
　　　　　江西省人民政府
　　　　　江西省庐山风景名胜区管理局

概　况

庐山位于中华人民共和国江西省北部。北濒中国第一大江——长江、第一大湖——鄱阳湖。大江、大湖、大山浑然交汇,雄奇、险峻、秀丽、刚柔相济。自古以来,就有"匡庐奇秀甲天下山"的美誉。1982年列入首批国家重点风景名胜区;2001年又被国家批准为首批国家地质公园;2002年被评为"中华十大名山"之一;2004年被联合国教科文组织批准首批列入世界地质公园。

庐山风景名胜区面积302平方公里,外围保护地带500平方公里。主峰大汉阳峰,海拔1474米。庐山自古命名的山峰有171座。群峰间散布冈岭26座,壑谷20条,岩洞16个,怪石22处,水流在河谷发育裂点形成许多急流与瀑布,有瀑布22处,溪涧18条,湖潭14处。著名的三叠泉瀑布,落差达155米。位于山麓南侧的天沐温泉,早在公元4世纪,就是中国著名的温泉之一。

庐山处于亚热带季风区域,面江临湖,山高谷深,具有山地气候,是世界著名的避暑胜地。年均降水1833.5毫米,年均雾日190.6天,年均相对湿度78%,森林覆盖率76.6%。植被上显示出由暖温带落叶林向亚热带常绿阔叶林的过渡特征。植物有 3000 余种(包括引种部分),昆虫 2000 余种,鸟类 171 种,兽类 33 种。许多动植物模式标本便产生在这里并以庐山(或牯岭)命名。山麓有鄱阳湖候鸟保护区。保护区内发现当代世界上最大的鹤群及白枕鹤、白头鹤等,总数达 4000 多只。

庐山是中国第四纪冰川地质学的奠基地。自李四光 1931 年在庐山发现大量冰川沉积物的冰川地貌遗迹,迄今为止,共发现一百多处重要冰川地质遗迹。它们完整记录了冰川地堆积、冰川形成、冰川运动、侵蚀岩体、搬运岩石、沉积泥砾的全过程,与中国大陆东部第四纪冰川与欧洲、北美地区第四纪冰川活动有许多相似之处,具有全球对比意义,对研究全球第四纪古气候变化和地质发展具有极高的科学价值。庐山这座地垒式断块山以伸展构造为主体,断块山构造和变质核杂岩构造,以及由冰川侵蚀、流水等多种地质作用形成的复合地貌景观,是庐山地学上的一大特征。它与植被和生物多样性一起构成庐山特有的自然景观风貌。

亭子墩文化遗址的发掘表明,早在六千年前的新石器晚期,庐山地区就有人类活动。长久以来,人们在这里创造了内涵丰富、影响深远的庐山文化。

晋代大诗人陶渊明一生以庐山为背景创作。他开创的田园诗风,影响了他以后的整个中国诗坛。释慧远及谢灵运的庐山诗歌,是中国最早的山水诗之一。南朝时的《庐山二女》,是中国早期志怪小说的名篇。李白的《望庐山瀑布》成为中国古代诗歌的极品;白居易的《庐山草堂记》是记述中国古代山水园林的名作。在敦煌石窟中发现了唐代讲唱文学"变文"《庐山远公话》。诗人苏轼游庐山时,写下了充满辩证哲理的名句"不识庐山真面目,只缘身在此山中"。此外,还有很多文化名人游历过庐山,并且留下了大量的名篇名作,如:谢灵运、杜甫、李贺、欧阳修、范仲淹、王安石、陆游、文天祥、袁宏道、康有为等;又如颜真卿、米芾、赵孟頫、唐寅、沈周、石涛、刘海粟等,还有胡适、林语堂、茅盾、郭沫若等。

公元 940 年初创的我国最早的书院——庐山国学,后经朱熹重建扩充,更名为白鹿洞书院,广收弟子,弘扬"理学",成为我国古代四大书院之一。《白鹿洞书院教规》是世界教育史上最早的教育规章。1988 年,白鹿洞书院被列为国家重点文物保护单位。

公元 4 世纪,庐山的宗教开始兴盛。高僧慧远在东林寺首创"弥陀净土法门",被后世尊为净土宗初祖,推动了佛教的中国化;禅师竺道生在庐山精舍,开创"顿悟成佛说"。南朝南天师道祖师陆先静建简寂观,搜藏道卷 1200 余卷,为当时中国最完备的道藏经库。唐代禅宗四祖道信、五祖宏忍曾游历庐山。唐天宝九年(750)高僧鉴真东渡日本之前,至东

林寺朝拜,净土教义由此东传,自唐以后,临济宗、沩仰宗、曹洞宗、黄龙宗均以庐山为重要活动地区。从公元 3 世纪到 13 世纪,庐山寺庙多至 500 座。明清以后,伊斯兰教、基督教、天主教等宗教教派,也在庐山修建寺堂,弘传教义,广延信徒,遂成为今日一山兼聚五教的罕见现象。

公元 8 世纪,茶圣陆羽将庐山谷帘泉评为"天下第一泉",将招隐泉评为"天下第六泉"。公元 1014 年,庐山的单孔石拱桥——观音桥建立,是由 105 块条石以榫卯相连而成,结构奇特,在中国古代桥梁史上有很高的地位。公元 16 世纪后,药物学家李时珍、地理学家徐霞客、开创中国植物志先河的吴其濬等先后登上庐山进行科学考察。近代地质学家李四光在庐山首先发现和研究第四纪冰川,发表了《扬子江流域之第四纪冰期》、《冰期之庐山》等论著,创立了中国第四纪冰川学说,震惊世界地质学界。中国植物学奠基人之一的胡先骕同秦仁昌、陈封怀创建的庐山植物园是中国最早的一所亚高山植物园,现在与几十个国家有着协作和种质交流关系。

公元前 126 年司马迁在他的《史记·河渠书》中首载"庐山",并记录秦始皇、汉武帝南巡时"浮江而下"、"过彭蠡,祀其名山川"以来,庐山在国家政治文化生活中的地位不断提高。唐玄宗建太平宫于庐山,并御书"九天使者之殿"匾。南唐中主李璟在庐山隐居读书,登基后舍宅为寺取名开先。南唐后主李煜又建圆通寺。宋太祖赐白鹿洞书院国子监印本《九经》,敕书院为"白鹿国学"。又赐额开先寺"开先华藏"。明太祖朱元璋封庐山为"庐岳","爵以尊号,禄以秩祀"。明太祖、成祖、宣宗又三次分别为天池寺敕额。清太祖赐开先寺御书《般若心经》等。20 世纪 30 年代和 40 年代后期,国民政府在暑期将庐山作为"夏都",蒋介石于 1937 年 7 月 17 日在庐山发表有关抗日战争的重要谈话。中华人民共和国成立后,毛泽东三次登上庐山,主持召开了世人瞩目的 1959、1961、1970 年的中共中央会议。

19 世纪后,英、美、俄等国家在庐山修建别墅,现仍保存 18 个国家的近代别墅 600 余栋,大多为欧洲乡村式别墅,受美国国家公园学说和英国空想社会主义思潮的影响,形成了国际性的别墅群落,并与英国自然式园林相结合,构成庐山特有的别墅文化景观。其中,"美庐"这座国共两党最高领导人共同居住的别墅和"庐山会议旧址"等别墅被列为国家重点文物保护单位。庐山成为西方文化影响中国腹地的独特代表。

庐山地区,现存有远古文化遗址二十余处;中古文化遗址六百余处。风景区内,有 16 大自然景观,景点 474 处,摩崖石刻九百余处,碑刻三百余块。源远流长的庐山文化,造

就了庐山特有的文化景观。

申报理由

庐山具有突出价值的地质构造,保存了具有极高的科学价值、生态价值和美学价值的风景环境,是珍贵的自然纪念物。庐山的文化遗产,与中国历史有着十分重要的关系,有着极高的科学价值和美学价值。庐山理应列入世界遗产目录,受到人类的全面保护。

一、庐山在中国名山中的崇高地位

"匡庐奇秀甲天下山"。公元817年,诗人白居易把庐山放在了中国名山中的第一位。千百年来,这句名言成为中国人对庐山众口皆碑的评论。宋代大文豪苏轼的"不识庐山真面目",已成为中国人的共识并为习惯成语。庐山是中国名山中最早以文化群体的杰出创造载入中国历史的。中国田园诗开创者、大思想家陶渊明是庐山人。中国化佛教的开创者慧远,中国道教第一部大型典籍的创始人陆修静,中国山水诗的开创者谢灵运,中国第一个山水画家顾恺之,中国第一个山水画理论家宗炳,有"书圣"之称的书法家王羲之,都在庐山进行了学术研究或艺术创作。晋代,这些中国一流的文化名人,使庐山的自然美带有别具特色的社会性和艺术性而屹立于中国名山之前列。

庐山历代发生的重大的文化演变、政治事件影响了中国历史的进程。古代至近代,庐山曾经有三个时期体现了中国历史的走向。著名学者胡适1928年指出:庐山有三处古迹代表三大趋势:慧远的东林,代表中国"佛教化"与佛教"中国化"的大趋势;白鹿洞,代表中国近世七百年的宋学大趋势;牯岭,代表西方文化侵入中国的大趋势。在第二次世界大战期间,1933年夏,周恩来两度上庐山与蒋介石谈判,提出了著名的《中共中央国共合作宣言》,促成了国共合作抗日,开辟了世界反法西斯主战场之一的中国战场。7月17日蒋介石在庐山发表有关抗日战争的重要讲话。1959、1961、1970年,中共中央在庐山举行了对中国社会主义建设有着重要影响的三次会议。

庐山和中国历史,特别是现代历史紧密相连。它与中国历史上有重大影响的思想、信仰、事件和人物有着十分重要的关系,为世界瞩目。

二、庐山有着丰富的自然遗产

庐山具有突出价值的地质、地貌和独特的第四纪冰川遗迹。十亿年前,庐山地区是浅海。中生代燕山运动,使庐山在2500万年前形成了一座独特的"地垒式断块山"。它的地质构造复杂、古老、集中了地壳演化史的主要过程,表现了"科学主题"的国家公园的突出价值。庐山第四纪冰川研

究,对地球物理、人类生存的环境演变规律的研究,都有重要意义。所遗存的冰川地貌成为庐山自然美的重要部分。庐山有丰富的植物、动物资源和绝妙的山水景观。庐山山地自然环境的复杂性,提供了保存植物的古老类型和引种新的植物种类的有利环境。因此,有丰富的植物种质资源和濒临灭绝的物种。庐山有野生植物2155种。首次在庐山发现或以庐山(牯岭)命名的主要植物有40种。至今尚知兽类有33种,鸟类171种。昆虫2000余种,其中多稀珍品种和新种。首次在庐山发现或以庐山(牯岭)命名的昆虫有33种。鄱阳湖鱼类有139种。庐山丰富的植物、动物资源,成为一个良好的生物研究基地。"无限风光在险峰",庐山层峦叠嶂,群峰灵秀,奇石兀突,危松虬立。遍布的峡谷岩洞奇异瑰丽。冬季一派江南北国风光,玉树琼花为中国一绝。"庐山之奇莫若云",牯岭雾日年均190.6天,云雾景观有玉带云、云梯云、瀑布云、乱云、云海、朝霞、夕霭、霓虹等。加之,久负盛名的瀑布、温泉,构成庐山奇秀的自然景观资源。

三、庐山有着丰富的文化遗产

庐山从古至今,几度成为辐射地域广大的文化中心或历史的特定象征,形成了独特的"庐山文化"。庐山是中国山水诗的策源地之一。谢灵运和陶渊明、慧远等在庐山的诗歌创作对我国的山水诗的发展起了开创性的作用。自晋代以来,约有1500名文学家、哲学家、政治家、艺术家、科学家留下了4000余首歌颂庐山的诗歌。其中,许多诗歌是中国文学史中的名作。历代帝王的文化建树,繁荣的宗教文化,教育和"理学"圣地的庐山,在中国文化发展史上占有不可替代的地位,并且成为具有"标本"意义的地域文化特征。

在中国的名山中,最早有中外学者共同从事学术活动的是庐山。公元391年,尼泊尔禅师伽提婆,印度禅师佛陀跋罗,均受慧远法师之请来庐山翻译经书。公元414年,尼泊尔禅师佛陀耶舍来庐山主持归宗寺,开创庐山中外交流的先河。之后,中外交流不断,1595年至1598年意大利传教士利玛窦在江西期间,曾多次到庐山白鹿洞书院讲学。英国基督教"大英圣公会"驻华负责人伟烈亚力在1867年他的英文《中国文献论略》中,着重论述了宋代陈舜俞的《庐山记》。近代庐山有20余国基督教会30余个,仅1922年,庐山就有以传教士为主的外国人2497人。1933年9月,在华传教士曾在庐山召开大会。1934年,李四光等和英、德、法、瑞典地质学家在庐山召开有关庐山第四纪冰川问题的科学讨论会。

四、庐山的美学价值

庐山风光体现了中国古典美学的最高境界。长江、鄱湖、险峰、幽谷、奇石、奇松、古树、山上湖泊等,组合成多层次的博大峻秀的空间自然美,高大、旷大的崇高美。同时,庐山

有着四季、朝夕、月色朦胧等为动态的色彩变幻的时间自然美和瀑布、云海、烟雨、飞雪、风朔、雪淞、候鸟、珍禽等为现象的意境抒情的运动自然美。庐山地理条件得天独厚，集中了众多类型的典型自然景观，形成了以"雄、奇、险、秀"为主要特征的自然景观，是中华民族美学理想的载体。庐山有着中国山水美学发展的清晰足迹。中国山水美学与物质、社会功利逐渐分开，逐渐认识到主客体在审美关系上的特殊性，是在魏晋南北朝完成的，而明确地从理论上提出自然美纯粹是为了满足精神上的愉快和自由解放的，是中国第一个山水画理论家宗炳。宗炳在庐山生活15年，提出了"畅神"说，在中国山水美学史上具有开创性的意义。唐代李白《望庐山瀑布》诗，把人们对非人化的自然美和经过人美化的自然美的现实体验，上升到通过赏鉴者重新构建的"第三态自然美"的崭新阶段。这首诗在中国山水美学史上是划时代的建树。宋元时代，庐山成为获得"韵、趣、意境"等最高审美理想的胜地。明到清，庐山的各类艺术作品也表现了继承前人美学思想，探求新的美学形式的特征。

庐山以艺术美深化了自然美的内涵，使自然美具有更高的感染力。庐山历来为画家所钟情，晋代至现代的著名画家都为庐山创作了不朽的绘画。他们的杰作所体现的不凡审美观，深刻地启发了人们对庐山自然美的理解。庐山的摩崖石刻和碑刻，把文化、诗歌、书法、镌刻溶于一炉，充分地体现了中华民族欣赏自然美的优雅和高超情趣。多类型的景观的神奇组合，空间序列对比强烈。庐山的古建筑在选择地址上，表达了大胆依托大自然的雄伟气势或幽深意境，富有创造性地与大自然和谐融汇的空间美感意识。庐山也有着中外美学思想的和谐融汇。近代牯岭别墅区及其规划所体现的西方美学观念，以及它与中国传统美学的结合，改变了庐山文化发展的一脉相承的单纯性，使庐山美学表现出别具一格的魅力。庐山别墅建筑虽大多为西式，但园林布局多为中国传统手法。在风格上移植了欧洲建筑文化传统，形成了德国著名建筑师贝歇尔所说的"庐山个性"。别墅区与原有的中国古典建筑、园林、摩崖石刻融为一体，终于形成了中国名山中最具有开放的品格的风景名胜区。

世界遗产委员会评价

1996年12月联合国教科文组织世界遗产委员会根据文化遗产遴选标准C(ii)、(iii)、(iv)、(vi)将庐山以"世界文化景观"列入《世界遗产名录》。其评价："江西庐山是中华文明的发祥地之一。庐山的历史遗迹，以其独特的方式融汇在具有突出价值的自然美之中，形成了具有极高美学价值的，与中华民族精神和文化生活紧密相连的文化景观。"

保护情况

庐山是中国名山，历来受统治者保护。公元404年，晋帝恒玄下令淘汰沙门，下令"唯庐山道德所居，不在搜简之列"，使庐山作为佛教圣地得到保护。明朝洪武(1368—1398)年间，明太祖朱元璋封庐山为"岳"，爵以尊号，禄以秩祀，这是庐山在中国历史上重要地位与作用的国家肯定。明成祖时，钦旨庐山禁山，明确划定禁山范围，明清两代相沿不废。这是庐山历史上第一次由中央政府颁布保护政令。1895年，英国传教士李德立在庐山制定《牯岭规划》，采取严格管理措施，保护了建成区内的生态环境。同时清政府在庐山牯岭设立警察署，1908年设立清丈局，1921年，国民政府将庐山列为避暑游览区域，这是中国最早由政府确立的风景区。1926年成立庐山管理局。庐山管理局《组织规程》明文规定，管理局"管理庐山各山地风景名胜事宜"。1934年江西省政府发布《关于保护庐山森林的布告》，1936年著名植物学家秦仁昌向中央政府提出《保护庐山森林意见》，同年，江西省政府明确规定了庐山辖地范围，进一步加强了保护职能。

中华人民共和国成立后，1949年成立庐山管理局。1959年10月10日，成立"庐山名胜古迹风景森林保护委员会"，进一步加强庐山的风景名胜与自然资源保护。1981年成立江西省庐山自然保护区。

1982年庐山编制《庐山风景名胜区总体规划》和小区详细规划，保护成为规划的主要原则。1981年江西省政府发布《关于保护庐山风景名胜区的布告》，1994年九江市政府发布《关于加强庐山风景名胜区自然资源保护的通知》，1992年庐山自然保护区颁布《自然资源保护管理规定》。1996年江西省人大常委会正式颁布了《庐山风景名胜区管理条例》。

（庐山风景名胜区管理局遗产办公室）

丽江古城

中文名称:丽江古城
英文名称: Old Town of Lijiang
地理坐标:东经100°14′ 北纬26°52′
列入年份:1997年
管理机构:中华人民共和国建设部
中华人民共和国国家文物局
世界文化遗产丽江古城保护管理委员会

概　况

丽江古城位于中国西南部云南省的丽江纳西族自治县,始建于宋末元初(13世纪后期)。地处云贵高原,海拔2400余米,全城面积达3.8平方公里,自古就是远近闻名的集市和重镇。古城现有居民6200多户,25000余人。其中,纳西族占总人口绝大多数,有30%的居民仍在从事以铜银器制作、皮毛皮革、纺织、酿造业为主的传统手工业和商业活动。

丽江古城内的街道依山傍水修建,以红色角砾岩铺就,雨季不会泥泞、旱季也不会飞灰,石上花纹图案自然雅致,与整个城市环境相得益彰。位于古城中心的四方街是丽江古街的代表。

在丽江古城区内的玉河水系上,修建有桥梁354座,其密度为平均每平方公里93座。桥梁的形制多种多样,较著名的有锁翠桥、大石桥、万千桥、南门桥、马鞍桥、仁寿桥,均建于明清时期(14—19世纪)。其中以位于四方街以东100米的大石桥最具特色。

古城内的木府原为丽江世袭土司木氏的衙署,始建于元代(1271—1368),1998年重建后改为古城博物院。木府占地46亩,府内有大小房间共162间。其内还悬挂有历代皇帝钦赐的匾额11块,反映了木氏家族的盛衰历史。

位于城内福国寺的五凤楼始建于明代万历二十九年(1601),楼高20米。因其建筑形制酷似五只飞来的彩凤,故名"五凤楼",楼内的天花板上还绘有多种精美的图案。五凤楼融合了汉、藏、纳西等民族的建筑艺术风格,是中国古代建筑中的稀世珍宝和典型范例。

白沙民居建筑群位于丽江古城以北8公里处,宋元时期(10—14世纪)这里曾是丽江地区政治、经济、文化的中心。白沙民居建筑群分布在一条南北走向的主轴上,中心为一梯

形广场,一股泉水由北面引入广场,四条巷道从广场通向四方,极具特色。白沙民居建筑群的形成和发展为后来丽江古城的布局奠定了基础。

束河民居建筑群位于丽江古城西北4公里处,是丽江古城周边的一个小集市,建筑群内民居房舍错落有致,布局形制与丽江古城四方街相似。青龙河自建筑群的中央穿过,建于明代(1368—1644)的青龙桥横跨其上,青龙桥是丽江境内最大的石拱桥。

丽江古城历史悠久,古朴自然。城市布局错落有致,既具有山城风貌,又富于水乡韵味。丽江民居既融合了汉、白、彝、藏各民族精华,又有纳西族的独特风采,是研究中国建筑史、文化史不可多得的重要遗产。丽江古城包容着丰富的民族传统文化,集中体现了纳西民族的兴旺与发展,是研究人类文化发展的重要史料。

申报理由

丽江古城是一座具有较高综合价值和整体价值的历史文化名城,它集中体现了地方历史文化和民族风俗风情,体现了当时社会进步的本质特征。流动的城市空间、充满生命力的水系、风格统一的建筑群体、尺度适宜的居住建筑、亲切宜人的空间环境以及独具风格的民族艺术内容等,使其有别于中国其他历史文化名城。古城建设崇自然、求实效、尚率直、善兼容的可贵特质,更体现特定历史条件下的城镇建筑中所特有的人类创造精神和进步意义。丽江古城是具有重要意义的少数民族传统聚居地,它的存在为人类城市建设史的研究、人类民族发展史的研究提供了宝贵资料,是珍贵的文化遗产,是中国乃至世界的瑰宝,符合加入《世界遗产名录》理由。

一、丽江古城在中国名城中的地位

丽江古城历史悠久，古朴自然，兼有水乡之容、山城之貌，它作为有悠久历史的少数民族城市，从城市总体布局到工程、建筑融汉、白、彝、藏各民族精华，并自具纳西族独特风采。1986年，中国政府将其列为国家历史文化名城，确定了丽江古城在中国名城中的地位。

二、丽江古城充分体现了中国古代城市建设的成就

有别于中国任何一座王城，丽江古城未受"方九里，旁三门，国中九经九纬，经途九轨"的中原建城复制影响。城中无规矩的道路网，无森严的城墙，古城布局中的三山为屏、一川相连；水系利用中的三河穿城、家家流水；街道布局中"经络"设置和"曲、幽、窄、达"的风格；建筑物的依山就水、错落有致的设计艺术在中国现存古城中是极为罕见的，是纳西族先民根据民族传统和环境再创造的结果。

三、丽江古城民居是中国民居中具有鲜明特色和风格的类型之一

城镇、建筑本身是社会生活的物化形态，民居建筑较之官府衙署、寺庙殿堂等建筑更能反映一个民族一个地区的经济文化、风俗习惯和宗教信仰。丽江古城民居在布局、结构和造型方面按自身的具体条件和传统生活习惯，有机结合了中原古建筑以及白族、藏族民居的优秀传统，并在房屋抗震、遮阳、防雨、通风、装饰等方面进行了大胆创新发展，形成了独特的风格，其鲜明之处就在于无一统的构成机体，明显显示出依山傍水、穷中出智、拙中藏巧、自然质朴的创造性，在相当长的时间和特定的区域里对纳西民族的发展也产生了巨大的影响。丽江民居是研究中国建筑史、文化史不可多得的重要遗产。

四、丽江古城是自然美与人工美，艺术与实用、经济的有机统一体

丽江古城是古城风貌整体保存完好的典范。依托三山而建的古城，与大自然产生了有机而完整的统一，古城瓦屋，鳞次栉比，四周苍翠的青山，把紧连成片的古城紧紧环抱。城中民居朴实生动的造型、精美雅致的装饰是纳西族文化与技术的结晶。古城所包涵的艺术来源于纳西人民对生活的深刻理解，体现人民群众的聪明智慧，是地方民族文化技术交流融汇的产物，是中华民族宝贵建筑遗产的重要组成部分。

五、丽江古城包容着丰富的民族传统文化，集中体现纳西民族的兴旺与发展，是研究人类文化发展的重要史料

丽江古城的繁荣已有800多年的历史，它已逐渐成为滇西北经济文化中心，为民族文化的发展提供了良好的环境条件，聚居在这里的纳西族与其他少数民族一道创造了光辉灿烂的民族文化。不论是古城的街道、广场、牌坊、水系、桥梁

还是民居装饰、庭院小品、槛联匾额、碑刻条石，无不渗透纳西人的文化修养和审美情趣，无不充分体现地方、民族、宗教、美学、文学等多方面的文化内涵、意境和神韵，展现历史文化的深厚和丰富内容。尤其是具有丰富内涵的东巴文化、白沙壁画等传统文化艺术更是为人类文明史留下了灿烂的篇章。

六、关于丽江古城的真实性

丽江古城从城镇的整体布局到民居的形式，以及建筑用材料、工艺装饰、施工工艺、环境等方面，均完好地保存古代风貌，首先是道路和水系维持原状，五花石路面、石拱桥、木板桥、四方街商贸广场一直得到保留。民居仍是采用传统工艺和材料在修复和建造，古城的风貌已得到地方政府最大限度的保护，所有的营造活动均受到严格的控制和指导。丽江古城一直是由民众创造的，并将继续创造下去。作为一个居民的聚居地，古城局部与原来形态和结构相背离的附加物或是"新建筑"正被逐渐拆除或整改，以保证古城本身所具有的艺术或历史价值能得以充分发扬。

综上所述，丽江古城是具有综合价值与整体价值的历史文化名城，只有列入世界文化遗产名录加以保护，才能使其得以永久传世，并更好地发挥其所具有的世界意义。

世界遗产委员会评价

古城丽江把经济和战略重地与崎岖的地势巧妙地融合在一起，真实、完美地保存和再现了古朴的风貌。古城的建筑历经无数朝代的洗礼，饱经沧桑，它融汇了各个民族的文化特色而声名远扬。丽江还拥有古老的供水系统，这一系统纵横交错、精巧独特，至今仍在有效地发挥着作用。

保护情况

丽江古城的保护和管理历来都是当地政府的工作重点。1983年在《丽江纳西族自治县城市总体规划》中首次明确了保护古城的方略，1994年省政府批准通过了《丽江历史文化名城保护规划》，1995年省人大批准通过了《云南省丽江历史名城保护管理条例》。1997年被列入世界遗产名录以后，当地政府投入大量资金，逐步完善了基础设施，通过建章立制，使丽江古城的保护与管理在不断探索中摸索出了宝贵的经验，从而成为各地学习的榜样。由此，丽江成功创造了"丽江模式"，并将其提交联合国遗产委员年会讨论。随后，得到了联合国教科文组织世界遗产委员会的认可，作为世界文化遗产保护的模式推广。

（许涛）

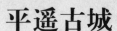

平遥古城

中文名称:平遥古城
英文名称: Ancient City of Ping Yao
地理坐标:东经112°11′ 北纬37°14′
列入年份:1997年
管理机构:中国人民共和国建设部
　　　　　中华人民共和国国家文物局
　　　　　山西省建设厅、文物局
　　　　　平遥县人民政府

概　　况

　　平遥古城是由完整的城墙、街道、寺庙、民居组成的一个庞大的古建筑群,是中国古代城市的原型。古城池总面积2.25平方公里,至今还居住着4.2万城市居民,基本保持着明清时期(1368—1911)的历史风貌。

　　平遥古城始建于西周宣王时期(前827—前782),至今已有2700多年的历史。自公元前221年中国实行"郡县制"以来,平遥一直是作为"县治"的所在地,延续至今。这是中国最基层的一级城市。现在保存的古城墙是明洪武三年(1370)扩建时的原状,城内现存6大寺庙建筑群和县衙署、市楼等历代古建筑均是原来的实物。城内有大小街巷100多条,还是原来的历史形态,街道两旁的商业店铺基本上是17至19世纪的建筑。城内有3797处传统民居,其中有400多处保存价值较高,有着独特而鲜明的地方风貌。

　　平遥古城的整体建筑是中国汉民族传统的结构形式,讲究方正端庄和对称布局等一系列汉民族传统文化特色,标志着中国汉民族优秀的历史文化。平遥是一个文物大县,文物古迹密集、文化内涵丰富,现有全国重点文物保护单位5处,山西省级重点文物保护单位5处,平遥县级重点文物保护单位90处,保存了公元10世纪以来众多的古建筑和文物珍品。

　　平遥古城是公元16世纪以来中国北方的商业重镇,到19世纪中后期达到极盛,一度成为中国近代金融业的控制中心,对中国近代经济发展产生过积极的作用。同时,金融业的发达也为平遥古城的建筑质量提供了足够的财力基础。

　　平遥古城的保护状态良好,是迄今中国汉民族地区保存最完整的一座古代县城,1986年被国务院公布为国家历史文化名城。

申报理由

　　一、平遥古城在中国名城中的地位

　　1986年平遥古城被中华人民共和国国务院公布为国家历史文化名城,1988年国务院又公布了平遥3处全国重点文物保护单位,1996年又有一处全国重点文物保护单位公布,从而确定了平遥古城在中国名城中的地位。

　　二、平遥古城是完整的古代城市原型,符合《公约》的[24.a.(iv)和(iii)、(ii)]项标准及特别符合关于城市列入的[29(i)]项的要求。

　　在中国的历史上,像平遥古城这一类型的城市建筑群曾经多达数千个,但现在保存下来的,已为数不多,平遥古城是其中的一个典型代表,具备了完整意义的古城形态,在古城历史风貌的整体保存上,也是比较突出的一个,能够反映明清时期(1368—1911)的历史风貌特征,代表了中国汉民族中原地区一种普遍性的城市建筑结构形式,反映了这些建筑不同的使用功能,同时在一定程度上也展示了这座城市在社会、经济、文化、艺术、科学、技术和产业方面的发展状况。

　　三、平遥古城有着独特而丰富的文化遗存,符合《公约》的[24.a.(v)]项标准和部分符合[24.a.(i)]项标准

　　平遥古城自有筑城活动以来,已有2700多年的历史,在漫长的发展过程中,保留的文化遗存数量多、密度高、跨越时间长,是被誉为"中国古建筑宝库"的山西省范围内的一个"文物大县",在中国的地上文物遗存表中占有重要的位置。

　　平遥众多的文化遗存,不仅代表了中国古代城市在不同

历史时期的建筑形式、施工方法和用材标准,也反映了中国古代不同民族、不同地域的艺术进步和美学成就。

四、平遥古城反映了汉民族传统文化,符合《公约》的[24.a.(ii)]项标准和城市建筑群列入的第 29 条要求。

平遥古城是按照汉民族传统规划思想和建筑风格建设起来的城市,集中体现了公元 14 至 19 世纪前后汉民族的历史文化特色,对研究这一时期的社会形态、经济结构、军事防御、宗教信仰、传统思想、伦理道德和人类居住形式有重要的参考价值。

五、平遥古城在中国近代金融史上的地位和作用,符合《公约》的[24.a.(vi)]项标准,可与上述诸项标准一并考虑使用,因为金融业的发达奠定了平遥古城建筑质量的基础

平遥古城在 19 世纪中后期,是金融业最为发达的城市之一,是当时最有影响的票号总部所在地和金融业总部机构最集中的地方。一度时期,曾经操纵和控制了中国的近代金融业。平遥古城在票号兴盛的 100 多年时间中,对中国近代经济发展产生过积极的影响。

六、平遥古城的真实性,符合《公约》的[24.b.(i)]项标准

平遥古城自明洪武三年(1370)重建以后,基本保持了原有格局,有文献(《平遥县志》和《筑城碑记》)及实物可以查证。以后虽经多次修缮,但未作更动。1979 年后的全面维修保护,也是根据原样全面整修,没有新增任何与古城墙无关的东西,完整地保持了明代的城墙及城防设施。

平遥城内和城郊的古建筑均是原来各自创建和重建时的原物,如文庙大成殿、镇国寺万佛殿等,从木构架的样式到材质均经过专家鉴定,是以当时的原物被确定为全国重点文物保护单位的。

平遥城内重点民居,系建于公元 1840 年 1911 年之间,砖墙瓦屋,布局严谨,大多是原来历史遗物,经国内专家多次考察和测绘,证实是古民居,并未经改建和重建,均是原来的式样和材料,是迄今汉民族地区保存最完整的古代民居群落。

七、平遥古城有比较健全的保护措施和管理机制,公民有较强的参与保护意识,当地政府为保护古城作了不懈的努力。平遥境内重点文物保护单位目前有 6 处开放,符合《公约》的[24.b.(ii)]项标准

八、平遥古城是个城市人口只有 8 万人的小城市,其中居住在古城池内的人口仅有 4.2 万人,极易控制其增长,可以满足《公约》关于城市列入的第 33 条的要求

综上所述,平遥古城符合《公约》所列 6 项文化遗产的标准和真实性标准,同时也符合有关城市建筑群列入的基本要求。平遥古城列入世界文化遗产名录,将会进一步促进其保护和利用。

世界遗产委员会评价

平遥古城是中国境内保存最为完整的一座古代县城,是中国汉民族城市在明清时期的杰出范例,在中国历史的发展中为人们展示了一幅非同寻常的文化、社会、经济及宗教发展的完整画卷。

保护情况

平遥古城列为全国历史文化名城以来,各级地方政府为保护古城做了大量工作。特别是申报世界遗产工作启动及成功,使平遥古城保护工作迈上了新台阶。

首先是建立健全了管理机构,编制了"平遥历史文化名城保护规划"。1998 年经山西省第九届人民代表大会常务委员会审议通过了《山西省平遥古城保护条例》,古城保护工作步入了法治轨道。二是大力度强化城市管理,拆除了古城沿街的各类违章建筑,清除了"马路"摊点,清理了不规范标语牌匾,市容环境明显改观。三是坚持"全面保护,突出重点,抢救第一,综合整治"的原则,对古城内历史街区、典型民居、寺观庙宇、环境面貌及基础设施等进行了维修整治。先后原汁原味地恢复了南大街等六条"干"字型主要历史街区风貌。古城内大小街巷道路硬化率达到 70% 以上,主要街道的电力、通讯、路灯线路实施地埋,上下水同步配套建设。复原了东、西、北护城河及环城绿带建设;维修重点民居 40 余所;修复和维修了下西门、北门城楼及县衙署、城隍庙、财神庙、文庙等文物景点。四是积极采取措施,鼓励居住在古城内的机关,企事业单位和居民向新城区搬迁。按照城市总体规划和古城保护规划的要求,先后有 80 多个单位、1 万余人口从古城迁往新区,古城环境面貌大大改观。

(平遥县城乡建设局)

苏州古典园林

中文名称：苏州古典园林
英文名称：Classical Gardens of Suzhou
地理坐标：东经120°37′　北纬31°19′
列入年份：1997、2000
管理机构：中华人民共和国建设部
　　　　　中华人民共和国国家文物局
　　　　　江苏省建设厅
　　　　　江苏省文化厅
　　　　　苏州市园林管理局

概　况

　　江苏省的苏州是中国著名的历史文化名城，这里素来以山水秀丽，园林典雅而闻名天下，有"江南园林甲天下，苏州园林甲江南"的美称。苏州古典园林的历史可上溯至公元前6世纪春秋时吴王的园囿。私家园林最早见于记载的是东晋（4世纪）的辟疆园。历代造园兴盛，名园日多。明清时期，苏州成为中国最繁华的地区，私家园林遍布古城内外。16—18世纪全盛时期，苏州共有园林200余处，现在保存尚好的有数十处，并因此使苏州素有"人间天堂"的美誉。在众多园林中，沧浪亭、狮子林、拙政园和留园分别代表着宋（960—1279）、元（1271—1368）、明（1368—1644）、清（1644—1911）四个朝代的艺术风格，被称为苏州"四大名园"，网师园也颇负盛名。1997年，拙政园、留园、网师园和环秀山庄被世界遗产委员会列入《世界遗产名录》，沧浪亭、艺圃、耦园、狮子林和退思园于2000年作为扩展项目被列入《世界遗产名录》。

　　沧浪亭位于苏州城南三元坊内，是苏州最古老的一所园林，为北宋庆历年间（1041—1048）诗人苏舜钦（字子美）所筑，南宋初年曾为名将韩世忠宅。沧浪亭造园艺术与众不同，未进园门便见一泓绿水绕于园外，漫步过桥，始得入内。园内以山石为主景，迎面一座土山，隆然高耸。山上幽竹纤纤、古木森森，山顶上便是翼然凌空的沧浪石亭。山下凿有水池，山水之间以一条曲折的复廊相连，廊中砌有花窗漏阁，穿行廊上，可见山水隐隐迢迢。假山东南部的明道堂是园林的主建筑，与明道堂东西相对的是五百名贤祠。园中最南部的是建在假山洞屋之上的看山楼，看山楼北面是"翠玲珑

　　　　·160·

馆"，再折而向北到"仰止亭"，出"仰止亭"可到"御碑亭"。沧浪亭清幽古朴，适意自然，如清水芙蓉，洗尽铅华，无一丝脂粉气息。

　　狮子林位于苏州潘儒巷内，东靠园林路，元至正二年（1342）天如禅师为纪念其师中峰和尚而建。因中峰原住在浙江天目山狮子岩，而园内石峰林立，多状似狮子，故名"狮子林"。狮子林平面呈长方形，面积约15亩，东南多山，西北多水，四周高墙峻宇，气象森严。狮子林的湖石假山既多且精美，洞穴岩壑，奇巧盘旋、迂回反复。园内建筑，以燕誉堂为主，堂后为小方厅，有立雪堂。向西可到"指柏轩"，为二层阁楼，四周有庑，高爽玲珑。指柏轩之西是古五松园。西南角为见山楼。由见山楼往西，可到荷花厅。厅西北傍池建真趣亭，亭内藻饰精美，人物花卉栩栩如生。亭旁有两层石舫。石舫北岸为"暗香疏影楼"，由此循走廊转弯向南可达飞瀑亭，是为全园最高处。园西景物中心是"问梅阁"，阁前为"双仙香馆"。双香仙馆南行折东，西南角有扇子亭，亭后辟有小院，清新雅致。狮子林主题明确，景深丰富，个性分明，假山洞壑匠心独运，一草一木别具神韵。

　　留园坐落在苏州市阊门外，原为明代徐时泰的东园，清代归刘蓉峰所有，改称寒碧山庄，俗称刘园。清光绪二年又为盛旭人所据，始称留园。留园占地约50亩，全园大致分为中、东、西、北四部分，中部以山水为主，为原留园所在，是全园的精华所在。东、西、北部为清光绪年间增修。入园后经两重小院，即可达中部。中部又分东、西两区，西区以山水见长，东区以建筑为主。西区南北为山，中央为池，东南为建筑。主厅为涵碧山房，由此往东是明瑟楼，向南为绿荫轩。远翠阁位于中部东北角，闻木樨香处在中部西北隅。另外还

有可亭、小蓬莱、濠濮亭、曲溪楼、清风池馆等处。东部的中心是五峰仙馆,因梁柱为楠木,也称楠木厅。五峰仙馆四周环绕着还我读书处、揖峰轩、汲古得绠处。揖峰轩以东的林泉耆硕之馆设计精妙、陈设富丽。北面是冠云沼、冠云亭、冠云楼以及著名的冠云、岫云和端云。三峰为明代旧物,冠云峰高约9米,玲珑剔透,有"江南园林峰石之冠"的美誉。周围有贮云庵、佳晴喜雨快雪之亭。留园建筑数量较多,其空间处理之突出,居苏州诸园之冠,充分体现了古代造园家的高超技艺和卓越智慧。

拙政园位于苏州娄门内的东北街,占地62亩,是苏州最大的一处园林,也是苏州园林的代表作,明正德年间(1506—1521),御史王献臣所建。后屡易其主,多次改建。现存园貌多为清末时所形成。拙政园布局主题以水为中心,池水面积约占总面积的五分之一,各种亭台轩榭多临水而筑。全园分东、中、西三个部分,中园是其主体和精华所在。远香堂是中园的主体建筑,其他一切景点均围绕远香堂而建。堂南筑有黄石假山,山上配植林木。堂北临水,水池中以土石垒成东西两山,两山之间,连以溪桥。西山上有"雪香云蔚亭",东山上有"待霜亭",形成对景。由"雪香云蔚亭"下山,可到园西南部的"荷风四面亭",由此亭经柳荫路曲西去,可以北登见山楼,往南可至倚玉轩,向西则入别有洞天。远香堂东有绿漪堂、梧竹幽居、绣绮亭、枇杷园、海棠春坞、玲珑馆等处。堂西则有小飞虹、小沧浪等处。小沧浪北是旱船香洲,香洲西南乃玉兰堂。进入"别有洞天门"即可到达西园。西园的主体建筑是十八曼陀罗花馆和卅六鸳鸯馆。两馆共一厅,内部一分为二,北厅原是园主宴会、听戏、顾曲之处,在笙萧管弦之中观鸳鸯戏水,是以"鸳鸯馆"名之,南厅植有观宝朱山茶花,即曼陀罗花,故称之以"曼陀罗花馆"。馆之东有六角形"宜两亭"、南有八角形塔影亭。塔影亭往北可到留听阁。西园北半部还有浮翠阁、笠亭、与谁同坐轩、倒影楼等景点。拙政园东部原为"归去来堂",后废弃。拙政园布局以水为主,忽而疏阔、忽而幽曲,山径水廊起伏曲折,处处流通顺畅。风格明朗清雅、朴素自然。

艺圃位于苏州市阊门内天库前文衙弄5号,始建于明代,曾名"醉颖堂"、"药圃"、"敬亭山房",清初改称为"艺圃"。园内景致宜人、风格质朴,较好地保存了建园初期的格局,具有很高的历史与艺术价值。艺圃的总面积约3800平方米,全园以约占五分之一的池水为中心。池水东南及西南两角各有水湾伸出,水口之上各架有形制不同的石板桥一座,使水面显得开阔流动,而无拥塞局促之感。池水之北修筑有以博雅堂为主的厅堂建筑。其南端建有小院,设有湖石花台,院南临池处建有水榭五间,两侧厢房则与池水东、西两

面的厢房相连。池水之南有以土堆成的假山,并以湖石叠成绝壁、危径,既多变化又较自然,给人以奇秀之美、山林之趣,堪称园中的主要对景。池水之东有明代修筑的"乳鱼亭",外有小径与各处相通。池水之西的"芹庐"小院,通过圆洞门与其它景区相隔而又相连。步入院门,即可见到院中小池,似与大池相通,这是苏州园林中的唯一一处。艺圃的这种以池水、石径、绝壁相结合的手法,取法自然而又力求超越自然,是明清时期苏州一代造园家最为常用的布局技法。

网师园位于苏州城东南十全街,占地约半公顷,是苏州最小的园林。原为南宋史正志万卷堂所在,称"渔隐"。清乾隆年间宋宗元重建,取"渔隐"旧意,改名"网师园"。此后几经易主,乾隆十六年归瞿远村,加以改建,遂成今日规模。西楼小山丛桂轩为网师园主厅,轩的南、西为两个小院,幽曲深闭,桂香满庭。轩北有用黄石叠成的"云岗"。从轩西向北,可至蹈和馆和濯缨水阁。水阁悬于池上,倚栏照水,但见波光潋滟,柳暗花明。中部为主园,有池水一泓,清澈如镜。环池建廊、轩、亭、榭,夹岸有叠石曲桥,疏密有致,配合得当。池角为园内最小的石拱桥——引静桥。桥面长仅212厘米,宽29.5厘米。西部为内园,占地一亩,自成庭园。园中有屋宇、亭廊、泉石、花草,体现了苏州庭园布置的精萃。濯缨水阁和看松读画轩隔池相望,是读书作画的所在;月到风来亭和射鸭廊遥遥相对,是观鱼和欣赏水中倒影的佳处。殿春簃自成院落,是主人读书修身之处,环境幽静,具有典型的明朝风格。网师园的亭台楼榭无不面水,全园处处有水可倚,布局紧凑,以精巧见长。

环秀山庄位于景德路262号,原为五代钱氏金谷园故址,几经易手,多次扩建,清道光时始称环秀山庄,又名颐园。环秀山庄面积不大,占地仅一亩许,且又无外景可借,造园家移天缩地,叠石造山,成就这一方名园。环秀山庄园景以山为主,池水辅之,建筑不多。园虽小,却极有气势。特别是乾隆年间叠石名家戈裕良所叠假山,堪称一绝,占地不过半亩,然咫尺之间,千岩万壑,环山而视,步移景易。主峰突兀于东南,次峰拱揖于西北,池水缭绕,绿树掩映。山有危径、洞穴、幽谷、石崖、飞梁、绝壁,境界多变,一如天然。主峰高7.2米,洞谷长12米,山径长60余米,盘旋上下,如高路入云,气象万千。戈氏叠山运用"大斧劈法",简练遒劲,结构严谨,错落有致,浑若天成,有"独步江南"之誉。环秀山庄大厅四周都种植有青松、翠柏、紫薇、玉兰。万树城碧,花气袭人,为山池、建筑平添几分生机意趣。

退思园位于吴江同里镇东溪街,始建于清光绪十一年至十三年(1885—1887),由落职官员任兰生出资白银十万两建造。因寓有"退则思过"之意,故名"退思园"。全园简朴

淡雅,水面过半,建筑皆紧贴水面修筑,园如浮于水上,是全国唯一一处贴水园建筑,体现了晚清江南园林建筑的风格。退思园总面积为九亩八分。此园一改以往园林的纵向结构,而变为横向建造,左为宅,中为庭,右为园。全园格局紧凑自然,结合植物点缀,呈现出四时景色,给人以清朗、幽静之感。退思园集清代园林建筑之长,园内的每一处建筑既可独自成景,又与另一景观相对应,具有步移景异之妙,堪称江南古典园林中的经典之作。

耦园位于苏州市内仓街小新巷7号,始建于清代初年,至清末改称"耦园"。此园因在住宅的东、西两侧各建有一园,故名"耦园",且"耦"与"偶"相通,寓有夫妇归田隐居之意。耦园三面临河,一面沿街,宅园总面积约8000平方米。该园的布局独树一帜,以四进厅堂的宅地为中心,东西两园与住宅之间以重楼相通。东园较大,占地面积约4亩,布局突出以山为主,以池为辅的特点。主体建筑坐北朝南,是一组重檐楼厅建筑。其东南角有小院三处,总称为"城曲草堂"。西园面积较小,以书斋"织帘老屋"为中心,分隔为前后两个小院,前院有湖石假山逶迤,后院有湖石花坛,园北立有藏书楼,西南角还设有假山、花木、湖石等,意趣盎然。耦园内最著名的景观称"黄石假山",修筑于城曲草堂楼厅之前。假山东半部较大,自厅前石径可通山上东侧的平台及西侧的石室。假山西半部较小,自东而西逐级降低,止于小厅右壁。东西两半部之间有谷道,其东临一水池。山上不建亭阁,而在山顶、山后种植十余种花木,平添一番山林趣味。园内池水随假山向南延伸,水上架有曲桥,池南端有阁跨水而筑,称"山水阁",隔山与城曲草堂相对,形成了以山为主体的优美景区。

苏州园林在有限的空间范围内,利用独特的造园艺术,将湖光山色与亭台楼阁融为一体,把生意盎然的自然美和创造性的艺术美融为一体,令人不出城市便可感受到山林的自然之美。此外,苏州园林还有着极为丰富的文化底蕴,它所反映出的造园艺术,建筑特色以及文人骚客们留下的诗画墨迹,无不折射出中国传统文化中的精髓和内涵。

申报理由

中国古典园林是具有高度艺术成就和独特风格的园林艺术体系。以拙政园、留园、网师园、环秀山庄为典型例证的苏州古典园林是这一体系中的杰出代表,根据其保存现状和所含有的普遍价值,将其申报列入世界文化遗产名录,理由如下:

(一)苏州古典园林在世界造园史上有独特的历史地位和价值

苏州古典园林的产生和发展,从一个侧面反映了中国政治、经济和文化的发展进程,是研究中国历史、文化以及对世界文化影响作用的重要实物资料,是苏州作为历史文化名城的主要元素之一。苏州二千多年来绵延不断的造园历史,典型地展现了中国园林史的一个缩影,在世界园林发展史上占有重要的地位,苏州古典园林是与西方造园体系并驾齐驱的东方园林的主要代表,是世界园林发展的主要渊源之一。它的建构内涵覆盖了自然科学和社会科学领域的众多方面,同时,由于苏州古典园林必须以实体的存在体现存在价值,以群体的形式构成研究体系,现存的苏州古典园林,结构完整、保存完好,是研究和了解中国造园学、建筑学、人文学、美学、哲学、植物学、水利学、环保学以及民俗学难得的实物资料。

(二)苏州古典园林的写意山水艺术思想是中国园林艺术的主要精华和鲜明特征

中国的造园艺术与中国的文学和绘画艺术具有深远的历史渊源,特别受到唐宋以来文人写意山水画的影响,是文人写意山水园林模拟的典范。中国园林在其发展过程中,形成了包括皇家园林和私家园林在内的两大系列,前者集中在北京一带,后者则以苏州为代表。由于政治、经济、文化地位和自然、地理条件的差异,两者在规模、布局、体量、风格、色彩等方面有明显差别,皇家园林以宏大、严整、堂皇、浓丽称胜,而苏州园林则以小巧、自由、精致、淡雅、写意见长。由于后者更注意文化和艺术的和谐统一,因而发展到晚期的皇家园林,在意境、创作思想、建筑技巧、人文内容上,也大量地汲取了私家花园的"写意"手法。

(三)苏州古典园林具备良好完美的居住条件,反映了人类对完美生活环境的执着追求

苏州古典园林宅园合一,可赏,可游,可居,这种建筑形态的形成,是在人口密集和缺乏自然风光的城市中,人类依恋自然,追求与自然和谐相处,美化和完善自身居住环境的一种创造。拙政园、留园、网师园、环秀山庄这四座古典园林,建筑类型齐全,保存完整,系统而全面地展示了苏州古典园林建筑的布局、结构、造型、风格、色彩以及装修、家具、陈设等各个方面内容,是明清时期(14—20世纪初)江南民间建筑的代表作品,反映了这一时期中国江南地区高度的居住文明,曾影响到整个江南城市的建筑格调,带动民间建筑的设计、构思、布局、审美以及施工技术向其靠拢,体现了当时城市建设科学技术水平和艺术成就。

(四)苏州古典园林具有丰富的社会文化内涵

苏州古典园林的重要特色之一,是它不仅是历史文化的产物,同时也是中国传统思想文化的载体,表现在园林堂构的命名、匾额、楹联、书条石、雕刻、装饰,以及花木寓意、叠石

寄情等,不仅是点缀园林的精美艺术品,同时储存了大量的历史、文化、思想和科学信息,物质内容和精神内容都极其深广。其中有反映和传播儒、释、道等各家哲学观念、思想流派的;有宣扬人生哲理,陶冶高尚情操的;还有借助古典诗词文学,对园景进行点缀、生发、渲染,使人于栖息游赏中,化景物为情思,产生意境美,获得精神满足的。而园中汇集保存完好的中国历代书法名家手迹,又是珍贵的艺术品,具有极高的文物价值。另外,苏州古典园林作为宅园合一的第宅园林,其建筑规制又反映了中国古代江南民间起居休闲的生活方式和礼仪习俗,是了解和研究古代中国江南民俗的实物资料。

(五)苏州古典园林是造园艺术的典范,园林理论研究的重要范本

拙政园、留园、网师园、环秀山庄四座园林,产生于苏州园林的鼎盛时期,充分体现了中国造园艺术的民族特色和水平,这四座园林占地不广,但巧妙地运用了对比、衬托、尺度、层次、对景、借景和小中见大、以少胜多等种种造园艺术技巧和手法,将亭台楼阁、泉石花木组合在一起,模拟自然风光,创造了"城市山林"、"居闹市而近自然"的理想空间,在美化居住环境,容建筑美、自然美、人文美为一体等方面达到了历史的高度,在中国乃至世界园林艺术发展史上具有不可替代的地位。

正是由于苏州拥有灿若群星的古典园林,因而成为中国园林建造艺术理论研究不可缺少的重要基地。从唐代开始,中国的造园技艺传入邻近国家和地区,18世纪后半叶,又影响了欧洲的造园思想。明代苏州两位著名造园大师计成和文震亨撰写了《园冶》和《长物志》两部著作,前者从总体上阐明造园艺术的基本规律和准则,后者分论造园诸元素的要求和规范,共同从理论上对中国造园艺术进行了归纳和总结,将其提高到一个崭新的高度,译本迅速传至日本、欧洲等地,影响至今不衰。当代中国有关古典园林的重要研究论著,大多是以苏州古典园林为研究重点而写成的。例如著名建筑学教授童寯的《江南园林志》,著名古建筑专家刘敦桢的《苏州古典园林》,著名园林专家陈从周的《园林谈丛》等,近年又有金学智的《中国园林美学》、杨鸿勋的《江南园林论》,以及《中国厅堂·江南篇》问世,在国际学术界普遍引起重视;李约瑟博士也在《中国科技史》一书中,对中国古典园林作了精辟的论述。近年以来,国内外学者多次聚集苏州古典园林,围绕园林探讨人类共同关心的论题:人和自然的关系。这些丰硕的学术成果和重大的学术讨论活动说明,中国古典园林研究已成为一门日益完善的兼容性很广的综合学科。

综上所述,苏州古典园林应具备列入《世界文化遗产名录》的标准之一、之二、之五。

标准之一:能代表一项独特的艺术或美学成就,构成一项创造的天才杰作;

标准之二:在相当一段时间或世界某一文化区域内,对于建筑艺术、文物性雕刻、园林和风景设计、相关的艺术或人类住区的发展已产生重大影响的;

标准之五:构成某一传统风格的建筑物、建造方式或人类住区的典型例证,这些建筑或住区本身是脆弱的,或在不可逆转的社会文化、经济变动影响下已变得易于损坏。

世界遗产委员会评价

没有哪些园林比历史名城苏州的四大园林更能体现出中国古典园林设计的理想品质。咫尺之内再造乾坤,苏州园林被公认是实现这一设计思想的典范。这些建造于16—18世纪的园林,以其精雕细琢的设计,折射出中国文化中取法自然而又超越自然的深邃意境。

保护情况

根据《保护世界文化和自然遗产公约》关于遗产的历史性、完整性、真实性的要求,苏州市始终严格遵循不改变文物原状和"修旧如旧"的原则,对古典园林的维修保养,大至全园布局,小至装修细部、地面铺设,一石一木,都要依据历史资料,保证采用传统材料和传统施工技术,确保古典园林的真实性。在资金有限的情况下,根据轻重缓急,合理安排,先后投入数千万元,对9座古典园林进行了全面整修。从1996年7月到1997年4月,对拙政园、留园、网师园、环秀山庄等园林内外环境进行了整治,整改有碍景观的建筑物上万平方米,拆除违章建筑近千平方米,搬迁埋设各类杆线3000多米,同时还进行了古建筑维修保养,园内水质治理等等。

为保护古典园林的整体完整性,逐步恢复历史园林风貌,结合古城保护,在充分调查的基础上,首先对全市的历史园林、园林遗址进行编制目录,做到心中有数。而后根据《保护世界文化和自然遗产公约》、《中华人民共和国文物保护法》、《苏州园林保护和管理条例》等法律法规要求,划定界址,限定周围50米范围内的商业、生产、居住必须符合保护要求,进一步加大和深化了古典园林的管理和内外环境整治力度,成效显著。留园东西两侧占地面积3000多平方米的旧房拆迁,环境得到了整治;投资八百万元建造狮子林停车场及配套设施;拆除狮子林西南面丝织厂的烟囱,收回原贝家祠堂部分建筑;拆迁沧浪亭东西两侧的各种广告牌,下

埋沧浪亭街两处通信、供电线路和拆除违章建筑；拆除退思园北面妨碍景观的大水塔、整治沿街和周围环境不协调的店面；完成了艺圃住宅27户居民的动迁；耦园搬迁供电铁塔、搬迁园外厂房及治理污水排放等工作。建设狮子林停车场及配套设施，逐步解决了历史遗留问题，切实保护了园林周边环境，使其与遗产地的总体风貌相协调。整修园林，如沧浪亭的翠玲珑、五百名贤祠，狮子林的贝氏住宅、湖心亭、真趣亭、石舫，耦园的长廊、厅堂、黄石假山，艺圃的主体建筑等，都是先依据历史资料论证后施工维修的。整治中还重点对园中的水池进行了疏浚清淤和生物治理；对古树名木加强养护复壮，合理精心配置，保持了一些历史植物景观；对反映园林文化内涵的各类陈设进行了调整、充实、整理、恢复，修缮了部分匾额、楹联、字画，进一步提高了古典园林的文化内涵。

为依法保护、依法管理，苏州市从1995年起着手起草、制定地方性法规，1997年4月经江苏省人大常委会审议批准，颁布了《苏州园林保护和管理条例》，为我国第一部园林保护管理的地方性法规，这些不仅标志着苏州园林保护管理走上法制化轨道，也为今后古城的依法保护管理提供了有益的经验。

在加大宣传保护世界遗产力度方面，注重出效益、出精品。除在中央、省、市各级新闻媒体上大力宣传外，还投入较大人力和资金编辑出版了《世界文化遗产——苏州古典园林》大型画册，拍摄了园林专题电视片《苏园六记》，努力办好《苏州园林》杂志和与《苏州日报》的合作栏目《园林》专

版，使广大市民了解、参与、支持世界文化遗产的申报和保护管理工作，赢得了全社会对苏州申报和保护遗产工作的支持。为了进一步挖掘5个申报单位的历史文化内涵及遗产价值，1999年，邀请了苏州市历史、文化、文物、园林、城建等方面的专家学者，分别组织召开了5次学术研讨会，系统剖析5处园林的历史文化价值，并将研讨论文汇编成册，成为20世纪末苏州人研究苏州古典园林的重要成果。

苏州市世界遗产保护办公室还不断开拓新的工作领域，经市编委特批，积极筹建园林专业档案馆，以便更好地收集、征集、汇总散落在社会上的有关苏州古典园林的资料、信息，利用其进行新的研究，使苏州古典园林浓厚的文化底蕴、历史渊源得以保持延续。园林档案馆于2002年11月18日正式开馆。

苏州市还利用现代科技，加强网络化建设，使遗产保护工作注入新的活力和内容。1998年建立了苏州园林网站；2001年5月，在国家有关部门和专家的支持下，建成开通了国内唯一的"中国世界遗产网"（www.cnwh.org），在各遗产地和遗产保护、管理、申报等专业工作者层面中产生一定的影响。

受中国教科文组织全国委员会委托，支持出版联合国教科文组织主编的《世界遗产与年轻人》（中文版2001年、英文版2004年），并分别于2001年、2002年承办"中国世界遗产国际青少年夏令营"活动，共有240余名中外青少年获得中国教科文组织协会颁发的"世界遗产青年保卫者"证书。

（苏州市世界遗产保护办公室）

颐 和 园

中文名称：颐和园
英文名称：Summer Palace, an Imperial Garden in Beijing
地理坐标：东经116°16′　北纬39°59′
列入年份：1998年
管理机构：中华人民共和国建设部
　　　　　中华人民共和国国家文物局
　　　　　北京市文物局
　　　　　北京市园林局
　　　　　北京市园林局颐和园管理处

概　　况

颐和园是中国清朝帝后的行宫和花园,也是北京西北郊"三山五园"皇家园林中最后建成的一座。1750 年,乾隆皇帝利用原有湖山地势加工改造,进一步扩大水面,始建成清漪园,成为乾隆、嘉庆、道光、咸丰四帝御园。1860 年被英、法联军焚毁。光绪帝从 1886 年到 1895 年在清漪园基址上按原规模重建,并于 1888 年改名为颐和园,即慈禧太后的夏宫。1900 年,园林又遭英、美、法、德、俄、意、日、奥八国联军严重破坏,1902 年修复。1924 年,颐和园辟为国家公园。

颐和园占地 2.97 平方公里,主体结构由万寿山、昆明湖组成。水面约占四分之三,是一座在自然山水基础上经人工改造,规模宏巨、建筑精美的大型山水园林。全园一百余处景观,分为宫廷朝政、寝宫生活和苑景游览三大区域。

宫廷朝政区在东宫门内,中心建筑仁寿殿,是慈禧与光绪帝从事内政、外交政治活动的主要场所。建筑格局规整,宫殿庄重、威严。

寝宫生活区位于朝政区和苑景区之间。主要建筑乐寿堂、玉澜堂、宜芸馆三座大型院落,是慈禧、光绪及其后妃居住的地方。该区域背山面湖,所有建筑均用游廊串连,庭院中叠石、假山及富有寓意的陈设、花木,是中国皇家追求的理想居住环境。殿堂中珍藏着 4 万余件文物,都是帝后使用过的原物。

苑景区占全园总面积的十分之九,由万寿山前山、昆明湖、后山和后溪河组成。7 万平方米的各式宫殿、寺庙和景点建筑,因地制宜地分布在山水框架之中,既有皇家园林的恢宏,又充满了天然之趣。前山以佛香阁为中心、层层上升而形成的中轴线建筑群,气势磅礴,规制严谨,突出了皇家园林的造园主题。昆明湖自然清秀,具有江南神韵。湖中三座大岛的设立为中国园林"海上仙山"的传统修造模式。仿中国杭州西湖苏堤而建的西堤与园外西山嵌合,形成一幅绝妙的山水画卷。颐和园借景西山是中国古代园林中最佳的借景范例。四大部洲、苏州街、谐趣园则汇粹了中国西部高原到江南水乡的自然景色,反映了中国造园艺术的高超水平。

颐和园的园林造景,融合了中国绘画、诗歌和文学意境,成功地造就出中国皇家园林宏大的气势、辉煌的色彩及其与绿化环境的充分协调关系,被公认为是中国皇家园林的重要范例。

申报理由

颐和园是中国封建社会的最后一座皇家园林,它的建造以全国财力、物力、人力和知识艺术水平为基础,能全面体现中国造园艺术的实践与理论,符合世界文化遗产的条件和资格,其理由如下:

(一)颐和园在世界造园史上有独特的历史地位和价值

世界园林存在着东、西方的差异,颐和园从造园思想到实际景观都浓重地体现出东方园林的特有神韵。首先是中国传统哲理阴阳虚实的对比关系,通过山水对比的布局,达到了高度的和谐统一。同时,全园宫殿建筑的组合排列,遵循了儒家学说所规定的封建秩序;而昆明湖上三座仙岛的设置,又是道家希求长生不老思想的体现;构筑于万寿山顶处的宗教建筑,又显示了祈求佛陀庇护的祝愿。这一切均倾注于充满诗情画意的湖光山色景观之中。以自然山水为框架的颐和园,是利用自然、人化自然的东方园林巨制的杰出范例,是研究东西方园林差异的最理想的例证。

(二)颐和园代表了中国皇家园林最高造园艺术成就

中华民族在几千年漫长的历史发展过程中积淀了自己独具特色的文化模式。颐和园作为中国封建社会修建的最后一座皇家园林,是中国皇家园林几千年建筑艺术和造园艺术的总结。园林的建构涵盖了人类自然与人文领域里的众多科学、艺术成就,它结构完整,保存完好,其造景布局高度体现了中国宫苑建筑功能要求与造园艺术的最佳统一。园林继承了中国历代艺术传统,博采各地造园的手法长处,兼有北方山川宏阔的气势和江南水乡婉约清丽的风韵,并蓄帝王宫室的富丽堂皇和民间宅居的精巧别致、宗教庙宇的庄严肃穆,气象万千而又与自然环境和谐协调浑然一体。其辉煌的宫殿气派、磅礴的建筑组群、精妙的园林造景以及出神入化的精湛工艺,代表了中国皇家园林修造的最高水平。

(三)颐和园对中国近代社会的发展进程有重大影响

颐和园是从 1750 年起至 1911 年止近 200 年来清代最高统治阶层政治活动、宫廷生活和许多重大历史事件的舞台。它从一个侧面反映了中国社会、政治、经济、文化的发展进程,是中国近代历史的缩影。园林极为丰富的历史文化内涵,又是中国近代历史和园林、建筑、美学、宗教人文环保等多种学科研究的课题。

(四)颐和园标志着中国传统工艺与技术的创造水平

以中国传统工艺所构筑的颐和园,反映了中华民族在建筑、环境、植物栽培和植物造景诸多方面的工艺成就,至今仍具有现实意义。其造园的各种施工技术,反映了中国古代工匠的智慧和技巧。迄今在许多园内建筑物和山体水面的处理上仍然反映出惊人的创造水平,甚至存在不易重复的工艺。颐和园的建造过程及其前身清漪园的建造,留有完整的施工档案和工艺作法标准,是中国造园艺术最重要的实物例证。

综上所述,颐和园是中国皇家园林的杰出代表,是中华民族智慧和血汗的结晶。它突出的地位和普遍价值,符合《公约》第1、2、3、4项标准。列入世界文化遗产,将有益于完整地保护这座园林的民族文化传统优势,使颐和园的重要价值得到全世界的共识。

世界遗产委员会评价

(i):北京的颐和园是对中国风景园林造园艺术的一种杰出的展现,将人造景观与大自然和谐地融为一体。

(ii):颐和园是中国的造园思想和实践的集中体现,而这种思想和实践对整个东方园林艺术文化形式的发展起了关键性的作用。

(iii):以颐和园为代表的中国皇家园林,是世界几大文明之一的有力象征。

保护情况

1949年中华人民共和国成立后,颐和园的保护受到国家和地方政府的高度重视。国家投巨资对颐和园的山形水系、古建筑、古树名木及文物陈设等进行了从未间断的修缮保养,延续了颐和园的历史人文环境,真实地留存了历史园林的原有信息。为保护管理好颐和园,各级政府建立健全保护、管理机构,制定相关的法律法规,制定切实可行的保护管理规划,积极进行抢救性修缮恢复,加强保护区域及环境的综合整治。世界遗产申报的启动和成功,更是使颐和园的保护管理工作迈上了一个崭新的台阶。主要工作如下:

一、明确和完善保护区域界线,严格保护借景环境。

颐和园的保护管理作为北京历史文化名城的重要组成部分,外部环境以《中华人民共和国文物保护法》和《北京城市总体规划》为依据,实行三级保护管理。1987、1991、1997年,北京市政府颁布规划建设法规,明确划定了颐和园核心保护区、建设控制地带和外围保护缓冲区的三级保护控制区域。颐和园大墙以内为核心保护区,这一区以保护原貌为原则,保护皇家园林景观环境,即山形水系总体布局、建筑、石刻、古树名木、大气、水质、环境以及地面和馆藏文物等。大墙以外为第二级缓冲区,是颐和园重要的借景环境。地带内只准进行绿化和修筑消防通道,不得任意添改原有建筑。第三级外围控制地带内的建筑形式、体量、色调都必须与文物保护单位相协调。2002年颁布《北京市历史文化名城保护规划》,再次将颐和园周边及借景环境列为清代"三山五园"保护区域的重要组成部分,不但严格限制颐和园保护区域内建筑物的高度、体量、形式,还要逐步拆除影响景观构成的不

和谐构筑物。

二、综合治理周边环境,恢复人文氛围。

2003—2007年间,北京市海淀区政府将实施颐和园周边环境综合整治。主要内容为搬迁杂乱的居民区,畅通交通,增加周边绿化缓冲范围,恢复颐和园到圆明园的水道。目前已完成二龙闸地区、西苑地区、青龙桥北如意门地区的搬迁,清退出部分历史古建筑,恢复二龙闸荷花池、北宫门——北如意门沿墙绿化,改善了新建宫门区域和北宫门区域的交通和绿化情况,整个工程的完成必将彻底改善颐和园周边的整体环境状况。

三、净化核心保护区,优化服务布局。

由于历史原因,颐和园内有大量的居民住户和大量的商业摊点,减弱了颐和园的文化氛围。远在申报世界文化遗产之前,颐和园就拆迁了园内住户400余户和取消园内商业摊点30余处;1998年又迁出向阳化工厂疗养院(现畅观堂位置)、北京焦化厂疗养院(德兴殿)、颐和园邮局(北朝房)等长期驻园的三家单位;1999年,将长期占踞原清漪园"耕织图"景区的两家军队企业接收,并进行耕织图景区综合治理,恢复了原有的景观风貌。

同时,为维护历史真实性,颐和园按照保护世界遗产的要求,大力淡化园内商业色彩,重新进行商业服务布局。2001年,拆除东堤一线的临时商业设施,2002年开始,逐步整顿削减核心景区内近70%的商业摊点,净化了园内的游览环境和游览秩序。

四、加大古建筑维护修缮和整治,恢复历史园林景观。

颐和园加大了古建筑周期性维修保护的力度,并在修缮恢复中严格执行传统的设计施工程序、传统的建筑材料规范。1993-2004年间投资总额超过100万元以上的修缮恢复工程有:南湖岛建筑、听鹂馆、谐趣园、澹宁堂、畅观堂、霁清轩、长廊、东宫门、西大门、苏州街、大船坞、耕织图景区等建筑的修缮恢复,2004年将完成的耕织图景区综合整治预计投资15000万元。1998年列入世界遗产名录后,颐和园恢复了东宫门、北宫门、长廊沿线、东堤沿线、仁寿殿、八方亭、排云殿外广场、九道弯、乐寿堂等地区的青砖甬道及路面,使路面铺装与园林古建筑相协调,其余的水泥地面也将于2008年以前按计划逐步更换。

为恢复颐和园文化型生态园林的历史原貌,继1990年昆明湖清淤和1991年万寿山绿化调整之后,从2002年开始,实施万寿山园林生态保护工程,综合解决万寿山植被的灌溉水源、黄土裸露、水土流失严重等问题以及部分林相单一生态脆弱的问题。在昆明湖内扩大和恢复荷花、芦苇、香蒲等乡土水生植物的种植面积,将进一步完善湖山生态系

统,维持生态平衡。根据不完全统计,颐和园内的鸟类超过180种,常见的也有60多种,是北京城近郊区鸟类最丰富的地区。

五、改造基础设施,改善生态环境质量。

颐和园加大了对园容设施的改造,连通市政管线,解决用水、用电、排污等基础设施问题,使之更加符合园林景观要求。2000年以来,彻底改造了设在八方亭、文昌阁、仁寿殿、养云轩、石舫等景点的厕所,在西区新建生态免水冲厕所,部分旅游高峰时期内增加免水冲生态环保公厕。把苇场门、如意门两处垃圾站改造为压缩密封式小型垃圾转运站,使景区环境和空气质量进一步提高。

为净化园内空气,1999年对苏州街锅炉进行"煤改油"改造;2000年进行霁清轩锅炉煤改气工程;2002年实施颐和园宿舍区煤改气工程;2003年起,年投资近3000万元实施全园煤改电工程,使颐和园实现能源革命,以电能取代延续上百年的燃煤采暖方式,有效地保护颐和园的大气环境质量,上百个大小烟筒的取缔同样也净化了颐和园的视觉景观。

六、加强园容秩序管理,强化游览服务。

每年都按计划进行一定数量和规模的路椅、果皮箱维修更新。所有景点和遗迹均增设中英文双语说明牌示、道路指示牌示和警示标牌,数量达到1000多块,方便参观游览。在游人萧疏的昆明湖西区开设了环保电瓶车游览路线,并严格控制各种车辆入园,明确规定工作用车在园内的行驶范围和时间限制、设置车速路障。2003年1月1日《北京市公园条例》实施后,所有外部车辆都禁止入园。为使园林的管理水平与国际接轨,我园实施了ISO9000和ISO14000体系认证工作,在园林系统中较早地引进两个体系,2000年通过认证,2002年复查完全合格。这标志着我园的山水环境质量管理模式开始走上与国际标准接轨的道路。近年来,颐和园进一步完善了各项管理规章,不断地修改增补,至今园内执行的管理规章达到40多项,涉及了颐和园工作的方方面面。

七、健全安全防卫措施,确保文物安全。

对颐和园来说,安全保卫和防火工作极端重要。根据自身特点和实际,颐和园建立"人防、技防、物防"三位一体的防护体系,确保了园内各类文物的安全。目前,对全园所有的重点建筑全部更新或新装避雷设施,避雷引线达84条;重要院落夜间安排巡逻犬20条;各个殿堂、院落安设红外线双监报警探头144个;46个监控镜头(文物库馆、澹宁堂单独设置)覆盖了全园的门区、主要院落及重点部位;全园共有灭火器1500多个,专用消防艇1艘,专用消防车1辆,重点地区还设地下火栓70多个及火灾自动报警和联动控制系统等,有效地保障了文物防抢、防盗、防火、防自然灾害等突发事件的发生。

八、引入科技手段,加强保护性研究管理。

在设立文物、园林、管理、建设、档案室等部门分工负责古树、文物、古建、生态、环境的建档、科研工作外,2000年成立颐和园研究室,对颐和园文物保护、管理、开发、利用提出总体设计方案和发展方向,论证保护规划的可行性,从理论高度上开创了颐和园文物、园林、文化事业的可持续发展。

在实际的管理工作中,以科技促进保护,加强了文物、园林的保护性管理研究。1999年,颐和园利用科技手段进行文物保护,对耶律铸墓实施保护,对园内500件隔扇芯采用珂罗板复制,抢救了一批文物,并首次进行石质文物保护实验,全面修整环湖古石栏杆。在档案管理方面,逐步实现档案现代化管理,使颐和园的档案管理顺利晋升国家二级。在园林生态方面,积极开展芫天牛、草坪、生物防治等课题研究,聘请专家会诊挽救濒危古树名木,维续历史园林风貌。

在文化建园理念指导下,颐和园编辑、发行介绍颐和园历史、文化知识的书籍二十几种逾百万册;主编、出版《颐和园文化研究(第一辑)》、《颐和园建园250周年纪念文集》、《颐和园文物菁华》、《颐和园砖雕艺术》,与地矿部研究院等十一家研究机构合作出版《颐和园昆明湖三千五百年》等科研著作;1998年开发出荣获法国"莫比斯文化奖"的《颐和园》多媒体光盘;2002年研究室主编的《颐和园》杂志创刊。在科技方面,全园电子监控系统、园林生态管理与草坪维护等技术也取得较大成绩。现代的科技手段有力地推动了颐和园文化遗产保护事业的可持续发展。

九、开辟专题展览,传播颐和园文化

颐和园园藏文物4万余件,品类包括铜、瓷、玉器,家具,杂项等类,以晚清工艺为其特色,也不乏历代文物精品。20世纪90年代以来,颐和园先后举办了清华轩"园藏文物精品展"、澹宁堂"园藏珍品家具展"、文昌院"文物珍品展"、水木自清"颐和园老照片展"、含虚堂"晚清帝后与颐和园实物展"、耶律楚材祠"耶律铸夫妇合葬墓出土文物图片展"等展览,目前正在筹备"耕织图历史变迁展"。2000年以来,每年都利用颐和园特有的园林花卉、动物,举办盆景、桂花、园林鸟类等各种展览,向游客全面宣传颐和园的历史和园林文化,推动了颐和园文化的传播。

(颐和园管理处研究室)

北京的皇家祭坛——天坛

中文名称:北京的皇家祭坛——天坛
英文名称: Temple of Heaven:an Imperial Sacrificial Altar in Beijing
地理坐标:东经 116°24′ 北纬 39°53′
列入年份:1998 年
管理机构:中华人民共和国建设部
　　　　　中华人民共和国国家文物局
　　　　　北京市文物局
　　　　　北京市园林局
　　　　　天坛公园管理处

概　况

　　天坛,位于北京市崇文区永内大街东侧,始建于明永乐十八年(1420),原是明清两代帝王祭天祈谷的场所,占地面积曾达 273 万平方米,1918 年辟为公园,现有面积 205 万平方米。它是中国现存规模最大、形制最完备的古代祭天建筑群,并以其独特的建筑形式、优美的园林景观、博大精深的文化内涵享誉中外。

　　明永乐十八年,明成祖朱棣正式迁都北京,作为都城营建重要组成部分的天地坛同期建成。天地坛即今北京天坛的雏形,是皇帝举行天地合祀大典的场所,其主体建筑为大祀殿。明嘉靖年间建"圜丘",专以祭天。并拆大祀殿建"大享殿",举行秋季大享礼。清乾隆年间,天坛建筑进行了大规模的改建、扩建,"大享殿"更名为"祈年殿",最终形成了规制严谨的格局。

　　今日天坛平面布局呈"回"字型,北圆南方,象征着天圆地方。天坛坛域由内外两道坛墙分为内坛、外坛,主要建筑有祈谷坛、圜丘坛、斋宫、神乐署、牺牲所等。圜丘坛、祈谷坛、斋宫在内坛,神乐署、牺牲所在外坛。内坛北部是祈谷坛建筑群,包括祈年殿、皇乾殿、长廊等建筑,用于每年正月举行孟春祈谷大典,祈求五谷丰登;南部是圜丘坛建筑群,包括皇穹宇、圜丘坛等建筑,用于每年冬至举行大祀祭天及夏季举行常雩,秋收事竣,以答谢上苍,并祈祷风调雨顺,国祚绵长。两坛之间由一条长 360 米的砖石甬道——丹陛桥相连接,丹陛桥也称海墁大道,是一座巨大的砖砌高台,也是天坛建筑的主轴线。在轴线的东侧各自配有与祭祀功能相适应的附属建筑:宰牲亭、神厨、神库等。两坛各自独立,但功能齐备,

且主从有序。

　　丹陛桥西侧建有斋宫,是举行祭天大典前皇帝进行沐浴、斋戒的场所。西外坛南部有神乐署,是培养祭祀乐舞生和演陈礼乐的场所。中部有牺牲所,是专为大祀、中祀饲养祭祀用牲的地方(现已无存)。此外,坛内零散分布着九龙柏、七星石等著名古迹。

　　天坛祈年殿是天坛的标志性建筑,它是北京现存最大的圆形木结构建筑,采用了中国传统的木结构建筑手法,构架极为精巧。祈年殿柱子巧妙的数理变化,恰与我国古代农历年月日的时间概念相吻合,从而使祈年殿成为祭天建筑与时间建筑的完美结合,展现了古人独特的建筑理念和巧妙的建筑思维。

　　圜丘作为我国古代石材建筑的代表作,是天坛一处颇具特色的祭天建筑。圜丘三层圆形,取意象天,上层中心一块圆石,称"天心石","天心石"外铺扇面形石块九圈,第一圈九块,其余各圈以九的倍数依次向外延展。圜丘的栏板、望柱也都是九或九的倍数,象征着"天"数。而宽敞平坦的祭坛周围是两道低矮的墙墙,内圆外方,取天圆地方之意。

　　与古老天坛同时经历了沧桑岁月变迁的还有三千余株有着数百年树龄的苍翠古柏。中国古代极为重视坛庙植树,取其"尊而识之"的寓意,天地坛初建成时,即"树以松柏",以后历朝陆续补植,至清代中叶形成了颇具规模的天坛古树群落。大量的古柏衬托出了天坛庄重肃穆、静谧深远的坛庙氛围。这些古柏是天坛古老历史的见证,也是天坛博大精深的祭天文化的物证。

　　1957 年天坛被列入北京市第一批古建筑文物保护单位,1961 年国务院将天坛列入第一批全国重点文物保护单

位,1998 年 12 月联合国教科文组织世界遗产委员会将天坛列入世界遗产名录。

天坛以其独特的建筑形制、极具象征性的建筑布局成为中国古代祭天建筑的典范,延绵不断地传达了古人对"天",即对宇宙、大自然的尊崇。天坛内枝繁叶茂、古朴苍劲的古树名木、广袤的林地草坪,营造出圣洁幽远的园林意境。作为集中国古代建筑学、声学、史学、天文学、法学、礼仪制度、音乐舞蹈等为一体的闻名世界的旅游胜地,天坛以其独有的文化内涵、伟大的科学成就、崇高的艺术价值愈发为世人瞩目。

申报理由

(一)天坛是华夏文明的积淀之一。

天坛从选位、规划、建筑的设计以及祭祀礼仪和祭祀乐舞,无不依据中国古代《周易》阴阳、五行等学说,成功地把古人对"天"的认识、天人关系以及对上苍的愿望表现得淋漓尽致。各朝各代均建坛祭天,而北京天坛是完整保存下来的仅有一例,是古人的杰作。

(二)天坛建筑处处展示中国古代特有的寓意、象征的艺术表现手法。

圜丘的尺度和构件的数量集中并反复使用"九"这个数字,以象征"天"和强调与"天"的联系。天坛祈年殿以圆形、以蓝色象征天、殿内大柱及开间又分别寓意一年的四季、二十四节气、十二个月和一天的十二个时辰(古代一天分十二时辰,每时辰合两小时)以及象征天上的星座——恒星等。处处"象天法地"是古代"明堂"(中国古代帝王专用的一种礼制建筑)式建筑仅存的一例,是中国古文化的载体。

(三)天坛集古代哲学、历史、数学、力学、美学、生态学于一炉,是古代精品代表作。

天坛在建筑设计和营造上集明、清建筑技术、艺术之大成。祈年殿、皇穹宇是木制构件、圆形平面、形体巨大、工艺精致、构思巧妙的殿宇,是中国古建筑中罕见的实例。天坛又以大面积树林和丰富的植被创造了"天人协和"的生态环境,是研究古代建筑艺术和生态环境的实物,极具科学价值,是皇家祭坛建筑群中杰出的范例。

建筑轴线北部的构图中心祈年殿,体态雄伟,构架精巧,内部空间层层升高向中心聚拢,外部台基屋檐圆形层层收缩上举,既造成强烈的向上动感,又使人感到端庄、稳重,色彩对比强烈而不失协调得体,使人步入坛内如踏祥云登临天界。天坛从总体到局部,均是古建筑佳作,是工艺精品,极具艺术价值,是华夏民族一个漫长的历史时期思想文化的遗迹和载体。天坛是物化了的古代哲学思想,有着较高的历史价

值、科学价值和独特的艺术价值,更有着深刻的文化内涵。

综上所述,天坛这个古代祭坛建筑组群,有着较高的历史价值、科学价值和独特的艺术价值,更有着深刻的文化内涵,具备了列入《世界文化遗产名录》标准之一、之二、之三、之四。把天坛这具有世界性突出价值的艺术杰作列入世界文化遗产将更有利于对它的保护,使其永久传世。

世界遗产委员会评价

标准(i):天坛是建筑和景观设计之杰作,朴素而鲜明地体现出对世界伟大文明之一的发展产生过影响的一种极其重要的宇宙观。

标准(ii):许多世纪以来,天坛所独具的象征性布局和设计,对远东地区的建筑和规划产生了深刻影响。

标准(iii):两千多年来,中国一直处于封建王朝统治之下,而天坛的设计和布局正是这些封建王朝合法性之象征。

保护情况

1949 年中华人民共和国成立以来,在党和政府的关怀和领导下,天坛的保护管理逐渐走上了科学化、正规化的轨道。天坛成立了专门的管理机构,制定了相应保护办法及管理规定,结合自身实际情况制定出《天坛总体规划》、《天坛保护管理计划》。1998 年 12 月天坛被列入世界遗产名录,各项保护措施与管理力度进一步加强。近年来,天坛所做的主要保护工作有:落实天坛保护规划,加强规划管理工作;有计划的进行古建保护和维修;景区改造;祭坛环境的保护,古树名木的保护;科研课题研究;健全制度,强化管理。

1、落实天坛保护规划,加强规划管理工作

《天坛总体规划》规定对天坛的保护范围和建设控制地带划定三级保护范围,其一级核心保护地区是现天坛公园范围。保护坛域、古建筑、树木及全面保护历史风貌,不得增添现代建筑,核心保护区内的一些近代建筑,应逐年拆除。天坛遵照《天坛保护管理计划》、《天坛总体规划》,投入大量资金,积极将影响天坛总体格局的占地单位迁出。2000 年迁出占用天坛公园北门西侧绿地的北京市电信公司无线电通信队。2001 年迁出占据天坛东北外坛的花木公司,部分迁出了占用西北外坛的中山花圃,并完成了对该地区的改造。2002 年占用天坛神乐署的卫生部下属单位及住户全部迁出,使天坛外坛惟一遗存的历史建筑重见生机。占地单位迁出后,天坛及时对这些区域进行了规划、改造以及修缮。

2、古建修缮

天坛建筑拥有极高的艺术价值、科学价值和历史价值,

获得世界遗产委员会极高的评价。古建修缮也是天坛保护工作的重点，促进了天坛历史原貌的恢复。自1999年以来，天坛公园进行了多项古建修缮工程，依照保持古建筑原有形制，严格遵循不改变古建筑原状的原则，重点进行了长廊大修工程、圜丘坛具服台地面工程、圜丘神厨修缮工程、天坛北外坛墙复建工程、圜丘外墙海墁修复工程、神乐署修缮工程。

3、景区改造

天坛多年来一直致力于改善景区环境，恢复天坛古坛风貌。近年来完成的主要工程有三座门南区环境改造工程、北门广场两侧调整改造工程、东门景区改造工程、东门道路铺装改造调整、七星石景区、三座门至小十字路景区、丹陛桥景区、三座门地区和西北外坛地区大环境改造、东北外坛至西北外坛、西南内坛等处改造工程等，将20世纪五六十年代种植的苹果、梨树、桃树等经济林木改植为天坛传统的桧柏、侧柏等。

在完成景区改造工程的同时，天坛还加强了对坛内古树名木的管理，继续探索适合天坛特点的古柏复壮技术，重点对换土、施肥、遮荫、防寒、透气等复壮措施及效果进行深入研究，提高古柏及其他古树养护管理的科技含量，提高古树的养护水平。

4、祭坛环境保护

天坛公园坛域广阔，近年来一直积极致力于环境整治与保护工作。针对天坛绿化面积大的特点，在生态环境的保护上，天坛植物保护实施生物防治，采用无污染防治病虫害，处理落叶采取环保措施，实施黄土不露天治理工程，保护天坛环境，减少污染，取得了显著效果。

天坛在综合环境的治理上采取积极有效措施，通过对园内锅炉进行煤改清洁燃料、购置清洁环保的电动游览车等措施，减少了园内空气和噪音污染。2003年，按照《北京市公园条例》规定，对入园行驶的机动车辆进行严格限制，未经允许不得进入，减少了园内空气污染，提高了天坛的环境质量，同时也保障了游人的人身安全，改善了园内环境秩序。

5、科研成果

"文化建园"多年来一直是天坛发展建设的指导思想，天坛积极进行科技攻关，课题研究取得丰硕成果，《天坛公园古柏衰弱原因及复壮措施的研究》、《园林绿化无农药污染防治病虫害技术与示范》等多项课题获市局级奖，推动了天坛各项工作的发展和提高，这些科研成果及时应用到实际工作中去，取得了很好的效果，促进了天坛园林绿化工作的发展。

天坛科研工作的重点还表现在对天坛文物、古建筑、古树和历史文化的研究工作上，深挖天坛历史文化内涵，弘扬

和发展天坛文化，积极从文化层面上发掘、拓展和宣传天坛。运用这些研究成果，天坛进行了殿堂、专题陈展，殿堂陈展有祈年殿陈展、皇乾殿陈展、皇穹宇陈展、斋宫历史原状陈列，专题陈展有祈年殿西配殿祭天礼仪馆、祈年殿东配殿祭天乐舞馆、圜丘坛神厨祭天建筑馆。随着研究的深入，陈展内容也在不断充实提高。2002年底，《天坛公园志》出版发行，这是目前关于天坛资料最为翔实的一部著作，它完整地记述了天坛自建成至今的历史发展进程和管理现状，是了解天坛、研究天坛、发展天坛的理论依据。

在科研方面，天坛还积极与其它科研单位合作，扩展研究领域，加强研究的广度和深度。2002年，北京气象局观象台与天坛公园合作在天坛气象站增加4个特种观测项目，为天坛科研、古建文物保护和游览气象服务信息提供科学的观测数据。

6、健全制度、强化管理

作为世界遗产单位，制定科学有效的保护制度和措施是其发展的必要保证。天坛根据自身实际情况，近年来摸索和制定出一系列适合自身发展的管理办法和规定，从制度上进一步完善和加强遗产地的管理和保护。2001年制定《天坛文物保护管理办法》，完善文物保管规章制度，具体包括《天坛古建筑保护办法》、《天坛公园陈列文物管理办法》、《天坛公园地下文物管理规定》、《天坛公园文物库管理规定》，这些制度的制定对促进世界遗产地的文物保护工作提供了保障和依据。

天坛参照国际国内先进的景区经验，通过综合整治进一步加强景区的管理工作，提高管理水平，优化服务质量。2001年1月11日，天坛通过国家旅游局AAAA级评定小组的全面质量评定，获得全国第一批AAAA级旅游区的称号。2001年10月天坛电视监控系统建成，天坛的管理科技手段、宏观管理、动态管理、快速反应能力和安全技防能力提高到新的水平。2002年初，天坛通过ISO9001国际质量管理体系和ISO14001国际环境管理体系的认证，使天坛管理水平与世界接轨。天坛各科室还制定出各岗位人员职责，明确人员职守，使人尽其能，充分发挥其能动性，提高工作效率，促进公园整体工作水平的提高。2002年9月中央文明委、国家建设部、国家旅游局授予天坛公园"全国文明风景旅游区示范点"称号。天坛公园管理处先后印发《天坛公园行业目标管理办法》、《天坛公园文明、健康服务规范》，加强职工行业自律的宣传教育，从作为世界遗产单位的认知高度出发，促进服务质量和管理水平更上一层楼。

（天坛公园管理处　张晶晶）

大足石刻

中文名称：大足石刻

英文名称：Dazu Rock Carvings

地理坐标：东经 105°28′06″—106°01′56″
            北纬 29°22′28″— 29°51′49″

列入年份：1999 年

管理机构：中华人民共和国国家文物局
            重庆市文物局
            重庆大足石刻艺术博物馆

概　况

大足石刻是重庆市大足县境内所有石窟造像的总称，迄今公布为文物保护单位的石窟多达 75 处，造像 5 万余尊，其中尤以北山、宝顶山、南山、石门山、石篆山石窟最具特色。造像始建于初唐，历经唐末、五代，盛极于两宋，是中国石窟艺术史上的最后一座丰碑。

大足石刻植根于悠久的巴蜀文化沃土，在吸收、融化前期石窟艺术精华的基础上，推陈出新，极工穷变，开拓了石窟艺术的新天地。它以鲜明的民族化、世俗化、生活化特色，成为具有中国风格的石窟艺术的典范，与敦煌、云冈、龙门等石窟一起构成了一部完整的中国石窟艺术史。

宝顶山石窟由一代名僧赵智凤于南宋淳熙至淳祐年间（1174 — 1252）历经 70 余年主持开凿而成，是一座以大、小佛湾为主体，造像近万尊的大型佛教密宗道场。宝顶山造像规模宏大，内容丰富。它以能晓之以理，动之以情，诱之以福乐，威之以祸苦为创作原则，并能融科学原理于艺术造型之中，是石窟艺术的集大成之作。

北山石窟由唐末昌州刺史、昌普渝合四州都指挥韦君靖于唐景福元年（892）首先开凿，后经地方官绅、士庶、僧尼等相继营建，至南宋绍兴年间，方具现存规模。北山造像依岩而建，长达里许，形若新月，龛窟密如蜂房，分为南、北两段，共编为 290 号，以其雕刻细腻、精美典雅著称于世。其中观音造像众多，极富特色，被誉为"中国观音造像陈列馆"。

大足石刻儒、释、道"三教"造像俱佳，有别于前期石窟。以南山石窟为代表的宋代道教造像，是中国这一时期雕刻最精美、神系最完备的道教造像群。以石门山石窟为代表的释、道合一造像和以石篆山石窟为代表的儒、释、道"三教"合一造像，在中国石窟艺术中极为罕见。尤其是石篆山石窟中以孔子为主尊的儒家造像，更可谓凤毛麟角。

申报理由

一、阐述意义

以北山、宝顶山、南山、石篆山、石门山（简称"五山"）摩崖造像为代表的大足石刻是中国石窟艺术重要的组成部分，也是世界石窟艺术中公元 9 世纪末至 13 世纪中叶间（中国晚唐景福元年至南宋淳祐十二年）最为壮丽辉煌的一页。大足石刻始建于公元 650 年（唐永徽元年），兴盛于公元 9 世纪末至 13 世纪中叶，余绪延至明、清，是中国晚期石窟艺术的代表作品。"五山"摩崖造像以规模宏大、雕刻精美、题材多样、内涵丰富、保存完整而著称于世。以集释（佛教）、道（道教）、儒（儒家）"三教"造像之大成而异于前期石窟。以鲜明的民族化、生活化特色，在中国石窟艺术中独树一帜。以大量的实物形象和文字史料，从不同侧面展示了公元 9 世纪末至 13 世纪中叶间中国石窟艺术风格及民间宗教信仰的重大发展、变化，对中国石窟艺术的创新与发展有重要贡献，具有前期各代石窟不可替代的历史、艺术、科学和鉴赏价值。

二、可能的比较分析

源于古印度的石窟艺术自公元 3 世纪传入中国后，分别于公元 3 世纪和 7 世纪前后（魏晋至盛唐时期），在中国北方先后形成了两次造像高峰，但至公元 8 世纪中叶（唐天宝之后）走向衰落。于此续绝之际，位于长江流域的大足县境内摩崖造像异军突起,从公元9世纪末至13世纪中叶建成了以"五山"摩崖造像为代表的大足石刻,形成了中国石窟艺术史上的又一次造像高峰,从而把中国石窟艺术史向后延续了400余年。此后中国石窟艺术停滞,其他地方未再新开凿一座大型石窟,大足石刻也就成为中国后期石窟艺术的杰出例证。

中国石窟艺术在其长期的发展过程中,各个时期的石窟艺术都积淀了自己独具特色的模式及内涵。以云冈石窟为代表的早期石窟艺术(魏晋时期,4至5世纪)受印度犍陀罗和笈多式艺术的影响较为明显,造像多呈现出"胡貌梵相"的特点。以龙门石窟为代表的中期石窟艺术(隋唐时期,6至9世纪)表现出印度文化与中国文化相融合的特点。作为晚期石窟艺术(晚唐至南宋时期,9世纪末至13世纪中叶)代表作的大足石刻在吸收、融化前期石窟艺术精华的基础上,于题材选择、艺术形式、造型技巧、审美情趣诸方面都较之前代有所突破,以鲜明的民族化、生活化特色,成为具有中国风格的石窟艺术的典范,与敦煌、云冈、龙门等石窟一起构成了一部完整的中国石窟艺术史。

大足石刻"三教"造像俱全,有别于前期石窟。以南山摩崖造像为代表的公元11至13世纪中叶的道教造像,是中国这一时期雕刻最精美、神系最完备的道教造像群。石篆山摩崖造像中以中国儒家创始人孔子为主尊的"儒家"造像,在石窟艺术中可谓凤毛麟角。以石篆山摩崖造像为代表的佛教、道教、儒教"三教"合一造像,以及以石门山摩崖造像为代表的佛教、道教合一造像在中国石窟艺术中亦极为罕见。

就保存状况而言,大足石刻是中国石窟艺术群中保存最完好之一。

三、真实性及完整性

"五山"摩崖造像保存完好,全部龛窟与造像,除历史上对少数雕像肢体残损部分有过补塑外,未遭受大的人为和自然灾害的破坏。1949年中华人民共和国成立后,在日常维修保护中,严格遵守"不改变原状"的原则,以确凿文献、碑刻题记为依据,采用传统技术与现代科学技术相结合的手段进行。其设计、材料、工艺、布局等方面均保持了历史的真实性。在对"五山"造像主体进行保护的同时,注重其周围环境的保护,基本上没有改变其环境关系。因此,从总体上看,"五山"摩崖造像基本上保持了历史的规模、原状和风貌。

四、列入遗产所依据的标准

(一)大足石刻是一件伟大的艺术杰作

大足石刻是大足县境内主要表现为摩崖造像的石窟艺术的总称。公布为文物保护单位的摩崖造像多达75处,雕

像5万余尊,铭文10万余字。北山、宝顶山、南山、石篆山、石门山摩崖造像为全国重点文物保护单位,其规模之大,造诣之精,内容之丰富,都堪称是一件伟大的艺术杰作。北山造像依岩而建,龛窟密如蜂房,被誉为公元9世纪末至13世纪中叶间的"石窟艺术陈列馆"。宝顶山大佛湾造像长达500米,气势磅礴,雄伟壮观。变相与变文并举,图文并茂,布局构图谨严,教义体系完备,是世界上罕见的有总体构思、历经七十余年建造的一座大型石窟密宗道场。造像既追求形式美,又注重内容的准确表达。其所显示的故事内容和宗教、生活哲理对世人能晓之以理,动之以情,诱之以福乐,威之以祸苦。涵盖社会思想博大,令人省度人生,百看不厌。南山、石篆山、石门山摩崖造像精雕细,是中国石窟艺术群中不可多得的道教和释、道、儒"三教"造像的珍品。

(二)大足石刻对中国石窟艺术的创新与发展有重要贡献

大足石刻注重雕塑艺术自身的审美规律和形式规律,是洞窟造像向摩崖造像方向发展的佳例。在立体造型的技法上,运用写实与夸张互补的手法,摹难显之状,传难达之情,对不同的人物赋予不同的性格特征,务求传神写心。强调善恶、美丑的强烈对比,表现的内容贴近生活,文字通俗,达意简赅,既有很强的艺术感染力,又有着极大的社会教化作用。在选材上,既源于经典,而又不拘泥于经典,具有极大的包容性和创造性,处处反映出世俗信仰惩恶扬善、调伏心意和规范行为的义理要求。在布局上,是艺术、宗教、科学、自然的巧妙结合。在审美上,融神秘、自然、典雅三者于一体,充分体现了中国传统文化重鉴戒的审美要求。在表现上,突破了一些宗教雕塑的旧程式,有了创造性的发展,神像人化,人神合一,极富中国特色。总之,大足石刻在诸多方面都开创了石窟艺术的新形式,成为具有中国风格和中国传统文化内涵,以及体现中国传统审美思想和审美情趣的石窟艺术的典范。同时,作为中国石窟艺术发展、变化的一个转折点,大足石刻所出现的许多有异于前期的新因素又极大地影响了后世。

(三)大足石刻是石窟艺术生活化的典范

大足石刻以其浓厚的世俗信仰、纯朴的生活气息,在石窟艺术中独树一帜,把石窟艺术生活化推到了空前的境地。在内容取舍和表现手法方面,都力求与世俗生活及审美情趣紧密结合。其人物形象文静温和,衣饰华丽,身少裸露;形体上力求美而不妖,丽而不娇。造像中,无论是佛、菩萨,还是罗汉、金刚,以及各种侍者像,都颇似现实中各类人物的真实写照。特别是宝顶山摩崖造像所反映的社会生活情景之广泛,几乎应有尽有,颇似公元12世纪至13世纪中叶间(宋

代)的一座民间风俗画廊。无论王公大臣、官绅士庶、渔樵耕读，各类人物皆栩栩如生，呼之欲出。大足石刻中的"五山"摩崖造像，可以说是一幅生动的历史生活画卷，它从各个侧面浓缩地反映了公元9至13世纪间（晚唐、五代和两宋时期）的中国社会生活，使源于印度的石窟艺术经过长期的发展，至此完成了中国化的进程。

（四）大足石刻为中国佛教密宗史增添了新的一页

按过去佛教史籍记载，中国密宗盛行于公元8世纪初叶，流行于黄河流域，至公元9世纪初日本僧人空海东传日本后，中国汉地渐至衰落。而北山、宝顶山大量造像及其碑刻文字无可争辩地表明，公元9至13世纪，密宗在四川不仅未见绝迹，而且处于兴盛。公元9世纪末（晚唐）四川西部的柳本尊自创密宗，号称"唐瑜伽部主总持王"，苦行传道，弘扬大法。到公元12至13世纪中叶间（南宋中期），高僧赵智凤承其教，号称"六代祖师传密印"，在昌州大足传教布道，创建了宝顶山摩崖造像这座石窟史上罕见的完备而有特色的密宗道场，从而把中国密宗史往后延续了400年左右，为中国佛教密宗史增添了新页。

（五）大足石刻生动地反映了中国民间宗教信仰的重大发展、变化

信神不信教、信仰多元化，是中国民间宗教信仰在长期的发展过程中出现的一个重大变化。大足石刻作为中国民间宗教信仰的产物，便是其重要实物例证。一方面，作为中国传统文化中三大主体的儒家、道教及佛教，在其长期的发展进程中，总趋势是由"相互对抗"走向"相互融合"。其表现之一，是使原本属于佛教产物的石窟艺术为道教和儒家所借用，且"三教"创始人不分高下地出现在同一个石窟之中。大足石刻中有释、道、儒"三教"分别造像者，有佛、道合一和"三教"合一造像者。这些造像表明，公元10至13世纪，"孔、老、释迦皆至圣"、"惩恶助善，同归于治"的"三教"合流的社会思潮已经巩固，世俗信仰对于"三教"的宗教界线已

日渐淡漠。另一方面，大足石刻丰富多样的造像题材又有力地反映出这一时期源于印度的佛教神祇和道教早期的神仙系统已与中国民俗信仰的神灵融合，呈现出信仰多元化的趋势。大足石刻所展示出的这种民间宗教信仰的重大发展、变化，成为后世民间信仰的基础，影响深远。

综上所述，大足石刻突出的地位和普遍价值，只有列入《世界遗产名录》才能得以永久传世并发挥其应有的世界意义。

世界遗产委员会评价

大足地区的险峻山崖上保存着绝无仅有的系列石刻，时间跨度从公元9世纪到13世纪。这些石刻以其艺术品质极高、题材丰富多变而闻名遐迩，从世俗到宗教，鲜明地反映了中国这一时期的日常社会生活，并充分证明了这一时期佛教、道教和儒家思想的和谐相处局面。

保护情况

大足石刻在20世纪50年代前，主要由僧、道管理，依靠世俗祈福装绚佛像，四处募化培修寺院、道观。1949年中华人民共和国建立后，中央及地方政府对大足石刻的保护工作十分重视，并做了大量卓有成效的工作，如建立健全管理机构，划定保护范围，加强日常维修工作，大力整治文物区环境，制订文物保护专项法规等。大足石刻申报世界遗产工作启动及其成功后，依据重庆市人民政府批准的《大足北山、宝顶山、南山石刻文物名胜区保护建设总体规划》、重庆市人民政府第21号令《大足石刻保护管理办法》等有关法律、法规，进一步加大了保护力度。如严格依法保护，加强规范管理，完善保护设施，提高保护科技水平，优化文物保存环境，不断做好遗产监测，加强管理机构自身建设等。

（大足石刻艺术博物馆　唐毅烈）

青城山和都江堰

中文名称: 青城山和都江堰

英文名称: Mt. Qingcheng and the Dujiangyan Irrigation System

地理坐标: 东经 103°25′45″—103°38′15″

北纬 30°52′29″—31°01′48″

列入年份: 2000 年

中国世界遗产年鉴2004

管理机构：中华人民共和国建设部
　　　　四川省建设厅
　　　　四川省都江堰市世界遗产管理办公室
　　　　四川省都江堰市青城山风景名胜区管理局
　　　　四川省都江堰市都江堰风景名胜区管理局

概　　况

　　青城山是中国道教的重要发源地和天师道的祖山、祖庭，也是中国著名的历史文化名山和国家重点风景名胜区，素有"青城天下幽"的美誉。公元前2世纪，秦王朝即将青城山列为国家祭祀的十八处山川圣地之一。公元143年，张陵来到青城山赤壁崖舍，用"黄老之学"，创建了"五斗米道"，即天师道。青城山东麓有距今约4500年的新石器时代晚期的芒城遗址，对研究古蜀文明具有重要意义。

　　都江堰是当今世界年代久远、惟一留存、以无坝引水为特征的宏大水利工程。它充分利用当地西北高、东南低的地理条件，根据江河出山口处特殊的地形、水脉、水势，乘势利导，无坝引水，自流灌溉，使堤防、分水、排洪、排水、控流相互依存，共为体系，保证了防洪、灌溉、水运和社会用水综合效益的充分发挥。它最伟大之处是建堰2250多年来经久不衰，而且发挥着愈来愈大的作用。都江堰的创建，充分利用自然资源为人类服务，变害为利，使人、地、水三者高度协合统一，是全世界迄今为止仅存的一项远古时代的伟大的"生态工程"。

　　青城山和都江堰具有地球同纬度中亚热带典型而完整的植被垂直带谱，是珍稀濒危动物大熊猫的栖息地和邛崃、岷山两大山系大熊猫生息繁衍的"天然走廊带"，是保护生物多样性的重要地区。

申报理由

　　一、意义

　　都江堰是当今世界年代久远、惟一留存、以无坝引水为特征的宏大水利工程。它不仅是中国水利工程技术的伟大奇迹，也是世界水利工程的璀璨明珠。它充分利用当地西北高、东南低的地理条件，根据江河出山口处特殊的地形、水脉、水势，乘势利导，无坝引水，自流灌溉，使堤防、分水、泄洪、排沙、控流相互依存，共为体系，保证了防洪、灌溉、水运和社会用水综合效益的充分发挥。它最伟大之处是建堰2250多年来经久不衰，而且发挥着愈来愈大的效益。都江堰的创建，以不破坏自然资源，充分利用自然资源为人类服务为前提，变害为利，使人、地、水三者高度协合统一，是全世界迄今为止仅存的一项伟大的"生态工程"，开创了中国古代水利史上新纪元，标志着中国水利史进入了一个新阶段，在世界水利史上写下了光辉的一章。都江堰水利工程，是中国古代人民智慧的结晶，是中华文化划时代的杰作。

　　青城山位于都江堰渠首工程南侧，从岸边迅速隆起，主峰海拔2434米，是中国著名的历史名山和国家重点风景名胜区。山东麓有距今约4500年的新石器时代晚期的芒城遗址，在中国同时期古城址中实为罕见。这里出土的大量文物，对揭示古蜀文明具有重要意义。早在公元前二世纪，秦王朝即将青城山列为国家祭祀的十八处山、川圣地之一。青城山是中国道教的发源地。青城山地质地貌以上"丹岩沟谷，赤壁陡崖"为特征，植被茂密，气候适宜，林木葱翠，古观藏趣。龙溪自然保护区位于都江堰渠首工程北侧，其地形从726米逐步升高，最高峰光光山海拔4582米，形成鲜明的植物带谱。生物多样性丰富、独特，是国宝大熊猫重要分布地之一。

　　青城山——都江堰风景名胜区具有突出的自然和文化价值，无论是文化遗产资源，还是自然遗产资源，都属于全人类共有的珍贵遗产，值得永久性保护。

　　二、比较分析

　　世界古老的著名水利工程中，古巴比伦王国建于幼发拉底河上的纳尔——汉谟拉比渠和古罗马的人工渠道都早已荒废，只有都江堰独步千古，永续利用，长盛不衰。

　　都江堰与中国古代著名的水利工程相比，其构思、设计、选址独具匠心；乘势利导，因时制宜，不与水敌的治水方略自树一帜；规模效益，绝无仅有。它是自然生态、科学文化、人与自然紧密协合的伟大创举，中国乃至世界其它任何古代水利工程都无与伦比。

　　青城山——都江堰地处四川成都平原西缘，是四川盆地与青藏高原的结合部，也是中国西部两大地形阶梯的转折点，是两大植物区系的交汇区。保护区内地形复杂，气候多样，为生物的形成和繁衍提供了良好的生态环境。青城山是邛崃山脉的前山带，龙门山脉西南延伸部分，光光山海拔4582米，都江堰宝瓶口海拔726米，相对高差悬殊，大起大落，形成一系列断裂褶皱的山峰，千姿百态，幽深莫测。青城山集道教文化、古建筑文化、青城武功、青城易学、青城丹法于一山之中，是中国道教名山。青城山是中国道教的发源地，公元143年，道教创始人张陵创教于青城山中，次年定居天师洞，立24治（教区）。张陵四世孙张盛后裔在龙虎山建天师府后，历代天师均要到青城山朝祖。青城山是中国道教十大洞天中的"第五大洞宝仙九室之天"，山内有全国最集中的道教宫观建筑群，始于晋，盛于唐，体现了中国西南民俗民风的特色。它与公元1416年所建武当山道教宫观建筑群有所不同：武当山体现的是宫廷建筑特色，青城山的道教建筑群自然、古老和悠久，体现出浓郁的中国西南地方特色和民族习俗。青城山道教自创建至今，宗派繁衍，久盛不衰，香火未断。

三、真实性与完整性

都江堰创建时的鱼嘴分水堤、飞沙堰溢洪道、宝瓶口引水口三大主体工程和百丈堤、人字堤等附属工程至今犹存。随着科学技术的发展和灌区范围的扩大，从1936年开始，逐步改用混凝土浆砌卵石技术对渠首工程进行维修、加固，增加了部分水利设施，古堰的工程布局和"深淘滩、低作堰"、"乘势利导、因时制宜"，"遇湾截角、逢正抽心"等治水方略没有改变，都江堰发挥的效益越来越大。截至1998年，灌溉面积达到66.87万公顷，同时，为四川50多个大、中城市，数百家工矿企业提供了工业和生活用水，成为世界最佳水资源利用的典范。

保护范围内森林覆盖率达95%以上，植被覆盖率达98%以上，自然景观极为旖旎。古树名木，比比皆是，天师洞内一棵1800多年的古银杏树，高50余米，胸径2.3米，主干高4米处围径约20米，1—5米间大钟乳密集下垂，大小不一，形态各异，蔚为壮观。张陵曾经居住的天师洞及上清宫、祖师殿、建福宫、圆明宫、玉清宫等全国道教重点宫观，迄今保护完好；以树皮为顶、原木为柱的桥、亭榭、阁、廊独具特色。隋代石刻张陵天师像，唐代开元神武皇帝敕书碑和唐代三皇造像等珍贵文物、道教经典等都保存完好。

四、提名申报的根据准则

（1）都江堰在世界水利史、青城山在中国道教史上具有开创性

都江堰创建于公元前256年左右，距今已有2250多年的悠久历史。两千多年前，秦蜀郡守李冰借鉴前人治水经验，根据当地的地理特点，巧妙地利用岷江出山口处的特殊地形，在恰当的位置选址作堰，利用高低落差，顺应自然规律，在生产工具和施工技术比较落后的情况下，采用热涨冷缩的原理，凿离堆，劈开玉垒山，穿"二江"（郫江、检江即今走马河、柏条河），化害为利，自流灌溉成都平原，造就了中

外闻名的"天府之国"，使成都平原成为中国著名的粮仓。经过两千多年的发展，成为集防洪、灌溉、运输、发电、水产养殖、旅游及城乡工业、生活用水为一体，综合效益巨大的大型水利工程。都江堰悠久的历史和巨大的效益，开创了中国乃至世界水利工程之先河。青城山是中国道教创立的圣地，它按照中华民族独特的文化形态进行创新，逐步发展壮大，使之成为中国的国教，具有突出的文化价值和前所未有的开创性。

（2）都江堰是人类文明的结晶，在世界科学技术史上独树一帜

李冰主持创建的都江堰，正确处理鱼嘴分水堤、飞沙堰溢洪道、宝瓶口引水口等主体工程的关系，使其相互依赖，功能互补，巧妙配合，浑然一体，形成布局合理的系统工程，联合发挥分流分沙、泄洪排沙、引水疏沙的重要作用，使其枯水不缺，洪水不淹。具体地说，利用鱼嘴分水堤从岷江引水灌溉，枯水期，自动将岷江60%的水引入内江，40%的水排入外江；洪水时，又自动将60%的水排入外江，40%的水引入内江。都江堰建于岷江弯道处，江水至都江堰，含沙量少的表层水流向凹岸，含沙量大的底层水流向凸岸，将洪水冲下来的沙石大部分从外江排走。进入内江的小部分沙石，利用伸向江心的虎头岩的支引、宝瓶口的节制和"离堆"的顶托，将大部分沙石从飞沙堰、人字堤排入外江，使宝瓶口引水口和灌区干流免遭泥沙淤塞；利用宝瓶口引水口控制进水量，既保证了灌溉用水，又防止了过量洪水涌入内江灌区，造成灾害。都江堰能自动调节进入灌区的水量，使成都平原"水旱从人"，成为天府粮仓。都江堰是成功运用自然弯道形成的流体引力，自动引水、泄洪、排沙的典范。建堰时，李冰还在江中埋石马作淘滩标志，立"三石人"观察水情消长，开创了中国古代水情测量的先例。历代对都江堰水利工程都非常重视，逐步完善了管理机构，建立了岁修、防洪等维护制度，积累和总结了"六子诀"、"三字经"、"八字格言"等宝贵的治水经验，使古堰持续发展，相沿不废。两千多年前，都江堰取得这样伟大的科学成就，世界绝无仅有，至今仍是世界水利工程的最佳作品。1872年，德国地理学家李希霍芬（Richthofen，1833—1905）称赞"都江堰灌溉方法之完善，世界各地无与伦比"。1986年，国际灌排委员会秘书长弗朗杰姆，国际河流泥沙学术会的各国专家参观都江堰后，对都江堰科学的灌溉和排沙功能给予高度评价。1999年3月，联合国人居中心官员参观都江堰后，建议都江堰水利工程参评2000年联合国"最佳水资源利用和处理奖"。

（3）青城山道教和都江堰水利工程是中华民族文化划时代的杰作，对后世产生了巨大影响

自中国道教在青城山创建以来,道脉繁衍,逐步从山中扩大到山外,乃至全国,以后历代龙虎山的天师多来青城山朝祖。晋时,青城山为巴蜀道教中心。青城山道士杜光庭对老子理论进行注释和传播,对道教理论进行研究整理,被道教界称为"扶宗立教,天下一人"。1995年,全国全真派传戒教务法会在青城山举行。因此,青城山道教对中国道教具有不可估量的影响。

都江堰水利工程的创建,是中华民族卓越智慧的伟大创造,是科学管理和维护的结晶。李冰吸取古蜀民族的治水经验,就地取材,采用"竹笼"、"杩槎"、"干砌卵石"、"羊圈"等独特的工程技术,年年进行防洪和岁修,费省效宏。都江堰这一独创的河工技术,被广泛运用于黄河流域和珠江流域的防洪抢险之中。自汉代以来,在治理突发性洪灾中,发挥了不可替代的作用,这种科学原理至今仍作为抗洪抢险的先进方法而被广泛运用。都江堰是中国水利工程技术划时代的杰作。

(4)青城山是中国道教的发源地,天师道的祖山、祖庭

公元143年(汉安二年),道教创始人张陵来青城山赤城崖舍,用先秦"黄老之学"创立了"五斗米道"即天师道,张陵"羽化"山中,青城山便以道教发源地和天师道祖山、祖庭名标史册。汉晋之际,道教逐步兴旺,范长生移居青城山,助李雄建立成汉政权,蜀中一时安定繁荣,天师道成为成汉政权和蜀民的精神支柱。公元618—907年间,唐王朝崇奉道教,中国道教进入一个繁盛时期,青城山尤其兴旺。唐僖宗封青城山为希夷公,亲草祭文,命青城山修灵宝道场周天大醮,设醮位2400个(道士设坛做法事)。至此,中国道教发展进入鼎盛时期,山中道观达40多处,先后演变成7个教派。9世纪晚期,道教学者杜光庭对各派道法进行深入研究,圆融各派,成为一代宗师。他居青城近30年,著述约30部250多卷,是道教理论集大成者,影响遍及中国道教名山和东南亚各国,成为"道门领袖"之一。五代时,道教音乐进入宫廷。青城道士张孔山传谱的古琴曲《流水》,1977年被美国录入镀金唱片,由"旅行者二号"太空飞船带入太空,在茫茫宇宙寻觅人类知音。现在,青城山仍是弘扬中国道教文化的主要场所。中国道教协会于1995年在青城山举行中国全真派第二次传戒法会,全国各大道教名山住持参加传戒。青城山住持、中国道教协会会长傅圆天被推举为"全真律坛嗣天仙正宗第23代傅圆天大律师"。青城山道教古建筑群至今保存完好,不可多得。

(5)青城山——都江堰是全世界亚热带山地生物多样性保护最完整的地区

青城山——都江堰地处横断山北段川西高山峡谷这一

世界生物多样性关键区域内,地质构造复杂,是四川盆地向青藏高原过渡带,山峦起伏,坡陡谷深,气候温暖湿润,地质历史悠久,生物种类繁多,是目前世界上亚热带山地动、植物资源保存最完整的地区。

①物种资源丰富

该地区已记录的高等植物3012种(隶属278科,1365属),其中苔藓397种(67科,182属),蕨类203种(38科,73属),裸子植物87种(10科,31属),被子植物2325种(163科,1079属)。动物种类也十分繁多,已知有11000余种,包括脊椎动物586种,其中有哺乳纲99种,鸟纲367种,爬行纲22种,两栖纲23种,鱼纲75种。共采集到昆虫标本51426号,已定名的1187种(21目,136科),估计区内昆虫总数在10000种以上。这些均超过邻近的峨眉山和同类遗产区。1994年,被中国科学院列为全国生物多样性"五大基地"之一。

②区系性质复杂

青城山——都江堰地区在水平地带上属中亚热带,植被基带为亚热带湿润常绿阔叶林,但在植物区系上处于中国——喜玛拉雅植物区系与东亚——日本植物区系的交汇地带。动物区系属东洋界向古北界的过渡,因此,生物成分复杂,具有多种性质的种类。

③多古老、孑遗种类

植物方面多原始科、属和孑遗种类。裸子植物中有被称为"活化石"的银杏(Ginkgo biloba)在区内广泛分布,有几百年甚至上千年的古树。被子植物中的原始科、属,如木兰科中的木兰属(Magnolia)、含笑属(Michelia)、木莲属(Manglietia);樟科的桢楠属(Phoebe)、润楠属(Machilus)、赛楠属(Nothaphoebe)、连香树科的连香树(cercidiphyllum japonicum)、水青树科的水青树(Tetracentronsinense)、昆栏树科的领春木(Eptelea pleiospermum)、珙桐科的紫树属(Nyssa)和"活化石"珙桐(Davidiainvolucrata),清风藤科的清风藤属(Sabia),泡花树属(Meliosma)等;其中许多都是单科属或少种属。动物方面区系的古老性以大熊猫(Ailuropodamelanoleuca)为代表,这里是大熊猫的重要分布中心地之一,1987年记录到67只,目前已记录到50—70只。此外,还有金丝猴(Rhinopitheus roxellanae)、云豹(Weafelisn nebulisa)等。这里还是我国鸟类中画眉(Garralax c. canorus)和雉类(Phasianidae)的一个分布中心。

有些在发生上很古老,或其分布区十分狭小,仅限本区而成为本区特有种。如灌县复叶耳蕨(Arachnoides caudata)、灌县黄茅(Heteropogon cantortusvar.)、灌县械(Acer guanense)、饱竹子(Bashaniagingchengshanensis)、四川润楠

（Machilus sichuangensis）、灌县杜鹃（Rhododendron guanx-ianense）、青城榆（Ulmus kunmingensis var. qingchengshanen-sis）、细角楼梯草（Elatoste matenuicomutum）、青城山铁线莲（Clematis qingchengshanica）、舌叶金腰（Chrysosplenium gloss-ophyllum）、直喙凤仙花（Impatiensrectirostenata）、汶川杜鹃（Rhododendron hunnewellianum）、笔竹（Pseudosasa guanx-ianensis）、四川沼兰（Malaxis sichuanicansis）等。受国家重点保护的珍稀濒危动、植物很多。植物属国家一类重点保护的1种，二类10种，三类18种；动物属国家一类重点保护的有12种，二类55种。

④植被垂直分带明显、完整，代表了横断山北段系列

青城山——都江堰地区，由于有海拔4582米的高山（光光山），具有从四川盆地（700米左右）直到青藏高原边缘的完整的植被垂直带谱：

700—1500 米　　常绿阔叶林带

1500—2000 米	山地常绿—落叶阔叶混交林带
2000—2400 米	山地落叶阔叶—针叶混交林带
2400—3400 米	亚高山针叶林带
3400—3800 米	亚高山灌丛带
3800—4000 米	高山草甸带
4000—4582 米	高山流石坡稀疏植被带

（详见图示）

由于本区位于四川盆地西部边缘山地著名的"华西雨屏"地带，"雨屏"形成温凉多雨，高湿多云的气候，植被基带由常绿阔叶林的建群种和喜湿、耐低光照的樟科润楠（Phoe-be）以及桢楠属（Machilus）植物组成，林内附生植物十分丰富。1997年，在青城山——都江堰保护区召开的国际苔藓植物研讨会上，中外专家一致认为，其苔藓的种类密集度是世界独一无二的。

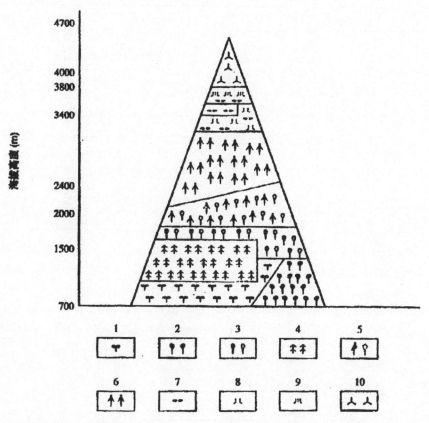

注：1、栽培植被 2、常绿阔叶林 3、常绿、落叶阔叶混交林 4、柳杉、杉木林 5、针叶落叶阔叶混交林
6、亚高山铁杉、冷杉林 7、亚高山常绿草叶灌丛 8、亚高山箭竹灌丛 9、亚高山草甸 10、高山流石滩稀疏植被

龙溪自然保护区植被垂直分布示意图

不仅带谱由 7 个自然垂直带谱组成,而且每带又包括多个生态系统,其中重要的至少有 16 个(林型)。

⑤杜鹃花属植物丰富多采

本区是我国杜鹃花属(Rhododendron)植物保存最丰富的地区。区内采集到的杜鹃花科植物共 42 种,其中杜鹃花属就有 28 种,它们主要分布于亚高山灌丛带和亚高山针叶林带。中国科学院植物研究所在此建立的华西亚高山植物园引种了不少外地种,目前可供观赏的杜鹃花达 250 种以上。

由以上可以看出,青城山——都江堰地区在生物多样性方面的丰富而独特,在我国亚热带地区是十分难得的。

⑥青城山——都江堰是大熊猫生存繁衍的"天然走廊"

区内大熊猫分为东西两个山系繁殖种群,数量约 50—70 只。东部自岷山山系茶坪山西南麓,通过彭州、什邡、绵竹和北川茶坪山南麓与岷山东麓摩天岭平武、青川联系为一个岷山山系大熊猫的繁殖种群;西部自邛崃山系巴郎山东麓与卧龙保护区三江保护站接壤,通过崇州、大邑、芦县与夹金山南麓宝兴、天全联系成为一个邛崃山系大熊猫的繁殖种群。

本区两部分大熊猫种群都有分布,其重要性在于联系了两个山系,使各山系成为一个大的有效繁殖种群,使之互相迁移扩散交流基因,从而有利于提高遗传多样性和杂合率,降低绝灭率,使各山系大熊猫种群趋于稳定。因此,青城山——都江堰是大熊猫生存和繁衍的"天然走廊"。

世界遗产委员会评价

世界遗产委员会根据文化遗产标准的(ii)(iv)和(vi)决定将青城山——都江堰列入《世界遗产名录》:

标准(ii):兴建于公元前 2 世纪的都江堰灌溉系统是水资源管理和技术发展史上的一个重要里程碑,现在仍然很好地发挥着功能。

标准(iv):都江堰灌溉系统形象地说明了古代中国在科学技术方面所取得的巨大成就。

标准(vi):青城山的宫观与道教的创立密切相关,而道教是东亚地区历史悠久且最具影响力的宗教之一。

保护情况

青城山——都江堰在申报世界遗产时,按照世界遗产标准对景区环境进行了大规模的整治,投入资金 2.06 亿元,投入劳动力 48 万人次;拆除与景区环境不协调的建筑物 28 万余平方米;拆迁和关闭影响景区环境的工厂、矿山、商业网点 61 家,搬迁变电站一座,新建变电站 2 座,搬迁核心景区内的学校(中专)1 所、民宅 1097 户;按照国际标准改造景区公厕 13 座;铺设游山道 2 万余平方米;新增绿化面积 24 万余平方米,恢复了景区的本来面目。

青城山——都江堰列入《世界遗产名录》后,都江堰市人民政府加大了保护力度,成立了都江堰市世界遗产管理办公室,代表市委、市政府对遗产地进行保护、管理、监测、规划、监督等。同时,按照世界遗产的标准对环境进行了进一步的整治和完善。

落实监测措施。加强对遗产地自然景观、水文、大气、地质、文物古迹、生态环境等全面、系统的监测;对破坏世界遗产的行为进行坚决处理和纠正。

完善项目报批程序。凡遗产地保护范围内的重大建设项目,必须首先请专家论证,再按照规定程序报批。

近年来,与国际组织合作举办了 3 次世界遗产保护和生物多样性保护知识培训班,邀请国内外世界遗产保护专家和生态环境保护专家对我市有关部门和基层干部及遗产地村民进行了培训。增强了广大市民的保护意识,提高了保护世界遗产和生物多样的自觉性。

2003 年 4 月,都江堰鱼嘴上游修建电站,此事引起了当地政府的高度重视和世界遗产保护专家的强烈反对,社会各界和新闻媒体给予了广泛关注。2003 年 8 月 29 日,四川省人民政府决定:未经国家批准,不得进行前期工作。成功阻止了在都江堰鱼嘴上游修建电站,使青城山——都江堰世界遗产的真实性和完整性得到有效保护,人与自然的和谐发展得以永续传承。

(都江堰市世界遗产管理办公室)

皖南古村落——西递和宏村

中文名称：皖南古村落——西递和宏村
英文名称：Ancient Villages in Southern Anhui
　　　　　　——Xidi and Hongcun
地理坐标：东经 117°38′　北纬 30°11′
列入年份：2000 年
管理机构：中华人民共和国国家文物局
　　　　　　安徽省文物事业管理局
　　　　　　黄山市文物事业管理处
　　　　　　黟县文物管理局

概　　况

　　中国皖南古村落——西递、宏村，位于中华人民共和国安徽省黄山市黟县。早在公元前 600 多年（西周时期）皖南山区就已有人类居住，公元前 222 年（秦始皇统一中国后）就已设置黟县、歙县，是中国最早设建制的县之一，距今已有 2200 余年历史。

　　西递始建于公元 1049 年，已有 950 余年的历史。西递村四面环山，村落面积 129600 平方米。两条溪流从村北、村东经村落在村南会源桥汇聚，一条纵向的道路和两条沿溪的纵向道路为主要道路骨架，构成东西向为主，向南北延伸的村落街巷系统。全村现有 14—19 世纪的祠堂 3 幢、牌坊 1 座、古民居 124 幢。这里所有的街巷均以黟县青石铺地，古建筑多以木构件为主，砖墙维护，砖、木、石三雕丰富多彩，街巷、溪流、建筑布局适宜，尺度得当，具有极高的历史、艺术及科学价值。

　　宏村始建于公元 1131 年，已有 860 余年的历史，古村落面积 191100 平方米。它北靠黄山余脉雷岗山，西傍邑溪河、羊栈河，隔河与际村相望。宏村具有 400 多年历史的水圳，贯穿古村落家家户户，在村中心和村南分别形成两处大小不等的水面——月沼和南湖，控制着整个村落的形态，形成宏村独特的、具有很高艺术价值和景观价值的村落风貌。村内街巷多依水圳而建，采用青石板铺地。古建筑类型有书院、祠堂、民居，多雕梁画栋，古色古香。全村现存有 14—19 世纪古建筑 140 幢，其中古书院 1 幢、古祠堂 3 幢。

　　皖南古村落——西递、宏村，是皖南徽州古建筑的代表，精美的三雕艺术、朴素典雅的乡村风貌及其保存的完整性与古民居的聚集性，使其登上了世界文化遗产的名录，并成为国家级重点文物保护单位和第一批中国历史文化名村。

申报理由

　　西递、宏村是具有独特风貌格局和深厚历史文化内涵的人类聚居地，古村落以其真实性和完整性，符合文化遗产的选定标准第 2、3、4、5 条，具体阐述如下：

　　一、西递、宏村古村落保存完整的、真实的历史遗存，同时附带了大量的历史文化信息，引起了历史学家、建筑学家和艺术家浓厚兴趣。各地艺术、建筑院校众多的师生、建筑师、艺术家和历史学家前来考察、实习、写生，把西递、宏村作为主要的教学研究点、实习地。西递、宏村古村落所代表的地方文化艺术对当今社会在建筑、环境、工艺设计以及美学、文学界产生的影响是巨大的，它们所体现的村落规划、建筑学、景观设计理念是人居环境建设的杰出范例，符合标准第 2 条。

　　二、由于社会发展和进步，历史上产生的文明或大或小地受到现代化的侵害。皖南山区历史上的家族、血缘关系日益淡化，徽文化的影响也已为数不多，西递、宏村是这种日益受到侵害和正在逐渐消失的古村落的尚存者，它们为这种地域文明提供了一种特殊的见证。列入世界文化遗产，对皖南其他古村落的保护、利用，对中国乃至世界各地各民族、不同地域文化古村落的保护和发展必将带来深远的影响，符合标准第3条。

三、西递、宏村在建筑学、技术工艺、景观方面所造就的成就是巨大的,建筑设计、室内装饰陈设和环境营建,都体现了极高的水准,是中国自唐宋以来在住宅和人居环境建设方面的最高水平的代表之一,符合标准第4条。

四、西递、宏村作为人类传统居住地的杰出范例,代表的是在不可逆转的冲击下易受到损害的一种文化,其在中华民族文化中占有重要地位,曾经在14—19世纪对中国儒家文化、商业文化的发展作出过较大的贡献,符合标准第5条。

世界遗产委员会评价

西递、宏村这两个传统的古村落在很大程度上仍然保持着那些在上个世纪已经消失或改变了的乡村的面貌。其街道的风格、古建筑和装饰物、以及供水系统完备的民居都是非常独特的文化遗存。

保护情况

多年来,中央政府及当地各级人民政府为保护皖南古村落——西递、宏村做了大量的工作。如建立和健全管理机构,制定相关法律法规,制定可行性规划,积极抢救维修保护,加强保护区环境的综合整治以及申报世界文化遗产工作的启动与成功等。具体阐述如下:

20世纪80年代中期,黟县人民政府就对这两个古村落实施系统性、计划性的保护。一是对两个古村落的古建筑进行普查建档,对重点古民居、古祠堂及街巷路面、水系实施抢救性维修,对周围环境进行整治和封山育林。二是对一些重点古建筑,分别确立"省保"、"市保"、"县保"级别,实施挂牌保护和管理。三是将西递、宏村纳入县城总体规划管理。依照国家相关法律制定保护规章和村规民约,并加强教育宣传。四是县政府专门成立文物、城建、土地、旅游等部门组成的保护规划领导组,对两个古村落的行为进行严格控制和管理,并编制了《西递古村落保护规划》和《黟县宏村保护与发展规划》,明确了古村落的保护区、建设控制区和环境协调区,使两个古村落的建设管理有章可循、有法可依。五是在两个古村落成立旅游管理委员会,在保护的基础上,适当发展旅游业,旅游收入主要用于古村落的保护和基础设施的改善,同时也使村民从中受益。这一做法使村民意识到自己所居住的古村落的价值,从而主动配合政府开展保护活动。六是结合世界遗产的申报工作,县政府对两个古村落的所有建筑行为实施冻结,并筹措资金600万元,对两个村落内所有与古村落环境不协调的建筑进行综合整治,共整治改建152

处,拆除无法改造的新建筑12处。同时对两村落内的土锅炉等进行了依法取缔,从根本上消除了一些安全隐患。两村空中的"三线"也进行了埋设、内设作隐蔽处理,对白蚁侵害严重的14幢古民居进行了白蚁防治。整治后两村70%以上的古建筑、100%的古树名木和90%的水系,都达到了合理满意的保护状态。遗产申报成功前,西递、宏村的保护和管理工作已有了相当扎实的基础。

西递、宏村列入世界文化遗产名录后,黟县人民政府一是将西递、宏村古村落作为两个整体保护单元申报国家重点文物保护单位,并于2001年6月25日由国务院公布。二是根据《保护世界文化和自然遗产公约》的要求,依据国家宪法,包括一般性相关法规,如《城市规划法》、《土地管理法》、《刑法》、《文物法》、《安徽省皖南古民居保护条例》等地方性法律法规,制定了《黟县西递、宏村世界文化遗产保护管理办法》的实施细则,并以政府令形式发布实施。三是在两个村落分别成立了民间保护协会,编制遗产保护知识手册,分发给村民,在两村的中小学中开展遗产保护知识宣传教育。四是重新调整旅游收入分配。县政府每年从旅游门票收入中征收20%的文物保护资金,统筹使用,主要用于古建筑的维修和村落环境的整治。同时,适当提高村民的受益分成比例,调动村民主动参与古村落保护和配合政府开展保护的积极性。此外,政府还鼓励旅游企业尽可能以捐助方式承担更多的保护和管理的责任和义务。五是加强保护和管理专业队伍的建设。对参与两村保护工作的管理人员每年都组织业务骨干参加国家建设部、国家文物局举办的各种形式的遗产管理培训班、短训班、研讨会等,并与其他历史文化名城、遗产保护单位进行技术交流。并联系清华大学、北京大学、东南大学等高校,通过学习、交流、咨询等活动,不断提高管理者的技术水平和专业水准,努力培养一支本地化的专业保护管理队伍。六是为加强古村落的维修工作,2002年还在两村成立了有资质的黄山市古典园林建筑公司黟县分公司。确保在维修时严格遵循"不改变文物原状"的原则,按《安徽省建设工程文物保护规定》进行修缮。七是为加强古村落的日常保护和现场管理,两村分别成立了遗产保护管理监察大队,以强化保护工作的日常监管监控。八是成立徽学研究中心,加强对古村落文化遗存的挖掘、整理、研究工作,出版了一系列介绍遗产价值的书籍、图片,努力使这一古老的文明成果实现全人类共享。

老人的倡议,庄严的承诺

2002年6月13日,西递村老年协会179名60周岁以上的老人向西递村民发出"热爱西递、建设西递、保护西递"的倡议,得到县、镇、村三级党委的肯定。6月18日在西递村牌楼广场举行由千人保护遗产承诺的签名仪式,承诺:"依法保护文化遗产,共创人类美好未来,誓让青山常在、碧水长流,文明村落、遗产永存。"

（黟县文物管理局）

龙门石窟

中文名称: 龙门石窟
英文名称: Longmen Grottoes
地理坐标: 东经 112°28′ 北纬 34°33′
列入年份: 2000 年
管理机构: 中华人民共和国国家文物局
　　　　　河南省文物管理局
　　　　　龙门石窟文物保护区风景名胜区管理局
　　　　　龙门石窟研究院

概　况

龙门石窟是中国现存规模最大、保存完好的皇家石雕艺术宝库,位于中华人民共和国河南省洛阳市南郊 13 公里的龙门,古称伊阙,隋代称龙门,两山对峙,伊水中流,气势磅礴,风光旖旎。集中分布在伊河两岸悬崖峭壁上的龙门石窟,是中国石窟艺术极为重要的组成部分,也是世界石窟艺术中 5 世纪末至 8 世纪中叶间最为辉煌绚丽的篇章。

龙门石窟始创于北魏孝文帝迁都洛阳之际(493),经 400 多年的开凿,共有窟龛 2300 多个,雕像 10 万余尊,碑刻题记 2800 多块(通)约 30 多万字,佛塔 80 座,以数量之多、规模之大,题材多样,雕刻精美,蕴涵丰富而蜚声中外。以北魏和唐代造像达到当时的艺术顶峰及匠心独具的皇家风范、中原风格而异于早、晚期石窟;以碑刻题记数量居世界石窟之最而被誉为"古碑林";造像内容广涉佛教信仰的众多宗派甚至包括道教的题材也是石窟艺术中所罕见。龙门石窟以大量的实物形象和文字资料从不同侧面展示了中国古代政治、经济、宗教、文化等诸多领域的发展变化,对中国石窟艺术的创新与发展做出了重大贡献。1961 年 3 月 4 日,中华人民共和国国务院公布龙门石窟为第一批全国重点文物保护单位。1982 年 2 月 15 日,国务院公布龙门风景区为第一批国家级重点风景名胜区。2000 年 11 月 30 日,联合国教科文组织第 24 届世界遗产委员会将龙门石窟列入《世界遗产名录》。

申报理由

一、阐述意义

集中分布在古都洛阳之南伊河两岸峭壁上的龙门石窟,是中国石窟艺术极为重要的组成部分,也是世界石窟艺术中公元 5 世纪末至 8 世纪中叶间(中国北魏太和十七年至唐天宝十五年)最为辉煌壮美、璀璨绚烂的篇章。龙门石窟始创于北魏孝文帝迁都洛阳之际(493),北魏以降,中经东魏、西魏、北齐、隋、唐、五代、宋、明诸朝,断续历经 400 多年的开凿,其中于公元 5 世纪末至 8 世纪中叶最为兴盛,是中国早期后段和中期石窟艺术的典范。两山窟龛造像以数量之多、规模之大,题材多样,雕刻精美,蕴涵丰厚而蜚声中外。以北魏和唐代造像达到当时艺术的顶峰及匠心独具的皇家风范、中原风格而异于早、晚期石窟。以碑刻题记数量为世界石窟之最而被誉为"古碑林"。以造像内容广涉佛教信仰的众多宗派甚至包括道教的题材也是石窟艺术中所罕见。龙门石窟延续时间长,跨越朝代多,所处地理位置优越,自然景色幽美,更是许多石窟难以比拟的。龙门石窟以大量的实物形象和文字资料从不同侧面反映了中国古代政治、经济、宗教、文化等许多领域的发展变化,对中国石窟艺术的创新与发展做出了重大贡献。龙门石窟的历史、艺术、科学和鉴赏价值,使其成为石窟艺术系列中不可缺少的主要代表作之一,应当受到全人类的重视和保护。

二、可能的比较分析

佛教于公元前1世纪初传入中国,而源于古印度的石窟艺术,约公元3世纪始在丝绸之路上勃兴。到了公元5世纪和7世纪前后(魏晋至盛唐时期),中国北方先后形成了北魏和唐代两次开窟营造高峰,龙门石窟就是这两次造像高峰的典型范例和伟大的杰作。

中国石窟艺术在漫长的发展历程中,各个时期的石窟艺术都有自身独特的风格与内涵。以云冈石窟为代表的早期石窟艺术(5世纪),造像有呈现出"胡貌梵相"的特点,显然是受印度犍陀罗、笈多模式的影响。而以龙门石窟为代表的早期后段和中期(北魏后期和隋唐时期)石窟艺术,则表现出印度文化与中国文化融合的特点,从而使中国的石窟艺术更加民族化、世俗化,形成了典型的中原风格。这种具有划时代意义的发展变化,在题材内容、艺术形式、雕刻技巧、审美情趣等方面较之以往都有很大突破,尤其到了初、盛唐时期而达到了造像艺术空前的高峰,因而对全国和域外(朝鲜、韩国、日本)石窟和一些佛教造像都产生了深远的影响。因而龙门石窟既不同于云冈石窟,又不同于以彩塑、壁画为主的敦煌莫高窟,也不同于生活化的大足石刻。龙门石窟是北魏盛期和唐朝盛期两代皇家经营的造像艺术,碑刻题记计有2840多块,共30多万字,为其它石窟所不及。它对于研究中国古代的政治、经济、宗教、地理、族姓、民俗、艺术、医药以及中外文化交流等都提供了难得的重要资料。

三、真实性与完整性

龙门东西两山的一些窟龛造像,虽然历史上遭受到人为和自然灾害的破坏,但主要洞窟和大部分像龛尚保存基本完好。1949年中华人民共和国成立后,在日常维修加固、治理水害、防止风化过程中,力求不损害文物,以"不改变原状"(即保存历史真实性)为原则,以确凿文献和碑刻题记为依据,采用传统技术与现代科学技术相结合的手段进行保护。其设计、材料、工艺、布局等方面均保持历史的真实性。同时,对两山周围的保护,基本上没有改变其环境关系和历史面貌。

四、列入遗产所依据的标准

(1)龙门石窟是世界现存伟大的古典艺术宝库之一

龙门石窟为全国重点文物保护单位(中华人民共和国国务院1961年3月4日公布),两山现存窟龛2345个,雕像10万余尊,碑刻题记30多万字。整个石窟规模宏大,气势磅礴,雕刻精湛,内容丰富,被誉为世界最伟大的古典艺术宝库之一。两山造像依岩开凿,窟龛密如蜂房,南北绵延1公里。其西山大中型洞窟由北向南依次有潜溪寺、宾阳三洞、敬善寺、摩崖三佛龛、万佛洞、老龙洞、莲花洞、普泰洞、赵客师洞、破窑、魏字洞、唐字洞、奉先寺、药方洞、古阳洞、火烧

洞、皇甫公窟、路洞、极南洞等50余个,多系北魏和唐代皇家或王公大臣出资营造。涉及佛教宗派有法相宗、华严宗、三阶教、净土宗、密宗等,另外有道教造像。其中古阳洞开凿最早,内容最丰富;宾阳中洞最为富丽堂皇,是公元6世纪石窟造像的典范;奉先寺大像龛规模最大,主尊卢舍那大佛高达17.14米。整个雕像主次分明,比例适度,浑然一体,对比、夸张、烘托、渲染运用得恰到好处,既追求形式美,又注重准确表达思想内容,具有永恒的艺术魅力,是公元7世纪石窟造像最完美的伟大杰作。东山窟龛亦依岩开凿,且深入万佛沟内,曲折绵延亦为1公里。其大中型洞窟有擂鼓台三洞、高平郡王洞、西方净土变龛、千手千眼观音龛、看经寺、吐火罗像龛、二莲花洞、四雁洞等20余个,主要为唐代王公大臣和佛教信徒所开凿,题材内容有禅宗、密宗、净土宗等。其中擂鼓台的大万伍佛洞,内容涵盖广博,雕饰华丽殊别,且在三壁壁基雕25尊罗汉像,是公元7世纪石窟艺术的典型范例。看经寺,其内三壁雕29尊与真人等身的罗汉像,俨然是瑰丽的人物画廊,长达30多米。人物塑造形神兼备,性格迥异,无不透视出各个不同的内在情趣,为石窟造像艺术中所罕见。以"龙门二十品"为代表的碑刻题记,可谓一部"石史",具有重要的历史价值,是石窟考古断代分期的依据,也为书法史增添了光辉的篇章。

(2)龙门石窟对中国石窟造像艺术变革做出了重要贡献

龙门石窟有自身成套而独特的雕塑艺术语言,揭示了雕塑艺术创作的各种规律和法则。自石窟艺术传人中国后,新疆等边远地区的早期石窟艺术,乃至云冈昙曜五窟都较多地保留了犍陀罗和秣菟罗艺术的成分。而龙门石窟则是远承印度石窟艺术,近继大同云冈石窟风范,与魏晋洛阳和南朝先进而深厚的汉族历史文化相融合、碰撞开凿成的。所以龙门石窟的造像艺术一开始就有"改梵为夏",对民族审美意识和形式规律的悟性与强烈追求,使石窟艺术呈现出了中国化、世俗化的趋势。其造像的神态气质、衣着服饰、雕刻手法为之一新。造像特征表现出一种"褒衣博带","秀骨清像",表情温和,潇洒飘逸且富有生机、健康和力度的风格。入唐以后,龙门造像受雍容华贵、富丽健美时尚的影响而演变为体躯丰腴,面相圆润,隆胸细腰,典雅端丽的风格,并精雕细刻,毫无繁缛、臃肿之感,昭幽显微,达到了形似完美的高峰。这两种划时代的中原风格,既遵循经典,又突破了宗教仪轨,对不同人物赋予了不同的性格特征,入神交融,美丑、善恶对比强烈,写实、夸张运用适度,具有更强的艺术感染力和社会教化作用,因而堪称中国古代民族雕塑艺术完整的集中代表。它一经形成,便迅速风行全国甚至域外。其周围众多的

中小型石窟，远及云冈晚期造像、乐山大佛、甘肃炳灵寺大弥勒佛以及敦煌莫高窟的造像也概莫能外，就连朝鲜、韩国、日本的石窟艺术和佛教造像也不同程度地受到龙门石窟的影响。

(3)龙门石窟的碑刻题记是一部涵盖多种学科的"石史"

龙门石窟的碑刻题记多达2840余块，凡30多万字，其数量居世界石窟之冠。它主要是出资开窟造像功德主的发愿文。这些功德主的身份有皇室贵族、显达官吏、寺院僧侣，还有外国的佛教信徒等，同时也有部分是历代帝王、文人、士大夫等浏览龙门留下的铭刻。这些碑刻题记往往被书法家所推崇，碑拓收集者每每择其精品汇成"二十品"、"三十品"，甚至"百品"、"千五百品"等，尤其北魏题记中的"龙门二十品"最受人青睐，成为魏碑书体之精华。在唐刻中的《伊阙佛龛之碑》，是唐代名臣褚遂良所书碑刻中的最大者，被誉为初唐楷体的佳例。碑刻题记中还刻有佛经、药方，整个内容广涉政治、经济、军事、宗教、地理、民族、姓氏、民俗、艺术、医药、中外文化交流等学科领域，无不具有补史之阙，证史之误的重要价值。它不仅是龙门石窟历史沿革的文字记录，还是一部涵盖多种学科的石刻史料。一龛造像，一座洞窟，如果缺少文字记录，对其年代、价值就难以确认。而龙门石窟许多有纪年的题记，不惟是龙门石窟考古断代与分期排年的绝好佐证和标尺，而且在一定程度上也是中国石窟考古的准绳和圭臬。

(4)龙门石窟是石窟艺术中典型的皇家风范

自石窟艺术传入中国后，皇家直接开窟造像，除云冈的昙曜五窟等造像外，龙门石窟是北魏、唐代皇家贵族发愿造像最集中的地方，也可说它主要是皇家意志和行为的体现，具有浓厚的国家宗教色彩。如古阳洞、宾阳洞和奉先寺大像龛，分别为北魏孝文帝、宣武帝和唐高宗、武则天（女皇）所开凿。与其说云冈石窟的一些造像盖有"诏有司为石像，令如帝身"之意，那么龙门石窟的不少大型洞窟雕像则是把封建政权披上宗教的外衣，从宫廷移到了佛场。又如古阳洞、莲花洞、皇甫公窟、宾阳洞、敬善寺、万佛洞、惠简洞、极南洞以及未竣工的摩崖三佛龛、高平郡王洞等，都是为皇帝、后妃、贵族大臣祈福之所。正是由于封建统治者的直接经营，才能不惜人力、物力营造出如此规模宏大而璀璨绚烂的洞窟。所以龙门石窟的兴衰嬗变，不仅反映了中国历史上公元5至10世纪皇室崇佛信教的盛衰变化，而且因与众多的重要人物和历史事件有关，也在某些侧面披露了中国历史上一些政治风云的动向和社会经济态势的发展。龙门石窟这一突出的特征是其它石窟无法匹敌的。

(5)龙门石窟是佛教众多宗派的集成

在中国佛教史上，由于信仰的神祇和义理不同而出现了许多宗派。龙门石窟就聚集了佛教众多宗派的造像。如奉先寺卢舍那大像龛属华严宗。东山大万伍佛洞和看经寺的罗汉浮雕群像与禅宗有直接联系。西山的净土堂和东山的西方净土变龛与净土宗有关。西山中段万佛洞南上方的11面观音、万佛沟北崖的千手千眼观音龛、千手观音窟以及擂鼓台北洞为密宗窟龛。西山40余尊优填王造像与法相宗有关。老龙窝北侧的地藏菩萨龛属三阶教造像等。在一处石窟中聚集了如此多的佛教宗派造像，在全国石窟中极为罕见。这就大大地丰富了石窟造像的题材内容，反映了龙门石窟初、盛唐时期的中心地位，也为研究佛教宗派的活动及其仪轨提供了实物形象资料。

综上所述，龙门石窟的显著地位和重要价值，我们认为符合列入《世界遗产名录》文化遗产标准的第1、Ⅱ、Ⅲ、Ⅳ及第Ⅵ等五项。

世界遗产委员会评价

龙门石窟是人类艺术创造力的杰出代表。龙门石窟完美地展现了石雕这一古老的艺术形式的魅力，而石雕在亚洲地区的文化发展中处于重要地位。龙门石窟是中国唐朝高度发达的文化水平和社会形态的缩影。

保护情况

1949年中华人民共和国成立后，中央政府和地方各级政府极为重视龙门石窟的文物保护工作。1951年4月洛阳县成立龙门森林古迹保护委员会，1953年4月18日中央文化部批准成立龙门文物保管所，1990年3月3日成立龙门石窟研究所。2002年3月15日洛阳市成立政府直属的龙门石窟文物保护区风景名胜区管理局（龙门石窟研究院），统一管理龙门石窟景区，理顺了世界遗产管理体制，使龙门石窟的管理保护工作迈上了一个新的台阶。主要的工作如下：

一、严格遵守《保护世界文化和自然遗产公约》，制定《龙门石窟区规划》、《洛阳市龙门石窟保护管理条例》、《龙门石窟研究院2002—2020年发展规划》，进一步加大环境治理力度，实现龙门石窟景区的封闭管理。2002年投资8468万元建设龙门南、北两座伊河大桥，2003年4月5日同时竣工通车，从而以龙门石窟为核心，东西宽1.5公里，南北长4公里的封闭式自然保护区形成，龙门伊河大桥结束了使用41年、平均每天行驶1.4万辆左右机动车辆的使命，成为龙门石窟核心区的景观大桥。监测显示：大气污染二氧化硫降低了6ppb,昼夜噪声降低了24db,过境车辆对石窟的震动基本消失,龙门石窟核心区的环境质量得到了根本改善,实现了申报世界遗产时代表中国政府向联合国教科文组织作出的庄严承诺。

二、积极加强同国外文物保护科研机构的合作,为龙门石窟的保护研究搭建国际交流平台。1996年国家文物局批准:同意龙门石窟研究院与意大利那波黎大学非洲和东方文化研究所合作调查、保护龙门奉先寺遗址。龙门西山南麓魏湾村北的一方形夯土台,自20世纪50年代以来,这里曾发现房基等遗迹,出土陶制水管、柱础、唐代坐佛等重要文物,据碑刻、文献记载及所处方位断定是大奉先寺遗址。1997年—2002年双方组成工作队进行考古调查,探明的遗迹现象有殿址、水道等。殿址坐北朝南,东西长约26米,南北宽19米,有角柱石、柱础石及砖铺地坪等遗迹。建筑材料有砖、瓦、滴水、瓦当等,尤以盘龙纹和兽面文瓦当造型精美。奉先寺遗址的调查、保护,为研究中国唐代及其后佛教寺院的布局沿革提供了珍贵的实物资料,因其为唐代皇家寺院,更具有代表性。

三、发挥世界遗产优势,争取国际基金援助,同联合国教科文组织合作,开展龙门石窟保护修复工程。2002年1月,联和国、中国、日本正式启动龙门石窟保护修复工程,总经费1000万元人民币。龙门石窟保护修复工程以病害观测为主,开展环境资料和地质调查等基础数据采集工作。至2004年5月,气象观测、大气污染物观测、洞窟小环境和洞窟病害监测都达到自动化连续监测水平,所有监测项目形成了一个相对完善的石窟环境监测体系,并取得部分成果。按计划完成了地形测绘、地质调查、垂直钻孔施工及试验、环境观测设置安装、石窟病害观测设备安装等工作。项目实施中进行了保护修复技术人员培训,龙门石窟有2名研究人员赴日本进行了技术培训,提高了各种仪器的操作和维护水平。2003年7月21—22日合作三方管理人员、专家组成员和有关石窟保护的知名专家在洛阳召开"龙门石窟保护研讨会",认为龙门石窟存在的主要病害是洞窟渗漏和石刻风化,影响石窟病害的主要原因是大气降水,提出应制定科学的保护规划。此项目是龙门石窟列入《世界遗产名录》之后第一个国际合作保护工程,也是龙门石窟保护史上迄今为止投资规模最大的保护工程。项目的实施增加了保护龙门石窟的渠道,引进保护力量和先进的管理方式,通过合作建立起中外专家相互学习交流的平台,培养了文物保护科技人才,为进一步提高国际合作文物保护和文物维修工程管理水平将起到积极作用。

（龙门石窟研究院　张全有）

明清皇家陵寝

中文名称:明清皇家陵寝
英文名称: Imperial Tombs of the Ming and Qing Dynasties

2000年明显陵根据文化遗产遴选标准C(Ⅰ)(Ⅲ)(Ⅵ)被列入《世界遗产目录》;清东陵根据文化遗产遴选标准C(Ⅰ)(Ⅲ)(Ⅳ)(Ⅴ)(Ⅵ)被列入《世界遗产目录》;清西陵根据文化遗产遴选标准C(Ⅰ)(Ⅲ)(Ⅳ)(Ⅴ)(Ⅵ)被列入《世界遗产目录》。2003年明孝陵和明十三陵被列入《世界遗产目录》。

世界遗产委员会评价

明清皇家陵寝依照风水理论,精心选址,将数量众多的建筑物巧妙地安置于地下。它是人类改变自然的产物,体现了传统的建筑和装饰思想,阐释了封建中国持续五百余年的世界观与权力观。

明 显 陵

中文名称：明显陵
英文名称：The Xiangling Tomb of the Ming Dynasty
地理坐标：北纬 31°12′20″—31°13′00″
　　　　　　东经 112°37′50″—112°38′09″
列入年份：2000 年
管理机构：中华人民共和国国家文物局
　　　　　　湖北省文物局
　　　　　　钟祥市文体局
　　　　　　明显陵文物管理处

概　况

　　明显陵位于全国历史文化名城——湖北省钟祥市境内，是明朝嘉靖皇帝朱厚熜的父亲朱祐杬和母亲蒋氏的合葬墓。明显陵始建于明正德十四年（1519），嘉靖三十八年（1559）主体建筑竣工，历时 40 年。围陵面积 1.8315 平方公里，是明代帝陵中最具特色的一座陵墓。在明代的 18 座帝陵中，它为第 12 座，属于中期。1988 年被国家列为全国重点文物保护单位。2000 年与清东陵、清西陵一起，以"明清皇家陵寝"列入世界文化遗产名录。

　　墓主朱祐杬是明宪宗朱见深的第四子、明孝宗朱祐樘的异母弟、明武宗朱厚照的叔父，被封为兴王，就藩湖广安陆州（今钟祥市）。正德十四年（1519）去世，明武宗赐谥为"献"，按亲王规制葬于松林山。正德十六年（1521），明武宗朱厚照无嗣崩殂，根据太祖朱元璋"兄终弟及"的遗训，袭封为兴王不久的朱厚熜被迎往北京继承皇位，是为明世宗。朱厚熜即帝位后，自立统嗣体系，不顾朝臣反对，追尊生父朱祐杬为"兴献帝"，原有兴献王坟也相应按帝陵规制升级改建，将所覆黑瓦换为黄琉璃瓦，并修筑神路桥等。改建后正式命名为"显陵"。嘉靖六年，世宗又"命修显陵如天寿山七陵之制"，修葺宝城、宝顶并重建享殿，增建方城明楼、睿功圣德碑楼、大红门，并在龙凤门前的神路两侧建置华表和 12 对石像生等，开始大规模的改建。又将松林山敕封为"纯德山"，立碑建亭。嘉靖十七年（1538），世宗的生母章圣皇太后病逝，朱厚熜亲赴北京昌平天寿山，在长陵西南的大峪山下卜定吉壤，准备将显陵北迁，并下命武定侯郭勋和工部尚书蒋瑶等督工建造新陵，并"欲迎皇考梓宫迁于此"。然而，显陵改迁

天寿山之议，一直遭到朝臣及章圣皇太后的反对，朱厚熜只好决定奉母后棺椁南下合葬显陵。翌年，下旨对显陵加以改建。工部左侍郎顾麟等受命督工，按朱厚熜钦定"图式"兴建新的玄宫，并用一座称为"瑶台"的高大砖石平台，将新旧宝城串联起来，形成了历代帝陵中前所未有"一陵两冢"的特殊格局。嘉靖十八年（1539）五月，世宗派京山侯崔元护送母后灵柩南祔，七月同朱祐杬合葬在显陵新玄宫内。三年之后，敕修显陵祾恩殿。此后，显陵建设继续进行，嘉靖三十三年（1554）四月，敕令改建享殿即祾恩殿"如景陵制"，以工部右侍郎卢勋兼都察院右金都御史提督工程。嘉靖三十五年（1556）七月，诏修显陵二红门左角门、便路及御桥、墙等。扩建工程直到嘉靖三十八年（1559）九月才最后完竣。嘉靖四十五年（1566）九月，又遣工部左侍郎张守直重修祾恩殿，显陵的建造至此才告一段落。

　　明末，显陵遭到破坏，据谈迁《国榷》记载，崇祯十五年（1642）十二月"李自成至承天。……攻显陵，焚享殿"，地面建筑木构部分毁坏。

　　清代，显陵在地方官员的干预下，得到了一定的保护。显陵现存一通咸丰十一年间的石碑记载着地方官员要求乡里保护显陵的告示。

　　新中国成立后，明显陵逐渐得到保护，使过去残破、落后、闭塞的封建皇陵发生了历史性巨变，重现它的辉煌。整个陵园双城围建，呈"金瓶"形状，周长 3600 余米，红墙黄瓦，金碧辉煌，蜿蜒起伏于山峦叠嶂之中，雄伟壮观，是我国历代帝王陵墓中遗存最为完整的城墙孤品。陵区建筑依山间台地起伏布列，渐次排列有纯德山碑亭、敕谕碑亭、下马碑、新红门、旧红门、睿功圣德碑楼、华表、石像生、棂星门、九

曲御河、汉白玉石拱桥、祾恩门、祾恩殿、陵寝门、石五供、方城明楼、前宝城、瑶台、后宝城等建筑物。其布局构思巧妙，浮雕工艺精美。尤其是外罗城、九曲御河、龙形神道、内外明塘、前后宝城等为明代帝陵中的孤例，具有重要的历史艺术和美学价值，堪称中国帝王丧葬艺术的典范。

申报理由

一、意义

中国历代封建王朝提倡"厚葬以明孝"，每临皇帝死去，不惜用大量的财力、人力为其建造巨大的陵墓。这些陵墓是中国封建时代对灵魂信仰的集中体现，凝聚着一个时期的政治思想、道德观念和审美趣味；同时，这种动用国家力量建造的陵墓，也反映了当时的经济状况、科学技术水平和营造工艺水平，是中国丧葬艺术的最高表现形式和建筑典范。

明代在中国历史进程中，历276年，共建有18座皇帝陵墓。显陵是第12个皇帝陵墓，建于16世纪中叶，1519年至1566年（明正德十四年至嘉靖四十五年），历时46年，是嘉靖皇帝朱厚熜的父亲恭睿献皇帝朱祐杬和母亲章圣皇太后的合葬墓。

显陵是一座典型的明代皇帝陵墓，因其修建时间长，用工巨大，从而形成了高水平的建筑。显陵在规划布局上，利用中国传统的风水理论，将陵区四周的山川水系作为建筑构成的主体要素，"陵制与山水相称"，根据"负阴抱阳"、"背山面水"的原则，将松林山左峰作为依托玄宫（皇帝棺椁停放的地下宫殿）的祖山，左右山脉作为陵区两侧环护的砂山，前沿的天子岗作为陵寝的案山，形成了一个与自然高度和谐的局部小环境。在建筑布局上，充分利用松林山间的台地依次安排下马碑、门、亭、望柱、石像生、坊、桥等，顺山势引导至享殿、明楼和宝城。疏密有间，层层递进，给人以封建礼制的秩序感。建筑掩映于山环水抱之中，相互映衬，如同"天设地造"，构成了一项建筑艺术与环境美学相结合的天才杰作。显陵在建筑手法上也有其独特之处，如一座陵墓二座地下宫殿、金瓶形的外罗城、九曲回环的御河、龙形神道和内外明塘等都是明陵中仅见的孤例。同时，显陵的建造是明中叶重大事件"大礼议"的产物，关联着嘉靖初年的社会思想、信仰和一些政坛首脑人物的命运，具有重大历史意义。

二、比较分析

显陵是18座明陵中第12座帝陵，建筑时序属于中期，在明代帝陵中具有承上启下的作用与意义。

月芽城制度

月芽城是方城与宝顶之间的一个月芽形小院，俗称哑吧院。月芽城是供皇帝行覆土礼而设置的。每年清明节，皇帝

要在此向宝顶培置13担净洁的黄土。月芽城制度由孝陵开始，献陵、景陵、裕陵、茂陵、泰陵、康陵及显陵一直沿用。

前朝后寝制度

明代帝陵是按前朝后寝的制式而布局，前朝即祾恩门、祾恩殿和左右配殿等组成；后寝即方城、明楼、圣号碑、宝城、宝顶及地下玄宫等组成。前一部分是举行日常祭祀的活动中心，祾恩殿中设有三间暖阁，中间放有神寝即皇帝、皇后的神主牌位；后一部分即墓主人棺椁安寝之所。原则上只有皇帝才能进入这一区域。这一制度为显陵所继承。

"陵制当与山水相称，恐难概同。"明世宗崇信道教，显陵在继承"天寿山七陵之制"的基础上，又出现一些新的建置。

新旧宝城与瑶台

在明代帝陵中，显陵两个宝城的建置可谓绝无仅有。这一变化的出现与墓主人的身份变化密切相关。前宝城建于1520年（正德十五年），是墓主人为藩王时按其规制所建造的亲王坟。后一宝城建于1539年（嘉靖十八年），是墓主人被追尊为皇帝后所建造的宝城，两座宝城之间以瑶台相连，构成一个相互关连的整体。

独特的排水系统

显陵以一条弯曲的九曲河，将松林山主脉（祖山）流下的水，巧妙地从陵区排除。九曲河上按地势高低设有聚水泄洪的堤坝，分区段保留了明净的水面，净化了陵区的环境。虽然明代各陵都非常重视陵区的排水、泄洪，开挖或利用天然河流形成御河，然而显陵御河以其排水体系之完善、体系风水理论之完美，与前七陵形成显著的区别。

显陵的前后宝城各有向外悬挑的散水螭首16个，将宝城上的水直接排向城外。此前，天寿山七陵宝城是向内排水的，其后修建的永陵、定陵继承了显陵这一排水方式。

龙形神道的做法

显陵中轴线上修建有一条弯曲如龙形的神道，其做法是中间铺石板，两侧镶嵌鹅卵石，外边以牙子石收束，俗称龙鳞道，也为明代其他陵寝神路所无。

琉璃影壁的做法

显陵的祾恩门两侧，建有精美的琉璃影壁墙，正面为绿色琉璃的蟠枝图案，背面为双龙腾跃。是明代帝陵中的孤例。

内外明塘的做法

显陵新红门的右侧，根据地势建有一个圆形的池塘，因处在风水术中明堂的方位，故名外明塘。在祾恩殿前有一个圆形的池塘，名为内明塘。内外明塘的建置也为其他明陵所无。

"金瓶"罗城的做法

显陵作为独立的陵区，其外围建有一条长达约3.5公里的罗城，平面成"金瓶"形状。这一形制也为明陵中所仅见。此前，天寿山七陵只有陵宫区有围墙，并无单独的外罗城。显陵之后，永陵、定陵建有外罗城，这一做法还为清代帝陵所继承。

三、真实性及完整性

陵区周围的自然环境基本上保存着原有风貌，松林山、天子岗、莫愁湖等自然山体和湖泊没有变化，植被保存完好。作为陵区重要组成部分，其真实性没有变化。

陵区内的建筑——下马碑、新红门、正红门、睿功圣德碑楼、石望柱、石像生群、龙凤门、龙形神道、内明塘、琉璃照壁、祾恩门、祾恩殿、东西配殿、陵寝门、双柱门、石五供、方城、明楼、两座宝城与瑶台、宝顶、九曲河、五道御河桥、外罗城、紫禁城及内罗城等，都是明代原始建筑，保存了原有的真实性。特别是两座宝顶下"仿九重法宫为之"的地下宫殿，保存完好。

这些建筑中，新红门、正红门、望柱、石像生群、龙凤门、九曲河、龙形神道、琉璃照壁、双柱门、方城、两座宝城及瑶台、外罗城、紫禁城、内罗城等重要建筑保存基本完好，真实地展示了明代陵寝规制布局的完整性。

明楼屋面为1990年修复。

龙凤门夹楼为1997年修复。

睿功圣德碑楼屋面及碑受到损坏，其他保存完好。

五道石桥桥身基本完好，桥栏板、望柱散失。

祾恩门、祾恩殿、东西配殿明末毁于兵燹，基础和崇台基本保存完整。

神宫监仅存遗址。

神库、神厨等保存着原有的部分宫墙。

纯德山碑亭、山曲碑碑亭、御制祭文碑亭、御制谥册志文碑亭、纯德山祭告文碑亭、祭瑞文碑亭等，亭已毁，碑座、碑身、碑文等保存尚好。

四、列入遗产所依据的标准

（一）显陵的建筑与环境十分谐调，根据明代帝陵制度"陵制当与山水相称"，将松林山四周的山峦、河流作为陵墓的有机组成部分，统一规划布局：延绵起伏的山体作为陵区的依托，环护四周；弯曲的流水从陵区蜿蜒而过。松柏森森，流水潺潺，给陵区笼罩上一层庄严、肃穆，也带来一片生机。建筑依山间台地起伏布列，依次为门、亭、望柱、石像生、龙凤门、桥、享殿、宝城和宝顶。错落有致，尊卑有序，掩映于山环水抱之中，如同"天设地造"，形成了一个拥有外围空间的巨大山陵，构成了一项建筑艺术与环境美学相结合的天才杰作。[符合CRETERION标准1]

（二）显陵的兴建几乎贯穿于明世宗御极的始终，在此期间，康陵、永陵、昭陵也在兴建，天寿山各陵还在添建神道碑亭等；陵与陵之间因封建礼制而产生一定的趋同性而形成制式。显陵较为完整地保留了这些制式。由于世宗崇信道教，显陵又有一些新的变动，并为以后明陵所效仿。如宝顶的形制、独特的排水系统等，可以说显陵在明陵中有着承上启下的作用，是典型的明陵，具有突出的普遍价值。[符合CRETERION标准2]

（三）显陵在建造过程中，因政治、思想观念、审美因素等方面的原因，形成了一些与其他明陵所不同的特点，如一陵二宝城、内外明塘、"金瓶"形状的罗城、龙形神道、九曲河、众多的祭祀碑亭等，在明陵中别具一格，且历史悠久。[符合CRETERION标准3]

（四）显陵的建造是明嘉靖初年的重大历史事件——"大礼议"的产物。明正德十六年（1521）明武宗驾崩。因武宗没有子嗣，慈寿皇太后和首辅大学士杨廷和决定遵奉"兄终弟及"祖训，在他们炮制的武宗遗诏中"遗命""兴献王长子（朱）厚熜""嗣皇帝位"。朱厚熜登极，以明年为嘉靖元年，是为明世宗。按照封建主义的伦理，朱厚熜应过继给孝宗皇帝做儿子。但世宗为自立体系，效仿朱元璋追尊四世先祖为皇帝的例子，追尊死去的父亲为皇帝。此举引起朝臣激烈反对，礼部尚书毛澄，大学士杨廷和等人大会公卿召集言官，六十余人联名上疏，极力反对。而以张聪为代表的一小部分人，则阿谀世宗，提出"继统不继嗣"，双方引经据典展开了激烈争论。嘉靖三年（1524）朱厚熜敕谕礼部"今加称兴献帝为本生皇考恭穆献皇帝"，反对派见此，"大集群臣九卿23人，翰林21人，给事中、御史、诸司郎官及吏部、户部、礼部、兵部、刑部、工部、大理寺属及大学士毛纪、石瑶等200余人，相继跪在左顺门，自早至午"。世宗数次命司礼监传其手谕，令群臣退去，可是群臣依然"伏地如故"，进行抗议。朱厚熜大怒，着锦衣卫将五品以下的在场大臣逮捕杖笞，并杖死其中17人；这220余人全部被逐出朝廷，还分别受到入狱、夺俸、贬官、戍边等处罚，用武力"平息"了这场长达3年的"皇考"之争。事后，朱厚熜更定大礼，称孝宗为皇伯考；追尊生父兴献王朱祐杬为皇考恭穆献皇帝，完成了自己的昭穆体系。这一历史事件史称"大礼议"。显陵的建造则是大礼议的物证。[符合CRETERION标准6]

世界遗产委员会评价

明显陵是中国明朝嘉靖皇帝朱厚熜的父亲睿宗献皇帝朱祐杬和母亲章圣皇太后蒋氏的合葬墓，位于湖北省境内。

始建于公元 1519 年,迄于 1566 年。明显陵陵园内外由 30 余处规模宏大的建筑群组成。整个陵寝布局独特,工艺技术精美,历史文化价值具特色,是中国帝王丧葬艺术的典范。

保护情况

明显陵从明正德十四年(1519)动工兴建为王墓,嘉靖元年(1522)改建为皇陵,到中华人民共和国 2004 年,其间明朝的覆灭、清朝的兴衰、辛亥革命和新时代的来临,都给明显陵带来了不少变化。崇祯十六年(1643)李自成率农民起义军攻陷承天府(今钟祥市),拆毁朱氏家庙,挖掘显陵玄宫,断其"王气"。农民起义军在挖掘前宝城时,恰逢天降暴风雨,在雷电交加之中,有迷信思想的李自成认为是上天示警,被迫放弃挖坟断"龙脉"的念头,下令放火烧掉了陵内的宫殿。清代,明显陵得到了一定的保护。如现存明显陵内一块咸丰十一年五月的石碑,记载了当时钟祥县正堂因保护显陵有功,官加三级的告示。

新中国成立以后,明显陵的保护管理得到中央政府和地方各级政府的高度重视。1950 年,成立了由李登勤等三人组成的保护小组。1956 年,明显陵被列为湖北省重点文物保护单位。1988 年,国务院公布明显陵为全国重点文物保护单位,并设立了专门的保护机构——明显陵管理处。1988 年 10 月 5 日,经省公安厅批准,成立了明显陵派出所。

20 世纪 80 年代到 20 世纪末,国家文物局和湖北省文物局及各级领导曾多次视察显陵,并提出"全面规划、分段实施、突出重点"、"修历史古迹,还本来面目"的指示,将明显陵列为重点维修补助对象,并派专家在显陵指导维修保护工作。先后进行了神路整理,对方城明楼、新旧红门及外罗城、棂星门、内外明塘、九曲御河等文物建筑进行了抢救性保护维修。

1988 年 5 月,钟祥县政府颁发了《关于做好显陵保护工作的通知》,因此,显陵内作为农田使用的部分山地停耕还林。第一批将部分占住陵区的农户迁出陵外。1992 年,钟祥市政府又颁布了《关于显陵保护范围和建设控制地带的通知》,划定了明显陵的保护范围和建设控制地带,明显陵在保护范围内进行了大规模环境整治,先后将 50 余户村民 300 余人迁出陵区。1994 年 12 月至 1995 年 3 月,钟祥市政府安排三个乡镇的民工开挖疏通了九曲御河。每年还组织市直各单位到明显陵绿化植树。较好地保持了陵寝建筑应有的庄严肃穆的环境氛围。1996 年,为了使明显陵的保护、管理更加科学、规范,经国家文物局同意,委托天津大学建筑学院编制了高质量的《明显陵规划》。在文物保护方面,明显陵管理处根据《明显陵规划》要求和"保护为主、抢救第一、合理利用、加强管理"的文物工作方针,将文物项目的保护措施划分为四个等级,即:抢险加固工程、经常性保养维护工程、修缮复原工程和少量修正项目。根据这一原则,已成功地对明显陵九曲御河、部分外罗城进行了维修保护。在环境保护方面,强调明显陵的文物建筑群要永久保持同自然山水的整体协调。对可能损坏景观和遗址的工程和活动进行有效的监督,如建各种公私建筑、修建道路、架设高低压电线、砍伐森林和排放污物污水等。在保护范围和建设控制地带以内严禁任何非文物建筑的建设。

1998 年,明显陵列入申报世界文化遗产名录清单后,随着申报世界遗产工作的启动及成功,明显陵的管理保护工作迈上了新的台阶。1999 年 4 月 17 日,钟祥市政府又颁布了《钟祥市明显陵保护管理施行办法》,对明显陵的保护管理作了更加全面详细的规定,使明显陵沿着科学化、法制化的轨道推进。随着旅游事业的发展,明显陵游客数量逐渐增长,为加强文物防盗和消防安全工作,2003 年,明显陵管理处在保护范围内安装了电视监控探测预警消防管理系统,使明显陵防范措施达到国家二级防范标准,这些工作为明显陵长期保护和可持续发展打下了坚定的基础。

(明显陵文物管理处)

清 东 陵

中文名称:清东陵

英文名称: The Eastern Qing Tombs

地理坐标:东经 117°38′　北纬 41°11′

列入年份:2000 年

管理机构:中华人民共和国国家文物局

河北省文物事业管理局
清东陵文物管理处

概　况

清东陵位于河北省遵化市西北的昌瑞山南麓,是清王朝入主中原后营建的一处大型皇家陵墓群,从公元1661年(清顺治十八年)始建孝陵,到1908年菩陀峪定东陵(慈禧陵)全工告竣,历时近两个半世纪的时空。在这期间,先后起建了皇帝陵5座,即顺治帝孝陵、康熙帝景陵、乾隆帝裕陵、咸丰帝定陵、同治帝惠陵;皇后陵4座,即孝庄文皇后昭西陵、孝惠章皇后孝东陵、慈安太后菩祥峪定东陵、慈禧太后菩陀峪定东陵;妃园寝5座,即景陵妃园寝、景陵皇贵妃园寝、裕陵妃园寝、定陵妃园寝、惠陵妃园寝;另有端悯固伦公主园寝1座。在这15座陵寝中埋葬着5位皇帝(顺治、康熙、乾隆、咸丰、同治)、15位皇后、136位妃嫔、3位皇子、2位公主,共161人。清东陵现有单体建筑586座,神道总长14500米,陵园保护范围为78平方公里。

清东陵是在中国传统风水理论指导下选勘并营建的。这里气候温和、雨量适中、日照充足、四季分明、土质优良、植被茂密,有着十分优越的自然条件,而且其山川形势达到了"地臻全美"的境地,是一处理想的风水宝地。

清东陵是中国目前规模宏大、体系完备、保存最好的古代皇家陵墓建筑群,封建皇陵的集大成者。

申报理由

一、意义

清东陵是中国最后一个封建王朝－－清朝的皇家陵园之一,位于河北省遵化市西北部的昌瑞山下,在这里共建有15座陵寝(皇帝陵5座、皇后陵4座、纪园寝5座、公主园寝1座),埋葬帝、后、纪及皇子、公主等共161人。清东陵是中国现存规模最为宏大、体系最为完整、保存最为完好的帝王陵墓建筑群。

中华民族具有"敬祀祖先,慎终追远"的传统美德,历来十分重视对死者的安葬和祭祀,这不仅是为了缅怀和纪念,也借此祈求祖先对后世的荫护。作为封建统治者则将其作为关乎国祚盛衰、帝运长短的要工重典来对待。到了清代,更把这种理念推向了高峰。在陵寝的选址和规划设计中,充分运用了中国传统的风水理论,着力体现"天人合一"的宇宙观,将人的精神融铸于大自然之中,造成一种崇高、伟大、永恒不朽的意象。在建筑规模和建筑质量上,则力求做到恢

宏、壮观、精美,以体现皇权至上的思想,炫耀皇家的气派和威严,从而成为皇权物化的表征。作为清代皇家陵园之一的清东陵正是这一传统文化的不朽载体。

清东陵的经营跨越了两个半世纪的时空,几乎与清王朝相始终,葬有许多对清代历史有着重要影响的、声名显赫的人物,蕴含着丰富的历史信息,不仅是研究清代陵寝规制、丧葬制度、祭祀礼仪、建筑技术与工艺的不可多得的实物资料,而且也是研究清代政治、经济、军事、文化、科学、艺术的典型例证。清东陵具有重要的历史价值、艺术价值和科学价值,是中华民族和全人类的文化遗产。

二、比较分析

陵寝建筑是中国古代建筑的重要组成部分,陵寝的规制因受当时社会思想、经济实力、帝王意识、审美标准等诸多因素的影响而各具特色。西周以前,多为木椁大墓,地面不封不树;以秦始皇陵为代表的秦汉时期的帝王陵寝,封土形状多为覆斗式,并以营造豪华扩室和堆筑高大封土为这一时期的特色;以李世民的昭陵为代表的唐朝陵寝,因山为陵,在山腰开凿墓室,展现了大唐盛世的风貌;五代十国和两宋时期,因战争频仍,国力颓弱,陵寝规制相对缩减;元朝帝王死后则实行深葬,地表不留任何痕迹。中国古代陵寝的发展经过这一段近四百年的低潮之后,开始进入一个辉煌时期——明清时期。明太祖朱元璋对前代陵寝制度作了重大改革:将覆斗式封土改为圆式宝顶,增加祭奠设施;改方形院落为多进长方形院落,创立了一个崭新的陵寝制度。清代陵寝不仅承袭了明代陵制,而且作了进一步改革和完善,从而把中国古代陵寝营建活动推向了最后的顶峰。首先,清代陵寝更加注重环境质量。不仅要对水文、地质、气候等诸因素进行严格的考察,而且更注重山川形势,要求所选的环境能够充分体现"天人合一"的理念。其次,清代陵寝更加强调建筑与环境的和谐统一。在建筑序列配置上与周围的山川形势互相呼应,以营造一个合乎理想的陵寝氛围。其三,清代陵寝更加注重建筑质量,不仅坚固宏整,而且富丽堂皇。作为清代帝王陵园之一的清东陵在以上几个方面表现得十分突出,是清代帝王陵寝的杰出代表。

三、真实性与完整性

(一)环境风貌

清东陵的环境是由山川、河流、林木、植被等诸多要素构成的。中华人民共和国成立以后,为了更好地保持和恢复原有风貌,除对原存古树进行登记、建档、挂牌保护外,更投入

了大量人力、物力、财力栽植树木,绿化造林。经过近半个世纪的努力,周围陵山已松柏成荫,郁郁葱葱。从1997年起,又在各陵神路两侧及一些重点地段恢复仪树带,以期再现昔日风貌。

(二)陵寝建筑

清东陵15座陵寝原有各类建筑物、附属建筑物580座(组),现存508座(组),占原建筑总数的87.6%;14500多米长的神路则完整留存至今。这些建筑和神路都保持了清东陵的总体格局和建筑原貌。

在古建维修工作中,由于严格遵守了"不改变文物原状"的原则,使现存的建筑仍然保持着原来的形制、结构、色调和工艺;对于已经毁掉的建筑物,除因保护工作的需要,按原形制复建了部分看护用房(值班房)外,大部分只做了遗址保护;对于神路,则实施了原状保护,只在神路两侧修筑了辅路,以防车辆碾轧,从而保持了陵寝的完整性和真实性。

四、列入遗产所依据的标准

(一)清东陵具有较悠久的历史

清东陵自1661年开始营建,历时247年才告结束。最早的建筑物距今已近400年,最晚的建筑物距今也近百年,不仅反映了从清初到清末陵寝规制演变的全部过程,同时也从一个侧面记录了清王朝盛衰兴亡的历史。

(二)清东陵是中国历代皇家陵园中最具特色的例证之一

清东陵是中国陵墓营建活动高峰期的代表作。在环境质量、山川形势、陵寝建筑以及陵寝建筑的配置与山川形势的结合上都达到了最为完美的地步,成为中国历代皇家陵园中最富特色的例证之一。

(三)清东陵的环境及建筑具有相对的脆弱性

随着工业、农业和第三产业的发展,各类建筑设施、道路交通设施及电力和通信设施等将会大量增加,很容易对陵寝环境造成破坏。清东陵大部分建筑物为砖木结构,具有易糟朽、易燃烧的特点。一些砖石结构的建筑、设施和艺术品长期处在野外,遭受风剥雨蚀,极易风化,因此具有相对的脆弱性。

(四)清东陵葬有不少对清代历史有重要影响的人物

在清东陵下葬人物中,不乏对清代历史有重要影响的人物,如:辅佐世祖、圣祖的清初女政治家孝庄文皇后;开创"康乾盛世"的圣祖康熙大帝和高宗乾隆皇帝;清末两次垂帘听政,统治中国达48年之久的慈禧皇太后等。这些人物在清代历史舞台上都扮演过重要角色,主宰国家命运,叱咤风云,在国内外有极高的知名度。他们的陵寝内涵丰富,具有极高的历史价值。

综上所述,清东陵完全符合世界遗产名录标准(Ⅰ)、(Ⅲ)、(Ⅳ)、(Ⅴ)、(Ⅵ)各项。

保护情况

1949年中华人民共和国成立以后,中央政府和地方各级政府为保护清东陵做了大量工作。如建立和健全管理机构,制定法律、法规、可行性规划,积极抢救维修,加强保护及周边环境的治理等。申报世界遗产工作的启动及成功,使清东陵的管理、保护工作迈上了一个新台阶,主要工作如下:制定了《清东陵保护管理办法》、《清东陵总体规划》、《清东陵环境保护与治理方案》、《清东陵"十一·五"古建维修规划》等,并严格按照各项法规、规划进行实施、保护管理。

(清东陵文物管理处)

清 西 陵

中文名称:清西陵

英文名称: The Western Qing Tombs

地理坐标:东经115°13′—115°25′　北纬39°20′—39°25′

列入年份:2000年

管理机构:中华人民共和国国家文物局

　　　　　河北省文物事业管理局

　　　　　保定市文物局

　　　　　清西陵文物管理处

概　况

　　清西陵是清朝皇室的陵墓群之一,因位于北京西南方向被称为西陵。清西陵座落在河北省保定市易县。建造于1730年至1915年,陵区面积18.42平方公里,缓冲区面积64.58平方公里,共有4座皇帝陵(泰陵、昌陵、慕陵、崇陵)、3座皇后陵(泰东陵、昌西陵、慕东陵)、3座妃园寝(泰园妃寝、昌妃园寝、崇妃园寝)、2座王爷(端亲王园寝、怀亲王园寝)、1座公主、1座阿哥园寝等14座陵寝和永福寺、行宫两座附属建筑群,埋葬着雍正、嘉庆、道光、光绪4位皇帝、9位皇后、57位妃嫔、2位王爷、2位公主、6位阿哥共80人,是一处建筑规模宏大、陵寝体例完备、保存最完好的中国古代帝王陵墓群。

　　1730年,雍正皇帝在西陵首建泰陵,形成了清东陵与清西陵并存的格局。此后,嘉庆、道光两位皇帝分别在清西陵营造自己的陵寝,即昌陵和慕陵。公元1908年,清朝入关后的第九代皇帝光绪驾崩并在西陵境内的九龙峪营建陵寝,1912年因清帝退位停工,后按照清帝与民国签订的优待条款规定,由民国将陵工完成,成为中国历史上最后一座封建帝王陵墓——崇陵(清末帝溥仪曾在清西陵选址建陵,但由于清王朝的灭亡而中止。死后骨灰被安放于北京八宝山的人民公墓,1995年移至崇陵北面的华龙皇家陵园内安葬)。清西陵是明清皇陵中建筑年代最晚的陵墓群,也是中国最后一处封建帝王陵墓群。

　　清西陵的营建,历经18世纪中叶至19世纪初,余绪延至民国年间,其16座古建群的形成正处于中国古建筑艺术的最鼎盛时期,集中体现了以木结构为主体的中国古建筑最高水准。特别是其大木结构、斗拱、石雕、木雕、完善的排水系统等,实为中国古建筑艺术的精美杰作,是中国陵寝建筑艺术的重要组成部分。清西陵的古建筑群,也是中国两千年来陵寝建筑艺术上辉煌壮丽的一页。4座帝陵建筑规模宏大、布局合理、宫殿辉煌、石雕精美、形式多样、内涵丰富、保存完整;后妃园寝严格按照封建等级制度的规格建造,虽久经大自然的风雨剥蚀,其规模与原貌仍存。亲王、公主、阿哥园寝大部保存相当完好,行宫、永福寺虽历经沧桑,但也比较完整地保存下来,陵区内外15000株古松柏的遗存更是清西陵环境风貌完整保存的真实写照,清西陵是保存最为完整的清代陵墓群之一。清西陵以大量的实物形象和文字史料,从不同侧面展示了18世纪30年代至20世纪初期中国陵寝建筑艺术风格及皇家宗教信仰的重大发展、变化,对中国古代陵寝建筑艺术的创新与发展有重要贡献,具有清代以前各代

陵寝建筑不可替代的历史、艺术、科学和鉴赏价值。

　　清西陵的432座建筑无论在规模或形制上,都反映了清王朝由盛至衰的演变过程,见证、记录并传承着清朝乃至民国200年间的沧桑历史。泰陵、昌陵完整宏伟的陵寝规模,反映了清王朝鼎盛时期的辉煌,慕陵建筑的裁减(清朝陵寝中第一个裁去圣德神功碑楼、石像生、明楼、宝城等)、崇陵历经的时代更迭,真实地记录了清王朝从强盛走向衰亡,由封建社会走向半封建、半殖民地社会和民主共和的历史轨迹。葬在清西陵崇陵及其妃园寝的清朝末期人物光绪皇帝和珍妃的命运,更记录了慈禧皇太后独霸朝廷、丧权辱国、祸国殃民的历史。末代皇帝爱新觉罗溥仪的寝宫工程由于清王朝的被推翻而终止,更是中国几千年封建历史结束的实物例证。

　　清西陵作为典型的清式宫殿式建筑群,更加注重以最完美的融山水环境、人文景观为一体的中国"风水"相法为选址依据,将山形河流作为"风水"中强调的靠山、案山、照山,龙脉和水口,遵照陵制与山水相称的陵寝创造理念,根据百尺为形,千尺为势的建筑原则,以宜人的尺度,变幻丰富的组织序列,完美的视觉效果,将建筑群巧妙的组合与分割,创造出意向深冗的空间环境气氛,使建筑与整体布局也最为完整与巧妙,更加注重实用性;建筑风格与规制更加精美豪华,更具有观赏性。由此形成了清西陵群山环抱,碧水萦绕,湖泊点缀,松柏参天的山水景观,一组组建筑分布其间,自然协调,15000株古松、200000株幼松柏,环抱着气势恢宏的泰陵和昌陵,形成了华北地区最大的古松林(700公顷左右),自然与人文环境和谐优美。

申报理由

一、意义

　　清西陵4座皇帝陵、3座皇后陵、3座妃园寝、4座王爷、公主、阿哥园寝共14座陵寝和两座附属建筑(永福寺、行宫)是中国陵寝建筑艺术的重要组成部分,也是中国两千年来陵寝建筑艺术上辉煌壮丽的一页。清西陵始建于1730年(雍正八年),历经18世纪中叶至19世纪初,余绪延至民国年间。清西陵是中国清朝前期、中期、晚期陵寝建筑艺术的代表作品。4座帝陵建筑规模宏大、布局合理、宫殿辉煌、石雕精美、形式多样、内涵丰富、保存完整;后妃园寝严格按照封建等级制度的规格建造,虽久经大自然的风雨剥蚀,其规模与原貌仍存。亲王、公主、阿哥园寝大部保存相当完好,行宫、永福寺虽历经沧桑,但也比较完整地保存下来,从而使清西陵成为保存最为完整的清代陵寝之一。清西陵以大量的

实物形象和文字史料,从不同侧面展示了18世纪30年代至20世纪初期中国陵寝建筑艺术风格及皇家宗教信仰的重大发展、变化,对中国古代陵寝建筑艺术的创新与发展有重要贡献,具有清代以前各代陵寝建筑不可替代的历史、艺术、科学和鉴赏价值。

二、比较分析

中国的古建筑在中国这一特有的自然条件和民族文化影响下,经历了几千年的自然演变和经验积累,逐步形成了一个独特的建筑体系,创造了无数优秀作品,并且对邻近国家的建筑发生过深远的影响,成为世界建筑宝库中的一份珍贵遗产。清西陵的古建筑群的形成正处于中国古建筑艺术的最鼎盛时期,集中体现了以木结构为主体的中国古建筑最高水准。特别是其大木结构、斗拱、石雕、木雕、完善的排水系统等,实为中国古建筑艺术的精美杰作。

清西陵4座帝陵附属陵寝的建筑无论在规模和形制上,都反映了清王朝由盛至衰的演变过程。泰陵、昌陵完整宏伟的陵寝规模,反映了清王朝鼎盛时期的辉煌,慕陵建筑的裁减(清朝陵寝中第一个裁去圣德神功碑楼、石像生、明楼、宝城等)、崇陵陵寝规模的减小,真实地记录了清王朝从强盛走向衰亡,由封建社会走向半封建、半殖民地的历史轨迹。而葬在清西陵崇陵及其妃园寝的清朝末期人物光绪皇帝和珍妃的命运,更记录了慈禧皇太后独霸朝廷、丧权辱国、祸国殃民的历史。而末代皇帝爱新觉罗溥仪的寝宫工程由于清王朝的被推翻而终止,更是中国几千年封建历史结束的实物例证。

就保存状况而言,清西陵是中国陵寝建筑群中保存最完整的陵寝之一。

如泰陵作为典型的清式宫殿式建筑群,不但更注重以最完美的融山水环境、人文景观为一体的中国"风水"相法为选址依据,形成山形河流作为"风水"中强调的靠山、案山、照山,龙脉和水口,建筑与整体布局也最为完整与巧妙,更加注重实用性;建筑风格与规制更加精美豪华,使之更具有观赏性。并由于雍正皇帝在西陵首建泰陵,从而产生了"昭穆相间的兆葬之制"。(由于世宗雍正皇帝首先在西陵建陵后,其子高宗乾隆皇帝认为如自己也随其父在西陵建陵,会使已葬于清东陵的圣祖康熙皇帝、世祖顺治皇帝受到冷落,如果在东陵建陵,同样又会使其父雍正皇帝受到冷落。为解其难,乾隆皇帝定下制度,即从乾隆以后各朝皇帝建陵须遵循"父东子西,父西子东"的建陵规制,如父亲葬东陵,则儿皇帝葬西陵,父葬西陵,则儿皇帝葬东陵,称之为"昭穆相间的兆葬之制"。)这种墓葬制度形成了清东陵、清西陵现有的格局,也形成了清东陵、清西陵两大陵墓群与中国明朝以前

历代皇家陵寝建陵制度的根本不同之处。

三、真实性及完整性

清西陵14座陵寝及两座配属建筑群中4座皇帝陵、3座皇后陵、3座妃园寝、1座王爷园寝、1座永福寺、1座行宫等13座建筑群保存完好。中华人民共和国成立后,1961年3月4日清西陵列为全国重点文物保护单位,1954年成立西陵文物保管所后,在日常维修保护中,严格遵守"不改变原状"(即尽最大努力保存文物的真实性)的原则,以确凿文献和档案资料为依据,其设计、材料、工艺、布局等方面均保持了历史的真实性,未增加一座建筑,从主体建筑、大木结构、规制,甚至连门窗格扇等都保持原状,成为修缮、参观清代陵寝的样本。在对清西陵建筑主体进行保护的同时,亦注重其周围环境的保护,基本上没有改变其环境关系,15000余株古松柏林的完好保存又是清西陵环境风貌的真实写照。因此,从总体上看,清西陵这处古建筑群较好地保持了历史的规模、原状和风貌。

四、列入遗产所依据的标准

(一)清西陵是一件精美的艺术杰作

清西陵规模宏大、内涵丰富,其建筑技艺之精湛、品种之齐全,在中国皇家陵寝建筑中绝无仅有。泰陵是清西陵中建筑最早、布局与形制最符合中国的"风水"观、规模最大、功能最完备的帝陵。泰陵前3座精美的石牌坊和大红门构成西陵的总门户。昌陵建筑与泰陵规制相同,但其隆恩殿内以花斑石墁地非常独特,有"满堂宝石"之誉;慕陵隆恩殿、配殿建筑木构架均为楠木,并以精巧的雕工技艺雕刻出1318条形态各异的蟠龙和游龙。崇陵殿宇木构架均为钢铁木,质地坚硬,被称为铜梁铁柱,其地宫内的石雕佛像精美无比。永福寺、行宫和亲王、公主园寝则是清陵建筑中完整保存的珍品。整个清西陵气势磅礴,雄伟壮观,实为中国陵寝古建筑中的精美杰作。

(二)清西陵是中国陵寝建筑最具特色的例证

清西陵402座古建筑,基本上是相沿明代后妃陵寝建筑样式修筑而成,它依据清宫式作法,在严格遵守森严等级制度的同时,又不拘泥于典制,具有很强的创造性。大红门前石牌坊一改历代皇家陵寝均设1架的规制而增加至3架,在用料、工艺上更细腻、精美;慕陵殿宇的楠木雕刻已突破了其他清陵油饰彩绘作法,采用在原木上以蜡涂烫,壮美绝伦。自道光始,在陵寝建筑上稍有衰落,但是裁撤石像生、圣德神功碑亭、明楼、方城等建筑和以石牌坊代替琉璃门,又形成了一个小巧玲珑的新模式。昌西陵罗圈墙及宝顶前神道产生回音效果,隆恩殿内藻井独有的丹凤彩绘,又成为中国陵寝建筑的一个特殊例证。正由于清西陵拥有众多的独到之处,

从而构成清代陵寝建筑最具特色的例证。

（三）清西陵古建筑及环境具有一定脆弱性

清西陵的古建筑以木、石、砖为主要建筑材料，大木结构易腐朽、易燃烧，砖石结构又易风化、侵蚀，围绕陵墓的高火险等级古松柏又对陵寝构成了较大的威胁；另外，随着周边工农业的发展，如若控制不当，又会对陵寝造成人为不良损害，因此，清西陵作为人类的文化遗产又存在明显的脆弱性。

（四）清西陵体现了满清王朝信仰佛教的例证

永福寺是一座专门为陵寝祭祀而修建的皇家御用喇嘛庙，是清代皇帝尊崇喇嘛教的充分体现。在中国 2000 多年的陵寝建筑史上，由于清东陵的隆福寺及明代帝王陵寝中的佛寺都已不存在，清西陵的永福寺成为明、清皇家陵寝御用寺庙的孤品。同时，永福寺的保存也为满清王朝尊重、信仰藏传佛教提供了实物例证。

综上所述，清西陵完全符合世界文化遗产名录标准 I、III、IV、V、VI。

保护情况

清西陵 14 座陵寝及两座配属建筑群中 4 座皇帝陵、3 座皇后陵、3 座妃园寝、1 座王爷园寝、1 座永福寺、1 座行宫等 13 座建筑群保存完好。中华人民共和国成立后，1961 年 3 月 4 日清西陵列为全国重点文物保护单位，1954 年成立西陵文物保管所，1987 年成立清西陵文物管理处，多年来，建立并完善了一系列文物保护管理制度，积累了大量文物保护宝贵经验，在日常维修保护中，严格遵守"不改变原状"（即尽最大努力保存文物的真实性）的原则，以确凿文献和档案资料为依据，其设计、材料、工艺、布局等方面均保持了历史的真实性，未增加一座建筑，从主体建筑，大木结构、规制，甚至连门窗格扇等都保持原状，成为修缮、参观清代陵寝的样本。在对清西陵建筑主体进行保护的同时，亦注重其周围环境的保护，在申报世界遗产前后，更是对周边环境进行了大规模的治理活动，基本上没有改变其环境关系，并逐步得到改善。同时制定了专门的保护规划和保护管理法律文件，因此，从总体上看，清西陵这处古建筑群较好地保持了历史的规模、原状和风貌。

（清西陵文物管理处）

明 孝 陵

中文名称：明孝陵
英文名称：Xiaoling Tomb's of the Ming Dynasty
地理坐标：东经 118°51′ 北纬 32°4′
列入年份：2003 年
管理机构：中华人民共和国国家文物局
　　　　　　江苏省文化厅
　　　　　　南京市文物局
　　　　　　中山陵园管理局

概 况

明孝陵建造于明朝初年，位于江苏省南京市，是明朝开国皇帝朱元璋和皇后马氏的合葬墓。明孝陵的陵址是朱元璋和他的开国谋臣与元勋刘基、徐达、汤和等共同选定的，它以中国传统的"风水学"理论为依据，继承了东吴以来历代定都南京的政治家和堪舆家的风水理念。

明孝陵北面以东西绵延的钟山为依靠，陵宫正处于最高的中峰之下，周围山环水绕，给置身于其间的陵寝建筑营造了拱卫、环抱之势，使孝陵的人文景观与自然景观高度和谐。

明孝陵按照"居中为尊"、"皇权至上"、"尊卑有别"、"统绪嗣承有序"的要求而设计。朱元璋作为明朝开国皇帝，其陵址选在钟山主峰南麓的风水主轴线上，陵宫东侧建有太子朱标的陵寝，陵宫西侧建有其嫔妃的园寝；在建筑形式上表现为第一代皇帝和后世子孙共用一条主神道、子孙陵墓神道又与第一代皇帝神道相连接的格局。在钟山之阴还分布着徐达、常遇春、李文忠、吴良、吴桢、仇成等多位明代开国功臣墓。这些功臣墓园构成了明孝陵的陪葬区,与钟山之阳的明孝陵核心区形成对比,以成对明孝陵的拱卫之势。

明孝陵是中国现存建筑规模最大的古代帝王陵墓之一,从陵墓起点下马坊到玄宫所在的宝城,纵深约2.62公里。据史料记载,原环绕陵寝主建筑的外郭红墙周长22.5公里(现已不存),相当于当时京师城墙长度的2/3,可见规模之庞大。陵域内所有的山体、水系、林木植被作为陵寝的构成要素作统一布局和安排;表现在陵寝建筑序列上,则讲求陵制与山水的有机结合。明孝陵在规划设计上采用象征手法,取法于天,取象于地,以求天地相融、天人合一,包含了深刻的中国传统思想文化和鲜明的个性特征。

明孝陵的建筑布局大致由三个空间组成,即导引区、碑亭石刻区及陵寝主体区(包括陵宫、宝城、宝顶和玄宫)。三个部分的建筑互为表里,层层扣合,强化了陵寝建筑的纵深感、隐秘特征、安全及礼仪要求。明孝陵既利用了陵域内原有的天然河道,又将其巧妙地融入陵区布局设计之中,并辅以江南传统的桥梁建筑形式,反映了中国南方多水地区帝陵建筑的技术特点。

明孝陵陵域内保存着大量的文物遗存,虽然经过600多年的风雨侵蚀和战争破坏,但它们在历代政府的保护下,今天仍然焕发着古代文明的艺术精华。

山清水秀的自然环境,天造地设的山川形胜,与明孝陵协调和谐,浑然一体,使自然环境更富有文化底蕴,使人文景观更具有自然色彩,使明孝陵更显得雄伟壮观、大气磅礴。明孝陵高度体现了中国的传统文化,从而成为明、清帝陵的典范之作。

申报理由

明孝陵以其所具有的突出、普遍价值,构成世界文化遗产的重要组成部分,理由如下:

一、明孝陵代表着明初皇家建筑的艺术成就,是建筑艺术的伟大杰作。

明孝陵这一国家工程,从1381年开始营建,至1413年前后竣工,历时30多年,最早的一批建筑物距今已有600多年,但至今仍保留着明代初年的建筑风貌,同时还反映嗣后不同历史时期所给予这一历史遗产的影响和结果。

明孝陵从起点下马坊至地宫所在的宝城,纵深达2.62公里,沿线分布着30多处不同风格、用途各异的建筑物和石雕艺术品。明孝陵整体布局宏大有序,张弛有度,高潮迭起,显示出文化和艺术的最高境界;地面单体建筑厚重雄伟,细部装饰工艺精湛,体现出明清建筑艺术的最高成就;明孝陵及其功臣陪葬墓的神道石刻高大精美,庄严肃穆,栩栩如生,

代表了明初雕刻艺术的最高水平。所有这一切凝聚了当时政治家、艺术家、建筑师们的才智,构成了一项创造性的皇家陵寝工程的伟大杰作。

二、明孝陵的人文建筑和自然环境高度和谐统一,达到了"天人合一"的境界。

明孝陵以三条自然河道作为御河,将陵寝建筑分成四个具有独立意义的部分,同时通过御桥连接成一个和谐的整体。明孝陵从导引部分至宝顶的建筑和神道石刻,或依地形蜿蜒分布,或以中轴线规整排列,由南向北,自外向内,先疏后密,从低到高,主次分明,层层推进,构成了规模宏大的陵区。在最后部分形成建筑体量、营造法式、高程和密度上的最高潮。明孝陵的陵寝布局,堪称天才的创造性杰作。

同时,明孝陵所处的地理环境山清水秀,起伏跌宕,且富有传统文化内涵。明孝陵置于其中,人文建筑和自然环境彼此呼应,融为一体,高度和谐统一,达到"天人合一"的境界,堪称是中国传统文化、建筑艺术和自然环境相结合的典范。

三、明孝陵在中国帝陵发展史上具有里程碑式的地位,具有独特价值和普遍价值,影响深远。

明孝陵是中国封建社会发展到又一个高峰的产物,是明初政治思想、社会文化、审美意识、建筑技术和国家财力的结晶。陵寝布局设计和建筑形式,具有鲜明的时代风格和典范精神。既继承了汉、唐、宋帝陵制度中的优秀成分,又创新了新的帝陵制度,如陵宫"前朝后寝"的布局、具有典范意义的建筑风格、后世子孙共用第一代皇帝陵寝的神道等等。明孝陵的陵寝制度,规范着明、清两代500多年帝陵建设的总体格局和风貌;在建筑风格和技艺方面,也具有典型性而被后世所继承。因此,明孝陵在中国帝陵发展史上有里程碑式的地位,影响极为深远。

四、明孝陵包融着深刻的东方文化内涵,是中国传统文化的综合体现。

在明孝陵的选址、设计、施工、使用和历代管理中,涉及到政治、经济、文化、典章制度、历史人物、历史事件和重大的礼仪性活动等诸多方面。明孝陵既体现了儒、道两家"天人合一"的哲学思想,又符合儒家的礼治秩序,是中国传统思想的结晶。明、清两代的多位皇帝、中华民国临时大总统孙中山、明代早期以降的许多政治家、文学家频繁拜谒、凭吊明孝陵而状写形款、抒发见解和情怀的诗文不绝于载。由明孝陵所反映出的中国礼仪精神,也是一份珍贵的东方文化遗产。

保护情况

明孝陵在明朝一直有比较完善的保护和管理。清初,明

孝陵遭到一定程度的破坏,清政府政权稳定后,历代皇帝都比较注意保护明孝陵。民国时期,明孝陵划入中山陵陵区,此后得到了较好的管理和修治。

明孝陵作为中国古代文化遗产的重要部分,一直受到中国政府的重视和保护。1961年3月中华人民共和国国务院公布明孝陵为全国重点文物保护单位。历年来,中央和地方政府为明孝陵的保护做了大量工作,如建立健全管理机构,制定法律法规,制定可行性规划,积极进行文物的保护与修复工程等。20世纪90年代,为了更好保护明孝陵,南京市文物管理委员会、东南大学建筑系和中山陵园管理局联合制定了《南京明孝陵保护规划》,后又根据《南京明孝陵保护规划》制定出《南京明孝陵神功圣德碑保护设计补充说明》、《南京明孝陵神道石像生环境保护设计》等具体的文物保护方案,并实施了一系列的有效保护工作,从而把明孝陵的保护工作纳入法制轨道。另外,南京市第十一届人民代表大会在1998年制定了《南京市中山陵园风景区管理条例》,明孝陵也在此管理条例的管理范围内。

申报世界遗产工作的启动和成功,使明孝陵的管理和保护工作又迈上一个新的台阶。明孝陵的管理机构和大学科研机构合作,启动了对明孝陵的环境监测项目,以便更有效地保护现有的文物遗存,保证陵寝的完整性和真实性。

明十三陵

中文名称:明十三陵
英文名称: Ming Tombs
地理坐标:东经116°—117°　北纬40°
列入年份:2003年
管理机构:中华人民共和国国家文物局
　　　　　北京市文物事业管理局
　　　　　北京市昌平区十三陵特区办事处

概　况

明十三陵是明朝迁都北京后13位皇帝陵墓的总称,位于中华人民共和国北京市昌平区北部的天寿山麓,陵寝建筑从公元1409年始建长陵,至1644年将崇祯皇帝葬入思陵,历经二百余年,依营建的先后顺序排列为长陵(成祖朱棣陵)、献陵(仁宗朱高炽陵)、景陵(宣宗朱瞻基陵)、裕陵(英宗朱祁镇陵)、茂陵(宪宗朱见深陵)、泰陵(孝宗朱祐樘陵)、康陵(武宗朱厚照陵)、永陵(世宗朱厚熜陵)、昭陵(穆宗朱载垕陵)、定陵(神宗朱翊钧陵)、庆陵(光宗朱常洛陵)、德陵(熹宗朱由校陵)、思陵(思宗朱由检陵),陵内计葬有皇帝13人、皇后23人、皇贵妃1人、殉葬宫妃数十人。陵寝区域内除皇帝陵外,还有明朝皇妃墓7座,太监墓1座,以及行宫、苑囿、神宫监、祠祭署等若干附属建筑,形成了独具格局的陵墓区。

十三陵陵域面积80平方公里,陵区四面群山环抱,北面天寿山主峰,"三峰并峙,回出诸山",中峰海拔高760余米,是陵区最高的山峰。东面蟒山盘其左,西面虎峪山踞其右,南面的龙山、虎山,像卫士一样守护着陵区的门户。环山之内,是洪水冲击形成的盆地,山壑中的水流在平原中部交汇后,曲折东去。这正是中国古代风水学说所极力赞美和推崇的"前有朱雀,后有玄武,左有青龙,右有白虎"、"四势完美"、"山川大聚"的帝王万年吉壤。

明朝创建于公元1368年,灭亡于公元1644年,统治时间达277年,共传位十六代皇帝。明朝开国皇帝太祖朱元璋因称帝南京,死后葬在南京城外的钟山脚下即明孝陵;第二帝惠帝朱允炆(太祖之孙,年号建文)由于叔侄皇权之争,在"靖难之役"中因宫中起火而下落不明,没有建陵墓;第七帝代宗朱祁钰(英宗之弟,年号景泰)因"土木之变"而即皇帝位,后由于英宗"夺门之变"遇害,被废为郕王,初以王礼葬在金山(今北京西郊),成化年间恢复帝号,始将坟制扩大,即景泰皇帝陵。除此之外,其余十三位皇帝均葬在天寿山麓,故称十三陵。

明十三陵以历史悠久、规模宏伟、体系完整、建筑独特、

自然环境幽雅为特征,是中国古代帝陵建筑中的典型范例。其特点:

一、陵区建筑的整体性特别突出。十三陵的布局形式整体统一,各陵都有自己的祾恩门、祾恩殿、棂星门、石五供、明楼、宝城等一套独立的建筑体系。在陵区之内,长陵神道上的石牌坊、下马碑、大红门、长陵神功圣德碑亭、石望柱、石像生、棂星门等建筑为各陵所共用,故被称为"总神道"。再加上各陵尊卑有序的布葬方式,使陵区的建筑紧密联系在一起,各陵综合形成了一个整体。

二、十三陵陵寝建筑制度独具风貌。十三陵的陵寝建筑布局基本继承了明孝陵制度,但又有所改变、有所创新。如神道前增加了一座大型的石牌坊,大红门前增加了下马碑,神功圣德碑亭前后增加了白石华表,石像生中增加了四座功臣像。在各陵陵宫建筑中的方城明楼前增加了石雕祭器和棂星门,在明楼内增加了圣号碑,将宝城墙加厚,并增加了马道和宇墙。十三陵的墓室形制也很有特色,它既不同秦汉时期黄肠题凑的木椁室制度,也与唐代凿山为穴的做法有别,而是深埋地下的有琉璃构件的真正的宫殿式建筑。

三、自然环境幽雅壮观。明十三陵所在的天寿山吉地,其卜选采用的是形势宗风水术,注重的是龙、穴、砂、水的相配关系,由永乐年间江西著名的风水术士廖均卿等人卜选,所以明十三陵自然环境具有四面青山环抱,中间明堂开阔,水流屈曲横过的特点,而各陵所在位置又都背山面水,处于左右护山的环抱之中。其自然景观赏心悦目,丰富多彩,充分显示出皇帝陵寝肃穆庄严和恢宏的气势。

明十三陵是当今世界上陵墓建筑保存较完整和埋葬皇帝最多的墓葬群,其历史遗存是研究明朝陵寝制度、丧葬典制、祭祀礼仪、职官体制和建筑技术、工艺乃至政治、经济、文化、军事等方面的绝好实物资料,具有很高的历史价值、科学价值和艺术价值。1961 年被国务院公布为国家级重点文物保护单位。1982 年明十三陵和八达岭作为一个完整的风景名胜区,又被列为全国重点风景名胜保护区之一。

申报理由

一、意 义

明十三陵是明朝迁都北京后 13 位皇帝陵墓的总称,位于北京市昌平区北部的天寿山麓。陵寝建筑具有规模宏大、体系完备和保存较为完整的特点。陵内计葬有皇帝 13 人、皇后 23 人、皇贵妃 1 人以及数十名殉葬皇妃。除皇帝陵外,陵寝区域内还有明朝皇妃墓 7 座,太监墓 1 座,以及行宫、神宫监、祠祭署等若干附属建筑。

明朝崇尚"事死如事生"的礼制,认为人死后,灵魂犹

在,还有饮食起居的需求,因此,这十三座皇帝的陵寝建筑比拟皇宫,红墙黄瓦,楼、殿参差,显示了真龙天子的尊崇地位和君临天下的浩大气势。

在中国传统风水学说的指导下,十三陵从选址到规模设计,都十分注重陵寝建筑与大自然山川、水流和植被的和谐统一,追求形同"天造地设"的完美境界,用以体现"天人合一"的哲学观点。明十三陵作为中国古代帝陵的杰出代表,展示了中国传统文化的丰富内涵。

明十三陵从公元 1409 年开始营建首陵长陵,到清初建造明朝亡国之君崇祯皇帝的思陵,经历了二百余年的历史。此后,又历经清朝和民国等不同历史时期。其历史遗存,不仅是研究明朝陵寝制度、丧葬典制、祭祀礼仪、职官体制和建筑技术、工艺乃至政治、经济、文化等方面的绝好实物资料,也记录着清朝和民国年间的沧桑历史。

因此,明十三陵不仅是中国帝陵建筑的典型范例,也是中国悠久历史文明的最好见证。

二、比较分析

明十三陵与其他帝陵相比较有三个特色。

第一,陵区建筑的整体性特别突出。中国古代帝王陵寝区域的设置,早在战国中期随着陵墓的建造就已出现。其制导源于我国古代以宗族为单位,按贵族的等级和宗法礼制关系布葬的"公墓"制度。各个时代陵区规模的大小及建筑的设置各不相同,给其他时代帝陵留条后路,不加褒贬,只说不同之处。在唐代和北宋,每座陵园都有各自的门阙、神道和石刻群,均自成体系。它们虽然在地理位置上形成了一个整体,但在建筑的设置上彼此不讲究统属和整体联系。明十三陵则不同,各陵虽各有自己的享殿、明楼、宝城,自成独立单位,但陵区之内,长陵神道作为各陵共用的"总神道"出现,共用的石牌坊、石刻群,加上各陵尊卑有序的布葬方式,使陵区的建筑紧密相联,各陵综合形成了一个整体。

第二,陵寝建筑制度独具风貌。中国古代的帝陵从秦汉到唐宋,其地上陵寝建筑大多以覆斗形的陵台(陵冢)为中心,前设寝殿,周以方垣并四面设门,前开神道,构成大体均衡对称的方陵体制。明朝早期的皇、祖二陵尚袭此制。至明太祖朱元璋建孝陵始变更古制,创新为前方(方形院落)后圆(圆形宝城),宝顶、明楼、享殿沿中轴线纵向排列的崭新的陵园布局方式,陵前的神道采用多次转折的曲路形制。明十三陵的陵寝建筑布局基本继承了孝陵制度,但又有所改变。如:十三陵各陵明楼内圣号碑的设置,更突出了该建筑的标示作用,棂星、宝城马道之设较之孝陵更便于陵园的巡守,方城前石供案及棂星门的设置,则增加了陵寝的纪念气氛,也为空旷的方城前院补充了点缀物。明长陵幽深曲折的

神道上,排列的陵寝兆城门(大红门)、神功圣德碑亭、石像生、龙凤门等墓仪设施,源自孝陵制度。但兆城门前石牌坊的设置,石望柱改置石像生前,石像生中增加功臣像等,则为新创。明十三陵的墓室形制也很有特色,它既不同于秦汉时期黄肠题凑的木椁室制度,也与唐代凿山为穴的做法有别,而是深埋地下的有琉璃构件的真正的宫殿式建筑。

第三,自然环境幽雅壮观。中国古代帝王陵寝的选址,大多受堪舆风水术的影响。由于明朝时皇家陵地卜选采用的是盛行于当时的江西之法,亦即形势宗风水术,注重龙、穴、砂、水的相配关系,而明十三陵所在的天寿山吉地又是永乐年间江西著名的风水术士廖均卿等人所选,因而明十三陵自然环境具有四面青山环抱,中间明堂开阔,水流屈曲横过的特点,而各陵所在位置又都背山面水,处于左右护山的环抱之中。这一陵址位置的经营方式与建在平原之上的陵墓相比,其自然景观显得更为赏心悦目、丰富多彩,更能显示皇帝陵寝肃穆庄严和恢宏的气势。

三、真实性与完整性

(一)环境风貌

明十三陵的环境由山川、河流、林木、植被等诸多要素构成。为更好地保持原有风貌,有关管理机构对陵区的古树名木进行了登记、建档、挂牌保护。周围的山脉仍保持着原有状况。陵区的水系除陵区东南增建一座无碍陵寝安全和景观的十三陵水库外,无大的改变。

(二)陵寝建筑

明十三陵各有宝城、明楼。宝城内地下为安葬墓主的玄宫建筑,各陵宝城除思陵系复建外均保持原有形制,且较完整。明楼,仅思陵已不存(毁于中华人民共和国成立之前),昭陵明楼于1986年修缮时,依明朝原制进行了修复。其余各陵明楼均保存至今。各陵仅定陵于1956年进行了考古发掘,定陵玄宫内除加护必要的防护网罩,地面铺设保护性橡胶皮,出土文物入库妥为保藏外,其他陵寝墓室建筑均保持着原有的真实性和完整性。各陵宝城之前原制均建有祾恩门、祾恩殿、左右配殿、神帛炉、棂星门、石五供及宰牲亭、神厨、神库等建筑。现祾恩殿、祾恩门和神帛炉除长陵完好保存,昭陵祾恩门、祾恩殿系1986年复建外,其他在中华人民共和国成立之前有些局部坍塌,有些保存着建筑基址,至今未再改变。各陵宰牲亭、神厨、神库,除昭陵于1990年依旧址按原制进行复建外,均保持原有的遗址状况。各陵陵前设有神道,长陵神道设置的石牌坊、大红门、神功圣德碑亭、石像生、龙凤门等主要建筑保存较好,其中神功圣德碑亭、大红门和龙凤门于中华人民共和国成立后曾进行修缮。其余各陵神道、神功圣德碑亭于清代拆除,现存石碑及部分石桥。

明朝时各陵陵宫内外及神道两旁栽植大量的松柏树,现陵宫内松柏树长势茂盛,神道两侧松柏多于清代被砍伐。各陵陵宫之外,明朝时均设有神宫监、祠祭署、朝房等附属建筑,这些建筑中,神宫监在清朝时已变成自然村落,但围墙、门楼尚有存者,祠祭署、朝房等毁于清代,已无遗物保存。

陵区内的妃子坟、太监墓在清末时相继被垦辟为农田,其建筑保存着地下墓室,地上陵寝建筑保存有残垣断壁及部分石雕。行宫、九龙池及各山口墙垣毁于清代,现有部分残迹保存。

总的来看,明十三陵各陵主体建筑仍保存至今,地下墓室完好,规划、布局依然完整,古建筑与遗址未受后人过多的干预与改变,自然环境也没有受到破坏,真实性与完整性程度很高。

四、列入遗产所依据的标准

(一)明十三陵是中国古代建筑中的优秀范例

明十三陵规模宏大、典制完备、选址审慎、设计精到、施工精细、用材考究。其布局经营,在满足礼制功用的同时,与山川、水流等自然环境因素密切结合,达到了极高的艺术境界。石牌坊、石像生、长陵祾恩门、祾恩殿以及定陵地下宫殿等建筑,造型大方,材质精良,是中国古代建筑中的精美杰作,应当符合世界文化遗产第Ⅰ条标准。

(二)明十三陵既沿袭了前朝制度,又有创新,并对清朝帝陵的陵寝制度产生了深远影响

明十三陵的陵寝制度对清朝帝陵产生了巨大影响。清东陵、清西陵主陵神道由前而后依序建造石牌坊、大红门、神功圣德碑亭、石像生、龙凤门的布局,以及各陵前方后圆的陵宫布局,宝城、明楼、石供案、两柱牌楼门、三座门、隆恩殿、隆恩门纵向中轴布列的布局方式,均借鉴了明十三陵陵寝制度。清泰陵与明昭陵宰牲亭、神厨、神库的布局几乎完全一致。这表明,明十三陵在陵寝制度方面对后世产生了重大影响,应当符合世界文化遗产第Ⅱ条标准。

(三)明十三陵记载着明朝的大部分历史

明十三陵首陵长陵始建于公元1409年,距今已有近六百年的历史,最后建造的思陵距今也有三百五十余年的历史,它从一个侧面记录了明王朝盛衰兴亡的历史,也记录了明朝文化、艺术、科学和技术的发展状况,可以被认为符合世界文化遗产第Ⅲ条标准。

(四)明十三陵是明朝200余年历史中中国建筑艺术的杰作和陵寝规划与建造的最高代表

这一特点使它符合世界文化遗产第Ⅳ条标准。

(五)明十三陵的墓主涉及了明朝16位皇帝中的13位,还涉及23位皇后以及与殉葬制度有关的皇妃

这13位皇帝中,长陵墓主明成祖朱棣御极期间在朝政上颇多建树,如迁都北京、编《永乐大典》、派遣太监郑和远下西洋等都是中国历史上的重大事件。献、景二陵墓主仁宗朱高炽和宣宗朱瞻基,在位期间戢兵养民,勤于政务,注重农桑,使生产力有了较大发展,出现了一个相对稳定的时期,史称"仁宣致治"。永陵墓主世宗朱厚熜在位时间长达45年,出现过戚继光抗倭和海瑞罢官等人所熟知的史事。定陵墓主神宗朱翊钧在位早期出现过著名政治家张居正推行改革的重大史事。思陵墓主思宗朱由检是明朝的亡国之君,江河日下的明王朝到他即帝位时已回天乏术,终被风起云涌的农民起义所推翻。此外,明十三陵在营建中,还有明朝著名的工程技术人员蒯祥、陆祥等参与,明长陵的神功圣德碑上刻有明朝著名书法家程南云书丹,明仁宗朱高炽御制文《大明长陵神功圣德碑》碑文及清乾隆皇帝、嘉庆皇帝的御制诗文。因此,明十三陵还应当符合世界文化遗产第Ⅵ条标准。

综上所述,可以认为,明十三陵符合世界文化遗产的Ⅰ、Ⅱ、Ⅲ、Ⅳ、Ⅵ等项标准。

保护情况

1949年中华人民共和国成立后,明十三陵受到党和政府的高度重视,加强文物保护,健全管理机构,完善法律法规,逐步朝着科学保护、合理利用、综合管理的方向发展。特别是在文物保护方面,1955年北京市人民政府就对长、景、永三陵进行了修缮。1957年北京市园林局又对长陵祾恩殿进行修葺,并在祾恩门、祾恩殿、明楼三处安装了避雷针。1981年十三陵特区办事处成立后,尤其是党的十一届三中全会以来,十三陵特区办事处在国家、市、区领导和相关部门的大力支持下,不断加强文物古建的修缮工作,加大资金投入,先后完成了多项文物保护工程项目,如:1982年,对长陵祾恩门和祾恩殿进行修缮。1987年4月至1993年秋,对昭陵进行了全面修缮,修复了祾恩殿、左右配殿、祾恩门、神功圣德碑亭、神厨、神库、宰牲亭等建筑,工程建筑总面积达5200平方米。1992年至1994年5月,对思陵的宝城、陵墙进行修整,并归安了方城。1994年4月至1995年5月,对献陵进行了抢险修缮,修复了明楼、陵墙及三座门。1990年3月至7月,在神路两侧新建了上下行公路5.39公里,将神道与公路之间果园更新为松柏林,并增设景区保护栅栏3010米。1994年5月至1995年7月,又恢复了龙凤门的琉璃屏、华表的石栏杆,以及各建筑的散水,铺设了神道的石板路,并对环境进行了整治。1998年,对十三陵中的十座未开放陵寝实施了封闭式保护工程。2001年11月,在国家文物局、北京市委、市政府、昌平区委、区政府的统一领导和支持下,开始启动明十三陵申报世界文化遗产具体技术性工作。如:制定《北京市明十三陵保护管理办法》即北京市人民政府令(第101号)和《昌平区人民政府实施〈北京市明十三陵保护管理办法〉的规定》即北京市昌平区人民政府令(第3号)。委托北京市城市规划设计研究院重新编制《明十三陵保护范围及建设控制地带调整规划》。整治陵区的周边环境,包括对陵区附近有碍文物环境风貌的现代建筑物、构筑物进行拆除;对陵区道路两侧房屋建筑进行粉刷;安装铁护围栏;对大宫门、石牌坊和陵寝周围50米内的高、低压架空电线和有线电视及通信线路入地埋设;对开放景区内有碍观瞻的拉线进行改造;新修万娘坟至明思陵的公路,即"万思路";对部分牌示按统一规格、国际标色进行治理,并拆除不规范广告牌示,对与陵区环境不协调的广告牌、五彩旗进行处理;更换陵区内村名牌示;在未开放陵内安放中英文说明牌、石质说明牌;清理陵园周边垃圾等。另外将定陵陵前广场地面改铺青砖及汉白玉石礓磋,定陵祾恩门安装玻璃台阶,定陵地下宫殿更换铜门,定陵一、二陈列室更换展柜。长陵陵园内神帛炉四周铺砖,长陵陵门月台改造,征用王承恩墓周边土地等。2002年11月,成立了"昌平区城市管理监察大队十三陵特区分队",负责对陵区规划范围内的环境如公路两侧、陵寝周边、开放陵寝内部等处进行经常性的整治与维护。并在长陵镇和十三陵镇成立了专门的保洁、防火、综合治理队伍,进一步加强了十三陵文物保护区内的执法力度和环境整治力度。

(明十三陵特区办事处)

云冈石窟

中文名称:云冈石窟
英文名称: Yungang Grottoes
地理坐标:东经113°20′　北纬40°04′
列入年份:2001年
管理机构:中华人民共和国国家文物局
　　　　　　山西省文物事业管理局
　　　　　　山西云冈石窟文物研究所

概　　况

云冈石窟位于中国山西省大同市,于2001年12月列入《世界遗产名录》。

云冈石窟始建于公元460年,是中国早期石窟艺术的代表作品。云冈石窟艺术以规模宏大、题材多样、雕刻精美、内涵丰富而驰名中外,以典型的皇家风范造像而异于其他早期石窟,以融汇东西、贯通南北的鲜明的民族化进程为特色,在中国石窟艺术中独树一帜。

云冈石窟是世界伟大的古代雕刻艺术宝库之一。现存大小窟龛252个,雕像51000余躯,石雕面积达18000余平方米,窟龛绵延达1公里。石窟规模之宏大、雕刻艺术之精湛、造像内容之丰富,堪称公元5世纪后半叶中国佛教雕刻艺术的“陈列馆”,被誉为世界伟大的古代雕刻艺术宝库。

云冈石窟对石窟艺术的变革与发展做出了重大贡献。云冈石窟注重雕刻艺术自身的审美规律和形式法则,运用雕刻艺术语言揭示宗教艺术特征,是印度及中亚佛教艺术向中国佛教艺术发展的佳例。云冈石窟在诸多方面都开创了石窟艺术中国化的新形式,逐渐成为体现中国传统审美思想和审美情趣的石窟艺术的典范。同时,作为中国石窟艺术发展、变化的一个转折点,云冈石窟所出现的许多有异于印度、中亚石窟的新因素又极大地影响了龙门、敦煌等其他的中国石窟造像。

云冈石窟是公元5世纪中国民族大融合的特殊见证,是早期佛教艺术大规模落根中国中原地区的杰出代表。

云冈石窟是世界佛教石窟艺术第二次繁荣期的最佳作品。云冈是多元文化融合形成的中国化艺术风格石窟,它反映了佛教艺术落根于中国中原地区的创作成就,是石窟艺术中国化的楷模,其样式、风格对中国佛教石窟艺术产生了深远的影响。

申报理由

一、阐述意义

位于中国历史文化名城大同市城西武州(周)山南麓的云冈石窟是中国石窟艺术中重要的组成部分,是世界石窟艺术史上公元5世纪中叶至6世纪初(中国北魏和平初年至正光年间)壮丽辉煌、璀璨夺目的篇章。云冈石窟始建于公元460年(北魏和平元年),兴盛于5世纪60年代至90年代,续延至6世纪20年代,是中国早期石窟艺术的代表作品。云冈石窟艺术以规模宏大、题材多样、雕刻精美、内涵丰富而驰名中外,以典型的皇家风范造像而异于其他早期石窟,以融汇东西、贯通南北的鲜明的民族化进程为特色,在中国石窟艺术中独树一帜。云冈石窟以大量的实物形象和文字史料,从不同侧面展示了公元5世纪中叶至6世纪初中国石窟艺术风格及中国北方地区宗教信仰的重大发展变化,对中国石窟艺术的创新与发展有着重大贡献,具有其他早期石窟不可替代的历史、艺术、科学和鉴赏价值。

二、可能的比较分析

佛教石窟艺术自公元前2世纪在古印度沙多婆河那朝的德干高原西部山崖诞生后,分别于公元前1世纪至公元2世纪和公元5世纪至8世纪,在世界先后形成两个石窟艺术繁荣期。公元3世纪传入中国,于公元5世纪和7世纪前后(魏晋和盛唐时期),中国北方先后形成两次营窟造像高峰。云冈石窟就是中国石窟艺术史上第一次造像高峰时期产生的经典巨作,是世界石窟艺术第二个繁荣期的杰出例证。

在石窟艺术长期的发展过程中,不同地区、不同时期的石窟因受其本土时空观念和固有文化的影响,在继承、吸收、融合、发展与创新等诸多方面都形成了自己独具特色的模式和内涵。作为中国早期石窟(公元5世纪)代表作的云冈石窟,在吸收、融汇外来石窟艺术精华的基础上,经过短暂的30年时间,造像相继完成了从"胡貌梵相"到"改梵为夏"的过程,在题材内容、艺术形式、造型技巧、审美情趣诸多方面都有所突破,以鲜明的民族化特色,成为石窟艺术中国化的典范。对中国各地石窟造像风格都产生了巨大的影响。与敦煌、龙门、大足等石窟一起构成了一部完整的中国石窟艺术史。

云冈石窟有别于其他石窟,有着鲜明的个性与特征。敦煌以壁画、泥塑见长,龙门与云冈的时代不同,艺术风格不同,自然地理条件也不同。就保护状况而言云冈更为完整。以露天大佛为代表的公元5世纪60年代开凿的昙曜五窟(即现编号第16-20窟)造像,是印度犍陀罗、秣菟罗艺术与中华民族艺术相融合,产生在中国这一时期雕刻最精美、技法最娴熟、风格最显著的石窟造像。以传统中华民族衣冠服饰、审美情趣的"褒衣博带""秀骨清像"为特征的石窟造像,也最早出现在云冈北魏洞窟。同时应该说明,云冈石窟是佛教艺术传入中国后,第一次由国家主持经营的大型石窟群,它不仅体现了强烈的中国皇家政治色彩,而且反映了佛教艺术中国化进程加速发展的时代特征。

三、真实性及完整性

云冈石窟的窟龛造像保存完好。全部洞窟与造像,除历史上对少数雕像的残损部分有过补塑外,未遭受大的人为和自然灾害的破坏。1952年成立专门保护管理机构以来,在日常保护维修中,严格遵守"不改变原状"的原则,在"石窟围岩裂隙灌浆加固"、"残断落石归安粘接"等方面采用传统技术与现代科学技术相结合的手段,其设计、材料、工艺、布局等方面均保持历史的真实性。目前,云冈石窟的山体岩石结构稳定,艺术雕刻保存完好。在对云冈洞窟进行保护的同时,注重其周围环境的保护,保持了历史的规模和风貌。

四、列入遗产所依据的标准

(1)云冈石窟是世界伟大的古代雕刻艺术宝库之一

云冈石窟是中华人民共和国国务院1961年3月4日公布的第一批全国重点文物保护单位。现存大小窟龛252个,雕像51000余躯,石雕面积达18000余平方米,窟龛绵延达1公里。石窟规模之宏大、雕刻艺术之精湛、造像内容之丰富,堪称公元5世纪后半叶中国佛教雕刻艺术的"陈列馆",被誉为世界伟大的古代雕刻艺术宝库。其中昙曜五窟(第16

-20窟)造像组合形式一致,布局设计严谨统一,高达13.5-16.8米的五窟主像,气势磅礴,宏伟壮观,雕饰奇伟,冠于一世,为石窟造像艺术中所罕见。第9、10窟双窟以巧丽斑斓著称于世,洞窟设计富丽堂皇,人物形象精雕细琢,造像风格别具一格。第5、6窟双窟规模最大,第5窟主尊释迦牟尼高达17米,是云冈石窟最高的雕像;第6窟表现佛祖释迦牟尼从树下诞生到初转法轮的39个画面,情节衔接自然,内容贯通一气,是中国石窟艺术群中不可多得的现存最早的宗教石刻"连环画"珍品。云冈石窟的一窟一龛,雕像都主次分明、比例适度,对比、夸张、烘托、渲染运用恰到好处,既追求形式美,又注重准确表达思想内容,具有永恒的艺术魅力,是公元5世纪后半叶石窟造像最完美的艺术典范。

(2)云冈石窟对石窟艺术的变革与发展做出了重大贡献

云冈石窟注重雕刻艺术自身的审美规律和形式法则,运用雕刻艺术语言揭示宗教艺术特征,是印度及中亚佛教艺术向中国佛教艺术发展的佳例。云冈石窟在短暂的三十年时间里,造像艺术相继完成了从"胡貌梵相"到"改梵为夏"的过程,这是由民族审美意识和历史文化底蕴的强烈追求而形成的,是印度犍陀罗和秣菟罗艺术与中华民族艺术相融合、碰撞所产生的结果。以第20窟为代表的昙曜五窟造像双肩齐挺、身体粗壮,尤其是五官特征酷似北魏前期墓葬陶俑的人物形象,虽然在气质、神态诸多方面因受中华民族审美情感的影响开始演变,但在衣着服饰等方面仍较多地保留了犍陀罗和秣菟罗艺术成分,从而显示出"胡貌梵相"的造像特点。以第6窟为代表的中原风格造像,其神态气质、衣冠服饰、雕刻手法面貌一新。"褒衣博带"的服饰显得潇洒飘逸且富有生气,丰瘦适宜、眉疏目朗的面相给人以温静慈和、亲切自然的感觉,其艺术风格明显是"改梵为夏"的造像特征。不论是西方风格还是中原风格,在造型技巧上,运用现实与夸张互补的手法,强调美丑、善恶的强烈对比,对不同人物赋予不同的性格特征,具有很强的艺术感染力,有着极大的社会教化作用。在题材选择上,既遵循经典,又不拘泥于宗教仪轨,反映出惩恶扬善的义理要求。在审美情感上,充分体现了中国传统文化的审美价值要求。在表现形式上,突破了印度及西域地区宗教雕塑旧程式的束缚,有着创造性的发展,人神交融,极富中国特色。总之,云冈石窟在诸多方面都开创了石窟艺术中国化的新形式,逐渐成为体现中国传统审美思想和审美情趣的石窟艺术的典范。同时,作为中国石窟艺术发展、变化的一个转折点,云冈石窟所出现的许多有异于印度、中亚石窟的新因素又极大地影响了龙门、敦煌等其他的中国石窟造像。

（3）云冈石窟是公元5世纪中国民族大融合的特殊见证，是早期佛教艺术大规模落根中国中原地区的杰出代表

大同在公元5世纪不仅是当时世界上最大都市之一，同时也是印度、中亚文化艺术，西域诸国和中国经济、文化最发达的山东六州、关中陕西、河西凉州、东北和龙等地区各民族文化与艺术的聚集之地。淝水之战（383）结束后，中国北方的十几个割据政权都有统一北方的谋划，而只有鲜卑拓跋建立的北魏政权获得了成功。北魏建都大同期间，大肆扩张疆土，在掠夺财富、网罗人才、吸收先进地区的经济文化等方面都达到了空前的规模。到公元5世纪中叶，大同已成为北中国政治、经济、文化的中心。期间有近百万人口迁徙大同及其附近，使得这一区域的民族结构发生了很大的变化，汉、鲜卑、氐、羌、乌桓、丁零等各民族徙民汇集一起，共同铸造着北魏文明。其中像蒋少游、王遇（钳耳庆时）、侯文和等一批民族艺术家，以其巧思和罕见的艺术才能融汇到云冈石窟佛教艺术创作中。昙曜五窟造像的凉州艺术风格遗痕、第6窟造像的南方艺术风格样式等都是公元5世纪中国民族大融合的特殊例证。

（4）云冈石窟是世界佛教石窟艺术第二次繁荣期的最佳作品

云冈是多元文化融合形成的中国化艺术风格石窟，它反映了佛教艺术落根于中国中原地区的创作成就，是世界佛教石窟艺术第二次繁荣期的最佳作品。由高僧昙曜主持开凿象征着北魏道武帝、明元帝、太武帝、景穆帝、文成帝的昙曜五窟（第16－20窟），艺术上突出造像高大雄伟、朴拙浑厚的气势，宗教上体现佛法流通后世、永存无绝的思想。在主题思想、造型设计、艺术情感、宗教内涵等诸多方面成就卓然，是具有划时代意义的典型作品。"褒衣博带"是显示佛教造像汉式衣冠服饰的一种新形式、新风格，渊源于南朝"秀骨清像"画风。这种通脱潇洒的新形象，使造像的人物服饰和精神面貌都发生了很大变化，是石窟艺术中国化的楷模，其样式、风格对北中国佛教石窟艺术产生了深远的影响。

综上所述，根据世界遗产标准的第 i、ii、iii、iv 等项规定，推荐云冈石窟列入《世界遗产名录》。

世界遗产委员会评价

云冈石窟符合世界遗产的第1、2、3、4条标准。

云冈石窟是在相对短的时间内（460—525）雕刻完成的中国佛教石窟艺术第一个繁荣期的最杰出的作品；是南亚、中亚地区和中国文化有机结合的产物；是第一个由皇家主持开凿的石窟，反映了当时的政治背景。同时云冈石窟雕刻也具有鲜明的中国特色和地方特征，对中国后期佛教石窟艺术

发展产生了深远的影响。

保护情况

1949年中华人民共和国成立后，中央和地方各级人民政府投资维修云冈石窟，并成立专门机构实施保护管理。1952年成立"大同市文物管理委员会"，下设"大同市古迹保养所"，1953年更名为"山西云冈古迹保养所"，1957年5月更名为"山西云冈文物管理所"，1959年3月更名为"山西云冈石窟文物保管所"，1989年9月大同市人民政府批准更名为"山西云冈石窟文物研究所"。

自20世纪50年代以来，主要采取以下措施进行保护管理：

一、依法保护

对云岗石窟的保护和管理，严格按照国家的有关法律法规执行。所依据的有关法律有《中华人民共和国宪法》、《中华人民共和国刑法》、《中华人民共和国文物保护法》、《中华人民共和国环境保护法》、《中华人民共和国城市规划法》。所依据的有关法规有《中华人民共和国文物保护法实施细则》、《山西省文物保护实施细则》、《山西省实施〈中华人民共和国文物保护法〉办法》、《大同市云冈石窟保护管理条例》。

二、公布文物保护单位、划定保护范围

1961年，中华人民共和国国务院公布云冈石窟为第一批全国重点文物保护单位。1964年，中央文化部批准划定云冈石窟保护范围，包括重点保护区、安全保护区与地下安全线（因大同是中国主要煤产地之一，故针对地下采煤活动而专设）三部分。1989年，国土管理部门勘查确权，颁发国土使用证。同时，安装了保护范围界桩。

1995年8月，制定《云冈石窟规划》时，根据周围环境的变化情况，调整和修订了云冈石窟的保护范围及保护措施，即在原有保护范围的基础上增加了绝对保护区，扩大了原重点保护区，安全保护区更名为建设控制地带，其中增设了环境控制区。这样使得绝对保护区、重点保护区、建设控制地带以及地下安全线形成"上、中、下立体交叉保护与近、中、远多层保护体系"。《云冈石窟规划》中的绝对保护区、重点保护区和地下安全线，属于世界遗产保护概念中的"保护范围"；建设控制地带与环境控制区，属于世界遗产保护概念中的"缓冲区"。

三、石窟维修保护

1950－2000年，可分为两个阶段：

1950年至1973年为初期阶段。这一时期主要进行了两方面工作。一是对云冈石窟的自然环境、历史、现状及存

在的问题作了调查,并对窟龛雕刻进行登记编号,划定保护范围,竖立保护单位标志。同时建立了气象站和洞窟内温湿度观察点,对云冈石窟小气候进行监测。二是开展以抢救为主的试验性维修保护工程。如第 1 窟塔柱,第 10 窟和第 11 窟前立壁,第 23、28 等窟岩体裂隙灌浆加固。同时,开始治理因渗水、凝结水、毛细水等引起的石雕风化问题。

1974 年至 2000 年为有计划进行维修保护阶段。这一时期主要进行了三个方面的工作。一是 1974 年至 1976 年,国家文物局拨专款对石窟中央区主要洞窟进行加固及残断落石归安粘接,基本上解决了洞窟局部坍塌问题。工程中大规模应用的"石窟围岩裂隙灌浆粘接加固"技术的研究成果,获 1978 年全国科学大会奖,并且推广到重庆大足石刻、甘肃麦积山石窟等国内一些石窟维修保护工程中。二是 1990 年国家文物局在云冈石窟组织召开"云冈石窟石雕风化治理规划专家论证会",对中国文物研究所与云冈石窟文物研究所制定的《云冈石窟风化治理规划》进行了论证。之后,中央、省、市政府分别拨专款,于 1991 年至 1996 年间开展了大规模的石雕防风化综合治理,如对第 14 窟、第 13 窟附 4 窟和第 29 - 31 窟等洞窟的加固,顶部防渗排水,降低并硬化窟前地面,维修保护性窟檐,修建保护性围墙等,取得了良好的效果。三是与美国盖蒂保护研究所和德国吉森大学应用地学研究所分别进行了合作保护云冈石窟的研究项目。如建立全自动气象站,对小气候进行监测;对大气环境质量进行密集监测;对石雕表面颜料及盐分进行了分析研究;洞窟顶部防渗排水研究;防风化材料在云冈石窟应用试验研究等。取得了大量可靠的数据,为今后保护措施的制定提供了科学的依据。

工程内容主要有以下两个方面:

水害治理方面　1974 年至 1976 年,修筑了窟前排水渠道,取得了较好的效果。1992 年与美国盖蒂保护研究所、中国文物研究所合作进行山顶防渗排水试验研究工程,实施面积为 50×50 平方米。1993 年对云冈石窟山顶明代城堡内进行防渗排水工程,从而加速了雨水排泄过程,使石窟顶部雨后积水现象明显减少。同时下降并硬化了窟前地面,从根本上解决了雨水倒流而致洞窟内外壁下部雕刻潮湿引起的风化现象。

维修保护方面　主要是危岩加固、窟龛修缮及兴建保护设施、安装洞窟护栏、整修台阶等。

四、采用现代检测手段进行监测、建档

从 20 世纪 60 年代起,采用现代技术对石窟进行监测和建档。应用钻探、物探、水文地质、工程地质等方法对石窟的地质构造、裂隙发育情况进行了勘测调查。采用核地球物理方法探测石雕风化层和岩石含水量。应用差热分析、X 衍射、X 荧光、红外光谱、偏光显微镜、化学分析等手段测试分析岩石的物理力学性质、化学组成及结构,分析研究石雕表面盐分和颜料。应用近景摄影技术建立洞窟档案。同时建立气象站,对石窟区的小气候进行长期监测。针对近年来大气污染日益严重的问题,从 1988 年起,开始监测石窟区的环境污染状况,进行了酸性气体和煤尘对石雕风化的影响研究。通过几十年的研究,初步摸清了石窟气候变化的规律,找到了影响石雕保存的主要因素。

五、现行的维修保护技术手段

云冈石窟的维修保护严格遵守"不改变原状"的原则,即尽最大可能保存文化遗产的真实性。采用传统手法与现代科学技术相结合的方法,在窟龛岩体加固中,以支护、锚杆加固等工程方法,对裂隙进行化学灌浆粘接处理。在水害治理方面,采用堵截、引导、铺设防水层等方法。在污染治理方面,采取环境绿化、修建保护性窟檐、消除污染源的方法进行综合治理。同时积极开展化学保护材料的研究,以期解决云冈石窟石雕表面风化的问题。

六、环境整治

云冈石窟文物研究所自成立以来一贯重视环境治理工作。1987 年成立绿化队,在保护范围内做了大量绿化工作,使窟区绿化面积占到总面积的 50% 以上。1997 年以来,大同市人民政府提出绿化云冈峪的工作,发动全市各界民众在包括云冈石窟缓冲区在内的较大范围进行大规模植树造林,现已初见成效。为创造一个有利于石窟永久保存的环境和空间,2000 年,大同市人民政府成立了云冈石窟环境整治组,拆迁了保护区内与文物环境风貌不相协调的建筑物和构筑物,并进行了绿化美化。

(云冈石窟文物研究所)

自然遗产

九寨沟

风光旖旎

黄龙

黄龙彩池

钙华瀑布

武陵源

张家界云海

龙虾花　摄影／刘

天生桥　摄影／于云天

云南三江并流保护区

怒江湾

213

九寨沟风景名胜区

中文名称:九寨沟风景名胜区
英文名称: Jiuzhaigou Valley Scenic and Historic Interest Area
地理坐标:东经 103°46′14″—104°4′3″
　　　　　　北纬 32°54′13″—33°19′57″
列入年份:1992 年
管理机构:中华人民共和国建设部
　　　　　　四川省建设厅
　　　　　　九寨沟重点风景名胜区管理局

概　况

九寨沟位于中国四川省西北部阿坝藏族羌族自治州九寨沟县(原南坪县)境内。地处岷山山脉南段尕尔纳峰北麓,是长江水系嘉陵江源头的一条支沟,纵横 60 余公里,流域面积 651.34 平方公里。九寨沟风景名胜区面积 720 平方公里,大部分被森林所覆盖。主沟成"Y"字形,由树正、日则、则查洼三条沟组成,总长约 50 公里。则查洼沟最高景点是长海,是九寨沟景区内最大的湖泊,海拔 3102 米;日则沟最高景点是原始森林,海拔 3060 米,这条支沟景点典型,景色迷人,有"九寨画廊"之称;两沟由南向北在诺日朗合为树正沟。

九寨沟是以高山湖泊群和瀑布群为特色,集湖、瀑、滩、流、雪峰、彩林、藏族风情为一体,体现了原始美、自然美、野趣美,具有极高的游览、观光价值和科研、科普价值的风景名胜区,被誉为"人间仙境"、"童话世界"。沟内有大小湖泊 114 个,17 个瀑布群,5 处钙华滩流,相串相连,形成中国惟一、世界罕见的巨大的以高山湖泊群和瀑布群以及钙华滩流为主体的风景名胜区。

九寨沟的湖水纯净透明,色彩碧澄,清澈见底。湖泊的形态和类型繁多。雄浑的,碧波万顷;秀美的,玲珑剔透;平静的,以恬美招人青睐。当风平浪静之时,水平似镜,倒影胜实景,呈现出"鱼游云端,鸟翔海底"的奇观。九寨沟的瀑布,种类之众,数量之多,形态之美,冠于中国。湖泊之间高差很大,堤埂蜿蜒曲折,湖水越堤穿林,形成叠瀑,并呈现

"树在水中生,水在林中流,人在画中游"的景象。钙华滩流使九寨沟的胜景叠出。珍珠滩上,薄薄的流水冲击在凹凸不平的喀斯特体上,激起无数的浪花,在阳光照射下晶莹剔透,宛如珍珠跳跃,涉足滩上,有"朵朵银花足下踩,万顷珍珠涌入怀"之感。

九寨沟处于青藏高原东南斜面向四川盆地的过渡地带,由于各种地貌交错复杂和现代喀斯特作用的钙华沉积,形成了各种造型地貌。景观类型集中,在世界高寒喀斯特地貌中,独树一帜。

九寨沟属温带季风气候,年平均气温为 7.8℃,一月份为最低,平均温度为—2.9 ℃,7 月份为最高,平均气温 18.3℃。晴天多,云雾少,紫外线强,有利于人体健康。年平均风速 1—2 米/秒左右,夏日凉爽,冬无烈风之苦。空气清新,阳光明媚,是游览、观光、度假的好地方。

"翠海彩林跌瀑飞,碧水苍山雪峰奇;水光山色相辉映,九寨风光世间奇。"九寨沟具有举世罕见的自然资源和景观优势,通过九寨沟管理者与保护者的不懈努力,赋予她可持续发展的动力,坚持旅游开发和自然保护协调发展,坚持以保护为中心的"保护型开发"的管理模式,使九寨沟这颗中国明珠更加璀璨夺目、异彩纷呈。

申报理由

一、九寨沟以高原钙华湖群、钙华瀑布群和钙华滩流等水体景观为主,集翠海、叠瀑、彩林、雪峰、藏情为一体,呈现出世间罕见的自然美景,是人们心中的"人间仙境"。

二、九寨沟具有类型多样的地貌景观,保存完好的冰川遗迹,丰富的原生植物种质资源,珍贵的野生动物资源,是独具特色的风景名胜区,也有着重要的科研价值。

三、九寨沟有着高度的美学价值,山与水,湖与瀑,水与树,相依相生,动静有致,集环境美、色彩美、形态美于一体,是人类风景美学法则的最高境界。

世界遗产委员会评价

九寨沟位于四川省北部,绵延超过72000公顷,曲折狭长的九寨沟山谷海拔超过4800米,因而形成了一系列形态不同的森林生态系。它壮丽的景色因一系列狭长的圆锥状喀斯特溶岩地貌和壮观的瀑布而更加充满生趣。沟中现存140多种鸟类,还有许多濒临灭绝的动植物物种,包括大熊猫和四川扭角羚。

保护情况

一、加强森林资源保护

九寨沟自从1978年成立国家级自然保护区以来,通过禁伐天然林和退耕还林,提高了保护区植被覆盖率;通过加强巡护和社区管理,严格限制进入核心区等措施,使动植物栖息地质量得到改善,种群数量得到保存或增加。

(一)制定总体规划,对保护区实行严格功能区划,划分实验区、缓冲区和核心区。标桩立界,严禁游客和居民进入缓冲区和核心区,减少了旅游活动带来的对自然保护区环境的影响。

(二)建立巡山队和消防队,建立7个保护站和1个了望塔。启用自动化防火监测系统,防火控制率100%,杜绝了森林火灾,使九寨沟25年无森林火灾;杜绝了偷猎偷伐,保护了九寨沟生物资源的多样性,保护了生态系统的完整性。九寨沟的森林覆盖率63.5%,植被覆盖率85.5%。

(三)改变沟内居民"松灯照明"的历史,实行以电代柴。2003年5月全面完成农网改造工程。

(四)杜绝外来物种,保持沟内原始天然的生物系统的完整性。具体制订和采取以下措施:

1.退耕还林地,景区绿化带和工程建设形成的边坡治理等全部采用当地物种;

2.保护处园林队负责对沟内物种的选择性培育,对景区建设和社区居民的生产使用的木材、装饰材料进行检疫。

二、加强水资源保护

水是九寨沟的灵魂,水体资源的保护是九寨沟保护工作的重点,对于水体的研究和保护是九寨沟遗产地面临的重要课题。为了减少旅游活动对水资源的影响,九寨沟采取了下列措施:

(一)建立九寨沟生态环境监测站,对景区内的水体进行常规的水质、水文监测,并将监测分析结果及时反馈管理层。

(二)设立环卫队,实施"动态保洁",做到"四无"、"六净";建设绿色生态厕所,日产日清,对清运出沟的固体垃圾进行无公害化处理。此举减少了固体废弃物,也减少了水体污染。

(三)实施景区内经营活动外迁,停止了原始森林租马活动和长海的租牛活动。对游客实施"沟内游,沟外住"。此项目自1998年立项,自2000年5月1日起正式实施。此举措减少了旅游活动对地表的破坏、对水体的污染。

三、对自然灾害进行防范和控制

(一)泥石流治理初见成效

九寨沟属高山峡谷地貌,历史上发育的泥石流有30多处,对森林和植被破坏较大。1985年—1996年,中科院成都山地所对九寨沟泥石流进行了治理研究,并对对生物资源影响较大的16条泥石流沟谷进行了治理,治理率达90%。通过治理,有效地减少了泥沙进入水体,保护了九寨沟水体。对余下较稳定的地质灾害进行监控,制订了《九寨沟地质灾害预案》。

(二)加强森林病虫害监测,消除"无烟火灾"隐患。

建立森林病虫害监测站,坚持进行森林病虫害预报和治理,对云杉落针病、华山松枯枝病等进行了专题研究,有效保护了森林生态环境。

(九寨沟重点风景名胜区管理局)

黄龙风景名胜区

中文名称:黄龙风景名胜区

英文名称: Huanglong Scenic and Historic Interest Area

地理坐标:东经 103°34′31″—104°10′35″

北纬 32°36′56″—32°56′12″

列入年份:1992 年

管理机构:中华人民共和国建设部

中华人民共和国林业部

四川省建设厅

四川省林业厅

阿坝州人民政府

黄龙国家级风景名胜区管理局

概　况

黄龙风景名胜区位于中国四川省西北部的松潘县境内,是我国海拔最高的国家级风景名胜区。景区面积 1340 平方公里,核心保护区面积 700 平方公里,外围保护区 640 平方公里;最低海拔 1700 米,最高海拔 5588 米;由黄龙沟、牟尼沟、丹云峡、雪山梁、红星岩、雪宝顶等景区组成;以雪山、彩池、森林、峡谷、滩流、古寺、民俗"七绝"著称于世。巨型奇特的地表钙化景观,堪称"中国一绝"。雄奇的山岳景观,险峻的峡谷地貌,绚丽的草原风光,浩翰的森林海洋,独特的民族风情,丰富的动植物资源等相互映衬,浑然一体,具有极高的生态、科研和美学价值,是集大型露天岩溶钙华景观、高原自然风光、民族风情于一体的综合型风景名胜区。

在长 3.5 公里的黄龙沟内分布着 3400 余个钙华彩池和 8 万多平方米的金色钙华滩流,壮观的地表钙化滩流、彩池蜿蜒于原始林海,酷似一条金色巨龙俯卧于密林之中,腾游天地,故名黄龙。又传,远古时期生活在岷山上游的黄龙真人曾辅佐大禹治理江、河、湖、海,后来跨白鹿至黄龙,在黄龙洞潜心修炼,得道成仙,世人于沟内建寺以祭,故以寺名之。

据《松潘县志》载:"禹治水至茂州,黄龙负舟,助禹导水,自茂州而止,始有岷江……后黄龙修道成仙而去,遗五色山水于世,世人建寺,岁岁朝觐。"

黄龙沟之水,皆水质清丽,色如琥珀。池群错落,成梯状延迤。池水轻漫,泪泪流淌。再观周围山峰,雄拔峻峭,直立云霄。峰头积雪晶莹,穿崖巨谷,不弱五岳。登高俯瞰,沟壑中,山脊逶迤,金色钙华,长铺十里,形若金龙。龙身水被如帘,与日辉映,金光灿灿。古人赞美道:玉嶂参天,一径苍松迎白雪;金沙铺地,千层碧水走黄龙。

黄龙地下泉涌丰富,水经地层裂隙循环,在此出露,形成泉群,为钙华堆积之源泉。水流经兔岩及迥然河床,形成水滞,加之倒树枯叶阻塞,使水中矿物沉积,历经多年,纳天地之精华,成为钙华塌陷、钙华滩流、钙华瀑布之地貌。黄龙处高寒之地,有此宏伟巨大之地貌景观,是世所罕见的。

黄龙还是动植物的天然乐园。景区内植物群落结构完整,生态系统十分稳定平衡。自然分布的高等植物 1500 余种,大部分为中国特有。森林覆盖率为 65.80%,植被覆盖率 88.9%。景区内动植物资源丰富,其中,兽类 59 种(6 目 18 科),鸟类 155 种(12 目 29 科),爬行类 5 种(2 目 3 科),两栖类 5 种(2 目 4 科),鱼类 2 种(2 目 4 科)。国家一级保护动物有大熊猫、川金丝猴、牛羚、云豹等 9 种;国家二级保护动物有小熊猫、猞猁、金猫、兔狲等 21 种。有的(如胸腺齿突蟾)为当地特有种类。

申报理由

黄龙拥有独特的地质地貌结构,保存了世所罕见的自然景物和绚丽多彩的高原风光,它们都具有很高的生态价值、科学价值和美学价值,是珍贵的自然遗产和人类的共同财富,应该加入世界遗产目录,受到全人类的保护和利用。

一、黄龙在中国风景名胜区中的特殊地位

(一)黄龙的巨型地带钙华景观——"中国一绝"。

黄龙以巨型地表钙华景观为主景,这在中国风景名胜区中,是惟一的一个,成为"中国一绝"。黄龙钙华景观具有规模宏大、类型繁多、结构奇巧、色彩丰艳、植被原始、环境优美、科研价值高等突出特点,在中国胜景中独树一帜,占有不可替代的显赫地位,就是在世界自然遗产中,亦属罕见。

(二)黄龙的综合景观风貌——出类拔萃。

黄龙总体,是以绚丽的高原风光和特异的民族风情为其综合景观基调的,这在中国胜景中,亦属上品。黄龙高山摩天、峡谷纵横、莽林苍苍、碧水荡荡,其间镶嵌着精巧的池、湖、滩、瀑、泉、洞等各类钙华景观,点缀着神秘的寨、寺、耕、牧、歌、舞等各族乡土风情,它们景类齐全、景形特异,但又组合有机,整体和谐,在高原特有的蓝天白云、艳阳骤雨和晨昏季相的烘染下,呈现出一派时时处处皆景、动态神奇无穷的天然画境。

(三)黄龙在人们心目中的地位——"人间瑶池"。

黄龙景观奇绝,环境优美,其主景区黄龙沟,酷似中国人心中的圣灵"龙"的形象,因而历来被喻为"人间瑶池"、"中华象征"。在当地,更为各族乡民所尊崇,藏民称之为"东日·瑟尔嵯",意为东方的海螺山(指雪宝鼎),金色的海子(指黄龙沟),并沿袭着一年一度,盛况煊赫,波及西北各省区,包括藏、汉、羌各族民众参加的转山庙会。1982年中华人民共和国国务院审定为国家重点风景名胜区并对外开放后,立即为国内外专家和游人共誉为"世界奇观"。美国国家公园西部地区局局长斯坦尼·欧伯特赞叹道:"这里有似加拿大的雪山,怀俄明州的峡谷,科罗拉多的原始森林,黄石公园的钙华彩池。多类景观,集中一地,真是世所罕见。黄龙不仅是中国人民的宝贵财富,也是人类的宝贵财富。"并签订了黄龙与美国的世界遗产约塞米堤建立友好区关系的协定。

二、黄龙有着丰富珍贵的自然遗产

(一)黄龙具有过渡状态的地理结构。

黄龙在空间位置上,多方面都处于单元间的交接部位。构造上它处在扬子准台地、松潘——甘孜褶皱系与秦岭地槽褶皱系三个大地构造单元的结合部;地貌上属中国第二地貌阶梯坎前位,青藏高原东部边缘与四川盆地西部山区交接带;水文上为涪江、岷江、嘉陵江三江源头分水岭;气候上处于北亚热带湿润区与青藏高原——川西湿润区界边缘;植被上处于中国东部湿润森林区向青藏高寒高原亚高山针叶林草甸草原灌丛区过渡带;动物亦处南北区系混杂区。风景区

内,又为东西向雪山断裂、虎牙断裂和南北向岷山断裂、扎尕山断裂,交叉切错,而且黄龙本部与牟尼沟景区在岩性、层序、沉积等古地理条件和地层构造,构造形迹上有较大差异。这种空间位置的过渡状态,造成此区地理各方面的特别复杂性,蕴涵着不少自然的未解之谜,这就给各相关学科提供了探索自然奥秘的广阔天地。

(二)黄龙具有世界罕见的钙华景观。

黄龙钙华景观,世所罕见,特点突出。它类型齐全,钙华边石坝彩池、钙华滩、钙华扇、钙华湖、钙华塌陷湖、坑,以及钙华瀑布、钙华洞穴、钙华泉、钙华台、钙华盆景等一应俱全,是一座名副其实的天然钙华博物馆。它规模巨大:黄龙沟连延分布钙华段长3600米,最长钙华滩长达1300米,最宽170米;彩池数多达3400余个;边石坝最高达7.2米;扎尕钙华瀑布高达93.2米;这都是中国之最,世界无双。它分布集中:在全区广阔的碳酸盐地层上,钙华奇观仅集中分布在黄龙沟、扎尕沟、二道海等四条沟谷中,海拔3000米至3600米高程段;这有它特定的自然背景可供深入研究。它过程完整:区内黄龙沟、二道海、扎尕沟分别处于钙华的现代形成期、衰退期和蜕化后期,给钙华演替过程研究提供了完整现场。它组合精巧:黄龙沟3600米区段内,同时组接着几乎所有钙华类型,并巧妙地构成一条活灵活现的金色"巨龙",腾翻于雪山林海之中,实为自然奇观。

(三)黄龙具有中国最东的冰川遗存。

黄龙地区海拔3000米以上,广泛发育着清晰的第四纪冰川遗迹,其中以岷山主峰雪宝鼎地区最为典型。其特点是类型全面,分布密集,最靠东部。此区山高范围广,峰丛林立,单5000米以上高峰就达七座,其中发育着雪宝鼎(5588米)、雪栏山(5440米)和门洞峰(5058米)三条现代冰川,使此区域成为中国最东部的现代冰川保存区。主要冰蚀遗迹有角峰(分布高度海拔4000米以上)、刃脊(3800米以上)、冰蚀堰塞湖(3900米以上)等;主要冰碛地貌有终碛、中碛、侧碛、底碛等;分布于各冰川谷中,其中终碛主要分表高程为3000—3100米、3550—3650米、3750—3850米。此区还是黄龙沟钙华景观的直接成景条件之一。此区现代冰川和古冰川遗迹及其与黄龙钙华的关系等,都具有重要的科研价值。

(四)黄龙具有典型完整的高山峡谷江源地貌。

黄龙大地景观特点是角峰如林,刃脊纵横;峡谷深切,崖壁陡峭;枝状江源,"南直北曲",黄龙高程范围在海拔1700—5588米之间,一般峰谷相对高差千米以上,3700—4000米以上多为冰蚀地貌,气势磅礴,雄伟壮观。黄龙多喀斯特峡谷,空间多变,崖峰峻峭,水景丰富,植被繁茂。依谷底形态分,有丹云喀斯特溪峡、扎尕钙华森林峡和二道海钙

华叠湖峡等数种。黄龙境内涪江源为一主干东西树枝状水系，上游河床宽平，下游峡谷深曲，南侧支流羽状平直排列，北侧支流东状陡曲排列，形成"上宽下深，南直北曲"的独特江源风貌。整个黄龙地区呈现"山雄峡峻"的总体地貌特征，其中蕴藏着丰富的自然奥秘，有待广泛深入的科学探索。

（五）黄龙具有丰富珍贵的原生植物的种质资源。

黄龙是天然植物种质资源的绿色宝库。区内有高等植物 1500 余种，大部为中国特有种，属国家一至三类保护的植物有四川落叶松、岷山冷杉、独叶草、星叶草等 11 种。许多植物具有重要的科研、药用和经济价值。

（六）黄龙具有大熊猫等类珍稀野生动物资源。

黄龙所处过渡性的地理特征和茂密的原始森林，使之成为大熊猫等野生动物栖息和繁衍的理想王国。其资源特点是珍稀动物品种多，南北动物混杂现象突出，还有当地特有种。其中有兽类 59 种、鸟类 155 种，属国家一至三类保护的动物有大熊猫、金丝猴、牛羚、云豹、白唇鹿、红腹角雉、藏马鸡等。南北动物混杂现象以山星鸟为突出，胸腺齿突蟾等为当地特有种。对于"活化石"大熊猫生态的研究，有助于揭示自然生态的深层奥秘。

（七）黄龙具有优质珍稀的矿泉水和温泉。

黄龙矿泉水出露于牟尼沟景区。流量 0.58 升/秒，水温 9.5℃—9.8℃，PH 值 6.3，矿化度 1159 毫克/升，属 HCO_2—Ca 型，水中含游离氧化碳（CO_2）477—1559 毫克/升，锶（Sr）0.4—0.669 毫克/升，氡（Rn）77.24—98.32 贝可勒尔/升。已经国家有关部门鉴定为："锶、二氧化碳优质天然饮用矿泉水"，具有很高的经济价值。此外牟尼沟景区二道海沟，还出露一温泉群，水温 22℃ 左右，大泉喷出水柱高达 30 厘米以上，含硫（H_2S）0.16 毫克/升。

三、黄龙有着比较重要的美学价值

黄龙以其得天独厚的地理结构，而集彩池、雪峰、峡谷、森林于一体，融高原风光、民族风情于一区，组合成众美荟萃的大地景观，塑就了奇、峻、雄、野的无限美景，展露出催人奋进的美感效应，黄龙实为一处人类美学理想的称职载体。

（一）黄龙具有多元组合的构成美。

1. 景观类型丰富。黄龙富集着各类景观成分，山、岩、峡、洞、泉、池、湖、瀑，林木花草，云光风声，整个自然原始造化，兼融乡民原始风情，万般景物，皆入黄龙，使黄龙景观的构成数量大。

2. 景观形态特异。黄龙景观，特色极强：池，是世界罕见的钙化池；峰，是高寒冰蚀的冰川峰；峡，是异象丛生的喀斯特峡；林，是生态完好的原始林。它们在悠广的自然界里，已属奇迹，在当今人类眼中，更是殊观，它们使黄龙景观的构成

素质高。

3. 景观组合精当。黄龙景观构成的层次分明，关系得当，主体突出，总体完好。它们粗精结合，动静结合，雄秀结合，文野结合，而以主景区雪宝鼎和黄龙沟地段的关系最为完美，它们反映出黄龙景观的构成关系好。

（二）黄龙具有神功巧构的综合美。

1. 主体突出。黄龙空间序列，铺陈精当，层层伸进，主体突出，区内的雪宝鼎和黄龙沟地区，无论在大地之间，主体景域、核心景域和主景区等各个景域层次中，始终占据着主体地位，而以雪宝鼎为空间标只，其他部分，都在不同地位，以不同方式，与之互相衬托，共构佳境。就是雪宝鼎峰丛区，也是主次分明，主峰状若金字塔，王威毕露，且独它终年皓顶，而周围"万山罗列，如拜，如伏，如儿孙"，臣礼十足，它们又共同构成众星拱月的绝妙画境。

2. 对比强烈。黄龙处处无不揭示着对立统一、阴阳互补的自然法则，尤其以雪宝鼎山区和黄龙沟钙华体的微妙结合，最令人类叹服。它们在体量大与小，形象犷与精，质感硬与软，状态静与动，色彩素与艳，意境雄与秀，空间开与合，排列横与竖等等方面，无不存在强烈对比，却又互衬增辉，水无山不活，山无水不显坚，对比越强，特点越强。

3. 整体完美。黄龙正是以它神奇的天然组景关系，铸就成一个美的综合体，它处处皆美，时时皆美，而整体更美。黄龙沟的整体形象，最为神奇：山谷折转，龙的动势；钙华铺地，龙的肌肤；层层彩池，龙的鳞甲；遍坡金亮，龙的体光；更妙者，周围是无边的原始林，宛若绿色的海洋；上端冰雕玉砌的雪宝鼎、玉翠峰，好似龙的宫殿；加上蓝天白云的映照，风岚烟雨的烘托，最后经人们"龙"图腾意识的美的想像，一只活灵灵的"金色巨龙"，就跃出龙宫，翔游于海天之间了。

（三）黄龙有奇峻雄野的形象美。

1. 钙华繁多，彩池奇。黄龙钙华景观，以"奇"为特征，就其类型之多，规模之大，造型之巧，色彩之艳，组合之精，环境之佳等等，都令人称奇。尤以千姿百态的彩池，令人惊异，令人赞叹，令人疑惑，令人探索。此外巨大的黄龙钙华和扎尕钙华瀑布，亦属天下奇观。

2. 地形复杂，峡谷峻。黄龙丹云峡，以"峻"称胜，它峡型蜿蜒，峡感强烈，峡景丰富，峡调峻峭，峡中植被繁茂，秋色独好。此外扎尕沟水上森林峡，二道海钙华叠湖峡，也富特色。

3. 景层高广，雪山雄。黄龙山丛，以"雄"为特征，它们群集如林，拔地摩天，地形海拔在 1700—5588 米之间，景层高差达 3688 米，一般游层可达 4000 米。屹立雪山梁，四下临空，场面浩荡，雪宝鼎，红心岩，丹云峰，扎尕山四大山丛，

东南西北,环镇四方,横空出世,雄伟壮观,给人心胸开阔,奋发向上的审美感染。

4.生态良佳,森林野。黄龙林相以"野"为趣,它的原始森林分表广阔,野生动物珍稀种类多,保存着一个结构合理、布局完整的原始生态环境。其中牟尼沟景区,重峦叠嶂,丛林苍莽,原始野林,鸟语花香,给人以回归大自然的无限野趣。

(四)黄龙具有积极向上的意境美。

1.景感刺激强烈生动。黄龙景观的作用力度,属强刺激型。出奇制胜,以异慑人,使人惊、叹、疑、究。它似进行曲,振而不燥;它引人兴奋、舒畅,较适应现代人节奏快、尚刺激的审美心理。

2.景感内涵丰富深邃。黄龙景观博大精奥,知识性强,寓智于美,虽精奥但诱人,它引人探索、向往。较适应现代人重科技、求知欲强的审美需求。

3.景感格调明快奔放。黄龙景观,形肯定,光照强,视点高,视野广,山明水净,天高气爽,层次分明,色调明朗,一目了然,放而不荡;它引人意坚志昂,较适应现代人重实际、性格开朗的审美理想。

世界遗产委员会的评价

黄龙风景名胜区,位于四川省西北部,是由众多雪峰和中国最东部的冰川组成的山谷。在这里人们可以找到高山景观和各种不同的森林生态系统,以及壮观的石灰石岩构造、瀑布和温泉。在这一地区还生存着许多濒临灭绝的动物,包括大熊猫和四川疣鼻金丝猴。

保护情况

黄龙风景区自1982年开放以来,建立健全了管理机构,加强了森林防火、环境监测和森林病虫害预防工作,使景区23年无森林火灾记录,生态环境良好。1992年,申报世界自然遗产成功,景区得到更好的保护。2001年,全面导入和引进ISO9001质量管理体系和ISO14001环境管理体系及《绿色环球21》管理理念,使保护和管理工作迈上了新的台阶。垃圾日产日清,分类回收,实行无害化处理,使景区自然环境和水源免遭污染,环境卫生管理在全国处于领先地位。每年从12月1日至次年3月31日实行4个月的冬季封闭式保育,让景区修养生息,动植物自然繁衍,实现了旅游资源的可持续发展。

(黄龙国家级风景名胜区管理局)

武陵源风景名胜区

中文名称:武陵源风景名胜区
英文名称: Wulingyuan Scenic and Historic Interest Area
地理坐标:东经 110°20′30″—110°41′15″
北纬 29°16′25″—29°24′25″
列入年份:1992 年
管理机构:中华人民共和国建设部
湖南省建设厅
武陵源风景名胜区管理局

概　　况

武陵源风景名胜区地处湖南省西北部的张家界市中部,澧水中上游,属武陵山脉,包括张家界国家森林公园、索溪峪自然保护区、天子山自然保护区、杨家界共4个景区。全区总面积397平方公里,其中核心景区264平方公里,外围影响区133平方公里。这里属亚热带季风湿润气候,平均气温13.4℃,夏无酷暑,冬无严寒,以其独特的石英砂岩峰林地貌享誉国内外。

武陵源区是典型的山岳型风景区,景区内最高海拔

1264.5米,最低海拔269米,相对高差近千米。以峰奇、谷幽、水秀、林深、洞奥为特色,构成一幅美妙绝伦的天然画卷,被誉为"天下第一奇山"、"地球纪念物"。主要游览景区、景点有:黄石寨、金鞭溪、袁家界、后花园、乌龙寨、杨家界、水绕四门、十里画廊、南天门、西海、天子山贺龙公园、点将台、神堂湾、仙人桥、宝峰湖、黄龙洞等。有举世罕见的石英砂岩柱峰3103座,拔地而起,峻峭险奇,姿态万千,有"奇峰三千"之说。境内沟谷密布,溪流潺潺,水量丰富,有"秀水八百"之称。景区内古木参天,垂直分布带明显,群落完整,种类繁多,生态稳定平衡,森林覆盖率达92%。动植物资源丰富,是我国重要古老孑遗植物和珍稀动物的重要集中分布地区。境内保存有两处原始次森林,保留了长江流域古代植物群落的原貌。据调查统计,高等植物3000余种,其中木本植物107科250属700余种。可供观赏的园林花卉植物450余种。特有植物武陵松分布广、造型奇特。首批列入国家重点保护的珍稀濒危种子植物35种。有陆生脊椎动物20目50科119种,其中有国家一级保护动物3种,二级保护动物10种,三级保护动物17种,被誉为"自然博物馆"和"天然植物园"。武陵源不仅有举世罕见的石英砂峰林,而且有蔚为壮观的岩溶景观,为整个东南亚地区岩溶景观的缩影。这里山高谷深,降水量大,湿度大,形成云海、云瀑、云涛等气象奇观。

1978年,这颗风景明珠被世人发现,1982年,经国家计委批准,张家界林场成为中国第一个国家森林公园。1988年,国务院确定武陵源为国家重点风景名胜区,并批准设立武陵源县级行政区。1991年,武陵源被评为"中国旅游胜地四十佳"之一。1992年12月14日,联合国教科文组织将武陵源作为中国"世界自然遗产"列入《世界遗产名录》。1997年被评为全国安全山、文明山,1999年被评为全国治安模范区(县),2000年被评为"AAAA"级景区、"全国文明风景名胜区"。

申报理由

一、具有突出价值的地质地貌

武陵源在区域构造体系中,处于新华夏第三隆起带。在漫长的地质历史时期内,大致经历了武陵雪峰、印支、燕山、喜山及新构造运动。武陵—雪峰运动奠定了本区基底构造。印支运动塑造了本区的基本构造地貌格架,而喜山及新构造运动是形成武陵源奇特的石英砂岩峰林地貌景观的最基本的内在因素之一。

构成砂岩峰林地貌的地层主要由远古生界中、上泥盆统云台观组和黄家墩组构成,地层显示滨海相碎屑岩类特点。岩石质纯、层厚,底状平缓,垂直节理发育,岩石出露于向斜轮廓,反映出砂岩峰林地貌景观形成的特殊地质构造环境和基本条件。而外力地质活动作用的流水侵蚀和重力崩坍及其生物的生化作用和物理风化作用,则是塑造武陵源地貌景观必不可少的外部条件。因此,它的形成是在特定的地质环境中内外地质重力长期相互作用的结果。

二、具有奇特多姿的地貌景观

武陵源以石英砂岩峰林地貌、构造溶蚀地貌、剥蚀构造地貌以及河谷侵蚀堆积地貌享誉海内外。

石英砂岩峰林地貌:武陵源共有石峰3103座,峰体分布在海拔500—1100米,高度由几十米至400米不等。峰林造型景体完美无缺,若人、若神、若仙、若禽、若兽、若物,变化万千。武陵源石英砂岩峰林地貌的特点是:质纯、石厚,石英含量为75%—95%,岩层厚520余米。具间层状层组结构,即厚层石英砂岩夹薄层、极薄层云母粉砂岩或页岩,这一层组结构有利于自然造型雕塑,增强形象感。岩层裸露于向斜轮廓产状平缓(5°—8°,局部最大达20°),增加了岩石的稳定性,为峰林拔地而起提供了先决条件。岩层垂直节理发育,显示等距性特点,间距一般15至20余米,为塑造千姿百态的峰林地貌形态和幽深峡谷提供了条件。

基于上述因素,加之在区域新构造运动的间歇抬升、倾斜,流水侵蚀切割、重力作用、物理风化作用、生物化学及根劈等多种外营力的作用下,山体则按复杂的自然演化过程形成峰林,显示出高峻、顶平、壁陡等特点。

构造溶蚀地貌:武陵源构造溶蚀地貌,主要出露于二叠系、三叠系碳酸盐分布地区,面积达30.6平方公里,可划分为五亚类,堪称为"湘西型"岩溶景观的典型代表。主要形态有溶纹、溶痕、溶窝、溶斗、溶沟、溶槽、石芽、埋藏石芽、石林、穿洞、洼地、石膜、漏斗、落水洞、竖井、天窗、伏流、地下河、岩溶泉等。溶洞主要集中于索溪峪河谷北侧及天子山东南缘,总数达数十个。以黄龙洞最为典型,被称为"洞穴学研究的宝库",在洞穴学上具有游览和探险方面特殊的价值。

剥蚀构造地貌:分布于志留系碎屑地区,见及三亚类:碎屑岩中山单面山地貌,分布于石英砂岩峰林景观外围的马颈界至白虎堂和朝天观至大尖一带;鲤鱼脊V谷中山地貌,分布于湖坪、石家峪、黄家坪等地;碎屑岩低山地貌,分布于中山外缘,山坡较缓,河谷呈开阔的V型。

河谷侵蚀堆积地貌:本类型可分为山前冲洪扇、阶地和高漫滩。前者分布于沙坪村,发育于插旗峪—施家峪峪口一带;索溪两岸发育两级阶地,二级为基座阶地,高出河面3—10米;军地坪—喻家嘴一线高漫滩发育,面积达4—5平方公里。

三、具有完整的生态系统

武陵源位于西部高原亚区与东部丘陵平原亚区的边缘，东北接湖北，西部直达神农架等地，西南联于黔东梵净山。各地生物相互渗透，物种丰富，特别是这里地形复杂，坡陡沟深，加上气候温和，雨量丰富，森林发育茂盛，给众多物种的生存和繁衍提供了良好的环境条件。加之武陵源交通不便，人口稀少，受人为干扰较少，从而保存了丰富的生物资源，成为我国众多孑遗植物和珍稀动植物集中分布地区。据考证，千百年来武陵源从未发生过较大的气候异常、水土流失、岩体崩塌或森林病虫害等现象，证明武陵源保持了一个结构合理而又完整的生态系统，具有极其重要的科研价值。

武陵源植物资源十分丰富：在众多的植物中，武陵松分布最广，数量最多，形态最奇，有"武陵源里三千峰，峰有十万八千松"之誉。

古树是自然遗产中的"活文物"。武陵源的古树名木具有古、大、珍、奇、多的特点。神堂湾、黑枞脑保存有完好的原始森林。张家界村一株银杏古树高达44米，胸径为1.59米，被称为自然遗产中的活化石。生长于腰子寨的珙桐，是国家一级保护珍贵树木。这些植物种质资源，有着极高的科研价值，它们的生存环境、林相结构及其保护、保存等都是重大的研究课题。

宝贵的野生珍稀动物：武陵源在动物地理分布上属于东洋界，华中区，位于西部山地高原亚区与东区部丘陵平原亚区的交界线边缘。这里地形复杂，气候温和，雨量丰富，经过长期的侵蚀风化，石英砂岩构成巨大的奇峰异石，坡陡沟深，加之森林茂密，给动物生活、繁衍创造了良好的环境条件。经初步调查，陆生脊椎动物共有50科116种，其中包括《国家重点保护动物名单》中的一级保护动物3种，二级保护动物10种。武陵源动物世界中，较多的是猕猴，据初步观察统计为300只以上。当地人叫做"娃娃鱼"的大鲵，则遍见于溪流、泉、潭中。研究动物生态在武陵源生态系统中的作用及两者的关系，对于保护动物和维护生态平衡有着重要的科学价值。

四、具有珍奇的地质遗迹景观

武陵源回音壁上泥盆系地层中砂纹和跳鱼潭边岩画上的波痕，是不可多得的地质遗迹，不仅可供参观，而且是研究古环境和海陆变迁的证据。分布在天子山二叠系地层中的珊瑚化石，形如龟背花纹，故称"龟纹石"，是雕塑各种工艺品的上好材料。

五、具备多姿多彩的气候景观

武陵源的春、夏、秋、冬，阴、晴、朝、暮，气候万千。云雾是武陵源最多见的气象奇观，有云雾、云海、云涛、云瀑和云彩五种形态。雨后初霁，先是朦胧大雾，继而化为白云，缥缈沉浮，群峰在无边无际的云海中时隐时现，如蓬莱仙岛、玉宇琼楼，置身其间，飘飘欲仙，有时云海涨过峰顶，然后以铺天盖地之势，飞滚直泻，化为云瀑，蔚为壮观。

世界遗产委员会评价

武陵源景色奇丽壮观，位于中国中部湖南省境内，连绵26000多公顷，景区内最独特的景观是3000余座尖细的砂岩柱和砂岩峰，大部分都有200余米高。在峰峦之间，沟壑、峡谷纵横，溪流、池塘和瀑布随处可见，景区内还有40多个石洞和两座天然形成的巨大石桥。除了迷人的自然景观，该地区还因庇护着大量濒临灭绝的动植物物种而引人注目。

保护情况

一、制订实施保护条例

2000年初，湖南省人大常委会和主任会议决定将制订《湖南省武陵源世界自然遗产保护条例》列入立法计划之后，湖南省人大环资委会同省建设厅、省林业厅、张家界市和武陵源区组成保护条例起草小组，于4月上旬开始工作。6月21日，由张家界市人大常委会和市人民政府出具书面意见，表示原则同意保护条例草案的全部条款。6月27日，湖南省人大环资委召开会议，经过认真审议，决定向省人大常委会提出制订《湖南省武陵源世界自然遗产保护条例》的法规案。

2000年9月28日，《湖南省武陵源世界自然遗产保护条例》经过湖南省第九届人民代表大会常务委员会第十八次会议通过，并予公布，自2001年1月1日起执行。这是在我国目前尚无保护世界自然遗产的专门法律法规的情况下出台的第一个保护世界自然遗产的地方性法规。

二、全面修编景区规划

武陵源自1992年12月14日被联合国教科文组织列入《世界遗产名录》以后，对遗产资源的管理始终坚持"保护第一、规划先行"的原则。1992年，武陵源区聘请上海同济大学的专家编制了《武陵源风景名胜区总体规划》以及《武陵源风景名胜区索溪峪镇城区总体规划》、《军地坪中心区详细规划》。随着对世界自然遗产保护意识的提高，武陵源区委、区政府越来越认识到规划的重要性，认为编制科学的规划是保护好武陵源世界自然遗产的前提和基础。2001年，武陵源区上报湖南省建设厅和建设部批准，投入近600万元专项经费着手对现行《武陵源风景名胜区总体规划》进行修编，并编制索溪峪、天子山、中湖三个旅游镇的总体规划和详细规划。

三、建立健全管理体制

2000 年,武陵源区成立了管理城镇规划建设和遗产保护的议事机构——遗产保护规划建设管理委员会,区委、区人大、区政府、区政协四大家领导均为该管理委员会的成员,对有关遗产保护的重大问题进行集体议事决策;成立了遗产办,安排 3 位专职人员开展有关工作。而武陵源风景名胜区管理局是遗产保护的最终法人。

2002 年,武陵源区在机构改革中增设了景区保护所、景区办事处、规划局、房管局等机构,增加了人员编制数。特别是通过设立张家界、天子山、索溪峪、杨家界四个专业遗产保护机构,武陵源景区已建立了一支拥有 500 多人的专业遗产保护队伍。这支专业遗产保护队伍的主要职能就是常年认真宣传、严格执行《湖南省武陵源世界自然遗产保护条例》等有关法律法规,严厉打击破坏遗产资源的违法行为,对不按章办事、决策失误造成资源破坏的责任人,坚决追究其行政责任。

四、拆迁景区建构筑物

1999 年,武陵源区对景区内游道、公路两旁和游客集散地有碍观瞻的 190 余处 2.5 万平方米的违章建筑进行了拆除,完成了第一期拆迁任务。2000 年,武陵源区成立了景区房屋拆迁工作机构,并开展了卓有成效的工作:对景区内所有建构筑物情况进行了调查摸底,编制了拆迁方案和安置计划。多渠道筹措拆迁资金,并争取到国债资金以及湖南省财政资金的支持。截至 2002 年上半年,武陵源区共拆除袁家界、水绕四门、天子山等景区 59 家旅游接待设施,搬迁景区内世居居民 377 户 1162 人,共拆除景区房屋建筑面积 15.5 万平方米。第一、二期景区房屋拆迁任务的完成,已基本解决了景区城市化倾向问题,从而还世界自然遗产以本来面貌。

五、加强生态环境建设

自 1999 年来,武陵源区为了保护世界自然遗产、永续利用遗产资源,全面加强了生态环境建设。

(一)广泛深入开展景区绿化工作。至 1996 年底,武陵源区已实现全区绿化达到省级标准。在此基础上,武陵源区进一步抓好生态林保护和退耕还林工作。近 5 年来,武陵源区荒山造林、退耕还林、恢复植被共计 16784.6 亩,封山育林 11000 亩。目前,武陵源区森林覆盖率为 74.4%,核心景区高达 98%,每年增加森林贮水量达 1.2 亿立方米,减少水土流失 75 万吨,吸附灰尘 204 万吨。

(二)最大限度地控制环境污染。至 1999 年底,武陵源区已全部取缔燃煤锅炉和大灶,代之以燃油、燃气锅炉和电锅炉,防止大气污染。为了保护水体环境,武陵源区新建项目和已建工程都一律配套实施地埋式无动力自动净化装置。武陵源区禁止在核心景区和城区燃放烟花爆竹,景区统一运行环保汽车,单一经营环保快餐。

(三)改善能源结构,严禁森林采伐。武陵源区各村镇居民正在推广使用电能、液化气、沼气等洁净能源和生态能源,代替原始的柴薪能源,防止水土流失和生态破坏。目前,已有 80% 以上居民用上了洁净和生态的沼气能源。

(四)强化管理秩序,保护生态资源。武陵源区实行森林防火责任制和森林防火一票否决制;区、乡(镇)各级森林防火指挥部坚持 24 小时值班制度,专职护林人员对重点部位坚持死看死守,严禁一切野外用火,在景区兴建防火隔离带和生物防火林带,将核心景区与外围生活生产用火区隔离,有效地保护了世界自然遗产的安全。武陵源城区禁开野味餐馆,严禁野味上市,坚持"山上管死,山下严查"的原则,严厉查处经营野生动物的一切行为,保护野生动物资源。

(武陵源风景名胜区管理局遗产办公室 张彩宝)

云南三江并流保护区

中文名称:云南三江并流保护区(简称"三江并流")
英文名称: Three Parallel Rivers of Yunnan Protected Areas
地理坐标:东经 98°00′—100°31′,北纬 25°30′—29°00′
列入年份:2003 年
管理机构:中华人民共和国建设部
　　　　　　云南省世界遗产管理委员会

三江并流国家重点风景名胜区管理局

概　况

在中国云南省西北的崇山峻岭中,怒江(萨尔温江上游)、澜沧江(湄公河上游)和金沙江(长江上游)自北向南平行奔流近一百七十公里,形成了世界上独特的自然奇观——"三江并流"。2003年7月2日,联合国教科文组织以符合世界自然遗产全部四条标准将"三江并流"列入《世界遗产名录》。

一、是反映地球演化主要阶段的杰出代表地

三江并流地处东亚、南亚和青藏高原三大地理区域的交汇处。

在地质上,是青藏高原的东南延伸部分,横断山脉的主体;是世界上挤压最紧、压缩最窄的巨型复合造山带;是反映地球演化重大事件的关键地区;是反映强烈的地壳变形和抬升形成特殊地质构造的代表性区域。

区域内岩石类型丰富,地质遗存完好。反映了海洋地壳的演化;反映了从深海盆到台地的沉积相变;提供了地壳深部地质作用的丰富信息;反映了造山运动中多期变质和叠加变形的过程。

该地区是各种高山地貌及其演化的代表地区。区域内有大面积的侵蚀花岗岩峰丛地貌展布。多处有高山喀斯特地貌、丹霞地貌(老第三纪红色钙质砂岩侵蚀地貌)发育。

二、是反映重要的不断进化的生态和生物过程的杰出代表地

三江并流区域内云集了相当于北半球南亚热带、中亚热带、北亚热带、暖温带、温带、寒温带和寒带等多种气候类型,是欧亚大陆生态环境的缩影。同时,是自新生代以来生物物种和生物群落分化最剧烈的地区;是欧亚大陆生物物种南来北往的主要通道和避难所;也是欧亚大陆生物群落最丰富的地区。拥有北半球除沙漠和海洋外的生物群落类型,几乎是北半球生物生态环境的缩影。

三、是显著的生物多样性和濒危物种栖息地

三江并流是特有成分突出的横断山区生物区系的典型代表和核心地带,名列中国生物多样性保护17个"关键地区"的第一位;也是世界上生物物种多样性最丰富的地区之一。是欧亚大陆主要的动、植物分化中心和起源中心。

三江并流一直是珍稀和濒危动植物的避难所。她也是世界上最著名的动植物标本模式产地之一。

四、具有非同寻常的科学价值和自然美学价值

三江并流地区卓越的自然品质和文化内涵,从地学、生物、生态学,自然美学等不同侧面反映了它的神秘与独特。多变的立体气候,加之丰富的地貌景观和生物多样性及独特的民族风情,使"三江并流"成为世界少有的适应不同层次和背景人们的文化需求的圣地。

申报理由

一、提名地是反映特提斯构造域演化历史、印度板块与欧亚板块碰撞、横断山巨型陆内造山带形成、青藏高原隆升等地球演化历史重要阶段和重要事件的关键地域,是多种高山地貌类型和演化过程的杰出代表地区,构成了世界一流的地质、地貌自然遗迹区。符合世界自然遗产公约第Ⅰ、Ⅱ条款标准。

(一)是世界上压缩最紧、挤的最窄的巨型复合造山带。在宽约150公里的范围内,相间排列着担当力卡山、独龙江、高黎贡山、怒江、怒山、澜沧江、云岭、金沙江等几组巨大的山脉和大江深谷,构成了横断山脉的主体。展示了世界上"三江并流"这一绝无仅有的高山纵谷自然奇观。

(二)是代表地质演化历史和演化过程的关键地区。

1. 保存了较为发育的蛇绿岩,它与深水硅质岩、枕状熔岩、层状辉长岩等相伴出现,是大洋演化阶段的地质历史记录。

2. 保存了不同类型的混杂岩,代表了区域地质构造变迁的复杂过程。

3. 保存了自古生代至第四纪的地层记录。岩性和岩相的复杂性和变化特征,表征出台地——斜坡——大洋——深水盆地间的沉积变化关系。

4. 区内岩浆岩出露广泛,记录了地质历史演化中深部地质作用过程的丰富信息。

5. 区内现存的独龙江、高黎贡山、雪龙山和石鼓等变质岩带,留下了多期造山作用变质变形、叠加改造的丰富信息,是研究陆内造山带变质变形作用的理想地区。

6. 地质构造十分复杂,构造类型多样。既反映了特提斯演化阶段地质构造的特点,又反映了喜马拉雅陆内造山作用的强烈改造特征,特别是发育了以大规模逆冲——推覆构造和平移剪切带为特征的新的构造组合格局。

(三)独特、绝妙且类型众多的地貌构成了完整的具有世界一流美学价值的自然地理区域。

1. 区内雪山林立,冰峰汇聚,海拔在5000米以上的山峰达118座(雪线一般在4600—4800米之间),是低纬度山岳冰川集中分布地区。区内最高峰为卡瓦格博峰(海拔6740

米),著名的雪山还有白茫雪山、哈巴雪山、碧罗雪山、甲午雪山、察里雪山等。区内分布着许多现代冰川,最著名的是卡瓦格博峰下的明永恰冰川,冰舌海拔为2700米,深入森林地带。在残余高原面和冰川谷地内留下了有一定规模的424个冰蚀湖,形成了高山冰蚀湖群区,同时还残留了大量的冰碛、冰蚀地貌,是第四纪山岳冰川和现代山岳冰川地质地貌的展示区。

2.高山丹霞地貌(老第三系红色钙质砂岩冰蚀、流水侵蚀地貌)的典型代表区。以丽江黎明——黎光、兰坪罗锅箐一带发育最为典型。

3.福贡至贡山一线发育着大面积的花岗岩侵蚀峰丛地貌。

4.高山喀斯特地貌类型众多,以喀斯特洞穴(福贡"石月亮"、泸水瓦拉亚窟洞穴系统)、钙华沉积地貌(中甸白水台、天生桥)以及由于冰川、冰雪融冻、侵蚀作用强烈改造而形成的高山喀斯特峰丛地貌(贡山丙中洛、中甸翁水和格咱、丽江石鼓——石头)为代表。

5.残余高原面地貌分布较广,在大小中甸、大小雪山、格咱一带保存较为完好。

6.在一、二级支流上分布有大量的瀑布和溪流。

二、世界生物多样性最丰富的地区之一。

提名地内云集了相当于北半球南亚热带、中亚热带、北亚热带、暖温带、温带、寒温带和寒带等多种气候类型和生物群落类型,是欧亚大陆生物生态环境的缩影。同时,是自新生代以来生物物种和生物群落分化最剧烈的地区。另外,由于未受到第四纪冰期时大陆冰川的覆盖,而山川河流均为南北走向,使提名地成为欧亚大陆生物物种南来北往的主要通道和第四纪冰期欧亚大陆生物的主要避难所,是世界生物多样性最丰富的地区之一,符合世界自然遗产公约第Ⅱ、Ⅳ条款标准。

(一)是欧亚大陆生物多样性最丰富的地区。提名地有高等植物210余科,1200余属,6000种以上,以占中国0.2%的面积,容纳了中国20%的高等植物,提名地现已录有哺乳动物173种,鸟类417种,爬行类59种,两栖类36种,淡水鱼类76种,凤蝶类昆虫31种,这些动物种类均达中国总数的25%以上。这在中国乃至北半球或全世界都是非常独特的。

(二)是欧亚大陆生物群落最丰富的地区。提名地有10个植被型,23个植被亚型,90余个群系,拥有北半球绝大多数的生物群落类型,几乎是北半球生物生态环境的缩影。

(三)是世界生态系统类型最多的地区之一。无论按植被类型或植被亚型划分还是按群系划分,提名地均拥有北半球绝大多数的生态系统类型。

(四)是第四纪冰期时欧亚大陆主要的生物避难所。提名地拥有第四纪冰期之前的众多子遗物种和珍稀濒危物种,有34种中国国家级保护的植物,37种云南省级保护的植物,有77种中国国家级保护动物,79种动物列入CITES名录,是中国珍稀濒危动物最多、最集中的地区。

(五)是世界最著名的动植物标本模式产地。在提名地采集到的植物模式标本约1500种,动物模式标本80余种。

(六)是亚洲大陆动物的分化中心和起源中心。提名地的动物物种原始与特化并存,子遗种类与进化种类混生,原始类群多,特有类群多,单型属或寡型属种类多。

(七)是南北交错、东西汇合、地理成分复杂、特有成分突出的横断山区生物区系的典型代表和核心地带。提名地的生物区系是中国生物多样性最丰富的地区,名列中国生物多样性保护17个"关键地区"的第一位。

三、自然景观丰富独特,具有无与伦比的综合价值。

除独有的"三江并流"世界奇观外,提名地集雪山峡谷、高山湖泊、冰川草甸、珍稀动植物、丹霞泉华等自然景观于一体,雄、险、秀、奇、幽、奥等各类景观齐备。根据调查,面积在50平方公里以上,且各具特色的景区就有近百个,各类景点难计其数,可以说是北半球除沙漠、海洋景观外各类自然景观的大观园。符合自然遗产公约第Ⅲ条款标准。

(一)景观类型之多,内容之丰富,景观质量之高举世罕见。从海拔760米至6740米的立体植被和从亚热带到寒带的立体气候,加之极其丰富的地貌景观和生物多样性,使她成为世界罕见、综合价值无与伦比的胜地。

(二)自然景观的独特性和稀有性在提名地也得到了充分的体现。这里有世界惟一的"三江并流",有数十个环境各异视觉反差极大的高山湖群;有世界同纬度冰川舌海拔最低的现代海洋性冰川;有一山分四季的立体气候和植被;有14个世居少数民族与自然环境和谐共处的人居环境。

四、提名地作为集生物多样性、地质多样性及景观多样性为一体的面积巨大的自然遗产申报地与其他同类遗产地相比较,具有如下的独特性:

(一)"三江并流"这一地质奇观在全世界范围内具有无可争议的惟一性。

(二)提名地包括丰富的生态系统和生物种类多样性。巨大的面积、完整且未受到破坏的生物廊道提供了生物生态空间保护的完整性,这在中国的相似遗产地中独具优势。

(三)提名地无论从生态系统,还是生物种类、子遗物种、模式标本的数量上都比其他相似遗产地更加多样和完整,是中国生物多样性最丰富的地区。

（四）提名地作为地球演化历史重要阶段和重要事件的关键地域，具有无可替代的科学价值。

（五）提名地丰富的景观类型、奇特的景观形式，创造了无以伦比的自然美，在类似遗产地中具有综合性价值。

（六）提名地同时符合《世界遗产公约》中关于自然遗产的全部四项标准，这在中国的相似遗产地中具有典型性。

五、综上所述，提名地在地质多样性、生物多样性和景观多样性上都具有严谨的科学性、独特性，符合《世界遗产公约》自然遗产第Ⅰ、Ⅱ、Ⅲ、Ⅳ条标准。

世界遗产委员会评价

三江并流保护区范围由八个地理保护区域组成。在中国云南省西北的多山地区中，亚洲三条大江的上游部分，即：长江（金沙江）、湄公河（澜沧江）以及萨尔温江（怒江）在这1.7万平方公里的土地上自北向南平行奔流，穿越高差3000米深的险峻峡谷，流经海拔超过6000米的冰峰高山。她不仅是中国生物多样性的中心，也是世界生物多样性最丰富的区域之一。

保护情况

迄今，三江并流保护区已经在全区域和提名地范围两级

进行了大量规划的工作。在区域范围内，云南省三江并流国家重点风景名胜区管理局已经制定了"三江并流总体管理规划"和"三江并流区域的保护行动计划"。同时，他们已开始编制一个独立的资源保护及监测计划。提名地内15个独立保护区中的九个保护区的管理规划已经得到批准。全球环境基金和美国大自然保护协会（该组织也为该区域编制完成了一个生态区域保护规划及行动计划）为这些规划或计划的编制提供了支持。

游客中心的设立、边界标志的设置和现场办公室的建立表明了自然保护管理机构已开始运转。许多组织正积极支持该地区的自然保护项目，主要有美国大自然保护协会、世界野生动植物基金会和自然保护国际。国家科学基金会（美国）已经进行了一些资源本底调查。荷兰政府正积极支持当地的社区发展项目，而全球环境基金已为管理规划工作提供了资金支持。

（云南省世界遗产管理委员会办公室）

文化与自然双重遗产

泰山

中天门远景

日出

摩崖石刻

远眺南天门

黄山

怪石

奇松

峨眉山——乐山大佛风景区

峨眉山云海　摄影／高屯子

华藏古刹　摄影／高屯子

乐山大佛

相依 摄影／吴 健

武夷山

九曲幽境

兴贤书院

大红袍

远眺群峰

泰　山

中文名称：泰山

英文名称：Mount Taishan

地理坐标：东经 116°50′—117°12′　北纬 36°11′—36°31′

列入年份：1987 年

管理机构：中华人民共和国建设部

　　　　　山东省建设厅

　　　　　泰山风景名胜区管理委员会

概　况

泰山位于山东省中部，主峰玉皇顶在泰安市境内，景区总面积 426 平方公里，主峰海拔 1545 米。泰山自然景观优美，历史文化博大精深，它融自然科学、美学和历史文化价值于一体，被誉为中华民族精神的缩影。1987 年，泰山被联合国教科文组织首批列入世界文化与自然双重遗产名录，成为全人类的瑰宝。

泰山是一座神山。早在远古时期，泰山就因其高大被视作"天"的象征。传说无怀氏、神农氏、炎帝、黄帝、尧、舜、禹……都曾到泰山封禅（在泰山极顶作坛祭天为封，在泰山前的小山上祭地为禅），以表达对天神佑护的谢意。自秦以降，历史记载又有秦始皇、秦二世、汉武帝、唐高宗、唐玄宗、宋真宗、清圣祖、清高宗等 12 位皇帝到泰山举行封禅、祭祀大典。泰山就像一座超乎人力的天然神坛，"气通帝座"、"镇坤维而不摇"，使历代帝王借泰山的神威巩固了他们的统治，而泰山也在帝王的礼敬中极大地提高了地位，使国内其他名山无法与之相提并论了。受帝王封禅的影响，泰山产生了众多的神祇。其中最著名的是碧霞元君，她成为中国北方民众普遍信仰的女神。

泰山是一座圣山。在帝王封禅的同时，泰山也正以它博大的胸怀陶冶着真正的人文精神。春秋时期，以孔、孟为代表的思想家、政治家就曾直接受到过泰山的巨大影响。孔子"登泰山而小天下"的名言，就是两千年前中国圣贤们决心"以天下为己任"，站在泰山般的高度上观察社会与人生，最终实现自己理想的政治宣言。孔子一生曾多次游历泰山，泰

山上到处都留下了他的遗迹。孔子的弟子颜回、曾参、孟子、柳下惠等都曾与泰山有着种种关联。北宋初年，范仲淹的门生孙复、石介、胡瑗等在泰山创办书院，探讨儒学要义，弘扬圣人学说，为泰山文化的发展起到了巨大的推动作用，其影响波及到了山东周围的广大地区。

泰山是一座中华民族精神之山。自古以来，泰山以其高大、厚重、尊严、进取、向上的形象和它所蕴含的优秀文化，启示、激励着中华民族去完善自我品格，实现自身价值。早在战国时期，鲁国人民在一次征战凯旋后，唱出了中国历史上第一首咏颂山的歌"泰山岩岩，鲁邦所瞻"。他们歌颂泰山，不再是因为山能通神，而是借泰山的高大雄伟来歌颂像泰山般坚强的英雄。泰山在人们的心中已开始具备了它应有的形象，而人在泰山的启示下也逐渐地增强了人所应有的主体意识。西汉史学家、太史公司马迁同样以泰山为标准，来衡量人的社会、伦理和道德价值，他说："人固有一死，或重于泰山，或轻于鸿毛。"可谓掷地有声，振聋发聩。千百年来，灾难深重的中华民族从未沉沦过，正是有着心系"泰山"的无数中华儿女为社会的进步而前仆后继、血染丹青，推动了祖国历史的发展。泰山造就了一代代伟人，而他们的思想又积淀在泰山，丰富了泰山文化，使它在众多名山中地位更加突出，形象更加高大。伟人的思想闪现着泰山的灵光，泰山又折射出优秀民族文化的璀璨光芒，这也是中国其他山岳所无法与之相提并论的。

泰山形成于 28 亿年前的太古代，属暖温带半湿润季风气候，四季分明，雨水充沛；植被葱郁，地质结构多样。得天独厚的自然条件，造就了它"一山兼数十百山之形状"、"兼

南北风景之长"的景貌特点。

泰山风景区内有东溪、中溪、西溪、天津河、天烛峪、桃花峪6条大溪谷，分别向6个方向辐射，把泰山自然划分为幽、旷、奥、秀、妙、丽六大景区。这既是天成，又有数千年来无数劳动者的构筑，代表了泰山神秀的精髓，是泰山在中国古老文化中形成"天、地、人合一"高度和谐的集中表现。古代帝王登封泰山，多从中路缘石级而上，因此中路被称作"登天景区"，也被称作"幽区"。登天景区因帝王封禅、宗教活动、文人览胜的需求而建设，故人文景观众多；而泰山之阳的山麓部分，由于古人活动甚多，人文景观极为丰富，亦是游览的好去处，人称"丽区"。与西溪基本平行的西路，人称"旷区"，此处层峦叠嶂、谷深水长，是泰山自然景色最佳处。从泰山东北麓的天烛峪，经后石坞登顶，山姿多变，奇石林立，松林似海，有"奥区"之称；从西北麓桃花峪进山，沿彩石溪东行至岱顶，沿路山水相依，素有泰山小江南之称，是为"秀区"；岱顶日观峰、月观峰、丈人峰、象鼻峰林立，碧霞祠、玉皇庙、瞻鲁台等景观众多，放眼远望，群山、河流、原野、城市尽收眼底，是为泰山"妙区"。

泰山保存较好的古建筑群有26处，楼台亭坊等单体建筑近百处，历代石刻1800余处，有我国惟一保存下来的秦代刻石"李斯碑"，我国最大的宫廷式古建筑群岱庙、岱顶古建筑群碧霞祠，堪称"大字鼻祖"、"榜书之宗"的北齐金刚经摩崖石刻，以及唐摩崖、清摩崖……无一不被人们珍视。

申报理由

泰山作为中国的名山、圣山，已有数千年的历史，作为国家直接管辖并接受帝王亲临祭祀的神山亦有连续两千多年的历史。在这漫长的岁月中，泰山渗透着极为丰富的历史文化，从而使泰山具有珍贵的历史文化价值、风格独特的美学价值和世界意义的地质科学价值。由这三种价值极高的遗产有机地融合而成的泰山风景名胜区，不仅在中国，而且在世界上也是罕见的。因此，泰山既是中华民族的，也是全人类的珍贵遗产，应当列入《世界遗产名录》，以享人类的全面保护。

一、泰山在中国名山中的地位

泰山成为中国"五岳之首"，是有其深刻的地理和社会历史背景的。

（一）泰山地区是中国古代文化的发祥地之一。从考古发掘来看，在距今5—10万年的旧石器时代，泰山周围就有了人类活动。泰山南麓的大汶口文化遗址和北麓的龙山文化遗址，都说明在距今4—5千年的新石器时代，泰山地区就已成为当时中国文化的典型代表之一。

西周时（前11—前8世纪），在泰山之南建立了鲁国，山北建立了齐国。春秋（前770—前476）中叶以后，齐、鲁先后吞并了周围90个小国，而形成势均力敌的两大强国，即所谓"齐鲁之邦"。齐鲁两国以泰山为界，两国的政治、经济和文化的发展、交往对泰山产生了很大的影响。世界历史名人孔子及其所创儒教，就是当时齐鲁文化发达的标志。

（二）历代帝王的封禅活动，是提高泰山地位的重要因素。封禅的目的是为了宣扬帝王（古称"天子"）"受命于天"，"功德卓著"。一般来说，只有完成统一大业，功德卓著的盛世之君，才有资格封禅泰山。政治上达到"安邦定国"，祈求"国泰民安"，以巩固其统治。封禅泰山，不仅起源于奴隶社会，而且在中国两千多年的封建社会中，也是一种旷代大典，可见其影响之深远。世界上还没有一座名山像泰山这样连续两千多年受到历代帝王亲临祭祀。这就是泰山的特殊地位。

（三）深入人心的传统观念与习俗。因泰山有通天拔地之势，富有想象力的古人，把它当作通往天宫的阶梯；又因泰山位于中国的东部，在传统观念中，"东方主生"，为阴阳交代之地。"四时"中，东方为春，因而东方成了生命之源，希望与吉祥的象征。帝王需要政治，也需要传统观念，祈求"泰山安则四海皆安"。老百姓也需要传统观念，祈求泰山神禳灾赐福，庇佑安居乐业。因此，泰山无论在帝王还是在黎民百姓的心目中，均至高无上。

以上是形成泰山"五岳独尊"的社会历史原因，即主观条件；而泰山之尊的物质基础是自然因素，即客观条件。泰山地处我国华北大平原的东缘，位于我国东部南北交通与黄河流域东西交汇的十字路口，古代都城均无山地相隔，交通方便。

二、泰山有连续数千年历史的文化遗产

泰山历史悠久，是中国黄河流域古代文化的发祥地之一，在泰山周围发现了距今四十万年前的"沂源人"化石遗存和距今五万年前的"新泰人"化石遗存。战国时期，齐国为防止楚国入侵，曾沿泰山山脉修筑了长约500公里的长城，成为中国历史上最早的长城之一，今遗址犹存。世界文化名人，春秋时期的大思想家、大教育家孔子与泰山也有着不解之缘，其故里曲阜北距泰山仅70公里。在泰山上与孔子活动有关的风景名胜点有"孔子登临处"坊、"望吴圣迹"坊、"孔子小天下处"、"孔子庙"、"瞻鲁台"、"猛虎沟"等。

按中国先秦哲学思想的"五行"之说，东方属木；在四时中，东方主春，东方被视为万物萌生之地，是生命的象征。由于泰山处于东方这一优越的地理位置，便被誉为"五岳之首，成为中国的一座神山，驱使历代帝王接踵到泰山封禅告祭。所谓"封",就是在泰山顶上筑坛祭天（玉皇顶至今尚存"古登封台"石碑），所谓"禅"就是到泰山脚下的小山丘祭地。因中国历代帝王都把到泰山举行封禅大典看作是功德卓著、国泰民安的标志，所以泰山封禅大典十分隆重。秦始皇统一中国后即位第三年（前219）就亲率大批官员到泰山封禅、刻石纪功。公元前209年秦二世胡亥登封泰山时，又命丞相李斯篆书诏文，刻于秦始皇立石之侧，这就是著名的《泰山秦刻石》，今存十字真迹已成稀世瑰宝。泰山的"五大夫松"也是因其为秦始皇护驾遮雨有功，才被封为"五大夫"爵位的。汉武帝自元封元年（前110）先后七次到泰山封禅告祭，在泰山顶上立《无字碑》，表示功德无量，诗文难颂。同时在泰山主峰东侧修筑"明堂"，后人称之谓"汉明堂"；又在岱庙内植柏。东汉光武帝、章帝、安帝都曾到泰山封禅。唐麟德二年（665）十月唐高宗及皇后武则天率文武百官及波斯、天竺、倭国、新罗、百济、高丽诸国使者东封泰山。皇后封禅，在中国历史上还是第一次。

唐玄宗李隆基于开元十三年（725）东封泰山，加封"泰山之神"为"齐天王"，又亲自撰书《纪泰山铭》，刻于岱顶大观峰上。宋真宗赵恒于大中祥符元年（1008）封禅泰山，声势浩大，人达数万，同时下令扩修岱庙，创建"天贶殿"，拓建"碧霞祠"，并立碑数通。明太祖朱元璋把东岳泰山之神尊为"正神"，每年派人致祭。清帝乾隆十三年（1748）开始，先后11次到泰山致祭，其中6次登上极顶，留下了大量题诗刻石。另外，明、清两代凡有大政务（如对外战争）、大灾情（如严重旱涝、黄河决堤等），皇帝都派大臣到泰山祭祀。

泰山为文人墨客荟萃之地，它以神圣的地位及雄伟多姿的壮丽景色，吸引着他们挥笔疾书，留下了数以千计的瑰丽诗文。孔子、孟轲、司马迁、张衡、曹植、李白、杜甫、苏东坡、王世贞、姚鼐、郭沫若等中国历史上的文化名人都曾登临泰山。孔子的《邱陵歌》、司马迁的《封禅书》、曹植的《飞龙篇》、李白的《泰山吟》、杜甫的《望岳》、姚鼐的《游灵岩记》、郭沫若的《访经石峪》、《咏无字碑》等都是不朽的名篇佳作。古代大书法家李斯、颜真卿、李北海、米芾等也都在泰山留下了墨宝。

泰山宗教发祥较早，佛教于公元4世纪中期传入泰山。据记载，前秦苻健皇始元年（351），高僧朗公首先到泰山，在岱阴创建了"朗公寺"和"灵岩寺"。魏晋南北朝时期，泰山较大的寺院还有谷山玉泉寺、神宝寺、普照寺等。著名的泰山经石峪就是北齐人所刻的佛教经典《金刚经》。唐宋时，灵岩寺极为鼎盛，唐宰相李吉甫把泰山的灵岩寺称为天下"四绝"之一。泰山道教活动历史久远，影响极大，早在战国时就有方士隐居岱阴岩洞；秦汉后祠庙林立，保留至今的以

王母池为最早，创建于公元220年以前；以碧霞祠影响最大，朝拜泰山老母的远近数千里，每年数十万众，泰山行宫（即元君庙）遍及中国。

由于上述原因，泰山的历史文化极为丰富。景区内现存古建筑群22处，对研究中国古代建筑提供了实物资料。泰山还有历代石刻1800余处，它不仅具有重要的史料价值，而且也有着重要的书法艺术价值。另外，天贶殿内宋代壁画、灵岩寺宋代彩塑罗汉像，都是不可多得的艺术珍品。所以中国当代大学者郭沫若评价说："泰山应该说是中国文化史的一个局部缩影。"

三、自然遗产

（一）具有中国和世界意义的泰山地层。

从地质学的观点看，泰山是我国东部古老变质岩系和寒武纪地层最早研究地区。早在1907年，美国地质学家B·维理士和E·比克维尔发表了命名为"泰山杂岩"的研究报告，1923年北京大学地质系孙云铸教授开始研究。此后有许多国内外著名地质学家又陆续研究了几十年，先后有80年的现代地质学研究史。所以泰山在中国地质学发展史上具有重要地位。泰山地区在太古代的漫长岁月中，经历巨厚沉积，频繁的岩浆活动。后期由于强烈地壳运动，造成强烈区域变质与紧密褶皱。整个元古代，泰山地区都在强烈上升，没有沉积。到了古生代开始，泰山地区地壳活动减弱、不断下沉，接受下古生代巨厚浅海碳酸盐岩沉积。下古生代末，上升成为陆地；中新生代，本区继续上升，并不断遭受风化剥蚀，同时受到燕山期和新生代地壳运动的影响，强烈上升。

泰山地区出露的前寒武纪片麻岩群，是华北地台的基底。在泰山西北灵岩寺一带，地台盖层底部的寒武纪地层不整合其上。

泰山杂岩是指形成于17—20亿年前太古代，混合岩化变质沉积岩及各种成因类型的侵入体的总称。变质沉积岩主要分布在泰山东部地区，以黑云斜长片麻岩、角闪黑云斜长片麻岩为主，大多有不同程度的混合岩化。泰山西部地区以斜长角闪岩占优势。在这些变质岩的原岩中，可能包含着中性或基性火山熔岩和火山碎屑岩类。整个变质岩群，普遍受到混合岩化。

泰山杂岩是我国东部古老变质岩系中所研究程度较高的变质岩群，已进行过1：200,000及1：50,000区域地质测量工作及某些未题地质研究成果积累，相当丰富的变质岩系岩石化学、岩石光学和同位素年龄的分析与鉴定资料。因而泰山成了重要的地质科研基地。

泰山杂岩内，发育有相当多的已发生变质的岩体。中天

门、虎山等景区,主要是花岗岩及花岗闪长岩。还有许多宽大的基性岩脉,以及少数超基性侵入体。

泰山地区的构造特点,从大地构造位置来说,属于华北地台或华北板块的一部分。地台基底岩的泰山杂岩,遭受了强烈区域变质与褶皱变动,其断层共有三组:即NNE,NW,NEE。其中NEE以正断层为主,NW组以逆断层为主,并多数有多期活动及新构造活动标志。

泰山地区风景地貌的成因,与泰山地区的地质构造及地质发育历史关系密切,NEE向阶梯正断层及NW向叠瓦状逆断层,使泰山玉皇顶一带强烈抬升。此外,沿近垂直的节理崩塌与球状风化及新构造隆起等影响,而造成了泰山的雄伟地貌。

通过对泰山近80年的科学研究表明,从地质学的观点看,泰山地区具有很重要的科学研究价值和保护价值。

1. 泰山西北麓张夏镇附近至长清县一带的寒武纪地层已确定为我国寒武系中、上统的标准剖面,并以该地地名命名为地层单位。

2. 泰山西北麓寒武纪标准剖面地层出露齐全,化石丰富,研究深入,已经成为我国区域地层对比的重要依据,也是国际寒武纪地层对比的重要依据。

3. 泰山杂岩的地质问题。泰山地区古老变质岩系是中国东部最重要最典型的代表。其地质层的划分对比,泰山杂岩的原岩特点,正副片麻岩问题的解决,都对中国东部太古代地层的划分与对比具有重要意义,对中国东部太古代地质历史的恢复也有着典型意义。

4. 泰山红门景区"醉心"石附近,发育在基性脉岩内的环状节理的成因、构造环境、发育历史的研究,是个新课题。这种长轴垂直于脉壁的环状节理构造在国内尚无报导。

5. 冰川问题。泰山的冰川问题,争论已久。有无冰川,是冰缘地貌还是冰川地貌,值得深入研究。争论本身就具有科学研究价值。它对泰山地区新生代发育历史的恢复和泰山风景地貌成因尤有意义。

(二)濒临灭绝的泰山特产赤鳞鱼

赤鳞鱼系中国五大食用名鱼之一,属硬骨鱼纲(Osteic Htnyes)鲅亚科、突吻鱼属,举世无双。该鱼体小,一般成鱼长20厘米,肉嫩味鲜,无腥,营养极为丰富:脂肪含量较鲤鱼高两倍,蛋白质比鲫鱼高2—3%。其身姿俊美,金鳞闪烁,在浅水中呈金黄色,入深水则变为铁青;其生存环境要求较高,必须生于海拔300—800米的深涧溪潭内,故难于人工饲养。此鱼在清代系皇室贡品。此外,还有暖妇女子宫、利男子小便及补脑明目之药效。

(三)独特的泰山水

《泰山药物志》载,泰山玉液泉之水,性寒而沉,味甘而润,有清心明目、止烦润肠及利二便和轻身延年之功效。古人称为"泰山神水"。今日山中居民用山泉水煎熬中药,效力明显提高;用来沏茶,香味异常。其秘密何在?经化验分析,矿物质含量极低:含铁小于0.05毫克/升、锰小于0.05毫克/升、铜小于0.02毫克/升、氯化物20.96毫克/升、硫酸盐32.20毫克/升、亚硝酸氮小于0.001毫克/升、硝酸氮2.40毫克/升、氟化物小于0.10毫克/升;硬度5.44度,比平原水平均低4—5度;PH值6.3,比平原水低1.3;含氧量为6.4毫克/升,比平原水高2.6毫克/升;呈弱酸性。这种高氧洁净及低硬度的水,有利于人的身体健康,也是动植物生长的优良水质。

(四)其他自然遗产

泰山因属掀斜性断块山,峰峦嵯峨,溪谷纵横,奇石怪崖、深穴岩洞处处可见,险峰危壑、幽区奥景比比皆是。又由于泰山属暖温带季风性气候,日照充足,雨量充沛,故泰山植被茂密,峰峦叠翠。泰山植被覆盖率为79.9%,泰山植物144科、989种;其中木本植物72科、433种;草本植物72科、556种。药用植物111科、462种。百年生以上的古树名木有30000余株,其中有驰名中国的"汉柏"(2100年前汉武帝植)、"唐槐"(1300年生)、"望人松"(500年生)、"五大夫松"(传秦始皇封)等。泰山盛产干果核桃、板栗、山楂等。泰山何首乌、泰山参、紫草、黄精为四大药材,在中国享有盛誉。泰山动物有200余种,其中鸟类有122种。

四、泰山的美学价值

泰山不但在自然特征上具有雄伟的美,而且体现了中华民族数千年历史文化,其中包含了我们民族的深刻的美学思想。

(一)泰山自然美的主要特征——雄伟。山岳的雄伟形象,主要指其高大而言,构成泰山雄伟景观的自然因素是:

平地崛起,具有通天拔地之势。泰山的海拔高度1545米,仅居五岳中之第三位。但泰山突起于华北大平原,凌驾于齐鲁丘陵之上,其相对高度达1300多米,泰山与周围的平原、丘陵形成高低、大小的强烈对比,所以在视觉效果上显得格外高大。

山势累积,主峰突起。泰山群峰起伏,主峰突起。从海拔150米的山麓泰城,至中天门海拔874米,南天门海拔1460米,玉皇顶海拔1545米。层层叠起,形成一种由抑到扬的节奏感和"一览众山小"的高旷气势。

形体巨大,厚重安稳。泰山山脉位于山东中部,绵亘200余公里,盘卧426平方公里,基础宽阔而形体集中;基础宽阔产生安稳感,形体庞大而集中则产生厚重感。所谓"稳如泰山"、"重如泰山",正是上述自然特征在人们生理、心理上的反映。明代皇帝朱元璋描述泰山的气势时写道："根盘齐鲁兮,不知其几千百里。"即指泰山的基础宽阔。

苍松巨石的烘托。泰山多松柏,尤其古松苍劲,如"壮士披甲",对泰山的雄伟形象起着烘托的作用。如对松山松林排叠,天风过处松涛轰鸣。泰山岩石主要由变质岩和花岗岩构成,岩性坚硬,节理发育;经球状风化,形成裸露的峭壁悬崖和浑圆厚实的巨石,突兀峻拔,震撼人心。

还有富于变化的泰山云烟,使人感到静中有动,气势磅礴。所谓"荡胸生层云"(杜甫诗)、"呼吸宇宙"等,都因云烟而使人浮想联翩。

(二)泰山自然美的丰富。

如果我们把风景自然美的形象特征概括为雄、奇、险、秀、幽、奥、旷的话,那么泰山除了总体上、宏观上的雄伟特征外,还在雄伟中蕴含着奇、险、秀、幽、奥、旷等美的形象。如斗母宫"三潭叠瀑",可谓"雄中藏秀";"百丈崖"、"瞻鲁台"诸景,可谓"寓险于雄";"仙人桥"、"卧龙槐",表现造化入神、堪称奇观;登泰山南天门则可以领略"天门一长啸,万里清风来"与"旷然小宇宙"的旷景诗趣;而后石坞则是探幽寻奥的所在。

(三)泰山风景区的美学价值。

泰山的美,体现了中国古代美学范畴的"大"、"阳刚之美"和"壮美"。汉武帝登泰山时赞曰:泰山"高矣、极矣、大矣、特矣、壮矣、赫矣、骇矣、惑矣"。

壮美能激励人生,培养进取精神。千百万人登泰山,不仅领略自然界之壮美,也能从中领悟到激励自己攀登事业高峰的信心。

泰山的风景美,包括自然景观美和人文景观的有机结合。自然美是风景美的物质基础和主体,而人文景观则是装饰和客体。泰山在几千年的开发建设中,形成了中国名山风景的典型代表,即,以富有美感的典型的自然景观为基础,渗透着人文景观美的环境优良的地域空间综合体。根据中国传统的山水观,把富有美学价值和科学价值的自然景观同悠久的民族文化有机地结合起来,从而形成价值更高、内容更为丰富的自然与人文浑然一体的泰山风景景观。

所谓人文景观,是指一切与自然景观相协调相融合的人为因素。泰山的人文景观包括建筑物、构筑物、摩崖刻石、道路等等。

泰山人文景观的布局与创作,是根据自然景观尤其是地形特点和封禅、游览、观赏活动的需要而设计的,其主体是通天拔地的泰山自然景观,主题是封天禅地的思想内容,布局形式重点是从祭地的社首山(在泰城西南蒿里山东侧,建国

后凿石而毁)到封天的玉皇顶,在10公里登山道的两侧。把整座泰山作为完整的自然空间,进行了巨大的整体构思。下面即以建筑布局为例作些分析。

泰山以南坡最为壮观。因有一条东西向断层,泰山隆起,汶河下降,对比强烈。所以,封禅活动最终选定从南坡沿中溪而上的路线。在这条10公里长的景观带上,大体分为三段空间:一是泰安城为中心的人间;二是出城西南过奈河桥至蒿里山(一座相对高度不足50米的小山)为"阴曹地府";三是自城北的岱宗坊开始,以长达6293级石阶的"天梯"为纽带,连结城区"人间"与岱顶"天府"。

泰安城是因古帝王封禅告祭、黎民百姓朝山进香、游览观光和泰山管理保护而逐渐发展起来的城市。岱庙是泰城中轴线上的主体建筑群,是古帝王封禅告祭时居住和举行大典的地方。这条中轴线从城区南门(泰安门)起,往北延伸到岱宗坊,然后与登山盘道相接而直通"天府"。这使山与城不仅在功能上,而且在建筑空间序列上形成一体。这一序列按登山祭祀活动的程序,次第展开,贯串一种由"人境"至"仙境"的过渡思想。从地形上看是山缓坡、斜坡直到陡坡,人们由低到高,步步抬升,最后宛若登上天府;从建筑规模上看是由严正到自由,因自然环境而异;从意境上看是由人间帝王宫殿上达穹宇,渐入仙境;从色调上看,红墙黄瓦则始终与苍松翠柏形成对比。又通过三里一旗杆、五里一碑坊和漫长的登道连贯起来,形成了一条极为壮观的封禅祭祀序列。

因而,泰山古建筑,最突出的特点就是对地理环境的利用,巧妙地借自然之势,又以人工之力加强和美化自然环境。它表现在:

其一,是在封禅祭祀活动的序列空间的位置选择上。充分利用泰山南坡由缓渐陡之势,以造成登"天梯"意境。且此路线沿溪而上,犹如谷中行,属"封闭型"自然景观。下段是紧紧地收缩,直至岱顶才开放。前奏长,对比十分强烈,这对于"祭天"活动来说,可谓是完全扣人心弦,造成了环境感应上的心理状态,恍若步步登仙。登上南天门,骤然开阔,如同到达仙境。所以这样的地形环境,被作为封禅祭祀的空间序列,真乃环境心理学上的杰作。

其二,是在建筑单体或群组位置的选择与建筑形象的创作上。属封禅祭祀的序列建筑,有跨盘道而建的门户建筑,有登山转折处的导向性建筑,有临溪而筑的赏景建筑,有半山悬挂的宗教建筑,也有耸立于山巅的祭祀建筑等。不在序列之中的独立建筑则往往建于深山密林之中。这些建筑由于功能不同,对环境的选择也不同,而不同的环境对建筑的造型要求也不一样,这就需要二者之间以求默契。如南天门位置的选择和建筑形象的创造上,正是人工天门有"意",自

然天门有"境",人工借自然之势,自然借人工之"力",这"意、境"的结合,就构成了人类不朽的文明。

此外,从建筑的结构、材料与装饰上以及以庭院空间为基本单元的群体组合上,均能适应地形环境多变的要求。该建亭则建亭,该设阁则设阁;需开敞通透处则造型轻巧,需收缩空间处则墩实厚重,充分体现建筑因景而设、因境而生的思想。泰山石在建筑上的应用更是如此,不仅有全石结构的小品建筑,还有以石刻为主的碑砌建筑,使建筑艺术与石刻艺术融为一体。还有被人工加凿而组织到建筑中来的自然石:有的巧立林道两侧,被意为"云门";有的双双耸立于山巅,被意为"天门";有的深隔山崖,被意为"神仙洞府";而姿态万千的自然石被意为各种生物,所以泰山石就是泰山建筑融于自然的基音。

泰山古建筑主要保存的是明清时期的风格,它的价值不仅在于建筑与绘画、雕刻、山石、林木糅为一体,保存了一个巨大的封禅祭祀序列,成为中国古老文化的例证和一幅记载历史的立体画卷;还在于为我们留下建筑如何去顺应自然,并以自己所特有的艺术形象去协调和加强自然美,去表现和深化自然意境的优秀范例。由于它们的存在,才使泰山的自然景观与人文景观相映生辉,所以,它们是无价之宝。

泰山古建筑,除了和封禅活动有关的以外,还有不少寺庙和书院,它们都是朴素淡雅,或建于青山秀水之间,或深藏于幽谷茂林之中,使其各得其所,相得益彰。

值得指出的是泰山的历史文化中,还有大量的摩崖石刻和碑碣。据统计,从岱庙至岱顶的中轴线沿途中分布着823处碑碣和摩崖刻石。从时代上看,有秦(前209)李斯刻石(尚存10个残字)、汉张迁碑和衡方碑、晋孙夫人碑、北齐经石峪摩崖石刻、岱顶唐摩崖石刻;至于宋代以后,更是纷纷题刻。这不仅丰富了泰山的景观形象,而且寓景观以文化内容。

大量摩崖石刻不是反映封禅活动,而是赞赏泰山的自然美,歌颂祖国壮丽河山和中华民族的伟大精神,并为泰山添彩生辉。由此可见,泰山作为古代山神崇拜对象,逐渐向游览观赏对象和科学研究对象转变。因而泰山文化也就更丰富多彩了。

从摩崖石刻来看,李斯刻石可说是名山风景区摩崖刻石之祖,以后逐渐成为我国风景名胜区普遍的重要的人文景观内容。泰山摩崖,有的点石成景,如"斩云剑";有的点题意境,如"呼吸宇宙";有的因景寓意,如"高山流水";有的因石赋形,如"醉心"等等。从书法艺术来看,有的顺石势而飞舞,有的着石苍古,有的飘逸洒脱,有的端庄严肃,有的刚劲,有的秀丽,真是百花齐放。就书体而论,真、草、隶、篆各体俱

全。就流派来讲,颜、柳、欧、赵应有尽有。所以,泰山不愧是"中国历代摩崖石刻艺术博览馆",其规模之大、展品之多、时代之连续性以及与风格、流派、艺术之精湛,构景之巧妙,都是世界名山所无与伦比的。

由于泰山无论从时间或空间而论,都包含着极为丰富的内容,因而逐渐成了中华民族历史上的精神文化之山。泰山作为伟大中华民族的象征和缩影,是因为泰山具备特有的内含:即自然山体之宏博,景观形象之伟大,精神之崇高,文化之灿烂,历史之悠久。泰山无论在帝王面前或是平民百姓的心目中,都是至高无上的。"稳如泰山"、"重如泰山"、"有眼不识泰山"成为人人皆知的成语。凡炎黄子孙,无不敬仰泰山精神,世界上很难有第二座名山,像泰山那样深入到10亿人的心坎之中,并名扬世界。

由此可见,泰山从自然到文化以及两者的有机融合,不仅是中国,而且也是全人类最珍贵的遗产。

世界遗产委员会评价

庄严神圣的泰山,两千年来一直是帝王朝拜的对象,其山中的人文杰作与自然景观完美和谐地融合在一起。泰山一直是中国艺术家和学者的精神源泉,是中国古代文明和信仰的象征。

保护情况

历史上泰山受到历代政府的重视与保护,但清末、民国时期,由于战乱及外寇入侵,泰山遭到惨重破坏。建国后人民政府对恢复泰山原貌给予了高度重视,建立了专门的泰山保护机构,多次拨付资金,对登山盘道、岱庙、碧霞祠等文物古迹进行了修复、整饰。改革开放以来,泰安市及泰山管理部门进一步加大了泰山保护力度,编制了《泰山总体规划》,拟定了"继承、弘扬、保护、利用"的八字方针,突出"抢救为主,保护第一"的原则,不断增加投入,奠定了泰山资源永续利用的基础。

一、文物的保护

(一)坚持正常维护。1994年,投资5000多万元人民币,实施了登天景区保护建设工程。复建了3组旗杆、4座牌记、2个角楼,较好地再现了"三里一旗杆,五里一牌坊"的历史风貌。同时,在岱庙南侧拆迁居民130余户,搬迁企事业单位6个,形成了一个面积达3万平方米的绿地广场,突出了岱庙古建筑的雄伟风姿。工程竣工后产生了巨大的社会效益和经济效益。自1996年以来,投入文物维修经费4000多万元,维修古建筑面积14000余平方米。投资300余

万元购置了大批消防器材,修建防火水池,安装了多套防火自动报警系统。搬迁了岱庙科技馆、唐槐院住户。2000年天外村路综合保护工程中,在专家充分论证的基础上,在泰山上有选择地恢复了部分古建筑,投资4000万元,恢复整修秦封殿、竹林寺等8处文物古迹;拨正了中天门以上4198米古盘道,较好地再现了泰山丰富的历史文化风貌,使泰山古建空间布局更加接近历史原貌。位于泰城南部的灵应宫,是泰山历史文化轴线的重要组成部分,2002年投资500万元,完成了一期修复工程,已经对外开放。这一切为恢复泰安历史文化名城"一条轴线、三重空间"的历史格局奠定了良好基础。

(二)提高文保科研水平,重视运用新材料、新技术。泰山石刻文物众多,有大小碑碣800余块,摩崖石刻1000余处,大都暴露在日晒雨淋之中,风化剥蚀现象严重,泰安市文物部门联合省文保中心、国家文物研究所,对经石峪金刚经石刻(北齐时镌刻,是中国现存规模最大的佛经摩崖石刻)进行研究试验,提出了一套科学保护的方案,使面积2064平方米的经石峪石刻得到有效保护,技术在国内居领先水平。另外,从英国引进了一种新型防火涂料,用在木结构古建筑上,可有效阻滞木材的燃烧,为木结构古建筑的防火安全打下了坚实的基础。

(三)2001年,泰山管理部门根据资料考证原址原词,恢复了主要古建筑的匾联,展示了泰山深厚的文化内涵。

(四)泰山上下古建筑的保护范围和建设控制地带的划界工作已经完成,并已由市文物局、市建设局分别认可。2001年11月,为恢复国家文保单位岱庙的原有风貌,泰安市政府建在岱庙内的办公楼进行了腾空和搬迁。

二、生物多样性的保护

(一)加强以防火、防虫、营林为重点的森林多样性的保护。首先,成立森林防火指挥部,建立了专职防火消防队,投资450万元,配备了交通、通讯、防火设备等,累计完成防火线及林内可燃物清理12万亩次,设置防火线240公里,同时全方位开展了防火宣传活动,制定了切实可行的规章制度及防火预案,从提高和预防森林火灾能力入手,强化火源管理,充实防火力量和设施,建立防灭火体系,杜绝火灾隐患,确保防火安全,实现了泰山森林连续16年无火灾的历史性突破。二是投资900万元,在景区实施防火自动监控设施。在森保工作中,以泰山森林监测保护站为中心建立了三级病虫害测报网络,及时掌握主要病虫害发生危害情况,投资1096万元,采用生物防治和人工物理措施,共治理病虫害面积145万亩次,泰山森林主要病虫害都控制在防治指标以下。三是从1994年开始,开展了营林工作的攻坚战,累计完成修枝、

间伐、抚育面积近4万亩,林木生长状况得到根本好转,有效地保护了泰山森林资源。

(二)古树名木保护。泰山列入文化与自然遗产后,保护古树名木的意识不断加强,措施不断得到加强。泰山管理部门专门聘请大专院校的专家教授做顾问,加强了对古树名木科学管理的研究,制定了保护管理的各项专业规定,大规模开展了4次古树普查,并在此基础上建立健全了古树名木保护档案,掌握了泰山古树名木的生长规律,对其中存在的问题提出了具体解决方案,划定了保护带,增设了保护措施,使古树名木的保护管理纳入科学化、规范化的轨道。尤其是对列入遗产名录的23处古树名木更是精心呵护,目前这些古树名木的长势良好。

(三)建立野生动物繁育保护中心。泰山地处鲁中南丘陵区,拥有这一动物地理区的代表种类群。为此,建立了野生动物保护繁育中心,进行野生动物救助、繁育工作,并成立了野生动物保护协会,开展野保宣传、挂鸟巢、冬季喂食、打击偷猎等工作,有效地保护了野生动物资源。泰山赤鳞鱼是泰山的珍稀物种,它对生长环境的要求非常严格,只能生长在高清洁度、高氧量的水域中。为了保护这一稀有物种,管理部门划定桃花峪彩石溪、雁翎河、天井湾、黄石崖等地区为专门的赤鳞鱼保护区,现在泰山赤鳞鱼的数量正在逐年增加。

三、环境的保护

泰山风景名胜区管理委员会成立以来,高度重视景区环境的保护工作,以建立优美、整洁的游览环境为目标,经过多年的综合治理,景区环境有了较大改善。

(一)制定了"五改两保"为内容的环境卫生保护措施(改造旱厕所、改进燃料结构、改造排污设施、改造垃圾处理方式、改造经营摊位;保护古树名木、保护古遗址)。与景区各单位建立了卫生保洁责任制,厕所达到"四净四无",垃圾粪便做到日产日清,全日保洁,全部清运下山集中处理。购置4部垃圾运输车,新建墙体式垃圾箱(池)200余个,改进了环保基础设施,投入600余万元,改造1条环保垃圾索道,日处理垃圾数百吨。在景区内大力推广电能灶,杜绝煤炭进入景区,从而消除了煤烟对环境的污染。经环境保护监测站测试,泰山景区水质清澈,符合国家规定的地面水三级标准,大气环境各项指标均符合国家规定的大气一级质量标准。

(二)从1999年开始至2000年,投资3000多万元,全面实施了泰山景区的污水治理工程。工程采用国家环保局推广的埋地式无动力生化处理新技术,使污水处理后达到国家二级排放标准。结合天外村路综合保护建设工程,新建改建高标准水冲式公厕53处,新建蓄水池24处,修建污水处

理池29处,铺设污水管网4760米,供水管网5682米,全面完成了景区内的污水治理,提高了环境质量。

(三)狠抓了景区的绿化、美化与香化工作。为优化景区的环境质量,在主要景区种植风景林木268000株,种植各类花木14000株,种植桃树及各类果树10000余株,植草花6000平方米,使景区诸景点形成了上下皆绿、错落有致的立体景观和三季有花、四季常青、鸟语花香的优美环境。

(四)2000年以来,为进一步提高景区景点质量,完善景区旅游服务功能,实施了以泰山天外村路为示范区的综合保护建设工程,主要内容包括拆迁安置、文物复修、景点包装、环境治理、绿化美化、信息展示、交通网络、通讯设施、电力供应、广场建设十大类,项目总投资2.5亿元,是泰山保护史上一次性投入最大、包含范围和内容最广、规模最大的保护性

工程。在示范区内,共拆除单位、居民房屋54000平方米;绿化美化了天外村、中天门、南天门沿线的环境;铺设了40多公里的地下电缆和通讯光缆,拆除有碍观瞻的电线杆塔51基;修建了10.8公里的步游路,完成了岱顶小环线建设,扩大了游览面积,展现了后石坞古松林及瞻鲁台至观日台沿线的独特景观,解决了单线游和重复游的问题;在天外村广场建设中,我们把泰山独有的中国历史上历代帝王到泰山祭祀、封禅的文化进行了集中展示,展现了泰山帝王文化的丰富内涵。这一工程的实施,全面改善了泰山景区的软硬件环境,给泰山带来了巨大变化,泰山整体形象明显改观,景区环境质量得到显著提高。

(泰山风景名胜区管理委员会 王晓南 张用衡 韩红梅)

黄　山

中文名称:黄山

英文名称:Mount Huangshan

地理坐标:东经118°01′—118°17′　北纬30°01′—30°18′

列入年份:1990年

管理机构:中华人民共和国建设部

　　　　　安徽省建设厅

　　　　　黄山市人民政府

　　　　　黄山风景区管理委员会

概　况

黄山位于安徽省南部黄山市境内。山境南北长约40公里,东西宽约30公里,全山总面积约1200平方公里;公园内范围为东经118°01′—118°17′,北纬30°01′—30°18′之间,纳入《黄山风景区总体规划》管理的面积为154平方公里。黄山因其资源丰富、生态完整、文化源远流长以及具有较高的科学和美学价值,而被联合国教科文组织列为世界"文化与自然遗产"。它以奇松、怪石、云海、温泉著称于世。历代文人墨客寄情黄山,留下的大量诗歌、绘画等文学艺术作品,保存完好的古亭、古寺、古桥、古蹬道、摩崖石刻以及无数富有诗情画意的景名,构成了黄山的文化遗产。具有突出价值的地质和地层构造、第四纪冰川遗迹、花岗岩奇峰地貌、丰富珍稀动植物资源、奇松、怪石、云海、温泉、飞瀑、溪潭,构成了黄

山的自然遗产。

黄山古称黟山,因山体的花岗岩经物理、化学、生物风化,表面呈青黑色,远眺苍黛而得名。

黄山处于北亚热带季风温湿气候区,山高谷深,相对高差最大约为1000多米,气候呈垂直变化,气温随海拔高度增加呈垂直递减。黄山的气候特征是气温低,日照短,云雾多,湿度大,降水量大。年平均气温只有7.8℃,平均日照为1810小时,平均湿度75%,平均降水量为2400毫米。

黄山美景,园内的丰富内涵,吸引了古今中外众多的游人和探索者,并使黄山获得了极高的赞誉。唐代大诗人李白诗曰:"黄山四千仞,三十二莲峰;丹崖夹石柱,菡萏金芙蓉。"明代大旅行家、地理学家徐霞客二游黄山后叹道:"薄海内外,无如徽之黄山,登黄山天下无山,观止矣!"当代诗人郭沫若留下了"深信黄山天下无"的诗句;陈毅元帅称赞

黄山为"天下第一奇山"。正如联合国教科文组织世界遗产委员会第二十二次东京特别会议《决议》中指出的那样:"黄山是一个管理很好的世界遗产景区,它是亚洲一个有大量游客到一个复杂景区的优秀管理示范。"同时,黄山也获得了众多的殊荣:1982年列为首批国家级风景名胜区;1985年以惟一的山岳风光入选中国十大风景名胜区;1990年被列入《世界遗产名录》;1999年获联合国梅利娜·迈尔库文化景观保护和管理国际荣誉奖;2001年被授予于首批4A级旅游区和批准为国家地质公园。期间相继取得了"卫生山"、"安全山"、"文明山"称号。

黄山是一个集自然之精华的人间仙境,是一部宏大的地质史书和教科书,是一处内涵丰富、意义多重的科考和爱国主义教育基地。

黄山不愧为"震旦国中第一奇山"。

申报理由

黄山有着丰富的文化内涵和深厚的文化底蕴,具有突出的地质结构,保存了世界上少有的各类自然景物和优美的风景环境,因而理应列入《世界遗产名录》,受到全人类的全面保护。

(一)具有丰富内涵的黄山文化

黄山,秦代称"黟山"。唐天宝六年,唐明皇敕令改"黟山"为"黄山"。因何改为"黄山",传说甚多,以轩辕黄帝炼丹成仙之说流传最广、影响最大。沿用至今的轩辕峰、容成峰、浮丘峰、炼丹峰、黄帝源等名都带有这一传说的神话色彩。

人类自从发现了黄山,就不断地用心血和智慧耕耘黄山,历经一千几百年,创造了黄山的文明,留下了大量的人文古迹,成为今天黄山宝贵的人文景观资源。

1.古建筑

自唐至民国,黄山共建寺观庙庵百余座,分布于全山各地。其规模不一,有皇帝敕建或题额,被称为黄山"四大丛林"的祥符寺、翠微寺、慈光阁、掷钵禅院;也有规模较小的茅屋、一席之地的庵堂。这些寺观庙庵,在历史上因遭受兵灾、火灾、水灾,大多均已湮没。除慈光寺按原貌重建外,现保存完好的有松谷庵、钓桥庵等处。绝大部分庙宇仅存遗址,有的作为地名而沿袭下来。

2.古道

黄山古代登山道路始建于唐,形成于明清。建于明代、位于朱砂峰与紫云峰之间"人字瀑"绝壁上的"罗汉级",现保存完好。立马桥和打鼓洞附近,现也保存有古道遗迹数处。

3.亭阁

黄山的历代建设者们,在景区景点的盘道旁或风景绝佳处建有很多观景亭阁,供游人休息、览胜。古代修建的40余座亭阁大多倒塌湮没,现有多为民国时期和建国后新建。全山约有亭阁近30座,其中比较著名的有排云亭、立马亭、观瀑亭、曙光亭、桃源亭、莲花亭、拙亭等。

4.古桥

黄山溪涧众多,沟谷纵横,自古至今建桥甚多。其桥梁建筑的历史,可以上溯唐、宋,多为明清时代所建,加上民国时期和现在所建,共有50座。其中年代最为久远、保存完好的是翠微寺前宋代建成的翼然桥。此外,有建于明清年代的卧龙桥、白龙桥、延寿桥、青峦桥、仙人桥等。

5.摩崖石刻

自唐至今,历代文人墨客、风流雅士,在领略黄山大自然美景的同时激发了创作灵感,留下了大量诗文墨宝,刻于悬崖峭壁之上。或咏赞风景,或寄情抒怀,或题名记游,或记载古迹。景区各景点均有分布,共有200余处,均保存完好。

黄山摩崖石刻可分为题刻和碑刻两种形式,题刻最多。以唐代诗仙李白手书的"鸣弦泉"、"洗杯泉"最为珍贵。黄山摩崖石刻,不乏历代书法之精品。字体有篆、隶、行、草、楷几种,书法精湛,笔力遒劲,刚健飘逸。可谓诸体竞秀,琳琅满目,是一座天然的书法艺术展览馆。

6.黄山画派的发源地

黄山集天下名山之大成,有着取之不竭的艺术创作素材,是一座天然的画廊。古往今来,众多画家师法黄山,汲取天然艺术营养,成为各个时期的画坛巨匠。明末清初,诞生了对当时的画坛和后来的山水画都产生积极而深远影响的黄山画派。渐江、梅清、石涛是黄山画派最著名的创始人。近代画家黄宾虹、汪吴白及国画泰斗刘海粟等都把黄山当作自己的创作园地,多次到黄山写生,推出一批批力作,使黄山这座国画宝库中增添了许多珍品,在绘画艺术上和学术研究上,进一步丰富和发展了黄山画派。

7.艺术的天堂

黄山,是各种艺术的天堂。历代名人志士游览黄山后,通过观察、体验、研究、创作出浩如烟海、灿若繁星的文学作品。据统计,自盛唐至晚清,描绘黄山的散文有数百篇,诗词两万余首。此外,黄山神奇的天然画境,为摄影家、影视家提供了丰富的创作素材。现已出版黄山风光画册20余套,拍摄各种影视片30余部以及大量优秀的摄影作品。

(二)具有突出价值的黄山地质和地层构造

黄山地区在漫长的地质年代,经历频繁的岩浆运动和多次的地壳运动之后,接受元古生代浅海沉积岩和变质岩的沉积。到了中生代侏罗纪,由于多次地壳运动,地层发生褶皱和断裂,沿着褶皱和断裂所形成的空隙继续上升,并不断遭受风化剥蚀。中生代晚期(白垩纪)和新生代早期(早第三纪),中国大陆上进一步发生了强烈的地壳运动,黄山地区的地面被地下岩浆强烈地拱起而不断上升,不少裂口喷出大量花岗岩岩浆,冷却后即成为黄山山体的基础。

黄山在地质构造上,处于江南古陆与其以北的下扬子台坳的接触带上,位于两大地质构造单元的过渡地带,其主体由燕山旋回第二期花岗岩所构成。黄山花岗岩多为肉红色粗粒,似斑状结构,块状结构,主要组成矿物有长石(约占岩石的40%~60%)、斜长石(约占10%~20%)、石英(约占25%~35%)和少许的黑云母、角闪石等。此外,在黄山南麓的逍遥溪断层以南,为晚元古代沉积生成的砂岩、石英、火山岩和变质火山岩。

在地层剖面上,黄山岩体的最大特点,一是断层,二是节理发育。主要断层有:前山的黄山断层(或称逍遥溪断层),由钓桥庵至汤口,自西北向东南延伸,长14.5公里,西南侧相对上升,东北侧相对下降,并有数公里水平距离的错动,沿断层线侵蚀成断层谷,逍遥溪主要流经此断层。在这主断层北侧,平行并裂有数条断层破碎带,中部是莲花峰断层。后山断层沿西北方向(300°)延伸,长7公里,排云亭至西海大峡谷方向亦为一大断裂层,遗留有断层悬岩。

黄山花岗岩节理非常发育,其断面主要有四组:西南245°,北偏东9°,西北288°及西南201°。按成因可分为:岩浆冷却凝结时的张力节理,岩体凝固后受动力作用产生的节理及温差重力滑动等作用形成的表生节理。按形态和产状分,则有立方体节理、垂直节理、纵节理、横节理、"X"形节理和不规则节理。

黄山的形成以及它的地质结构,地层剖面构造十分复杂,至今仍有不少未解之谜,这就给我们留下了很深的课题,值得深入地研究。

(三)罕见的花岗岩奇峰

黄山岩体,是燕山晚期多次侵入形成的复杂花岗体,岩石结构各具特征,并由此而形成不同的地貌景观。

早期岩体:中粒花岗结构,粒度较均匀,抗风化能力强于围岩而弱于主体期花岗岩,介于两者之间,形成了地势相对低缓的山地,成为联结雄险峰崖和幽壑的过渡地带,搭起了攀登中心景区的天然"跳板"。在接触带上,抗风化能力相对较低的围岩,沿陡峭的接触面被剥蚀,因而形成了九龙瀑、人字瀑、百丈瀑等接触带型跌水瀑布景观。

主体期岩体:粗粒、中粗粒似斑状结构,岩性坚硬,块状构造,不易风化。岩石节理发育以斜节理为主,也兼有直立

的和水平的节理,构成了雄险壮观的奇峰幽谷;在黄山的72座名峰中,就有37座山峰是由主体期侵入的粗粒似斑状花岗岩组成,以莲花、天都、云门、云际等名峰为代表,尽显黄山峰体之雄伟。

补充期岩体:中细粒斑状结构,块状构造,抗风化能力较强。由于受冰冻风化和密集的垂直、水平节理的作用,造就了秀丽峻峭的奇峰和玲珑奇巧的怪石;在黄山72座名峰中,就有25座山峰是由该期侵入的中细粒斑状花岗岩所组成,以始信峰、石笋峰、笔架峰和西海诸峰为代表,尽显黄山典型的花岗岩奇峰地貌之俊秀。

末期岩体:细粒少斑结构,块状结构;基质为细晶或微晶结构。岩体侵入定位高,节理相对平缓稀疏,且又有北倾的缓节理发育。在漫长的地史演化中,花岗岩体不断地被剥蚀和夷平,在地貌上形成了圆盆状的古剥夷面,从而构成了高山中央平地与沼泽,形成了天然的高山观景台。

(四)具有重要科研价值的第四纪冰川遗迹

在第四纪,由于全球性气候变化,当时已上升到雪线以上的黄山,年平均气温在0℃以下,降雪量大于消融量,地表终年为积雪覆盖,并逐年加厚,形成了巨厚的冰体,曾先后发生了三次冰期。每次冰期在经历了漫长岁月的冰封雪盖之后,气温升高,冰冻消融,冰体在压力和重力的作用下,沿着斜坡或谷地运动,因而又相应地形成了三期山岳冰川活动,形成冰的河流。由冰川独特的搬运、刨蚀、侵蚀作用,在黄山的花岗岩山体上,镌刻下了冰川遗迹,形成了黄山冰川地貌景观。

黄山第四纪冰川遗迹主要分布在前山的东南部。慈光寺"U"型谷是冰川活动所致,冰蚀证据最清楚典型的地点在慈光寺至立马桥段海拔960米处的东谷壁下部。岩壁走向北北东,坡角75°,在陡峭的粗粒似斑状花岗岩岩壁上,保存了清晰的冰蚀面和七条平行排列的巨大冰川擦痕,长7—12米,宽0.4—0.5米,深5厘米左右,向谷口方向微微倾斜,这就是冰川奔泻、冰块撞击,在花岗岩壁上遗留下来的磨蚀痕迹。冰蚀面则是因冰层强烈的机械刨蚀作用,岩石被铲刮凹进而成;在其上部,则形成明显的倒悬式凸出石沿。此外,狮子林附近的冰斗状凹地,显然是冰期时候的巨大雪原所在地。天都峰两侧嵌入基岩中之冰斗,各自向山体内溯源刨蚀,使得两冰斗间的石壁被蚀成厚1—2米,长约200米的一条薄脊,两侧峡谷深邃难测,即为天都角峰和走向近东西、海拔1770米、雄伟险丽、高耸云表的鲫鱼背刀脊。

黄山的逍遥溪和云谷寺峡谷,是两条冰川主谷,谷中花岗石巨砾堆垒,称作"漂砾"。巨砾表面又被冰流铲刮成凹面和冰臼,被旋磨成壶穴。这些现象,就是冰川谷中长期磨

蚀作用的结果。

1933 至 1936 年间，我国卓越的地质学家李四光发现黄山第四纪时期留下的冰川遗迹，并发表了《安徽黄山之第四纪冰川现象》著名论文。此后数十年，亦有"非冰川派"学者提出反对意见。他们认为，自第四纪以来，黄山仍属温带湿润气候，气温没有达到终年积雪不化而形成冰雪积累的条件；黄山的峰谷特征，亦与冰川地貌不符。因此，无论黄山冰川遗迹本身，还是两种学术观点的争论，同样具有科学研究价值。

（五）温泉和丰富的水景

温泉是黄山四绝之一，共发现四处，均位于花岗岩断裂构造带内。以南麓的黄山温泉，北麓的松谷庵温泉最为著名。两温泉水平距离 7.5 公里，水质和标准相近，形成以北海、光明顶为中心的南北对称关系。

黄山温泉，出露于紫石峰下汤泉溪北岸，泉眼位于黄山花岗岩体的南部边缘，名泉桥含水破碎带北侧附近断层的上盘，海拔高 612.23 米。由于北西和北西西两组断裂构造的交切作用，派生的近东西向节理和裂隙都很发育。花岗岩体接触带在名泉桥北发生向北东转折，使沿着名泉桥破碎带径流的地下热水上溢而形成温泉。该泉已有千年开发历史，明代万历年间就有"天下名泉"之称。该温泉平均水温 42℃，一般流量 180—220 吨/日，最大为 262 吨/日，最小为 166 吨/日。水质良好，属重碳酸钠钙型水，矿化度在 0.107—0.137 克/升之间，PH 值 7.2—8.1，可溶 SIO_2 含量 30—52 毫克/升，长期浴用，有益于健康。

松谷庵温泉位于黄山北坡叠嶂峰下，北靠松谷庵，东临丹霞溪。泉眼处走向近东西，向北陡倾的花岗岩构造破碎带部位。泉水自裂隙中涌出，属裂隙泉。破碎带的可见宽度约为 1.5 米，带中有宽约 3—5 厘米的石英脉填于裂隙之中。泉口为一直径约 3 米的近圆形凹坑，泉眼被砂层覆盖，不时有气泡透过砂层溢出。泉水由冷、热两股水流混合而成，目前尚未开发。最大日流量为 296.35 吨/日，最小日流量为 107.14 吨/日，平均 157.47 吨/日，水温 20℃—29.8℃。水质成分与黄山温泉相近。

黄山地表水景非常诱人，有白链长垂的悬崖落瀑，有异彩纷呈的彩池碧潭，有聚汇云雨的峡谷溪流，有碧波荡漾的高山湖泊等。计有 2 湖、3 大瀑、16 泉、20 潭和 24 溪。

（六）原生植物资源

黄山是天然的绿色植物园，森林植被群落有乔、灌、草三层完整结构，生态系统稳定平衡，林相整齐美观。种类繁多的古树名木和珍稀花卉，具有极高的美学观赏和科研价值。

黄山自然分布的植物种类有 1805 种。其中苔藓植物

57 科，114 属，191 种；蕨类植物 31 科，58 属，131 种；种子植物 134 科，655 属，1483 种。属于国家一类保护的 1 种，二类保护的 4 种，三类保护的 8 种。在众多的植物中，黄山松分布最广，数量最多，形态最奇，是黄山的一大奇观。

古树是自然遗产中的"活文物"。黄山的古树名木有如下特点："古"即树龄长，有百年以上的名木，也有千年以上的古树，如迎客松、银杏等；"大"，即树干高大，苍劲挺拔，如生长在云谷寺的银杏树，高 26 米，胸径近 1 米；"珍"，即树种珍稀，如南方铁杉、木莲、华东黄杉等；"奇"，即树形奇特，如望客松、送客松、卧龙松等；"多"，即古树名木数量多，如百年以上的黄山松，数以万计。

（七）野生动物资源

黄山是动物栖息和繁衍的理想场所。据调查统计，有鸟类 176 种，隶属 17 目 40 科；两栖类 21 种；爬行类 48 种；鱼类 24 种；兽类 54 种。属国家一类保护的鸟类有白颈长尾雉、白鹳两种；兽类有云豹、金钱豹、黑鹿、梅花鹿四种；属于国家二类保护的两栖类有娃娃鱼一种；鸟类的鸳鸯、白鹇、赤腹鹰、勺鸡、乌雕、红隼、毛脚鵟、普通鵟、雀鹰、鸢 10 种；兽类有黄山短尾猴、黄山猕猴、穿山甲、獐、豹、黑熊、大灵猫、苏门羚 9 种。

在黄山众多野生动物中，黄山短尾猴数量最多，分布最广。为了向游人直观地宣传介绍黄山野生动物资源，黄山园林局与日本有关方面合作，在浮溪建立了野生猴谷，同时也为黄山动物多样性研究提供了场所和条件。

（八）云海

"自古黄山云成海"。漫天的云雾和层积云所构成的云海，是黄山的奇特景观。其特点是：

1. 黄山有云雾的时间较长，一年四季均有，出现最多的年份达 284 天，每月均可见到雾，尤以七月份最多；

2. 黄山的云海是由低云和地面雾形成的，低云主要是层积云；

3. 雨雪天后，常出现大面积的云海奇观，特别是雨雪后的初晴，日出或落日时的"霞海"，最为壮观。

"薄海之内，无如徽之黄山。登黄山，天下无山，观止矣。"黄山以其博大神奇的风貌和典型的美学特征、重要的科学价值，为中国山之魂，与长江、长城、黄河一起被誉为中华民族的象征，令世人向往。作为"天下第一奇山"的黄山，不仅是中国，而且是全人类最珍贵的遗产。

世界遗产委员会评价

黄山，在中国历史上文学艺术的鼎盛时期（16 世纪中叶的"山水"风格）曾受到广泛的赞誉，以"震旦国中第一奇山"

而闻名。今天,黄山以其壮丽的景色——生长在花岗岩石上的奇松和浮现在云海中的怪石而著称。对于从四面八方来到这个风景胜地的游客、诗人、画家和摄影家而言,黄山具有永恒的魅力。

保护情况

多年来,黄山管委会严格依法对黄山这一世界遗产地进行保护和管理。所依据的法律法规有:《宪法》、《森林法》、《城市规划法》、《建筑法》、《文物保护法》、《土地管理法》、《环境保护法》等法律和国务院《风景名胜区管理暂行条例》。所依据的地方法规规章有省人大颁布的《黄山风景名胜区管理条例》,省、市政府颁布的《黄山风景区森林防火布告》、《关于加强黄山风景区保护与管理的布告》、《关于加强黄山风景区环境管理的布告》,黄山管委会颁布的《黄山风景区卫生管理办法》、《关于黄山风景区森林植物检疫暂行办法》、《黄山风景区临时建筑和临时用地管理暂行规定》、《黄山风景区建设工程现场管理暂行办法》。这些重要法律法规,基本涵盖了景区管理工作的各个方面,使遗产地的保护与管理工作走上了有法可依、违法必究、依法管理的法制轨道。根据《保护世界文化与自然遗产公约》,以及国家的法律法规,制定了《黄山风景名胜区总体规划》,以指导黄山资源保护管理与旅游发展。

具体保护管理措施如下:

(一)对1998年"监测建议"采取的后续行动。1998年,世界遗产委员会对黄山风景区保护管理工作监测后提出四点建议:(1)为游人穿过或绕过山顶修建"单向"步行路线;(2)禁止在包括九龙峰在内的所有受游人喜爱的景点修建任何新的旅馆;(3)推动对景区生物多样性的研究并将研究结果向游人传播;(4)采取一切必要的措施与侵袭传奇的黄山松的松材线虫病斗争。四年来,黄山按照"建议"要求,改善对景区的保护与管理,取得新的成效。开发利用处在北海景区与钓桥景区结合部的冷点景观——西海大峡谷,增加5.1公里旅游步道,使北海景区、钓桥景区、玉屏景区形成了新的循环线,扩大了游览空间,减轻了旅游高峰期北海景区、玉屏景区的接待压力。修建了莲花峰、松林峰、鳌鱼峰等主要山峰的单线循环步道,适当加宽热点线路的旅游步道,拓展观景台,达到方便游客、保障安全的目的。

严格控制景区内宾馆建设活动,除按规划要求对防火等级低、与环境不协调的陈旧简陋的宾馆建筑物进行必要的改建、改造外,黄山风景区没有新建任何宾馆。

开展生物多样性的保护研究,并向游人传播保护成果。黄山风景区生物多样性的保护工作体现为:禁止开山采石,

挖沙取土,减少环境污染,保护了地表生物;开展植树绿化,封山育林,抚育了森林植被;禁止狩猎活动,保护了野生动物的生存安全;建立高山植物园,繁殖和保存了珍稀名贵树种;开辟浮溪猴园这一动态景观,探索保护生物多样性的新经验。黄山管委会在近几年还投资建设了生物多样性教育中心,免费向游客开放,让人们广泛了解生物多样性的知识,增强生物多样性的保护意识。积极地与松材线虫病作斗争。黄山市委、市政府组织实施了黄山风景区外围宽4公里、长100公里的生物隔离带建设工程,通过在隔离带种植非松树植物,形成天然屏障,防止松材线虫侵入黄山景区。黄山设有专门的森防检疫机构,成立了森林病虫害防治指挥部,建成了景区松材线虫病监测普查网络。同时,积极地采取一些严厉的预防措施,比如:在进山的几个大门设置检疫检查站,实行24小时值班,严格检查调入景区的木材及其制品,防止危险性病虫害的传入;明令禁止一切松木进入景区,并对境外调入的木材、包装物及其制品实行严格检疫,必要时进行消毒后再准入景区;常年开展松材线虫病的监视性监测,掌握疫情动态等。

(二)文化景观的保护与管理。黄山人文景观包括历代修建留存的近百座寺庙遗址,5万余米登山步道,40余座古桥,280余处摩崖石刻、石雕,数以万计的文学艺术作品及关隘、石亭,是研究宗教文化、徽州文化和民俗、风景名胜区建设历史、中国画史、书法及石刻艺术的珍贵实物和史料。黄山管理部门投入大量资金,对人文胜迹进行修复保护,挖掘整理,开发利用。重点抢修的明代古刹慈光阁,再现了昔日风姿,并于2002年利用修复的慈光阁建成"黄山博物馆",展示黄山自然、文化、历史等各方面的珍贵实物和史料,建立了黄山文化石刻长廊。

(三)森林资源的保护与管理。一是开展森林防火工作。黄山风景区成立了护林防火指挥部,组建了护林防火专业队,常年在景区各个区域进行防火巡逻;编制了《黄山风景区森林防火总体规划》,制定了《黄山风景区防火暂行办法》、《扑火预案》,配备了交通、通讯及灭火设施,层层签订了防火责任状,建立起防灭火管理体系;投入大量财力,进行防火基础设施建设。由于常抓不懈,措施得力,黄山已连续22年无森林火灾。

二是加强国家公益林管护工作。为推行我国现行的林业政策,倡导"生态优先"的林业指导思想,黄山风景区的有林地被国家林业局核定为国家公益林,国家给予一定的补助资金用于公益林的保护。我们严格按照国家公益林的管理要求,实行封山育林,签订国家公益林管护协议,禁止一切破坏森林资源的行为。

（四）环境保护与管理。黄山风景区生态环境监测站常年进行风景区内地表水质、大气质量、污水达标排放监测，及时掌握生态环境动态变迁趋势；成立了环境监理所，对风景区的环境保护实行统一监督，依法管理，进行污染源的治理，先后建造和改造了8座旅游厕所；建成温泉、云谷寺、北海、天海、西海等13处污水综合处理设施；在远离黄山风景区的地方选址建成洗涤中心和净菜中心，以减少污水排放量；基本完成了"烧柴→烧煤→烧油→用电"的燃料结构调整工作。

开展环境、卫生管理工作。黄山的垃圾主要是游客在游览过程中产生的废弃物和日常生活垃圾。自1995年以来，垃圾全面实行袋装化，及时清扫、分捡运至山下进行回收和焚烧处理，做到了垃圾日产日清。坚决依法拆除各类临时建筑，是近几年黄山加强环境管理推行的一项重要工作，截止到"监测报告"上报之日，黄山风景区拆除各类临时建筑约7500平方米，并及时进行了生态恢复。

（五）古树名木资源的保护管理。以黄山松为代表的古树名木是黄山重要的自然景观，现建档登记的有107株，被列入世界自然遗产名录的有54株；给国宝"迎客松"配备了专职守护人员，实行24小时监测，观察并记录其生长变化情况，及时排除隐患，确保迎客松健康生长。制定《黄山风景区古树名木保护管理技术规程》，对全山古树名木实行挂牌管理，重点古树确定一名技术责任人和一名管护责任人。定期邀请国家一流的古树名木专家，对景区古树名木进行会诊，检查树势生长状况，采取综合复壮措施，抢救和保护了衰弱和濒危的古树名木，如麒麟松、松谷古木莲、狮林高山柏等。

（六）合理开发利用旅游资源。黄山有六大游览区，多年形成的传统旅游线路，使北海景区和玉屏景区成为游览热点。为了促进六大游览区相对均衡接纳游人的旅游活动，1998年以来，黄山风景区依据规划要求，投资近2000万元，开发利用了西海大峡谷景观，新辟4087米游览线，联通了北海、钓桥、玉屏三个游览区，扩大了游览空间，极大地缓解了北海、玉屏景区的环境压力。同时继续对天都峰、莲花峰、始信峰、狮子峰、丹霞峰著名景点，实行封闭轮休制度，让其自然休养生息，并辅以技术措施，促进植被生长，改善生态环境。大力宣传推广冬游产品，鼓励游人冬游黄山，促进四季旅游协调发展。

（七）景区综合治理。坚持"依法管理、保障稳定、保护资源、优化环境、满意游客、促进发展"的指导思想，对景区环境进行综合整治。综合治理的内容包括工商、交通、流动人口、导游、环境卫生管理和防火、森林植物检疫等，实行分工不分家，综治、公安、工商、交通、园林等部门管理人员联合执勤，互相承担工作职责，使爱护黄山、保护黄山成为每个工作人员的具体行动。

（八）密切与周边乡镇的关系，共同保护黄山资源安全。在黄山市委、市政府的统一领导下，本着共同保护、共同受益的原则，黄山管理部门和周边乡、镇政府开展多形式的宣传活动，向农民群众介绍推广保护黄山风景名胜资源的重要性及保护黄山的有关法律、规章；每年与毗邻乡镇共同召开护林防火联防会，签订防火责任状，帮助农民组建防火应急分队，共同维护山林安全。

（九）建立各种信息传播渠道

建立黄山对外文化艺术中心，利用风光图片、画册和音像影视作品，向游人进行宣传，增强游人保护意识。

建立资源保护管理宣传教育中心，向游人展示黄山的生物多样性和黄山文化作品，并运用多媒体和触摸式电脑等设施直观全面地展示黄山绝妙的风光和悠久的文化，为游客提供各种服务咨询。

建立因特网址，通过国际互联网向海外介绍黄山，宣传黄山。

通过参加国内外旅游博览会、展示会和举办黄山国际旅游节，来扩大对外宣传。

（十）开展科研工作，用理论指导实践。为科学保护和利用黄山旅游资源，黄山开展了一系列的课题研究工作，取得多项研究成果。具体有：《黄山风景区资源清查、建档和研究》、《黄山风景区旅游环境质量监测与研究》、《黄山土壤的测定与分析研究》、《黄山风景区分区计划调控游览研究》、《黄山松研究》、《黄山风景区松材线虫病监测与预防研究》、《黄山风景区松材线虫风险性评估研究》、《黄山风景区古树名木保护管理体系研究》、《黄山旅游气象研究》等十余项研究课题。出版了《黄山植物》、《黄山土壤》、《黄山旅游与环境研究》等专著，发表相关论文三十余篇。

（十一）拓展对外交流合作领域，推动黄山保护与管理。在国内，与所有世界遗产地、国家重点风景名胜区、多家院校科研机构、学术团体和专业组织保持着长期稳定的联系，开展业务合作；国际上，黄山积极参与联合国教科文组织举办的各项活动。1993年至1996年，与芬兰开展了"黄山水资源与环境管理"的科技合作；2002年7月，黄山与世界自然遗产地瑞士的少女峰正式结盟为友好山，开展保护管理研究的长期合作；此外，还与亚洲开发银行建立了长期合作的机制。通过与国内外学术团体和专项组织的相互交流，借鉴和引进先进的管理经验，为保护好黄山提供了有力的技术保证和资金支持。

（黄山风景区管理委员会）

峨眉山—乐山大佛风景区

中文名称：峨眉山—乐山大佛风景区

英文名称：Mount Emei Scenic Area, including Leshan Giant Buddha Scenic Area

地理坐标：东经 103°10′30″—103°37′10″

北纬 29°43′42″—29°16′30″

列入年份：1996 年

管理机构：中华人民共和国建设部

四川省建设厅

乐山市大佛景区管理委员会

峨眉山市峨眉山风景名胜区管理委员会

概　况

峨眉山位于中国西部四川省的中南部,四川盆地向青藏高原过渡地带,主峰金顶,最高峰万佛顶海拔 3099 米。峨眉山以优美的自然风光和神话般的佛国仙山而驰名中外,美丽的自然景观与悠久的历史文化完美结合,相得益彰,享有“峨眉天下秀”的赞誉。

峨眉山处于多种自然要素的交汇地区,这里区系成分复杂,生物种类丰富,特有物种繁多,保存有完整的亚热带植被体系,森林覆盖率达 91%。峨眉山有高等植物 242 科,3200 多种,约占中国植物总数的十分之一,其中仅产于峨眉山或在峨眉山发现,并以峨眉定名的植物就达 100 余种。此外,峨眉山还是多种稀有动物的栖居地,已知动物 2300 多种。这里是研究世界生物区系具有特殊意义的重要地点。

峨眉山是“中国佛教四大名山”之一。佛教的传播、寺庙的兴建和繁荣,为峨眉山增添了许多神奇色彩。宗教文化特别是佛教文化,构成了峨眉山历史文化的主体,所有的建筑、造像、法器以及礼仪、音乐、绘画等无不展示出宗教文化的浓郁气息。峨眉山上寺庙林立,其中以报国寺、万年寺、仙峰寺等“八大寺庙”最为著名。

乐山大佛位于峨眉山东麓的栖鸾峰,古称“弥勒大像”、“嘉定大佛”,始凿于唐代开元初年(713),历时 90 年才得以完成。佛像依山临江开凿而成,是世界上现存最大的一尊摩崖石刻造像,有“山是一尊佛,佛是一座山”的称誉。大佛为弥勒倚坐像,坐东向西,面相端庄,通高 71 米。雕刻细致,线

条流畅,身躯比例匀称,气势恢宏,体现了盛唐文化的宏大气派。佛座南北的两壁上,还有唐代石刻造像 90 余龛,其中亦不乏佳作。

申报理由

峨眉山(包括乐山大佛)以其特殊的地理位置,雄秀神奇的自然景观,典型的地质地貌,保护完好的生态环境,特别是地处世界生物区系的结合和过渡地带,拥有丰富的动植物资源,具有明显的区域性特点,珍稀濒危物种繁多。近二千年来,创造和积累了以佛教为主要特征的丰富文化遗产。峨眉山的自然和文化遗产具有很高的历史、美学、科研、科普和游览观光价值,是全人类的共同财富。因此应当列入《世界遗产目录》受到全世界永久性的保护。

一、峨眉山在中国名山中的地位

以自然风光优美、佛教文化浓郁而驰名中外的峨眉山,以其“雄、秀、神、奇”的特色,雄踞于中国名山之列并为其中姣姣者。

(一)雄:高大的形体,雄伟的气势,引起崇高的美感。峨眉山在四川盆地西南缘平地拔起,最高峰万佛顶海拔 3099 米,相对高差 2600 米,与五岳中最高的华山相比,仍高出 1000 多米,所以历代称之“高凌五岳”。峨眉主峰三峰并立,直指蓝天,气势磅礴。登临金顶,极目眺望,或群山叠叠,或云海茫茫,变幻无穷,令人心旷神怡。

(二)秀:峨眉山处于多种自然要素交汇地区,植物垂直带谱明显,植物种类繁多,类型丰富,植被覆盖率高达 87%

以上。山中峰峦叠嶂,林木繁茂,郁郁葱葱,山体轮廓优美,线条流畅,景色多姿多彩。在天下各大名山中,其繁茂的植被景观,堪称第一。

(三)神奇:峨眉山是"普贤道场"的佛门圣地,浓郁的佛教文化色彩使它笼罩在一片神秘的宗教气氛之中。而神话传说,以及戏剧、诗歌、音乐、绘画、武术等的渲染与传播,使这座佛国仙山的神奇色彩更加虚幻莫测。在漫长的历史长河中,峨眉山的佛教文化、寺庙建筑与自然景观有机地巧妙地融合在一起,这在中国名山中实为首屈一指。峨眉山奇特的气象景观如金顶的云海、日出、佛光、圣灯、朝晖、晚霞,以及雷洞烟云、洪椿晓雨、大坪雾雪、雨淞雾淞等,千变万化,绚丽多彩,堪为中国名山之首。

峨眉山雄秀神奇的自然景观与悠久的历史文化内涵有机地融为一体,相得益彰,给人们美的享受与熏陶,使之成为人们崇拜与讴歌的对象而名扬天下。

二、峨眉山具有独特的地质特征

峨眉山保存了从前寒武纪以来比较完整的沉积地层,为研究地壳及生物演进历史提供了难得的地质史料:岩浆侵入与喷溢所产生的侵入岩与火山岩,为研究上地幔的深部作用过程、岩石圈的拉张破裂、地壳的动定转化提供了典型的实例;燕山运动、喜马拉雅运动所产生的复杂的地壳构造变形,又为研究地壳的表层构造提供了充分的依据。

同时,新构造运动,在峨眉山地质构造背景上所产生的雄伟壮观、类型多样的现代地貌,为生物类群的滋生繁衍和别具一格的中—高山地生态王国的建立提供了先决条件。这些背景和条件形成的有机统一的演绎整体,造就了峨眉山的美学形象、科学内涵和在世界山岳型风景区中独领风骚的特殊地位。

三、峨眉山具有丰富多彩的植物种类和亚热带典型的植被类型

峨眉山的植物在世界上有着独特的地位,具有世界意义,特别表现在:

(一)峨眉山具有世界上最典型、保存最好的亚热带植被类型,具有原始的、完整的亚热带森林垂直带,从山麓的常绿阔叶林,向上依次见到常绿阔叶与落叶阔叶混交林,针阔混交林至暗针叶林。

(二)植物种类异常丰富,在这样特殊、多样的森林中生长着已知的高等植物242科,3200种以上。对于仅有154平方公里的山体来说,在世界上是独特的,甚至在全世界亚热带也是绝无仅有的。伴随着多样的植被类型和丰富的植物种类,动物种类也是极其丰富。

(三)原始和特有种十分繁多。其中特有的高等植物有100多种。古老而濒危的植物种类数目很大,被国家首次列为保护的植物就达31种。

(四)峨眉山的植物区系处于中国—喜马拉雅亚区和中国—日本亚区过渡地带,对研究世界生物区系等有着重要地位。

总之,峨眉山在世界上是一个非常丰富的、独特的、保存最完好的植物园,也是世界的自然博物馆,具有极高的科学研究价值和保留价值,为国际国内学者向往的地方,国内外专家对峨眉山植物研究的频率最高。19世纪后期以来,欧美和俄国许多植物专家学者先后来峨眉山进行科学考察和采集标本。1981年5月,英国国际树木学会组织专家团到山考察,称赞峨眉山是:世界上天然的国家公园,世界植物爱好者的乐园,世界上巨大的植物宝库。1995年6月1日,美国哈佛大学生物学教授、系统生物学家协会主席、哈佛大学标本馆馆长米切尔(Michael J. Donoghue)等一行来峨眉山考察后给予了很高的书面评价,他说:峨眉山的植物区系在组成上既有中国—日本植物区系成份,又有中国—喜马拉雅植物区系成份。由于峨眉山所处地理位置的特殊性,所以大量的植物蕴藏其中。峨眉山除拥有众多濒危高等植物外,还有峨眉山特有的低等植物。峨眉山的植物还有待植物学者继续探索,丰富峨眉山种质资源数量。峨眉山的自然风光令我们赞叹,它丰富的资源更让我们难以忘怀。从世界保护条约的角度而言,将峨眉山列入《世界遗产名录》是有深远意义的。

四、峨眉山是动物种质的基因库

峨眉山的动物正处于古北界和东洋界的过渡地带而较接近东洋界的特殊地区,其特征十分显著和典型:(一)区系复杂、类型齐全、种类丰富,是世界上罕见的集中分布区;(二)分布呈明显的区域性,水平、垂直分带明晰,既有东亚类群,也有南亚类群,并有高原类群;(三)具有"四多"的特点,即古老珍稀濒危的物种多,特有种多,模式种多,东洋区系物种多;(四)古老珍稀的物种有效保存至今,保留了原始的生态,是现存的较好动物基因库,有较高的科研价值和特殊的保护意义。

五、峨眉山具有丰富的历史文化和佛教文化遗存

峨眉山有着悠久的人文历史。据现有考古资料表明,早在1万年以前,这一区域内已有古代先民的活动。进入文明社会,有文献、史迹可考的人文历史已有二千多年。在如此漫长的历史时期中,古代先民创造了光辉的历史文化,留下了丰富的历史遗产。佛教的传入,寺庙的兴建和繁荣,又使峨眉山这座雄而秀的"蜀国仙山"增添了神奇的色彩。宗教文化——特别是佛教文化,构成了历史文化的主体。所有的

建筑、造像、法器、礼仪、音乐、绘画等无不展示出自身宗教文化的浓郁气息和鲜明色彩。

寺庙的建筑艺术是峨眉山佛教文化的突出体现,它与这座"秀甲天下"的名山的自然环境与景观融为密不可分的整体,成为风景明珠。全山现有寺庙30余处(其中规模大、历史悠久的主要寺庙约十余处)。建筑赋有地方传统民居风格,装修典雅,朴实无华,因地制宜,依山就势,各具特色,无论选址、设计和营造都别具匠心,既有庙堂之严,又富景观之美。其技艺之高,堪称中国名山风景区寺庙建筑艺术的典范。

峨眉山丰富的历史文化遗存和佛教文物在中国国内其他风景名山中是罕见的,它是峨眉山悠久历史文化的结晶和瑰宝,其中有不少佛教文物和寺庙建筑对研究峨眉山佛教的兴盛衍变以及整个佛教史都是非常珍贵的资料和佐证。

乐山大佛以人文遗产精粹和自然遗产的有机结合为特色,山水交融。景区2.5平方公里范围内,国家一级保护文物2处,二级保护文物4处,与中国历史文化名城——乐山城隔江相望,堪称得天独厚。景区以唐代摩崖造像——大佛为中心,有秦蜀守李冰开凿的离堆,汉代崖墓群,唐宋佛像、宝塔、寺庙,明清建筑群等,是两千年历史的博物馆。中国历代名人有关的文化遗存十分丰富、独特。文物馆藏丰富,现有藏品7226件,其中有不少是国内外罕见的稀世珍品。

六、峨眉山的美学价值

峨眉山以其雄秀神奇的自然风光、完好的生态环境与源远流长的历史文化巧妙地、有机地融合,形成了独特的、丰富多彩的自然景观,具有较高的美学价值。

(一)形态美:峨眉山主峰三峰并峙,绝壁凌空,刚劲挺拔,气势雄伟壮观。远观峨眉山脉绵延数百里,其轮廓修长柔美,状若"峨眉"。中低山一带,峰峦叠翠,景貌百态千姿。若云遮雾绕,更显妍丽多娇。山中植被丰茂,林海郁郁葱葱,散发出勃勃的生机和青春的气息。

(二)动态美:峨眉山的美是变幻的美,流动的美。云海忽而翻腾疾驰,忽而飘逸舒卷,旭日冉冉东升,佛光或现或隐,圣灯飘浮升沉,山岚烟云在沟壑林间飘逸,瀑布飞泻,溪流潺潺,鸟类在蓝天上自由地翱翔,猴群在林间小道与游人嬉戏,整个峨眉山都显得那么飘逸、神奇、仪态万千。

(三)色彩美:峨眉山像一幅色彩绚丽的山水画卷。四时风光,各展风采。春季杜鹃争艳,姹紫嫣红;夏季草木繁茂,苍翠欲滴;秋季霜叶似火,五彩缤纷;冬季白雪皑皑,一片银色世界。每当晨曦晚霞,或万山红遍,或群峰披金。金顶祥光七彩缤纷,虚幻迷离,令人惊叹。

(四)听觉美:峨眉山处处回旋着大自然中悦耳的旋律,

给人以"鸟鸣山益静"的美学意境。春天百鸟的欢歌,夏夜蝉、蛙的鸣唱;山中的猿啼,溪泉的流淌,林海松涛的吹拂,山谷余音的回响,伴以寺庙殿堂的晨钟、暮鼓和僧尼念唱,交织成一篇篇扣人心弦的抒情乐章。

(五)意境美:峨眉山的自然美与浓郁的宗教文化浑然融合,使它在神奇虚幻中又展露出无限的诗情画意。金顶远眺,云海茫茫,峰峦隐约,大小瓦屋山似漂浮在云烟之中的仙山琼阁,贡嘎雪峰在旭日映照下璀璨夺目;洗象池前皓月高悬在苍劲的冷杉林梢;万年寺畔蛙声四起,如琴如瑟,悦耳动听;空中鸟语,幽谷花香……峨眉山的形影声光交织成鲜明、生动的境界与和谐温馨的情调,身临其境,使人感到超然于尘世之外,身心俱净化澄澈。美的自然,带来美的感染、熏陶和享受。

世界遗产委员会评价

公元1世纪,在四川省峨眉山景色秀丽的山巅上,落成了中国第一座佛教寺院。随着四周其它寺庙的建立,该地成为佛教的主要圣地之一。许多世纪以来,文化财富大量积淀。其中最著名的要数乐山大佛,它是8世纪时人们在一座山岩上雕凿出来的,仿佛俯瞰着三江交汇之所。佛像身高71米,堪称世界之最。峨眉山还以其物种繁多、种类丰富的植物而闻名天下,从亚热带植物到亚高山针叶林可谓应有尽有,有些树木树龄已逾千年。

保护情况

一、峨眉山保护情况

峨眉山有组织的保护管理,始于公元10世纪中叶国家在峨眉山设提点,驻节白水寺(今万年寺),掌管僧尼户籍、寺庙及附属山水林木等事务。1949年中华人民共和国成立后,中央政府和地方各级政府为保护峨眉山和乐山大佛做了大量工作。如建立健全保护管理机构,制定保护规划,积极抢救维修,加强环境综合治理等。申报世界遗产工作的启动及成功,使峨眉山和乐山大佛的保护管理工作迈上了新的台阶。峨眉山管委会依照《保护世界文化与自然遗产公约》、《中华人民共和国文物保护法》、《国务院关于风景名胜区管理暂行条例》等相关法律法规,贯彻执行"严格保护、统一管理、合理开发、永续利用"的方针,多次对《峨眉山风景名胜区总体规划》进行修编,于2003年7月,经国务院批准实施。建立权威高效集中统一的保护管理机构,在实践中总结出"以综合管理为龙头,专业管理为骨干,群众管理为基础"的保护管理模式。2000年,峨眉山率先在全国景区中导入

ISO9001 国际质量管理体系和 ISO14001 环境管理体系,运用国际先进的保护管理经验和峨眉山实际保护管理经验相结合,较好地保持了世界遗产的真实性和完整性,走出了一条遗产保护与旅游开发良性循环的可持续发展之路。

二、乐山大佛保护情况

中华人民共和国成立以来,中央、省、市各级政府历来十分重视对乐山大佛的保护。主要保护工作如下:

（一）健全管理机构

1984 年,在乐山市政府领导下,成立了"乐山大佛综合整治委员会",聘请了国内有关专家学者任工程技术顾问和研究人员,负责拟定乐山大佛的保护规划,制定保护方案与工程设计方案、技术咨询等工作。在乐山大佛申报世界文化与自然遗产成功后,于 1998 年成立了乐山大佛景区管理委员会,进一步加强乐山大佛景区的遗产保护工作,对景区实行"五统一"管理,依法强化了对世界遗产的保护管理力度。

（二）依法保护乐山大佛

乐山大佛景区管理委员会把《保护世界文化和自然遗产公约》、《文物保护法》、《环境保护法》、《风景名胜区管理暂行条例》、《四川省世界遗产保护条例》等法律法规和文件的规定,作为指导乐山大佛保护的纲领性文件。1998 年编制完成了《乐山大佛风景名胜区总体规划》,把景区分为核心保护区、一般保护区、建设控制地带,不同的保护区有不同的规划,走可持续发展之路。并与意大利洛迪咨询公司合作,编制完成了《乐山大佛核心区保护规划》,对乐山大佛核心区的保护和完善工作提出了科学的行动方案。2003 年修编了《乐山大佛风景名胜区总体规划》,使指导思想更加明确,对遗产保护工作的指导性更强、更科学。同时,将原来的保护规划面积由 4 平方公里扩大至 17.57 平方公里,为遗产保护打下了良好的基础。

（三）科学保护乐山大佛

1. 完成国家科委《治理乐山大佛的前期研究》课题。1988 年,由中国文物研究所主持,乐山大佛乌尤文物保护管理局与 7 家科研单位合作完成《治理乐山大佛的前期研究》课题,包括《大佛现状的调查》、《大佛原状的探测》、《大佛水文及工程地质调查》、《修补大佛的传统材料与替代材料的试验研究》、《大佛建造史与修缮史的调查》等,从人文科学、自然科学方面全方位、多维度地对乐山大佛进行了研究,并采用了声（超声、声波、地震勘探）、光（近景摄影）、电（电法探测、微探测）、核（核子水分密度测量）等多种学科的新技术方法对乐山大佛进行研究,得出了"大佛岩体在正常情况下,总体是稳定的"结论,指出了乐山大佛的主要病害（水患、风化、脸花、鼻黑）和治理措施及治理方案,其成果获国家文物局科学技术进步二等奖,为乐山大佛的治理维修提供了科学依据。

2. 加固乐山大佛周边岩体。1989 年至 1994 年,乐山大佛先后进行了三期危岩加固处理工作,基本保证了大佛临江岸坡岩体的稳定和唐代文物《大佛记》碑、九曲栈道的安全。加固、封闭危岩面积 5600 平方米,有效控制加固岩体 2 万余立方米。

3. 从 1991 年至 1994 年,根据《前期研究》成果,在大佛周边地区进行了两期地面渗透水处理。凌云寺及东坡楼、大花园、前山门的所有自然降水和生活污水得到有效控制,进入地下管道排放,减轻了地下渗水对佛身的侵害。两期排水处理防渗地面 6500 平方米,修建地下砖石沟、管沟 1800 米,明沟 1200 米。

4. 依法科学保护、维修大佛。1988 年至 2003 年,乐山大佛乌尤文物保护管理局和乐山大佛景区管理委员会严格遵循《文物法》文物维修"不改变文物原状、修旧如旧"的原则,科学编制乐山大佛维修方案,报批程序规范,精心组织,科学施工,投入资金数千万元,先后对乐山大佛进行了四次较大规模的日常性维修,主要维修了大佛的头、脸、肩、胸、手、脚等部位。

（峨眉山风景名胜区管理委员会

乐山大佛景区管理委员会　吴胜利　杨媛玉　汪涛）

武 夷 山

中文名称:武夷山
英文名称:Mount Wuyi
地理坐标:东经 117°24′12″—118°02′50″
　　　　　北纬 27°32′36″—27°55′15″

中国世界遗产年鉴2004

列入年份：1999 年
管理机构：中华人民共和国建设部
　　　　　福建省建设厅
　　　　　武夷山世界遗产保护管理委员会

概　况

武夷山位于中国福建省西北部崇安县境内，是中国首批国家重点风景名胜区、国家自然保护区和著名的旅游胜地，1999 年 12 月被联合国教科文组织批准列入《世界遗产名录》，成为中国现有 4 处世界文化与自然双重遗产地之一。其总面积 999.75 平方公里，其中核心区面积 635.75 平方公里；核心次区面积 364 平方公里；外围缓冲区面积 278.88 平方公里。

武夷山素以其丰富的自然生态资源、独树一帜的风光美景和灿烂悠久的历史文化，天人合一的和谐环境而著称，享有"碧水丹山"之美誉，唐朝时被朝廷册封为天下名山大川。千百年来，无数名儒雅士、政宦显要都曾游历过武夷山。李商隐、范仲淹、朱熹、陆游、辛弃疾、徐霞客等名家都在武夷山留下了各自的墨宝。

感受武夷，感受纯真。真山水、纯文化是武夷山最大的特点。真山水真就真在"清水出芙蓉，天然去雕饰"，全无人工斧凿的痕迹，连空气都显得古老而清新。79 平方公里的武夷山风景区，拥有独特、稀有、绝妙的自然景观，属典型的丹霞地貌和罕见的自然美地带。武夷山山不高有高山之气魄，水不深集水景之大成。武夷山九曲溪景观形象丰富多彩，变化无穷。一曲，畅旷豁达；二曲，幽谷丹崖；三曲，虹桥奇观；四曲，秀山媚水；五曲，深幽奇险；六曲，天游览胜；七曲，三仰雄伟；八曲，青山奇石；九曲，锦绣平川。一条幽深清碧的九曲溪盘绕于丹崖群峰之间，两岸 36 奇峰、99 岩皆昂首向东，如万马奔腾，气势雄伟，千姿百态。游人凭借一张竹筏顺流而下，即可阅尽武夷秀色。它异于一般自然山水，是以奇秀深幽为特征的巧而精的山水园林，堪称世界一绝。

武夷山在山水的结合上，如山之高低、河床宽窄、曲率大小、水流急缓、视域大小均达到绝妙的地步。武夷山四季温和湿润，年均温度 17.6℃，降水量大，雾日长，气候垂直变化显著。同时，武夷山有着我国东南现存面积最大、保留最为完整的中亚热带森林生态系统，原始森林茂密，景色融雄浑、古朴、隽秀于一体，而且有着极为丰富的生物资源，被纳入联合国"人与自然"保护区。西部黄岗山是中国东南大陆最高峰，山峻坡陡，峰峦层迭，气势磅礴。

真山水孕育了东方的纯文化，积淀丰厚，内涵多彩，颇具

特色，是人类的共同财富，世界的文化遗产。远在夏商时期，中国东部地区的古闽族、古越族人就在武夷山繁衍生息。在景区的悬崖绝壁上，留下了现今世界上发现年代最久远的、距今近 4000 年的"架壑船棺"、"虹桥板"等文化遗存。西汉时期，闽越王在武夷山建造王城，使武夷山成为江南一带政治经济文化的中心。现已挖掘出土并向游人开放的全国重点文物保护单位——武夷山城村古汉城遗址，是消逝 3000 多年的古文明和古文化传统习俗的独特的实物见证，占地 48 万平方米，是江南一带保存最完整、出土文物最多的汉代古城，也是中国南北文化交融的历史见证。宋代，武夷山更是集一时之盛，儒、释、道三教同山。道家称为"第十六升真元化洞天"，儒家称为"闽邦邹鲁"、"道南理窟"。一代理学巨儒朱熹在武夷山结庐讲学，倡道东南，生活长达近半个世纪，把当时的武夷山推到了"执全国学术之牛耳"的文化巅峰。朱熹创办的寒泉精舍、朱熹撰并书的"刘公神道碑"、朱熹及宋至清历代理学家在武夷山的题刻、朱熹墓等，是现存的实物见证。朱子理学在此孕育、成熟、传播，其影响深入中国社会生活的各个方面，并漂洋过海，远及东亚、东南亚及欧美诸国，成为东亚文明的体现。正如当代著名学者蔡尚思所云：东周出孔丘，南宋有朱熹；中国古文化，泰山与武夷。此外，武夷山还诞生了中国著名的婉约词代表人物柳永等大批文化名人。积淀深厚的历史文化与奇秀多姿的自然风光相融，孕育了武夷山古朴浓厚的民俗风情。

申报理由

一、武夷山自然风光独树一帜

"三三秀水清如玉"的九曲溪，与"六六奇峰翠插天"的三十六峰、九十九岩的绝妙结合，它异于一般自然山水，是以奇秀深幽为特征的巧而精的天然山水园林。

（一）武夷山东部地貌景观奇特优美，所有峰岩翘首东方，向西倾斜，千姿百态，势如万马奔腾，雄伟壮观。单斜山构造，形成一峰多姿，比水平岩层构成的山峰更富于变化。西部的黄岗山是中国东南大陆的最高峰，山峻坡陡，峰峦层迭，气势磅礴。海拔在 1000 米以上的高峰有 112 座。

（二）在山水的结合上，如山之高低、河床宽窄、曲率大小、水流急缓、视域大小、视角仰俯等，均达到绝妙的地步。

（三）武夷山九曲溪景观形象丰富多采，变化无穷。一

曲,畅旷豁达;二曲,幽谷丹崖;三曲,虹桥奇观;四曲,秀山媚水;五曲,深幽奇险;六曲,天游览胜;七曲,三仰雄伟;八曲,青山奇石;九曲,锦绣平川。各具特色的景观画面,由一条九图 2—1

曲溪盘绕贯串。游人凭借一张竹筏顺流而下,即可阅尽武夷秀色,此乃武夷山景观的精华,堪称世界一绝。

(四)CHARLESLYTE,《THEPLANTHUNTERS》,英国伦

The 'stream of Nine Winding', its twisting
course threading its way through fantastic rocks
and peaks, was in just the kind of Chinese
landscape that enchanted Robert Fortune, in spite
of the fact that it held many dangers.

敦出版社,1983,P128 图 2 的复印件(图 1)。该图是英国植物采集家福苣(Robert Fortune,1813—1880)于 1843 年 7 月在武夷山采集植物标本时,为九曲溪绮丽风光而作。

(五)为保持九曲溪水清澈见底,四季流水不断,在九曲溪上游划定水源涵养林绝对保护区;在九曲溪两岸地带,特别是在峡谷地区,实行封山保护,培育水土保持林,严禁在上

述区域内进行一切违反规定的活动。同时,还禁止在九曲溪内捞沙和捕鱼作业。

(六)武夷山九曲溪景观,从自然美角度看,属具有突出、普遍价值的天然景观地带,早已闻名中外,为旅游者所青睐。符合自然遗产提名的第三项条款标准,即"独特、稀少和绝妙的自然现象或具有罕见的自然美地带"。

（七）1990年9月，世界旅游组织执委会主席阿比特丽兹·卡奈尔·德·巴尔科夫人游览武夷山后，欣然命笔："未受污染的武夷山风景区是世界环境保护的典范"。

二、世界生物多样性保护的关键地区

（一）具有世界同纬度带现存最典型、面积最大、保存最完整的中亚热带原生性森林生态系统。

（二）1987年加入联合国教育、科学及文化组织（UNESCO）《人与生物圈计划》（MAB）世界生物圈保护区。

（三）由中华人民共和国环境保护局主持，中国科学院等13个部门参加编写的《中国生物多样性国情研究报告》中确定武夷山为中国生物多样性保护的关键地区。

（四）自1873年以来，国内外动植物专家先后在武夷山采集到的动植物新种（包括新亚种）的模式标本近1000种，其中昆虫新种模式标本779种，脊椎动物新种模式标本100多种，植物新种模式标本57种。被中外生物学家誉为"世界生物模式标本产地"、"世界生物之窗"、"昆虫世界"、"绿色翡翠"。

（五）为了保护好武夷山生物多样性，1979年4月16日，福建省革委会批准成立"武夷山自然保护区"；同年7月3日，中华人民共和国国务院审定"武夷山自然保护区列为国家重点自然保护区"；1987年，由联合国教科文组织为武夷山国家重点自然保护区颁发《人与生物圈计划》证明书；1990年，福建省人民政府颁发《福建省武夷山国家级自然保护区管理办法》；1998年2月，制定了由全球环境基金（GEF）资助的《中国自然保护区管理项目计划》，严格保护好武夷山的生物多样性、完整性及其自然景观，控制毛竹林纯林化对天然林的蚕食，恢复遭到破坏的野生动植物栖息地。

（六）保护好武夷山生物多样性、完整性及其自然景观，综合发挥国际生物圈保护区功能，不仅有利于中国的环境保护，而且对全球环境保护也有重要意义。完全符合自然遗产提名的第四项（尚存的珍稀或濒危动植物栖息地）和第二项（构成代表生物演化过程，以及人类与自然环境相互关系的例证）条款标准。为此，将武夷山列入《世界遗产品录》，成为全人类共同财富和具有国际水平的保护区，具有突出、普遍的价值。

三、丰富的人文景观和历史文化遗存

（一）考古资料表明，武夷山早在四千多年前就有先民在此劳动生息，逐步形成偏居中国一隅的"古闽族"文化和其后的"闽越族"文化，在国内外是绝无仅有的。

1. 反映这一文化特征的是武夷山"架壑船棺"、"虹桥板"及占地48万平方米的闽越王所居的汉城遗址，是消逝三

千多年的古文明和古文化传统习俗的独特的实物见证。

2. 在"架壑船棺"的随葬品中，发现中国迄今最早的棉纺织品实物。汉城遗址系中国江南保存最完整的古城遗址之一。

3. "架壑船棺"和"虹桥板"于1985年被公布为福建省级文物保护单位。"汉城遗址"1996年由国务院公布为全国重点文物保护单位，进行严格保护。

（二）武夷山是朱子理学的摇篮

1. 程朱理学，始于"二程"（程颐、程颢），集大成于朱熹，构成中国宋代至清代一直处于统治地位的思想理论，代表具有普遍意义的传统民族精神，影响远及东亚、东南亚、欧美诸国。孔子集前古思想之大成，开创中国文化传统之主干的儒学。朱熹集孔子以下学术思想之大成，使程朱理学达到顶峰，为儒学注入新的生机，形成儒学思想文化的杰出代表——朱子理学，至今仍吸引着世界上几十个国家的专家、学者致力于理学思想的研究。朱熹（1130—1200）是中国文化史上最有地位的人物之一。在中国文化史、传统思想史、教育史和礼教史上影响最大的，前推孔子，后推朱熹。因此，有些学者称朱熹为"三代下的孔子"。朱熹在武夷山生活达50余年，著述教学，使武夷山成为理学名山。山间溪畔留下众多的理学文化遗迹，对研究朱子理学和儒教思想的兴衰演变以及中国哲学思想史都是非常珍贵的，是中国传统文化的瑰宝，素有"东周出孔丘，南宋有朱熹。中国古文化，泰山与武夷"之说。

2. 朱熹的一生中，在武夷山驻足时间最长。他从14岁到武夷山，到71岁逝世，除在外当官9年外，都在武夷山度过。朱熹在武夷山从学、著述、传教；朱子理学在武夷山萌芽、发展、传播。朱熹在武夷山先后创办"寒泉精舍"、"武夷精舍"、"考亭书院"，成为当时有影响的书院。直接受业于朱熹的有200多人，许多成为著名理学家，形成有影响的儒学学派——理学。在朱熹的影响下，宋至元朝在武夷山创办书院，传播理学思想的著名学者达43位，使武夷山成为"三朝（宋、元、明）理学驻足之薮"。

3. 1985年将朱熹创办的武夷精舍遗址、朱熹撰并书的"刘公神道碑"、朱熹及宋至清历代理学家在武夷山的题刻、朱熹墓等列为福建省级文物保护单位，进行严格保护。

（三）武夷山有着悠久的历史文化和丰富的历史文化遗存及理学文物，符合文化遗产标准的第三项和第五项条款以及文化景观标准的第三项。

世界遗产委员会评价

武夷山脉是中国东南部最负盛名的生物保护区，也是许

多古代孑遗植物的避难所,其中许多生物为中国所特有。九曲溪两岸峡谷秀美,寺院庙宇众多,但其中也有不少早已成为废墟。该地区为唐宋理学的发展和传播提供了良好的地理环境。自11世纪以来,理教对中国东部地区的文化产生了相当深刻的影响。公元1世纪时,汉朝统治者在城村附近建立了一处较大的行政首府,厚重坚实的围墙环绕四周,极具考古价值。

保护情况

武夷山自古以来就得到良好的保护管理,是中国最早有政府文告明令禁止毁损生物多样性的地区之一。上个世纪70年代至90年代,国家先后在这里建立国家自然保护区、国家风景名胜区和全国重点文物保护单位等专门管理机构,并颁布了一系列法律、法规,对武夷山实施了有效的保护。我们以国家法律、法规为依据,制定并颁布了《关于加强武夷山风景区保护管理的布告》《武夷山风景名胜区管理规定》和《武夷山九曲溪保护管理规定》等规定。尤其是在2002年5月31日,福建省第九届人民代表大会常务委员会第三十二次会议通过了《福建省武夷山世界文化和自然遗产保护条例》,为保护和管理武夷山世界遗产提供了法律保障。长期以来,武夷山始终坚持"严格保护、统一管理、科学规划、永续利用"的景区保护开发十六字指导方针,完善管理体制,强化制度建设,加大文化与自然遗产的保护力度。一方面广泛宣传《世界遗产公约》,切实增强职工、群众和游客的遗产地意识。同时,严格控制景区内建设项目和建筑风格,加大绿化力度,确保景区环境清新优美,景区建筑精美和谐,景区游道成为精品,实现"绿化景区、美化景区、净化环境、优化管理"的保护工作目标。另一方面完善世界遗产保护管理机构,健全制度,落实措施。再一方面坚持依法治景,加强执法力度,做到有法必依,执法必严,违法必究。同时,全面导入ISO14001环境管理体系和ISO9000质量管理体系,管理与国际接轨。

武夷山在全面总结历史经验和教训的基础上,深入地分析了武夷山面临的新情况和新问题,对保护管理工作提出了更高的要求:

1.进一步迁移景点居民人口。武夷山风景名胜区在世遗一期工程的基础上,全面推进世界遗产二期保护工程建设。

2.启动景区封闭管理工程项目。为了更加有效地保护世界遗产资源,景区启动了封闭管理工程项目,通过推行环保观光车,限制社会车辆进入景区,有效解决汽车尾气排放和噪声污染等问题,从而改进景区环境质量。

3.更加严格执行建设项目审批制度,确保资源科学合理利用。

4.建立遗产监测机构,加强遗产地监测工作。根据联合国教科文组织要求,并结合风景区资源保护管理的需要,申报世遗成功后,武夷山风景名胜区成立了世界遗产监测中心,并抽调和聘请了大量的专业技术人员专门从事文化与自然遗产的监测工作,并形成监测报告,及时为保护管理提供详实、精确的数据资料。

5.落实护林和森林防火措施。

(1)建立护林网络。组建了应急响应指挥部,完善了突发事件的应急系统,并聘请专门人员担任景区护林员,共同抓好护林防火工作。

(2)规范管理行为。根据实际情况落实责任人,明确职责,通过建立护林防火管理规程的制度,规范管理工作,并每年举行全员的应急响应军事培训,同时还定期开展"护笋养竹"、"护林防火"宣传月活动来提高周边村民的防火意识。

(3)抓好绿地、森林病虫害及古树名木的管护工作。对公共绿地进行巡查监督,对管护中存在的问题及时处理,使绿地得到良好的保护,确保了每年绿地保存率在95%以上,绿地纯度在85%以上,为游人创造了优美的旅游环境。

6.加强生物多样性保护。

为了加强保护地带的资源保护工作,管理人员按照相关要求,在做好巡护工作的同时,认真编制巡山计划,完善巡山记录及违章案件的查处记录工作。同时积极协同国土资源局、森林公安分局等世遗保护主管部门对破坏资源的行为进行查处,有效地杜绝和制止了破坏资源事件的发生。

(武夷山世界遗产保护管理委员会 杨明 匡倩)

人类口头和非物质遗产

吟猱調萬竅下桐
松間疑有入松風
仰窺低簪含情寫
以聽無絃一半中
白雲詩題

聽琴圖

昆曲

苏州灯担堂名

《牡丹亭》剧照

清乾隆《南巡图》西湖畔　供图／中国艺术研究院戏曲研究所

清代徐扬《盛世滋生图卷》　供图／中国艺术研究院戏曲研究所

古琴

鸣凤·宋

琴家管平湖

吟徵調商竈下桐
松間疑有入松風
仰窺低審含情客
以聽無絃一弄中
臣京謹題

聽琴圖

听琴图

昆曲艺术

中文名称:昆曲艺术
英文名称: Kunqu Art
列入年份:2001 年
管理机构:中华人民共和国文化部
中国艺术研究院

概　　况

在中国戏曲史上,昆曲又称谓为"昆剧"、"昆腔"、"昆调"。与全国其他地方剧种的缘起一样,昆曲曾经是流行于江苏昆山地区的民间曲调,后经过诸多民间音乐家、特别是曲律家魏良辅改革后获得了长足的发展,在明代嘉靖、隆庆年间(16 世纪 30 年代至 70 年代)迅速传播到全国各地,形成了戏曲艺术发展史上的第二个高峰。著名的文学家汤显祖、沈璟、洪昇、孔尚任等人都钟爱昆曲,由他们创作的《牡丹亭》、《长生殿》、《桃花扇》等名著,流传至今,成为中国古代戏曲文学的经典。

戏曲艺术是一种高度综合的艺术,在这方面,昆曲表现得尤其突出,它熔诗歌、音乐、舞蹈为一炉,表演载歌载舞,唱腔音乐与舞蹈动作紧密结合在一起,创造出无动不舞、无声不歌的表演形式。文辞典雅讲究,唱腔婉转细腻。在文辞的规范和音乐的严谨方面,是其他地方剧种所不可比拟的,许多戏曲从艺人员从中汲取着艺术营养,如京剧演员很多都学唱昆曲来提高自己的修养,其他戏曲剧种如川剧、徽剧、粤剧、湘剧、桂剧、婺剧、越剧、赣剧、梆子戏都得到过昆曲的滋养。因此,在中国戏曲史上,昆曲艺术占有重要的地位。

宋元南戏是孕育和催生昆曲艺术的摇篮,在全国众多的戏曲剧种里,惟有昆曲延续了宋元南戏的薪火,在它身上烙印着六百年来中国政治、经济和文化的深深印迹,是中国戏曲艺术的代表,具有非比寻常的历史价值和文化价值。由于多方面的原因,古老的昆曲艺术发展到 20 世纪濒临生存危机。抗日战争时期,昆曲演出团体相继消亡,只剩下金华地区半职业性的"民生乐社"和以苏滩艺人朱国梁领导的"国风新型苏剧团"。可以说,中华人民共和国成立以前,在全国范围内已找不到一个纯粹的职业昆曲团了。因此,如何发掘、保存、抢救昆曲的历史遗产,使其在舞台上继续流传下去成为建国后政府文化部门工作的一个重点。20 世纪 50 年代,一出《十五贯》救活昆曲剧种,随后在全国相继成立了六个国家昆剧团,它们分别是浙江昆剧团(现为浙江昆剧院)、江苏省苏昆剧团(后该团分为江苏省昆剧院和苏州苏昆剧团)、北方昆曲剧院、湖南湘昆剧团(现为湖南昆剧院)以及上海青年京昆剧团(现为上海昆剧院)。这些院团由政府统一拨发事业经费,其演出受到国家法定保护。此后,昆曲艺术一直受到国家倾斜政策的保护。2000 年,永嘉昆曲传习所成立,这一新举措意味着新世纪里政府对昆曲的保护政策又向前跨进一大步。在政府的重点扶持下,昆曲艺术获得了新的发展。昆曲界老一辈表演艺术家韩世昌、白云生、顾传玠、朱传茗、周传瑛、俞振飞、侯永奎等人率领建国后培养出来的昆曲新秀李淑君、蔡正仁、计镇华、张继青、洪雪飞、汪世瑜等,整理、编演了《牡丹亭》、《西厢记》、《千里送京娘》、《单刀会》、《桃花扇》等大量优秀剧目,使昆曲艺术重焕光彩。

申报理由:

一、昆曲艺术是中国现存最古老的剧种之一,在艺术、文学、历史方面具有无可替代的价值。

戏曲艺术是中国民族文化的重要代表,在其形成发展的过程中,由于地域不同,南北差别,产生了不同风格的南曲和北曲,昆曲继承发展了南曲和北曲的精华,并将它们融为一体,成为戏曲音乐的集大成,取得了戏曲唱腔艺术上的最高成就,这对后来全国各地的其他地方剧种产生了巨大影响,如川剧、徽剧、粤剧、湘剧等地方剧种都融有昆曲音乐。昆曲剧本具有很高的文学价值,作为明清文学主要创作形式的传奇剧本,如《牡丹亭》、《长生殿》、《桃花扇》等戏曲文学名著主要是由昆曲来敷演,明清时期涌现的一大批昆曲作家、音乐家如魏良辅、梁辰鱼、汤显祖、洪昇、孔尚任、李玉、李渔、叶堂等都是中国戏曲史和文学史的天才代表。他们既是昆曲艺术的创作主体,又是其主要的审美接受主体,其双重身份推动了昆曲艺术从原来的俗艺术朝着雅艺术发展,同时也说明了昆曲艺术是明清时期文人士大夫主要的娱乐生活方式,昆曲艺术及其作品从侧面反映了中国古代士阶层的社会生活,是中国古代历史的生动记录。

二、高超的演唱艺术和精湛的表演技巧使昆曲艺术具有极高的审美价值。

昆曲音乐结构方式多种多样,除了通常的三眼一板、一眼一板、叠板散板外,还有赠板,变化多端的音乐结构营造出缠绵婉转、柔曼悠远的艺术氛围。在演唱技巧上,要求控制声音,唱出各种曲名的理趣,讲求节奏速度抑扬顿挫、咬字吐音清俊温润,并有"带、掇、叠、擞、豁、嚯、罕"等腔的区分和各类角色的性格唱法。昆曲的表演舞蹈化、程式化程度很高,在唱段中经常伴以舞蹈动作来表现人物的内心情感,充分体现出昆曲"载歌载舞"的艺术特点。边歌边舞大大增加了昆曲表演的难度,但也凸现出了它的独特魅力,给观众带来强烈的艺术享受。

三、昆曲艺术严格秉承传统,具有独特的文化价值。

昆曲艺术与自然遗产、文献遗产不同,它以"口传身授"的方式传承着传统,这种独特的传承方式决定昆曲艺术能够将中国文化传统较为生动、完整地保留下来。中国戏曲自形成以来一直在舞台上流传,随着时代的变化,从剧本到声腔、表演都发生了不同程度的变革,但昆曲的变革较少,因而保留了较多的戏曲传统,如唱腔,昆曲唱词严格按曲牌填词,字数平仄都有严格限制,演唱时要求抑扬顿挫,声调铿锵,富有

韵味。昆曲表演既歌又舞,动作优美,充分体现了中国民族音乐、舞蹈的特点,比较全面地保留了古老音乐、舞蹈的原有风貌,近代的许多民族音乐家、舞蹈家都从昆曲中寻找民族音乐、舞蹈的传统。再如舞台演出形式,昆曲保存了最古老的舞台样式。2000 年永嘉昆剧团演出的《张协状元》,就是根据保存下来的最古老的宋代南戏剧本而排演的。舞台上基本没有道具,演员的身体可以代表门、椅等,其高度自由的时空充分体现了中国传统戏曲的美学特点。昆曲的这些特点都保留在现存的四百多出的折子戏中,是现存传统文化的重要见证。

保护情况:

由于经济的发展以及受流行艺术与现代传媒的冲击,昆曲艺术发展到 20 世纪末已开始出现衰微。为了保护珍贵的历史文化遗产,中华人民共和国文化部在 1982 年提出了昆曲工作八字方针:"抢救、继承、革新、发展",做了许多切实可行的抢救、保护昆曲的工作。1986 年,文化部成立了振兴昆曲指导委员会,作为指导保护、继承昆曲艺术的专门机构。1987 年,文化部再次发出《关于对昆剧艺术采取特殊保护政策的通知》,通知规定:对现有的 7 个昆曲院、团要加强领导,重点扶持,使其成为昆曲艺术振兴、实践和研究的基地,并要求有关省、市文化厅(局)从地方财政中逐年划拨抢救昆剧传统剧目的专项经费。2001 年 12 月,文化部又制定了《文化部保护和振兴昆曲艺术十年规划》,进一步明确了保护和振兴昆曲艺术的指导思想、基本目标、主要任务和保障措施。这些要求和规划有效保证了昆曲艺术在 21 世纪的传承与发扬。

(中国艺术研究院戏曲研究所　谢雍君)

古琴艺术

中文名称:古琴艺术
英文名称: The Art of Guqin Music
列入年份:2003 年
管理机构:中华人民共和国文化部
　　　　　中国艺术研究院

概　况

古琴，原称琴。近几十年来，由于其历史悠久，故称其为古琴。此外，琴还有"七弦琴"、"绿绮"、"丝桐"、"焦尾"等别称。

在乐器学上，琴归于 Zither 类，是一种平置弹弦的乐器，通长约 120 厘米，最宽处（肩）约 20 厘米，尾端约 12 厘米，厚约 6 厘米。面上张七弦，弦下无品、柱、码等支撑。通常用梧桐木做成外弧内空的面板，用较硬的梓木做底板。演奏时左手按音，右手拨弦。

上古时期，传说琴为神农、伏羲等"圣人"所作。它的形制也蕴含深意。例如，两千多年前的汉代人说琴的外形"上圆而敛，法天；下平而平，法地"，而琴上还有额、颈、肩、腰等称谓，意味它还象征着人体，所以琴蕴含着天、地、人即整个宇宙的象征。

琴一般按五声音阶定弦。有六种常用的定弦法及四种特殊的定弦法。最常用的正调定弦是徵、羽、宫、商、角、少宫、少商（C、D、F、G、A、c、d）。琴一弦多音，音域宽广，达四个八度多（C－d^2）。其低音浑厚结实，有如金石之响，高音清亮甜美，加上"散"、"按"、"泛"三种不同的基本取音方式，使之具有了丰富的音色变化基础。（"散"是空弦发音，其声刚劲浑厚，常用于曲调中的骨干音；"泛"是以左手轻触徽位，发出轻盈虚飘的泛音；"按"是左手按弦发音，移动按指可以改变有效弦长以达到改变音高的目的的。）

琴一般用作纯器乐性的独奏，也有唱、弹兼顾的"琴歌"和与箫、埙等乐器合奏等形式。另外，在古代它也参与仪式性的"雅乐"的演奏。琴曲的遗产丰厚，约 170 种琴书和琴谱，600 余首的传曲保存至今，它们经过历代琴人的加工创造，不断完善，是中国传统音乐的一座宝库。

琴乐是中国历史上渊源最为久远而又持续不断的一种器乐形式，其可考证的历史有三千年之久。自上古时期的礼乐制度中，它属于"士"阶级的乐器，"士"后来转化为文人士大夫，这一社会群体始终与琴保持着非常密切的关系，琴乐的文化空间因而存在于书斋、庭院以及各种"民间雅集"场合，也播及道观、寺院，以及宫廷、市井等。因此，琴乐始终代表了中国文人怡情养性、寄情抒怀的生活追求，体现了对国泰民安和完善自我人格修养的理想追求，以及蕴含着人际往来、"君子之道"等中国人文精神。从历史和当代古琴艺术的分布来看，依据地域文化，逐渐形成一些相对密集的"社区空间"：早在先秦时期，琴乐就有南风、北风之别；唐代"吴声"清婉、"蜀声"躁急，各具鲜明特色；宋代江西派等琴派更有据谱传统的特色。明清以来至近代，进一步形成了现代中国古琴的分布格局：长江下游以南京、上海、杭州为中心；长江上游以成都、重庆为中心；黄河下游以济南、青岛为中心；岭南以广东、香港为中心；以及 20 世纪 20 年代以来的北京中心。琴坛自明、清以来最有影响力的广陵派、虞山派、川派、岭南派、诸城派等流派，恰好与上述地区相一致。这些地区也恰恰是中国文化传统积淀丰厚的地区。

虽然古琴历史悠久、文献丰富，并有近千张唐宋元明清历代古琴实物传世，但是，由于其传承的特殊性，琴谱在节奏上没有明确的定量关系（如五线谱、简谱等），记写的仅为指法、音位。不同的弦法或不同的解读，将导致不同的旋律音调。所以琴谱的传承历来是在"口传心授"基础上，一旦离开具体琴人、流派的"口传"，就将变为"天书"，出现传曲的变形或遗失。尤其近代以来社会剧变，琴乐主要依托的文人士大夫群体消失，琴乐急速衰退，面临了消亡的危机，近年已逐渐引起社会各方面的关注，各地琴社的活动也有所恢复。

中国古代的琴乐对周边民族和国家曾产生积极的影响，日本奈良东大寺正仓院珍藏的唐传乐器中，就有一件"金银平文琴"，日本学者推定是唐开元二十三年的制品。清初中国艺僧蒋兴俦（别号东皋）东渡日本传授琴艺，有《东皋琴谱传世》。在他的影响下，大约从 18 世纪中叶到 19 世纪初的四十余年里，日本琴人曾发展至数百人之多。欧洲人士也很早就注意到古琴，明清时期来华的西方传教士向西方介绍中国音乐文化时也介绍过古琴。20 世纪初，荷兰著名汉学家高罗佩（原名 Robert Hans van Gulik，1910—1967），曾任荷兰驻日本、中国的外交官，他潜心研究东方文化，特别是汉文化，大力宣传东皋禅师业绩，写有《中国雅琴及其东传日本》等文，1940 年又出版了《琴道》（The Lore of Chinese Lute）一书，在欧洲广有影响。

申报理由

一、古琴是中国古代精致文化在音乐方面的主要代表之一

古琴具有广泛的音乐史、美学史、社会文化史、思想史等多方面的影响。中国古人认为琴乐所追求的最高美学标准是"中和"，也就是一种恰如其分的完美的谐和、平和、和顺，不论是人与宇宙与自然之间，还是人与人之间。所以，1977 年 8 月，当美国"旅行者号"飞船飞向茫茫太空去寻觅太阳系之外的智慧生物时，决定携带着古琴曲《流水》录音和万里长城图像，以寻求某种可能存在于外星系的我们地球人的"知音"。推荐者（哈佛大学教授周文中）认为古琴曲《流水》"足以代表中国"，因为中国的古琴不仅是耶稣降生之前很早就有了，而且"自孔子时代起《流水》一曲就是中国文化的组成部分"。早在孔子的时代，琴乐已经从众多的钟磬之乐

中脱颖而出,成为一种较为成熟的独立的器乐乐种,具有社会公认的艺术价值和社会价值。它不仅用于歌唱的伴奏和雅乐合奏,并且已经广泛用于独奏,同时已拥有许多纯器乐性质的独奏曲,如《高山》、《流水》、《文王操》等。

古琴音乐演奏中的人与物一体、乐与思相融的洒脱、达观境界,是中国传统精神的集中体现。在与中国传统文化的渊源与联系方面,没有任何一件中国乐器可以与它相比;它是一种浓缩着高度文化内涵的艺术形式,是一种高雅的艺术和精致的艺术。

琴乐是数千年前中国以及人类音乐文明在旋律、曲目、技法、音乐思想方面达到最高水平的范例。同时,以其被誉为"神奇秘谱"的特殊记谱法,以及同样特殊的、需由"口传心授"方能完成的传承方式,成为这门艺术逾千年而音声不断的保证。

自先秦以来延续至今,古琴有着长达三千余年的制造历史。其自成一体的独特研制方法,积累了宝贵的经验。从选材、定型、确定音质,到利用槽腹内部的不平整达到悠长回荡的声韵要求,髹漆(利用天然的漆树津液)保证琴体经历上千年的弹奏操弄而完好无损、维修保护等等,一切工艺围绕着对音色及审美需要的满足。全部过程前人都作了精心的探索,都是人类乐器制作历史上不可多得的宝贵经验。

由于人们的珍爱,从皇室到普通琴家对名琴的追求,所以尽管历经岁月沧桑,还是有相当一批颇有历史价值的琴流传下来。其中最早的是1200多年以前的唐琴,如故宫所藏"大圣遗音"、"九宵环佩琴",音乐研究所藏"枯木龙吟"琴等。这些宝贵的琴不仅年代久远,制作装饰精美,还大都能发出优美的琴声。

二、古琴与中国文化传统有着深厚的渊源关系

琴、棋、书、画,以琴为之首。可见琴自古以来被认为是中国文人所必备的素质。琴不仅与棋、书、画理相通,在很大程度上也提高并影响着书画等艺术的境界。首先,"琴道"者,反映的是以"和"为宗旨的人生修养。它是建立在文人文化传统上,并深刻反映了文人的文化观念、哲学观念的传统艺术。第二,古琴音乐中的琴歌形式源远流长,对中国传统的文学及其词调艺术,起到了积极的影响。第三,与古琴音乐相关的传说和故事,如"高山"、"流水"、"阳春"、"白雪"、"梅花三弄"等,都成为中国文学、说唱、戏曲中取之不竭的素材。整部古琴艺术史,就是在文人文化传统以及反映文人文化观、哲学观的基础上发展起来的。

古琴音乐所蕴含的意韵,在琴曲的标题性、音结构的带腔性、节奏上的非均分性、音质上清微淡远的倾向性上,集中体现了中国音乐体系的基本特征,构成了汉民族音乐审美的

核心。在大量琴曲音乐中,多方面地反映了人在自然、社会、历史变迁中的种种感受,反映了中国人崇尚自然、追求和谐的理想。

古琴的艺术哲学,早在两千多年前的汉代就被尊称为"琴道"。"道"的本义是道路、坦途,哲学上的道是通向真理最高境界的道路,是哲人们孜孜以求的用以说明世界本原、本体、规律的思想原理。孔子曾表示"朝闻道,夕死可矣",汉代桓谭撰写《新论·琴道篇》时,对琴乐的推崇已经达到无以复加的地步。前述荷兰高罗佩先生撰写介绍古琴的书起名《琴道》,也说明他领悟到了琴乐在中华文化中的崇高地位。

不仅如此,琴乐精神对中国社会生活的影响也是多方面的:

《诗经》唱道:"窈窕淑女,琴瑟友之",所以琴瑟象征青年男女对爱情谐和的追求;

《诗经》说:"妻子好合,如鼓琴瑟",所以琴瑟象征家庭的亲密与幸福;

《诗经》有"我有嘉宾,鼓瑟鼓琴",琴也象征朋友之间的真诚善待。

可以说,古琴艺术虽然不属于某一个特定的地理地域,但它是以中国社会,尤其是汉民族中最为特殊的文人士大夫群落为表现形式的,总括了中国文化历史创造中最为精华的艺术遗产。古琴不仅受到文人士大夫的推崇,也受到他们由衷的喜爱。古来著名文学家,有不少人是热烈的琴乐爱好者。汉晋时代的蔡邕、傅毅、嵇康等人都写有专门歌颂琴的《琴赋》(见《文选》),唐宋描写听琴、弹琴的诗词更是车载斗量。

今天,中国人无论老幼,都知道"高山流水"的知音故事,都知道"焚琴煮鹤"、"对牛弹琴"等成语,各地还有数不清的琴台、琴川、琴溪、琴楼等地名。琴乐已经是公认的中华传统"精致文化"、"高雅文化"的一种主要代表,当然也是一座内藏丰富急待继承整理和发扬的传统音乐宝库。

古琴作为一种重视传统的精致文化(high culture),自古就有传统与求新时尚的矛盾,唐代史籍已经指出当时胡乐俗乐流行,"唯唐琴家犹传楚汉旧声",幸赖文人士大夫的推崇喜爱,琴乐得以不绝如缕延续。但20世纪以来,中国社会历经剧变,琴乐式微,几近于绝响。近几年,各地琴社活动有所恢复或转盛,但在多样化的现实生活中,影响还非常有限。

三、古琴技巧应用和技术才能的杰出表现

如前述,古琴琴面有十三个标识弦上音位的琴徽,张七弦,由粗而细,自外向内排列,一般按五声音阶定弦。最常用的定弦是徵、羽、宫、商、角、少宫、少商。古琴音域宽广,达四

个八度多（C-d²）。其低音浑厚结实有如金石，高音清亮甜美，加上古琴有"散"、"按"、"泛"三种基本的取音方式，具有丰富的音色变化的调色基础。古琴淋漓尽致的表现力，可谓中国器乐艺术之王。古琴的"走手音"及滑音，还有润饰性指法构成了琴"韵"的虚声。有了这些技巧，琴声实现了音、韵兼备，虚、实映照，令听众留下深刻的印象。

古琴的记谱也很有特点，传世最早的琴谱（也是中国目前已知最早的乐谱）是"文字谱"，即用普通文字——详细描述弹琴时的定调、弦序、徽位，以及左右手指法、奏法。相传唐代曹柔将文字谱改进简化为减字谱，减字谱经宋元明清一直沿用至今。由于减字谱是无法显现音高与节奏的指位谱，致使琴人据谱演奏有相当的灵活性，琴家可以参考不同的谱本加以选择、综合，加以自己的理解创造。尤其当口传心授有中断时，需要凭借琴谱，和谱前"题记"，进行揣摩、研究和组织，进行创造性的复原演奏。这种演奏过程被称为"打谱"，它作为古琴音乐传承中极具创新精神的活动，不断地在古老的琴曲中注入了新的生命力，充分体现了琴人在处理口传与"依谱寻声"、流派传统与琴人个性、音乐的整体与技术细节等关系方面的经验和智慧，也使得传统乐曲不断丰富，不断发展，使古老的琴乐成为一种开放的前进的系统。有的乐曲也因此衍生出许多不同的谱本，可以多达十几个，数十个。打谱所承继的儒家传统及道家崇尚自然的精神，将为当代人调整其与自然、社会的关系，重新评价"天人合一"哲学观的深刻性和合理性，带来许多新的启示。

四、古琴是现存文化传统的独特见证

在中国音乐史上，丝弦类乐器象征着早期农耕文明的辉煌。比如传说中的伏羲氏"削桐为琴，绳丝为弦"、"舜作五弦之琴，以歌《南风》"。可以想象其时中国丝弦乐器的丰富。然而，经过数千年的文化迁移，与古琴曾经同出的，如瑟、筑等丝弦乐器皆已不存，古琴不仅流传今世，而且在历代优秀琴人的智慧和创造中，以其独特的乐器形式和独具魅力的音乐，保存着中国音乐各历史时代与阶段的人文信息。

古琴的表演方式是一种会心的晤谈与交流。它细微的音量和各种微妙的虚实相间的表现，有如促膝谈心，在寻求真正的"知音"。这种从自娱派生出来的小范围表演，是一种非功利的、很难用简单的市场经济手段控制的特殊形式。

五、古琴因缺乏保卫和保护措施，以及迅速变革的进程而面临消失的危险

因为社会的剧烈变革，比如政治和经济的因素，古琴作为中国传统文人修身养性的理想遭到了冲击。甚至在相当长的历史阶段，古琴被作为"旧文化"而备受冷落。又如，西方专业音乐教育制度的移入，社会生活方式的改变，促使古琴开始丧失作为文人提高文化素养及自娱自悟的功能，并迫使它向"专业化"、"职业化"迅速转变，形成了"艺术化"、"表演化"的新发展趋向。并由此改变了古琴自古以来"口传心授"的传承方式，以及琴社、流派所形成的自然生态。尤其是，古琴原有的集诗书礼乐为一体，琴道即为人道的艺术境界，被局限在舞台技艺表现这一狭窄的范畴内。

古琴作为人文修养的一种重要方式，本来是伴随知识分子生活的一门艺术，而职业化、专业化的结果，却使古琴原来生存的广泛性受到威胁。更重要的是，如果仅仅将古琴作为专业音乐的一种技巧，将会导致中国人文精神中深厚内涵的失落。

就当前古琴艺术面临的困难而言，主要体现在：

1. 人才的组织与培养：由于古琴艺术的博大精深，要求琴人具有文史与艺术的多重修养，故使古琴的修习与传承需要较长的周期。如不建立稳定的师资队伍并开展相应的研习活动，就会面临后继无人的危机；目前，曾于20世纪50年代参与音乐研究所及广播电台合作录音的琴家，已经全部谢世。若以年龄计，70岁以上长者不出10人；50岁以上者仅40余人。近年来，虽有部分年轻学人习琴，但琴界传人与上世纪中叶相比，毕竟渐趋式微。

2. 曲目的整理：目前3000余首传谱，能演奏者不及百首。故，以琴家打谱手段整理典籍，是古琴演奏艺术能否发扬光大的重要保证。此项工作如缺乏组织，缺乏相应的科学方法，就无法有效地进行；

3. 录音资料的保存：古琴演奏的音响资料与琴本身具有同样重要的价值，但目前保护环境、条件均差，载体设备落后。目前急需经费与设备，对早期录音资料进行数字化处理及妥善保存；

4. 乐器的保存与修复：见存并仍可使用的古琴，仍有相当数量，年代最早者为隋唐。现存的文物类藏琴，部分保存于中央或省级博物馆及研究机构内，部分则散存于私人。历代琴家对琴之斫制及修复已经形成一套具有人文及审美价值的工艺传统，不断地修复与经常演奏，正是永葆其艺术生命之所在。从目前保存情况看，部分于博物馆保存的藏品，即使收藏条件尚好（如北京和台北两地故宫），也未能挽救其衰朽。更遑论其余散藏者。故，急需就琴的保存与修复建立科研课题，进行深入研究。另外，随着国家开放、文化交流以及商业活动的日益频繁，古琴的贩卖、外流现象日趋严重，使这种乐器本身遭遇较为严重的损失。

保护情况

中华人民共和国成立以来，中国政府开始系统地对传统

民族民间艺术进行抢救和保护,委托中国艺术研究院音乐研究所对古琴遗产的遗存和分布进行全国性的普查和资料收集整理工作。其中包括:

乐器普查:通过普查初步了解琴家传世古琴,最早者为唐,迟者至清。总数在千张以上。中国艺术研究院"中国音乐陈列馆"收有84张(唐至清诸代皆有)。

乐谱采集收藏:自明代《神奇秘谱》(1425)起,历代共刊行150余种琴谱。绝大多数收藏于中国艺术研究院"中国音乐资料馆"。

曲谱编纂:中国艺术研究院音乐研究所对收集到的古琴历代文献进行了编纂,先后出版了《琴曲集成》凡17卷(计划共24卷)、《存见古琴曲谱辑览》、《古琴曲集》(一、二集)。

古琴录音:中国艺术研究院音乐研究所1956年与中央人民广播电台合作,对当时健在的百余名老琴家作了音响采录。其后,于1963、1983、1985先后组织三次全国性"古琴打谱会",采录音响共百余小时。以上录音均藏于中国艺术研究院"中国音乐资料馆"音档库。

2002年,为配合申报人类口头和非物质遗产名录,中国艺术研究院制定了古琴艺术保护规划。规划确定了保护和振兴古琴艺术的指导思想、基本目标、主要任务、实施方案、保护政策和方法原则。从2003年起,中国艺术研究院组织相关专家学者进行调查研究,确定古琴艺术为国家重点保护艺术,并制定相关保护政策。同时对古琴艺术团体及承传人给予保护与扶持。2003年,召开古琴保护政策及立法研讨会,成立保护政策专家咨询小组,着手撰写立法草案。计划的实施,必将会促进古琴艺术在21世纪的传承和发扬。

(中国艺术研究院音乐研究所)

组织机构

中国联合国教科文组织全国委员会

地　址:北京市西单北大街大木仓胡同35号
邮　编:100816
电　话:010－66017912
Email:natcomcn@public3.net.cn
主　任:章新胜

　　我国于1971年恢复在联合国教科文组织的合法席位,1978年10月,中国联合国教科文组织全国委员会经党中央批准成立(简称教科文全委会)。教科文全委会于1979年2月19日正式运作,挂靠在教育部,负责代表中国政府归口协调我国与联合国教科文组织合作。

　　教科文全委会现由28家委员单位组成,包括政府、非政府、研究机构等单位。教科文全委会主任由教育部副部长兼任,外交部、科技部、文化部、中国科学院、中国社会科学院等5部门主管副部长或副院长为教科文全委会副主任。教科文全委会的基本职能和主要职责是协调和协助中央和地方政府各部门和各机构参与教科文组织各业务领域的国际活动。

　　教科文全委会秘书处是教科文全委会的常设办事机构,设在教育部,主要任务是处理教科文全委会职责内的日常工作。

国家文物局文物保护司世界遗产处

地　址:北京市朝阳门北大街10号
邮　编:100020
电　话:010－65551637
传　真:0.0－65551703
处　长:郭　旃

　　国家文物局文物保护司世界遗产处成立于2002年,编制3人,其中处级领导职数1名。该处主要职责是:1.负责中国世界文化遗产的管理工作,协助有关部门做好历史文化名城和历史文化街区、村镇、风景名胜区的管理工作。2.负责中国世界文化遗产项目的申报、遴选、指导、审核、监督、管理,起草有关规章。3.负责列入世界文化遗产名录项目的监测和报告工作。4.协助有关部门制订历史文化名城和历史文化街区、村镇保护的有关法规、规章。5.负责历史文化名城和历史文化街区、村镇保护规划的审核。6.负责国家级风景名胜区和城市总体规划的审核工作。7.参与历史文化名城专项保护资金项目的审核。8.负责首都规划建设委员会等单位的联络工作。9.承担中国国际古迹遗址理事会(ICO-MOS/China)秘书处的日常工作。10.承办国家文物局、文物保护司领导交办的其他工作。

　　现有人员:郭旃:文物保护司巡视员兼世界遗产处处长;王大民:世界遗产处助理调查研究员;唐炜:世界遗产处副主任科员。

建设部城市建设司风景名胜区处

地　　址:北京市三里河路9号
邮　　编:100835
电　　话:010 – 68394062
传　　真:010 – 68393014
处　　长:李如生

建设部城市建设司风景名胜区处成立于1983年,现有编制三人。风景名胜区处的职责是:1.承担国家重点风景名胜区和世界遗产的申报审核工作;2.承担国家重点风景名胜区总体规划的审查工作;3.承担国家重点风景名胜区近期详细规划和重大建设规划的审查工作;4.组织有关风景名胜区的政策、法规和技术等方面的专题调查研究工作;5.负责国家重点风景名胜区和有关世界遗产地的保护监督工作;6.建立国家风景名胜区信息数据库;7.运用GIS、Internet、遥感技术等高科技信息手段,对风景名胜区实施动态监测;8.组织风景名胜区行业的科普宣传工作;9.承担上级部门交办的其他工作。

中国文物学会世界遗产研究委员会

地　　址:北京市东城区雍和宫大街戏楼胡同1号(中国文物学会)
邮　　编:100007
电　　话:010 – 84020901
传　　真:010 – 84029804
Email:xye720@ sina. com
会　　长:周干峙、罗哲文
秘书长:丹　青

中国文物学会世界遗产研究委员会(以下简称遗产研究委员会)是隶属于中国文物学会,专门进行国家文物保护区、国家遗产和世界遗产的调查、鉴定、评价、利用、研究与保护的二级研究机构。

1998年1月20日至22日,遗产研究委员会筹备大会在江苏省苏州市召开。建设部副部长赵宝江,全国历史文化名城保护专家委员会主任委员周干峙、副主任委员罗哲文、委员谢辰生,国家考古专家组组长黄景略,国家文物局调研员郭旃以及全国19处列入《世界遗产名录》的管理机构的代表共90余人出席了会议。2001年1月6日至8日,遗产研究委员会成立大会暨第一届年会在云南丽江召开。会上通过了《中国风景园林学会中国文物学会世界遗产研究委员会章程(草案)》,选举产生了第一届常务理事会,并推选罗哲文、周干峙为首任会长,丹青为秘书长。会议还通过了《21世纪丽江宣言》。

遗产研究委员会的组成成员以中国文物学会、中国风景园林学会的专家队伍为基础。学科齐全,专业水准高。其中教授(含教授级高工)16人、研究员6人、副研究员12人、副编审1人。专业涉及文物保护、文物法规、古建筑、规划、园林、考古、植物、生态、文学、美学、鉴定等11个学科领域,具有从多学科视野对世界遗产进行综合学术研究的绝对优势。

遗产研究委员会第二届年会于2001年10月14日在重庆大足石刻艺术博物馆召开。会议主要围绕中国世界遗产地保护中存在的问题进行了讨论。罗哲文认为:"20世纪人类创了很高的文明,但对环境造成了很大的破坏。21 世纪人类的活动如不加以控制,人类生存的空间可能会受到更加严重的威胁。中国世界遗产的保护取得了一定成绩,也存在不少问题,要做好这件工作,任务还很艰巨。"谢凝高就中国世界遗产的相关知识及保护问题做了专题报告,强调对中国世界遗产应"保护是第一,开发是第二,决不能错位"的观点。会议对中国世界遗产的保护管理提出专门成立国家遗产管理局、立法保护世界遗产、专家参与决策、遗产地功能分区、国家给予财政支持等五方面建议。

2002 年 1 月,遗产研究委员会还与四川省文化厅一起协助甘孜州人们政府编制了《甘孜州丹巴中路—梭坡藏寨碉群申报世界文化遗产文本》。

2002 年 5 月 18 日,遗产研究委员会组织相关专家在浙江西塘镇召开了首届"中国古镇保护论坛"。罗哲文认为:"中国古镇保护与发展的空间、人与自然和谐共存是中国古镇研究迫在眉睫的课题。呼吁全社会共同努力,保护好这一人类理想家园。"郑孝燮就文态环境的保护与研究指出:"21 世纪是中国文化与自然遗产、非物质遗产申报高潮时代,行政主管部门除了正确引导、专家参与,在人类文态环境的保护上更要加强力度。"谢辰生就"文物法规是中国文化遗产保护研究的根本基础,依法保护不可动摇"阐明了观点。与会期间,专家们在对西塘古镇科学考察保护成果的基础上,和 70 多位中国古建学人共同提出倡议书,以其充分而翔实的科学论证,使西塘成功地被批准为中国历史文化名镇。

2003 年 9 月 9 日至 28 日,遗产研究委员会与新疆大学组建的新疆非物质文化研究中心、《中国文物报》共同发起,从新疆的库东、阿克苏、乌什、阿瓦提、克孜勒苏柯尔克孜自治州、哈什、塔什库尔干、洪旗拉普,再回哈什、莎车、墨玉、和田、洛普民丰、库尔勒、吐鲁番、乌鲁木齐等地共计行程 9700 公里的非物质文化遗产的实地调研与考察。这为新疆非物质文化遗产的研究与保护打下了良好的基础,也可以说是遗产研究委员会对中国非物质文化遗产事业在起步阶段所做的标志性贡献。

遗产研究委员会协助推出了杨嘉铭、赵心愚合著的《雪域骄子:岭·格萨尔的故乡》一书以及罗哲文等人的著作及相关论文多种。

附:

中国风景园林学会中国文物学会世界遗产研究委员会章程
（草案）

第一章 总 则

第一条 中国风景园林学会、中国文物学会世界遗产研究委员会是从事对列入联合国教科文组织《世界遗产名录》的遗产地进行保护、管理、研究、宣传教育以及指导"预备清单"项目申报工作的民间学术团体。

第二条 委员会宗旨是,依据联合国教科文组织《保护世界文化和自然遗产公约》及我国有关法律法规和相关国际法,团结国内文化和自然遗产保护管理单位、研究机构以及文物、自然风景、园林名胜工作者和专家学者,在改革开放和两个文明建设中,积极配合国家文物局等主管世界遗产工作的部门和各遗产地管理机构,认真做好中国的世界遗产保护、管理、研究、宣传教育、开发利用,为保护世界上具有"突出意义和普遍价值"的人类文化和自然遗产、弘扬祖国优秀的历史文化,促使国内国际文化和学术交流,做出应有的贡献。

第三条 委员会是中国风景园林学会中国文物学会的专业学术委员会,在学会的直接领导下开展工作,并接受中国联合国教科文组织全委会、建设部以及相关的业务部门的指导、监督。

第二章 任 务

第四条 开展世界遗产保护管理的各种专题调查研究,向国家有关部门提供关于遗产资源保护、管理、开发、利用的意见和建议。

第五条 开展国内和国际的世界遗产保护管理学术交流和见习活动,进行遗产保护管理的专业技术咨询。

第六条 配合有关部门、单位编辑、出版、翻译各种有关世界遗产的文献和书刊,录制、拍摄音像资料,开展普及世界遗产保护的国际公约、国际准则和我国的各项保护法律法规知识的宣传教育,特别是对青少年的教育。

第七条 举办世界遗产保护管理培训班,及时交流国际国内信息,培养世界遗产保护管理人才。

第八条　配合国家有关部门,对可能申报、正在申报的单位,组织高层次的专家论证,为国家主管部门最后审批提供详实的理论依据和可行性报告。

第三章　会　员

第九条　凡从事世界遗产保护管理的管理机构,承认本会章程,经常务理事会批准,即为本会团体会员。

第十条　凡从事世界遗产保护管理的人员,热心该事业的人士,具有大专以上学历,具有一定的研究能力和工作能力,承认本会章程,由会员介绍,填写入会申请,经常务理事会批准,即为本会会员。

第十一条　本会会员享有以下权利:(1)在本会内有选举权和被选举权;(2)参加本会组织的各项活动;(3)对本会工作提出批评和建议;(4)获得本会提供的资料和刊物。

第十二条　本会会员应尽下列义务:(1)遵守本会章程,执行本会决议;(2)完成本会委托的各项工作;(3)参加本会活动,提交研究成果;(4)交纳会费。

第十三条　凡关心并热心支持中国世界遗产事业或赞助本会学术活动的海内外人士,可聘为本会名誉会员、名誉理事。

第四章　组　织

第十四条　本会的最高权力机构为会员代表大会。代表大会讨论和通过本会章程,审议和通过本会工作报告,选举理事,组成理事会。

第十五条　本理事会每届任期五年。理事会选举常务理事若干人,名誉会长 3—5 人,高级顾问 5—7 人,会长 2 人,副会长 5—7(其中驻会副会长 1 人),秘书长 1 人,副秘书长 5 人。

第十六条　理事会闭会期间,由常务理事会处理委员会的重大事务,听取工作报告,决定工作计划、办公机构设置、人事变动等。日常工作在常务副会长领导下由秘书长主持,并定期向常务理事会及主管学会书面汇报。

第十七条　本会设置以下部门:学术研究部、宣传教育部、咨询服务部、办公室。三部一室,分别由常务副会长兼管,秘书长执行。

第十八条　本会实行驻会制,由各遗产地管理部门轮流驻会。驻会时由当地遗产管理部门的主要领导担任驻会副会长,负责协调年会的事项工作。

第五章　经　费

第十九条　本会经费主要来源是:团体会员、个人会员;有关部门、单位、团体和个人资助;咨询服务收入等。

第二十条　会费交纳时限及标准。会费交纳时限定于每年 6 月底前。两年拖欠者将作自动退会处理。实有困难者,经常务理事会同意,可减交数额。标准如下:

1. 团体会员费:5000—10000 元/年
2. 个人会员费:50 元/年

第二十一条　经费管理。健全财会制度,由常务副会长管理,定期向常务理事会汇报,账目公开。

第六章　附　则

第二十二条　本章程修改权和解释权属于常务理事会。

第二十三条　本会终止工作,须经会员代表大会决定,报中国风景园林学会、中国文物学会批准。

第二十四条　本章程自通过之日起正式生效。

北京大学世界遗产研究中心

地　址:北京大学逸夫二楼(新地学楼)3461 室
邮　编:100871
电　话:010 – 62765488
传　真:010 – 62751187
Email:ngxie@ urban. pku. edu. cn
主　任:谢凝高

北京大学世界遗产研究中心(以下简称遗产研究中心)　　是隶属于北京大学、专门进行国家风景区、国家遗产和世界遗产的调查、鉴定、评价、利用、保护与规划的一级研究机构。1998 年 12 月 28 日召开成立大会。谢凝高任首任主任。遗产研究中心的前身是成立于 1984 年的"风景研究室"。

遗产研究中心的成员以北京大学的优秀师资队伍为基础组成,学科齐全、专业水准高。现有教师 19 人,其中教授(含教授级工程师)14 人、副教授 1 人、讲师 4 人。专业涉及风景、地理、建筑、规划、园林、考古、植物、生态、历史、文学、遥感、地质、水文、气候、美学等 10 多个学科领域,具有从多学科视野对世界遗产进行综合学术研究的优势。

1984 年至 1998 年间,共完成《泰山风景名胜区资源综合考察评价及其保护利用研究》(1984—1987),《泰山国家风景名胜区总体规划》(1987),《浙江楠溪江国家风景名胜区总体规划》(1988),《广西花山国家风景名胜区资源综合考察、评价、研究及其总体规划》(1990—1991),《河南王屋山国家风景名胜区资源综合考察、评价、研究及其总体规划》(1991—1992),《王屋山风景区五个景点的详细规划》(1994—1995),《荔波樟江国家风景名胜区资源综合考察、评价、研究及其总体规划》(1995—1996),《秦皇岛北戴河国家风景名胜区长寿山景区资源综合考察、评价、研究及其详细规划》(1996—1997),《浙江仙居省级风景名胜区资源综合考察、评价、研究及其总体规划》(1997,现为国家级风景名胜区)等九项国家级风景名胜区的总体规划、详细规划和综合性科学考察以及 3 项省级风景区的总体规划、详细规划。其中代表性研究成果是《泰山风景名胜区资源综合考察评价及其保护利用研究》,获得了 1988 年建设部科技进步一等奖。以其综合性科学考察成果为基础,遗产研究中心编制了《泰山风景区总体规划》。在此基础上,在建设部的领导下,遗产研究中心与泰山管委会等有关部门合作,共同编制了世界遗产的申报书,以其充分而翔实的科学论证,使得泰山成功地被批准为中国首例世界文化与自然双遗产。这次申报成功,可以说是遗产研究中心对中国世界遗产事业在起步阶段所做的标志性贡献。

1998 年遗产研究中心成立后,其任务从相对单纯的风景区研究,转向更具包容性和普遍意义的世界遗产研究。遗产研究中心成立六年来,一方面,继续从事国家级风景名胜区的总体规划、详细规划和综合性科学考察,完成了《浙江诸暨五泄省级风景名胜区资源综合考察、评价、研究及其总体规划》(1998—1999,现为国家级风景名胜区),《雁荡山国家风景名胜区资源综合考察、评价、研究与总体规划修编》(1998—1999),《普陀山国家风景名胜区总体规划》(2001—2002)等多个项目;另一方面,积极参与国内世界遗产的研究和考察,承担了多项世界遗产申报的调查、评价与申报书编制工作,完成了《雁荡山世界遗产申报文本》初稿(1999,与南京地矿所合作),《石林国家风景名胜区申报世界遗产综合评估与研究》(2000—2001,与云南师大合作),《广东开平雕楼世界遗产申报文本》(2001),《云南大理苍山洱海白族聚居地自然与文化世界遗产综合调查鉴定评价与申报文本》初稿(2003)。

遗产研究中心还承担着相关的教学任务,1987 年至 2003 年间,共为国家培养了风景区及世界遗产研究方向的硕士 12 人,博士 3 人。2004 年在读的博士生有 3 人。

遗产研究中心历年出版有集体编写的《中国泰山》,以及谢凝高等人的著作及相关论文多种。

复旦大学文化遗产研究中心

地　址:复旦大学校内 200 号楼
邮　编:200433
电　话:021 – 65643739
传　真:021 – 65649667
Email:yangzg@ fudan. edu. cn
主　任:杨志刚

复旦大学文化遗产研究中心(以下简称遗产研究中心)是隶属于复旦大学、专门从事文化遗产研究的学术机构。遗产研究中心的筹备和运作始于 2000 年,2003 年春正式挂牌成立。

遗产研究中心体现了复旦大学学科齐全、交叉性强、专业水准高的优势,也反映了该校在向研究型大学迈进过程中,大力加强和拓展文化遗产领域的学科建设与学术研究工作的战略意图。遗产研究中心依托复旦大学文物与博物馆学系长期积累的专业基础,同时整合校内、校外各路力量,从多学科的角度开展学术工作。现有专任研究员14人,其中教授5人、副教授6人、讲师3人。同时聘请了一批学术精英和知名人士担任兼职研究员。

近三年遗产研究中心已开展的研究工作涉及下列问题:有关文化遗产的内涵和外延、知识探寻和价值评估、保护和利用;有关文化遗产行业的管理模式、制度改革和法律建设、政策指导和民众参与;有关文化遗产事业的特点、社会定位、发展规律、未来走向;文化遗产的信息化、数字化;无形遗产及其博物馆化;考古学理论与方法的探索与创新;文物学及其与艺术史、社会史的嫁接;博物馆文化和博物馆行业规范研究;文明和国家起源的研究,等等。承担和完成的国家或省部级课题包括:《当代中国文化遗产保护和利用:现状、问题及政策思考》、《国家文化遗产保护中长期科学技术战略研究》、《论文物保护与旅游开发利用的关系》、《中国文明起源的理论研究》、《考古学理论与方法》、《重庆万州地区三峡文物抢救性发掘》、《大溪墓地人群的分子考古学研究》、《长江下游文明起源的人地关系研究》、《复旦大学文化人类学数字博物馆建设项目》、《数字化博物馆应用软件》、《民间文物的流通和管理研究》、《世博会与上海市历史文化遗产的保护和利用》、《上海市行业博物馆发展对策研究》、《博物馆陈列布展工程行业规范和标准》、《明清景德镇瓷业发展与区域社会》,等等。与国外合作的项目有:《中国书法文物研究》、《中国古村落文化遗产研究》、《高丽青瓷与中国陶瓷的比较研究》、《18世纪中日瓷器交流与互动研究》等。

遗产研究中心专任研究员近三年共出版专著20种、译著2部,发表学术论文百余篇。创办了《文化遗产研究集刊》,已由上海古籍出版社出版3辑。这是中国国内第一本以"文化遗产"为名的刊物,学理探讨和现实关怀兼顾,宏观分析和微观研究并重,试图围绕"文化遗产"这一核心概念,确立一套新的理念,由此推动中国公共性遗产事业在新时代的发展。该刊试图超越传统的古物研究的模式,从新的思路、新的视角拓展和深化文博研究;注意反映和吸收国外的研究成果,学习和借鉴国际上行之有效的各种经验、做法,以助于提升中国文博界的学术水平和管理水平。该刊问世后受到广泛关注,一些论文如《试谈"遗产"概念及相关观念的变化》、《文物学、考古学与文化遗产保护》、《试论文物建筑与旅游资源的关系》、《韩国文化遗产法制建设的历史考察》、《三峡考古特稿(系列论文)》等有很高的引用率。

遗产研究中心积极关注中国文化遗产事业的健康发展,踊跃参与有关方面的规划工作和决策咨询。像国家社会科学基金项目《论文化遗产保护与旅游开发利用的关系》的成果被《解放日报》内参引用,受到多位高层领导的重视和批示,带来良好的社会效果。

遗产研究中心积极与国内外学术界开展交流活动,与文博行业进行互动。其中与日本方面合作成立了"中日合作书法和文物研究中心",内设有"中国古村落文化遗产研究小组"。已出版论文集2种。

南京大学文化与自然遗产研究所

地　址:南京市汉口路南京大学文科楼

邮　编:210093

电　话:025 – 83593264

传　真:025 – 84862855

Email:hya16@ sohu.com

所　长:贺云翱

南京大学文化与自然遗产研究所(以下简称《遗产研究所》)是隶属于南京大学、专门进行国家遗产和世界遗产的调查、评价、鉴定、利用、保护、研究的专业机构。2003年5月26日成立。贺云翱任首任所长。

遗产研究所的宗旨是:紧密结合社会及学术发展要求,开展文化遗产与自然遗产的研究、保护及人才培养。吸纳国内外文化与自然遗产研究的理论和方法,依托南京大学的综合学术优势,坚持科研合作和出成果出人才出效益的工作方向,为弘扬中华文明和推进中国世界遗产事业发展做出贡献。其主要科研课题方向包括遗产基本理论及文化遗产科学、文化与自然遗产事业发展对策、中外遗产比较、遗产价值鉴定、遗产考古和历史、遗产管理与法治、遗产展示与陈列、遗产保护与利用、遗产规划、遗产美学、遗产事业与现代化、历史文化名城、博物馆研究等。

遗产研究所的成员以南京大学历史系及考古教研室和环境学院的优秀师资队伍为基础组成，并聘请社会上在遗产保护和研究方面有成就的专家参与。现有专业人员 15 人，其中教授、研究员 4 人，副教授 4 人，讲师 2 人，技工和科研辅助人员 5 人。专业涉及文物、考古、文物保护、古代建筑、遗产鉴定、历史文化名城、工业遗产、民俗学、文化旅游、博物馆、环境、规划、地质、风景名胜等多个学科领域，具有对国家文化遗产和世界遗产开展多学科研究的条件。

遗产研究所负责人和有关成员参加过南京市文物局和中山陵园管理局主持的南京明孝陵申报世界文化遗产工作，并先后承担国家文物局批准并资助的江苏六朝帝王陵寝遗存的调查与研究课题，江苏省文化厅批准并资助的江苏世界遗产保护体系建立的调查与研究课题，江苏省规划设计院委托的宜兴市历史文化遗产综合调查科研课题，江苏省文化厅批准的盱眙泗州城文化遗产调查课题，宜兴市人民政府委托的宜兴紫砂工艺申报非物质遗产可行性研究课题及南京历史文化资源研究等多项科研课题。所长贺云翱曾担任明孝陵申报世界文化遗产工作小组组长，为明孝陵申报世界遗产工作做出了积极贡献，受到社会各界的好评。

遗产研究所负责主编《长江文化论丛》，出版有集体编写的《明孝陵》以及贺云翱等人的著作和相关论文多种。

同济大学国家历史文化名城研究中心

办公室地址：上海四平路 1239 号同济大学建筑与城市规划学院
邮　编：200092
电话/传真：021－65986070
设计室地址：上海赤峰路 2 号 1 号楼 412 室
电话/传真：021－65012170
http://www.mingcheng.org
Email：webmaster@mingcheng.org
主　任：阮仪三
副主任：周　俭

鉴于阮仪三教授的研究成果和实践影响，1996 年，建设部指定在同济大学设立国家历史文化名城研究中心（以下简称中心）。中心是进行中国历史文化名城、历史文化遗产保护、研究、对外交流、宣传教育和技术咨询的全国性学术机构。现已与联合国教科文组织世界遗产中心、联合国区域开发中心、法国文化部以及国外多所大学建立合作研究关系，在历史文化名城和文化遗产保护领域，开展了广泛的国际交流与协作，大大缩小了在这一领域我国与发达国家之间的差距。

中心的任务和宗旨是：组织开展历史文化名城保护与建设的综合性研究；推进国内外各相关研究机构和组织之间的学术、信息、文化交流与合作；举办学术会议和全国性的讲座、培训与展览宣传；根据国家管理部门的需要，组织专项调查研究和综合性政策研究；承接国家课题研究项目；推动中国历史文化名城之间的保护实践经验的交流与合作；编辑出版专业书籍与论文著作；培养博士生、硕士生和进修生。

中心成员以同济大学优秀师资为基础组成，专业涉及城市规划、建筑、风景园林、旅游、历史、民俗、文博等学科领域。现有专业人员 25 人，其中教授 4 人，副教授 4 人，讲师 3 人，博士后 1 人，博士生 10 人，硕士生 3 人。中心还特聘吴良镛院士、周干峙院士、朱自煊教授、董鉴泓教授、王景慧总工等等一批权威人士为顾问。

中心从阮仪三教授 1980 年开始对平遥古城进行保护规划，促使其在 1997 年成为世界文化遗产之后，又陆续完成了苏州、扬州、绍兴、安阳、潮州等几十个历史文化名城（镇）和历史街区的保护规划，为建立我国历史文化名城保护理论与方法起了重要作用。从 1985 年开始，中心对周庄、同里、甪直、南浔、乌镇、西塘等江南古镇保护规划的实施，使它们成为著名的历史游览胜地。

近年来,中心出版了《历史文化名城保护理论与规划》、《历史环境保护理论与实践》、《古城留迹》、《江南古镇》、《护城综录》、《江南六镇》、《历史城市保护学导论》、《在城市上建造城市——法国城市历史遗产保护实践》等学术著作和相关的学术论文。

中心积极与各国开展合作。近年来中心的主要国际研究合作项目有中日合作"中国丝绸之路历史城市保护调查"、中加合作"中国历史城市保护与旅游开发研究"、中法合作"中国城市历史地段保护研究"、中德"世界文化遗产保护与继承合作培养计划"等。

中心历年所获奖项有:《江南水乡古镇——周庄、同里、甪直、南浔、乌镇、西塘》获2003年联合国教科文组织亚太地区文化遗产保护杰出成就奖;《上海市卢湾区思南路花园住宅区保护与整治规划》获2003年上海市优秀城市规划设计三等奖;《大理古城控制性详细规划》获2001年上海市优秀城市规划设计三等奖;《苏州古城区控制性详细规划》获2000年江苏省优秀规划一等奖,2000年建设部优秀规划设计三等奖;《周庄古镇保护规划》获1999年建设部优秀规划设计一等奖;《潮州市总体规划及历史文化名城保护规划》获1998年建设部优秀规划设计三等奖。

中央美术学院非物质文化遗产研究中心

地　址:中央美术学院五号楼 C1 – 201 室
邮　编:100102
电　话:010 – 64771111
传　真:010 – 64771111
Email:xiaoguangqiao@ yahoo. com. cn
主　任:乔晓光

中央美术学院非物质文化遗产研究中心(以下简称遗产研究中心)是隶属中央美术学院,专门进行国家非物质文化遗产中民族民间艺术类遗产的普查、研究、鉴定、评价、社区保护与项目策划、教育传承普及、专业管理人才及师资培训、民间艺术品开发的开放型信息实践平台和专业研究机构。2002年5月,遗产研究中心经教育部备案正式成立,乔晓光任首任主任。遗产研究中心的前身是有二十多年学科发展历史的"民间美术研究室"(1980年成立)。

遗产研究中心的在编研究人员有三人,其中研究员两人,副研究员1人,同时聘任专业技术管理人员一名。遗产研究中心专业涉及民族民间美术研究、民居建筑艺术研究、民间传统手工艺研究、非物质文化遗产与美术教育研究、视觉文化符号研究、无形文化社区保护与发展研究、文化遗产规划管理。

1980年以来,已完成的与民间文化艺术相关的主要成果有:1987年在原"年画、连环画系"基础上创建"民间美术系",创建国内高校第一个以中国民族民间美术研究为教育教学基础和发展方向的新专业。系创建人杨先让主任1986年至1989年组织并率领以民间美术系师生为主体的黄河沿途民间艺术考察队,多次深入黄河流域九省区,行程万里,考察民族民间艺术,完成考察报告《黄河十四走》及专题录像片《大河行》。民间美术系的创建及黄河考察,为中国高校创办非物质文化遗产类的新学科积累了经验,奠定了重要的基础,并为中国民族民间美术作为本土文化艺术资源和本源艺术体系进入中国高等教育开创了先河,产生了深远的社会影响。民间美术系教授靳之林在二十多年中国多民族及世界多地域人类民间文化与考古考察基础上,完成中国本源文化研究系列专著《抓髻娃娃》、《生命之树》、《绵绵瓜瓞》。该学术成果奠定了民间美术研究作为学科发展的理论基础,并以民间艺术、民俗学、考古学、美学等跨学科的研究方法对民间美术一系列重要民俗主题,做了开拓性的文化阐释,对国内民间美术研究领域产生了重要的影响。民间美术系主任杨先让、靳之林、冯真诸教授创建了国内民间美术相关重要社团"中国民间美术学会"、"中国民间剪纸研究会"并担任社团主要领导职务,组织了多届有重要影响的全国学术会议和全国展览,并参与中国民间美术全集主编工作,对中国民间美术社会化的普及、推广,以及社会化民间文化艺术传承保护工作,起到了重要的推动作用。

1994年，民间美术系改为民间美术研究室。2002年5月，在民间美术研究室基础上，国内首家非物质文化遗产研究中心成立。发展方向确定为：在中国民族民间美术研究与专业教学基础上，根据联合国教科文组织2001年启动的非物质文化遗产背景，及全球一体化背景下中国非物质文化遗产急剧流变消失的紧迫现状和国家非物质文化遗产传承保护事业潜在发展的趋势、社会专业信息及人才需求，建立一个具有开放性并适合社会操作、符合国际文化遗产规则的专业中心。

非物质文化遗产研究中心的学科建设理念是：关注人类文化遗产、关注本民族优秀文化传统的可持续发展价值、关注民间文化遗产保护传承、关注民间社区文化发展创造、关注大学教育在社会转型期对文化与遗产方面的重要作用，探索以"产、官、学、民"为模式的科研操作理念，以期实现科研社会参与和新型专业人才的培养。

中心成立后，即全力高效地投入到非物质文化遗产专业和国家无形遗产事业发展中。2002年9月，为中国农科院卢良恕院士提供《农耕文化与非物质文化遗产信息报告》。2002年10月，策划并承办了由教育部、文化部、联合国教科文组织驻京代表处支持，中央美术学院主办的"中国高等院校首届非物质文化遗产教育教学研讨会"。会议后，中心支持并协助国内多所高校成立了非物质文化遗产相关学科。2002年10月，中心在甘肃环县建立"西北非物质文化遗产保护研究基地"（皮影类），并支持协助策划陕北延川、安塞，贵州台江，安徽贵池等无形文化遗产地民间艺术类传承保护措施。2002年，遗产研究中心正式承接中国民间剪纸向联

合国教科文组织申报《人类口头和非物质遗产代表作名录》后续申报工作，完成申报文本、申报录像文件、天才传承人确定及图文资料调查记录整理工作，并进行了民间剪纸原生态传承保护模式试点实施（陕北延川）、教育传承普及项目实施以及"中国民间剪纸天才传承者的生活和艺术"大型展览筹备、"中国非物质文化遗产·民间剪纸国际学术研讨会"的筹备。2002年6月，为文化部"中国民族民间文化保护工程"提供《民族、民间美术保护与可持续发展规划草案》；为中国民间文艺家协会启动的"中国民间文化遗产抢救工程"起草《中国民间美术分布地图册》编撰大纲。2003年1月，遗产研究中心联合北京大学、清华大学、中央民族大学等在京高校，联合发起确立每年元月1日为"青年文化遗产日"的倡议，并与发起高校共同在北京王府井步行街举行首届"青年文化遗产日"活动。2003年9月，受全国人大教科文卫委托，遗产研究中心组织在京专家讨论《中华人民共和国民族民间传统文化保护法（草案）》，并提供草案评价及修改建议文本。2003年10月，遗产研究中心受教育部体卫艺司委托，策划并撰写《中华民族优秀传统文化中小学教育传承项目实施规划草案》。

遗产研究中心在中央美术学院支持下，已将非物质文化遗产与民间美术作为全院选修课程，并系统制定了五年科研规划。目前在读硕士研究生6人。1990年以来，培养多届民间美术专业研究生及助教班学生，为高校和社会培养了一批民间美术专业人才。2003年末，遗产研究中心并入中央美术学院新成立的人文学院文化遗产学系。

西北师范大学世界遗产研究中心

地　址：西北师范大学田家炳书院四楼417室
邮　编：730070
电　话：0931－7971337
传　真：0931－7971867
Email：plj2795039@sina.com
主　任：邓华陵
副主任：彭岚嘉

西北师范大学世界遗产研究中心是隶属于西北师范大学的研究机构，专门从事西部地区尤其是西北地区的风景名胜区、国家遗产和世界遗产的调查、评价、利用、保护与规划。

2002年5月，西北师范大学成立了世界遗产研究中心。中心主任由西北师范大学副校长邓华陵研究员兼任，中心副主任由西北师范大学西北文化研究所所长彭岚嘉副研究员担

任。

世界遗产研究中心的成员以西北师范大学的骨干师资队伍为基础构成,学科齐全,科研力量较强。现有研究人员20人,其中研究员、教授5人,副研究员、副教授10人,助理研究员、讲师5人。专业涉及历史、文学、美学、文化、考古、地理、建筑、生物、地质、气候、管理等学科领域,具有从事多学科研究世界遗产的科研力量。

中心本着"立足西北、面向西部"精神,系统地研究世界遗产的国际规则,研究世界遗产在申报、保护等方面的成功经验,促进我国世界遗产的申报、保护及改变世界遗产理论相对匮乏的状况。积极参与国内各省区尤其是西部地区的世界遗产调查、申报及保护工作。对西北尤其是甘肃的潜在世界遗产进行价值发掘和评估,对其申报世界遗产的可行性进行论证,并根据其成熟程度制定出切实可行的申报规划,为各级政府决策提供理论依据。

世界遗产研究中心成立以后,2002—2003年完成甘肃省哲学社会科学规划项目《甘肃增列世界遗产规划研究》,已结项;2003—2004年完成甘肃省科委软科学研究计划项目《甘肃潜在世界遗产的价值发掘与初步评估》,正在结项。同时,组织校内多学科的研究力量介入天水麦积山申报世界自然文化遗产的论证、申报工作,积极协助天水市人民政府

向上级有关部门和领导汇报,省政府于2003年6月成立甘肃省麦积山申报世界遗产领导小组,省人大通过了相关的立法,从而形成了集全省力量推动申报世界遗产工作的新机制;2002年开始参与了天水麦积山申报世界自然文化遗产的咨询与论证工作;2003—2004年主持《天水麦积山微型生物多样性研究》;2003—2004年主持《天水麦积山石窟室内环境监测研究》。另外,2003年受甘肃省文物局委托,完成甘肃省申报世界遗产规划的咨询论证工作,并完成《丝绸之路列入申报世界遗产预备清单》、《天水麦积山列入申报世界自然文化遗产预备清单》文本的翻译工作,2002年主持《"花儿"申报人类口头和非物质遗产的可行性研究》。

自成立以来,中心的研究人员围绕世界遗产撰写和发表论文十余篇,其中《世界遗产的管理体系》在"第二届中国科学家、教育家、企业家论坛"管理科学优秀学术论文征集评选活动中获文物管理学术论文一等奖;《世界遗产的分类和论证方法》在"首届全国人文社会科学优秀学术文献评选活动"中获一等奖,在"全国理论创新优秀学术成果"征集评选活动中获一等奖;《申报审批世界遗产的程序和时间表》在"西部科技经济跨越式发展与全面建设小康社会"论文评选活动中获一等奖;《甘肃省申报世界遗产战略初探》被选编入《中国改革可持续性发展文献》。

新疆非物质文化研究中心

地　址:新疆乌鲁木齐市解放南路218号宝亨大厦701室

邮　编:830002

电　话:0991 - 2845218

传　真:0991 - 2845218

E - mail:xjfwzwh@163.com

主　任:王桐(兼职) 程延

新疆非物质文化研究中心(以下简称研究中心)是由新疆大学和新疆宝亨集团联合成立的,专门从事新疆非物质文化遗产搜集、保护、抢救、整理、传承、建档与开发利用的研究机构。2003年3月18日正式挂牌成立。新疆大学党委书记王桐任研究中心兼职主任,新疆宝亨集团董事长程延任研究中心主任,新疆大学人文学院副教授余志发任研究中心常务副主任,新疆大学人文学院党总支书记、副教授管守信任研究中心副主任、专家组组长。

研究中心的成员主要由新疆资深的历史学、考古学、民

俗学、地方史学专家和学者组成,代表着新疆本专业的最高水准。现有专家组成员16人,其中教授13人,副教授3人。专业涉及人文历史、地理、民俗、民乐、地方史、生态、经济等近十个学科领域,具有全方位保护和研究新疆丰富多样的非物质文化资源的学术积累和优势。

新疆不仅有着广袤秀丽的山川,还是我国的一块文化宝地,有着丰富多彩的民族民间文化。文化的独特性与多样性为中国之最,口承遗产与非物质文化遗产蕴藏量非常丰富。研究中心紧紧围绕这些丰富的无形文化遗产,坚持保护与发

展相结合,促进民族民间多元文化的传播,维护文化遗产生存环境,开展文化生态保护区建设。研究中心在成立短短一年的时间里,已开展了以下工作:

1. 2003 年 5 月,研究中心考察了新疆昌吉州哈萨克族原始村落阿什里乡,对那里的哈萨克族原始文化遗留情况进行了摸底。

2. 2003 年 7 月 25 日至 27 日,研究中心成功举办了我国"首届非物质文化遗产保护、传承与开发利用全国学术研讨会",与会专家 70 多位。会议期间,专家、学者就非物质文化遗产保护、传承、开发和利用进行了广泛的探讨,并提出了一系列的保护措施和研究课题,对中心的研究工作起到了积极的推动作用。此次会议的召开引起了新疆当地政府和文化管理部门对非物质文化遗产的关注,在新疆文化界也产生了积极的影响。

3. 2003 年 9 月 10 日至 28 日,研究中心组织了 8 位专家、学者赴南疆五地、州 14 个县、市进行了历时 18 天的考察。此次考察对南疆非物质文化遗产进行了一次全面的调研,为已确定的项目做了进一步的论证,并确定了正式立项项目。调研对象主要有:喀什的工艺一条街的状况及相关制作工艺;麦盖提、阿瓦提县的农民画,刀郎人村落状况;莎车县的土陶技艺;英吉沙的小刀制作工艺传承;洛浦吉雅乡的艾得莱丝绸、缂丝、造纸、织布、工艺传承;塔什库尔干的塔吉克民居变化与现状。

4. 2003 年 11 月,研究中心组织专家赴乌拉泊古城考察古轮台城文化遗址。

5. 2003 年 11 月,正式向新疆维吾尔自治区人大递交《新疆非物质文化保护条例》(草案),人大领导对研究中心的此项工作给予了高度重视。

6. 2003 年 12 月,研究中心领导及专家一行四人赴昌吉州考察当地文管局举办的民间文物展览和昌吉本地个人民间文物博物馆。

面对新疆这片有着丰厚非物质文化滋养和积淀的地区,面对大量无形文化亟待保护的现状,对我们来说,研究中心的成立仅仅是迈出了成功道路上的第一步。我们深感责任重大,为了充分留住这片沃土上民族文化的根和魂,我们将继续努力,坚持不懈地为新疆的无形文化遗产保护做出自己的贡献。

乐山师范学院世界遗产研究所

地　址:四川省乐山师范学院旅游学院办公楼二楼
邮　编:614004
电　话:0833 – 2276387
传　真:0833 – 2271010
Email:sjyc@ webmail. lstc. edu. cn
所　长:马元祝

乐山师范学院世界遗产研究所(以下简称遗产研究所)是由乐山市委、市政府与乐山师范学院联合发起组建的。该所挂靠乐山师范学院旅游学院,在学院建立常设机构,是专门从事世界遗产保护、管理研究的研究机构。2003 年 3 月 13 日召开成立大会。马元祝任首任所长。

遗产研究所以乐山师范学院各学科的学术带头人为基础组成,并吸纳了当地政府的文物、建设、宗教、文化、环保、园林等部门长期从事世界遗产管理和研究的人员,及乐山大佛管委会和峨眉山管委会遗产保护方面的人员参与,学科门类齐全。高校、政府部门、景区共同研究世界遗产保护和管理的模式,使遗产研究更具有针对性和前瞻性。

遗产研究所的宗旨是:贯彻我国政府对世界遗产"保护第一,合理利用"的方针,立足于乐山这一世界文化和自然"双遗产"地,协调和组织校内外世界遗产研究的专家学者,采取多学科多部门协作、联合攻关的科研模式,对我国的世界遗产开展深入的研究,探索遗产保护学理论,努力开创我国遗产保护学研究的新局面,促进中国世界遗产的科学保护,对 21 世纪中国的世界遗产申报工作有所启迪,为我国进一步申报更多的世界遗产项目提供帮助。

遗产研究所的主要任务是进行世界遗产基础理论研究,对中国世界遗产的保护、管理、开发利用及遗产旅游可持续发展策略等进行研究,为遗产地政府部门提供重要的决策依据。遗产研究所以乐山这一世界"双遗产"地为先期的主要研究客体和研究切入点,进而对更多的世界遗产地进行研究;整合各方面力量,定期对世界遗产资源进行全方位的监测,共同研究保护对策;接受来自遗产地有关保护和管理方面问题的咨询,对管理和经营遗产资源的人员进行培训;举办报告会、讨论会和讲座等学术活动,协助培养本科生、研究生;组织和推进国内世界遗产研究机构和高等院校的学术交流与合作研究;编辑出版《世界遗产研究丛书》;收藏有关世界遗产研究的图书资料,建立世界遗产研究信息资料库;编辑出版《世界遗产研究》期刊,及时反映和介绍国内外世界遗产研究的成果和研究动态。

遗产研究所成立一年来,开展了一系列工作。(一)参加了峨眉山建设"中国第一山"的论证,出版研究专辑一册。(二)立项资助了五个遗产研究课题,出版了乐山世界遗产研究专著一本。(三)建立了研究所的网站(www. lswhr. com),及时反映国内外遗产研究和遗产管理的动态。(四)收集了中国 29 处世界遗产的研究资料,建立了中国世界遗产研究的信息资料库。(五)与国内的遗产研究机构和专家建立了联系,为进一步进行学术交流奠定了基础。(六)邀请国内遗产保护专家举办了学术报告会。(七)为了培养遗产研究后续人才,研究所共招聘培养了助理研究员 10 人,从事世界遗产的研究工作。

中国民俗摄影协会

地　　址:北京市海淀区文慧园 14 号楼 312 号
邮　　编:100088
电　　话:010 – 62250403/62257083
传　　真:010 – 62252175
Email:cfpa@ china – fpa. org
会　　长:沈　澈

中国民俗摄影协会是文化部主管、民政部注册的具有独立法人资格的国家一级社会团体,成立于 1993 年 12 月,将军摄影家张爱萍上将是协会的创会会长,独立拍摄中国 51 个少数民族的民俗摄影家沈澈担任会长。

目前,协会以"弘扬祖国民族文化,展现可爱的中华,加强人类交流和理解,促进世界和平与发展"为宗旨,号召会员以民俗摄影为工具,发掘抢救、记录研究、整理保护已经和正在消逝的民族文化遗产,特别是无形文化遗产;促进不同民族、国家、文化之间的交流理解。目前,协会拥有 26000 余名以发掘、抢救、保护文化遗产为己任的会员,是中国一支重要的、优秀的文化遗产的记录力量。

协会是较早关注无形文化遗产的中国文化单位之一。从张爱萍上将支持沈澈采访拍摄中国少数民族的 20 世纪 80 年代起,用相机记录包括建筑、景观等有形文化遗产在内的各民族物质、制度、精神文化的摄影分支——民俗摄影就已经逐步形成。1993 年协会成立,第一次在全国提出并实践了这一理论,赢得了分散探索着的同道的尊重和支持。协会广泛通过社会网络,宣传所从事的事业,扩大文化遗产保护意识的影响力,完全超出了摄影艺术的范畴。

协会以"抢救性记录中国文化遗产行动"为中心,为广大会员提供文化遗产的记录、保护理念和手段的培训,号召会员为完美地捍卫中华民族独有的文化精神,激发人民文化自尊、民族自豪的力量,提高中国的综合国力和竞争力,推动全国各地区精神文明的发展,而致力于中国境内的文化遗产,特别是无形文化遗产的普查、记录工作。为了鼓励、支持全国会员进行遗产记录工作,协会在全国城市中建立了 70 多个会员之家,为会员的拍摄创作提供住宿、交通乃至导拍等服务。协会与各地方政府协调合办民俗活动,充分发挥摄影的记录作用,如与贵州省台江县共同主办苗族姊妹节活动、与浙江省永康市共同举办古建筑摄影大赛等。在协会的大力提倡和支持下,各地会员积极行动,各具特色的记录行动在持续进行,比如:在浙江中部地区建设了最具中国汉民族水乡特色的浙中文化保护圈,组建中国古镇拍摄小组,对中国传统城乡结合点的现阶段生存环境进行记录,等等。

协会致力于收集和展示世界遗产,特别是无形遗产的图片及文字资料。建立世界上最充实的民俗图片库,并以这个图片中心为依托,让民俗摄影真正成为文化遗产的珍品库建设中的生力军。协会建立了专业网站(www. china – fpa.

org），以充分的资料和健全的结构，塑造中文网站中第一个全面介绍文化遗产的网站形象。其中"世界文化遗产保护"栏目越来越成为网站的特色和重点。

1998 年，协会主办了首届国际民俗摄影"人类贡献奖"年赛（Humanity Photo Award），这是世界上第一个以民俗文化为主题的摄影比赛，将民俗摄影的概念推广向全世界。"人类贡献奖"年赛的目标是充分发挥摄影的记实特性，为人类的文化遗产提供最真实的佐证，并以组照的完整性为人类的文化遗产提供最系统的研究样本。因此，该比赛是一个不分性别、年龄、种族、国家，更无专业、业余之别，面向全世界所有关注文化遗产、特别是无形文化遗产的摄影师、摄影爱好者的公益性摄影赛事。至 2004 年的第四届比赛，全世界近半数国家的摄影师参与，记录、保存了涉及世界 150 多个国家的文化事象，为世界留存了一个蔚为大观的多元文化图片库，为中国承担了一份文化责任，充分展示了中国文化大国的形象，大大地提高了中国在国际文化界的地位。

"人类贡献奖"年赛使"以摄影为手段记录、宣传，进而倡导文化多样性的保护"理念，得到了国际社会的认同和高度评价。以"人类贡献奖"为品牌的中国民俗摄影协会，将自己的拍摄活动作为连接人类文明过去和未来的链条，得到了各方面的支持和襄助，1999 年，联合国教科文组织总干事马约尔亲自致信，正式确定参与主办年赛；2000 年，联合国教科文组织总干事松浦晃一郎为年赛作品集撰写前言；2002 年，联合国教科文组织驻中国、朝鲜、日本、蒙古、韩国代表处代表青岛泰之先生在为第三届年赛首展开幕式所写的书面发言中指出："通过人类贡献奖，联合国教科文组织和中国民俗摄影协会探索着鼓励政府、教育部门和其他非政府组织、艺术家和地方团体，带头鉴定、调查、保护和关注口头的和无形的遗产。这使得人类贡献奖成为这个领域里一项非凡的活动。"

交流与合作

中国泰山壁画保护研讨班开课

1990年11月20日，由建设部和联合国教科文组织世界遗产委员会联合举办的"中国泰山壁画保护研讨班"在山东省泰安市举行开学典礼。山东省副省长宋法堂、联合国教科文组织副秘书长张冲礼、国家建设部城建司副司长于林和有关方面的领导，以及前来讲学的意大利专家卡洛杰姆托马西博士、依卡里托马沙利博士，新加坡壁画修复专家赖桂芳，中央美院汤池教授等十余位中外专家，全国部分文博单位中级以上职称的学员50余人参加了典礼。泰山文物资源丰富，始绘于宋代的岱庙天贶殿壁画泰山神启跸回銮图高3.30米，长62米，彩绘人物697个，是目前国内现存道教壁画中的精品，具有较高的文物价值。此次研讨班将结合该壁画的现状，进一步探讨我国壁画保护和修复方法，提高对中国壁画的认识和管理水平。同时，中外专家还将分别从壁画史、壁画的保护、修复等方面讲授理论课程。

故宫博物院举办紫禁城落成575周年和院庆70周年纪念活动

1995年是紫禁城建成575周年。同年10月10日，是故宫博物院建院70周年纪念日。院庆前夕，故宫博物院特成立了以文化部部长刘忠德为主任、以知名专家学者为委员的院庆委员会。在此期间，故宫博物院举办了一系列庆祝活动，包括庆典大会、学术研讨会及成立紫禁城学会等。

院庆大会于10月10日上午在人民大会堂隆重举行，党和国家领导人江泽民、李鹏、乔石、李瑞环、李铁映为大会题词祝贺。来自国内外各重要博物馆的代表，在京的文化界人士1000余人参加。院庆前夕，作为院庆活动的一项重要内容，先后举办了两个学术研讨会。一是9月10日至15日在河北昌黎举行的第四届清宫史学术讨论会，二是9月18日至21日在北京召开的中国紫禁城学会成立暨首届学术讨论会。此次院庆活动体现了政府对文博事业的关怀和支持，进一步提高了故宫博物院的知名度，扩大了故宫博物院在海内外的影响，增进了国内外文博人士的学术交流和友谊，产生了积极的社会影响。

泰山列入世界文化与自然遗产十周年国际研讨会召开

1997年10月10日至12日，泰山列入世界文化与自然遗产十周年国际研讨会在泰山旅游咨询中心召开。建设部副部长赵宝江、山东省副省长杜世成及相关领导应邀出席了会议。会议回顾了泰山十年来保护管理、开发建设、宣传促销和发展大旅游的情况。国内外专家就"泰山的历史文化价值与科学文化价值"、"世界遗产的保护与建设"等议题进行了专题研讨，并现场考察了泰山十年来的建设发展情况。

中国世界遗产国家战略研讨会在峨眉山召开

1999年8月23日至25日，联合国教科文组织世界遗产委员会、建设部共同举办，峨眉山管理委员会承办的"中国世界遗产国家战略研讨会"在峨眉山召开。来自联合国教科文组织世界遗产中心项目主管沃伦（Lsh Waran）、国际自然和自然资源保护联盟专家莱斯·莫利（Les Molloy）、美国国家公园管理局主任沙伦·克莱利（Sharon J. cleary）、中国联合国教科文全国委员会秘书长张学忠、建设部城建司风景处处长李如生、国家环保总局博士苏波，以及中国人与生物圈全国委员会、北京大学、中国地质博物馆的中外遗产专家、学者，国家风景名胜区代表，各省市风景名胜区管理机构等近200名代表出席。会议围绕"人与自然和谐共处，实现可持续发展，保护管理好世界遗产，为子孙后代造福"这一主题，进行广泛深入探讨。期间实地考察了峨眉山、乐山大佛世界文化与自然遗产资源的保护管理。

中国世界遗产地工作会议在苏州召开

2000年5月23日至26日，由中国联合国教科文组织全国委员会、建设部、国家文物局共同举办的首次中国世界遗产地工作会议在苏州召开。中国教科文组织全国委员会秘书长张学忠、国家文物局副局长马自树、建设部城建司司长杨鲁豫、苏州市副市长沈长全出席会议并讲话。来自全国23处世界遗产地的代表近百人出席会议。本次会议主要议题是总结十几年来我国世界遗产保护工作的成绩，探讨遗产地管理中存在的问题，共商新世纪世界遗产保护和发展大计。会上，23处遗产地交流了保护和管理经验，对于面临的困难和问题，提出了一些切实可行的办法，呼吁建立健全相应的法律法规，包括建立世界遗产委员会，设立遗产管理奖励基金，建立年度评审制度等。

藏经洞发现暨敦煌学一百周年纪念活动举行

为纪念藏经洞发现暨敦煌学一百周年,由国家文物局、甘肃省人民政府主办,敦煌研究院、中国历史博物馆承办的"敦煌艺术大展"于 2000 年 7 月 4 日至 8 月 31 日在中国历史博物馆隆重举行。2000 年 7 月 6 日,由文化部、甘肃省人民政府、国家文物局共同举办的"敦煌藏经洞发现暨敦煌学百年座谈会"在北京人民大会堂召开。2000 年 7 月 29 日,由国家文物局、甘肃省人民政府在敦煌莫高窟举行隆重的"敦煌文物保护研究特殊贡献奖"颁奖大会,对 20 世纪以来在敦煌文物保护与研究方面做出特殊贡献的 7 位个人(常书鸿、段文杰、季羡林、饶宗颐、邵逸夫、潘重规、平山郁夫)和三家机构(中国敦煌研究院、日本东京国立文化财产研究所、美国盖蒂保护研究所)给予表彰。7 月 29 日至 8 月 3 日,由敦煌研究院和中国敦煌吐鲁番学会举办了"2000 年敦煌学国际学术讨论会"。国内外学者 300 余人出席会议,提交了 200 多篇论文。

中国文化遗产保护和城市发展:机遇与挑战国际会议召开

2000 年 7 月,由国家文物局、建设部、世界银行和联合国教科文组织联合举办的"中国文化遗产保护和城市发展:机遇与挑战国际会议"在北京友谊宾馆召开。来自全国 40 多个省市的文化、城建规划、旅游部门的主管领导和地方政府官员与国际文化遗产保护专家为共同关心的议题而汇聚一堂,展开广泛、深入的交流。本次会议主要围绕文化遗产清单的标准和记录技术、历史保护区的合理规划与有效保护、文物保护与文化旅游的关系、古建筑与遗址的合理利用四个议题展开讨论。

世界遗产学术研讨会在京召开

2000 年 8 月 13 日至 15 日,世界人类文化遗产国际学术研讨会在京召开。这次会议是由中国长城学会发起并组织的。来自埃及金字塔、印度泰姬陵、中国北京八达岭长城、西安兵马俑、承德避暑山庄等世界文化遗产所在地与联合国教科文组织的代表,以及中国长城学会的几十名中外专家、学者出席了会议。会议围绕"人类文化遗产的保护和开发利用"这一主题进行了深入的专题研讨。与会专家一致指出,随着世界范围内社会经济特别是世界旅游经济的迅速发展,如何处理好人类文化遗产的保护和旅游开发之间的矛盾,已经成为国际性的问题,正在引起各国政府的高度重视,这将是 21 世纪人类最重要的工作之一。

颐和园建园 250 周年学术研讨会召开

2000 年 8 月 14 至 17 日,为纪念颐和园(清漪园)建园 250 周年,北京市园林局和颐和园管理处共同主办了"纪念颐和园(清漪园)建园 250 周年暨迎接二十一世纪学术研讨会"。中国科学院和中国工程院两院院士周干峙,工程院院士张锦秋、傅熹年、孟兆桢等 40 余位园林、建筑、历史、文物、水利、文化遗产保护、城市规划建设等研究领域成绩卓著的专家学者出席。各位专家学者多角度、多学科地研讨了颐和园丰富的历史文化价值和保护管理前景,并倡导成立颐和园学术研究会,同时专家们也对急剧膨胀的城市开发可能对颐和园周边环境造成的破坏表示密切关注。

中国—意大利世界遗产保护技术研讨会在北京召开

2000 年 10 月 17 日至 18 日,"中国—意大利世界遗产保护技术研讨会"在北京召开。研讨会是在中意双边科技合作的框架下,由中国科学技术部、中国联合国教科文组织全国委员会、意大利外交部、意大利联合国教科文组织全国委员会共同举办,中国科学技术交流中心承办的。

研讨会上,从事文物科技保护的中意专家、学者分别介绍了两国的保护和修复经验。意大利专家着重介绍了在 1997 年地震中遭受极大破坏的阿西西地区萨克罗修道院和巴希里修道院等文物的修复和加固,在由于自然灾害造成文物破坏的保护方面,为中国同行提供了良好的参考。中国石质文物专家黄克忠所谈的目前中国文物科技保护面临的一些问题,及对新世纪文物保护的设想引起了意大利专家的极大兴趣,也得到了国内同行的普遍认同。关于文化遗址、青铜器、陶器、丝织品等的保护在研讨会上产生了强烈的共鸣。

第二次中国世界遗产地工作会议暨中国世界遗产论坛举行

2001 年 4 月 8 日至 30 日,由中国联合国教科文组织全国委员会、建设部和国家文物局举办的第二次中国世界遗产地工作会议在中国武夷山首届世界遗产节期间举行。全国人大副委员长吴阶平、曹志,福建省人大常委会主任袁启彤,国家文物局副局长郑欣淼等出席了遗产节开幕式。

第二次中国世界遗产地工作会议由中国联合国教科文组织副秘书长师淑云主持,国家文物局副局长郑欣淼出席并讲话。会议针对去年教科文组织世界遗产委员会第 24 届会议讨论的有关问题和决议,并结合我国今年世界遗产工作重点,集中在遗产管理和定期监测方面开展探讨,以期对今年我国世界遗产工作发挥指导作用。新遗产地申报和审议程序的改革,教科文组织世界遗产中心对已列入《世界遗产名录》亚太地区遗产地的监测计划,中国自然和文化双重遗产地保护状况,世界遗产保护和管理及中国世界遗产宣传成为此次会议主要议题。

在遗产节期间还举办了中国世界遗产论坛。举办中国世界遗产论坛在我国尚属首次,通过论坛形式,让专家和管理者充分发表见解,形成共识,无疑对促进各遗产地的保护、管理和可持续发展将产生积极影响。

加拿大国立美术馆归还龙门石窟
看经寺唐代罗汉雕像

2001年4月19日上午,国家文物局在故宫博物院漱芳斋举行"加拿大国家美术馆送还中国龙门石窟雕像交接仪式",加拿大国立美术馆馆长皮埃尔·特贝尔正式宣布将罗汉雕像无偿送还给中国。国家文物局副局长董保华代表中国政府接收,转交给龙门石窟研究院永久保存。至此失窃六十年的国宝重返龙门,这是龙门石窟通过国际合作渠道回归的第一件流散珍贵文物。

中日世界遗产交流会议在丽江举行

2001年5月15日至16日,由中国公园协会、日本世界不动文化遗产研究会共同主办的"中日世界遗产交流会议"在世界文化遗产地丽江古城举行。会议分为"世界遗产的环境管理保全方法"、"地域自立型世界遗产的环境保全和危机管理"两个专题。与会者深入研讨、交流了中、日及世界各国世界遗产保护、管理方面的成就、经验及存在的问题、困难、矛盾和今后应采取的对策、措施及技术等。会议通过了《关于世界遗产保全的丽江宣言》。

清东陵文化研讨会召开

为庆祝清东陵申报世界遗产成功,2001年7月10日至13日,在清东陵御苑山庄举办了清东陵文化研讨会。来自北京故宫、中国社科院、中国第一历史档案馆、中国人民大学、沈阳故宫、承德避暑山庄、清昭陵等15个单位的50多位专家、学者参加了研讨。

托起明天的太阳——世界遗产
国际青少年夏令营隆重开营

8月4日,由中国联合国教科文组织全国委员会主办,苏州市园林和绿化管理局、苏州市教育局承办的世界遗产国际青少年夏令营苏州外国语学校举行了隆重的开营仪式,120多位美国、加拿大、韩国等外国中学生以及我国北京、上海、吉林、辽宁、山西、江苏、广东等地的青少年身穿标有青年遗产保卫者形象标志——"帕特里莫尼托"的服装,放飞手中的和平鸽,发出共同的心声:在我们的心灵中,世界遗产属于我们。出席开营仪式的有联合国教科文组织驻中国代表处官员木卡拉,中国联合国教科文组织全委会有关领导,苏州市副市长朱永新,江苏省教育厅和南京中山陵的领导,以及夏令营的承办、协办单位领导和代表。

联合国教科文组织从1997年起,就在全球范围内发起了在青少年中进行世界遗产教育的一系列活动,本次夏令营就是我国参与该项活动的重要内容之一。以世界遗产为主题的国际性青少年活动,这在我国还是第一次。

本次夏令营将第一次使用联合国教科文组织编撰的全球性世界遗产教材《世界遗产与年轻人》(The World Heritage in Younger Hands)。该书由80多个联合国教科文组织国家委员会参与,几十名世界著名遗产专家起草,经过4次重要国际会议讨论,并吸收了世界400多名师生的意见才最后定稿,是目前在中国大陆第一本全面介绍全球世界遗产的权威著作。"年轻人参与世界遗产的保护与发展"已成为区域性世界遗产保护项目。书中的青年遗产保卫者形象标志——"帕特里莫尼托"也首次向我国公众亮相。本次夏令营还第一次由青少年以集体的方式,向联合国教科文组织提交世界遗产建议项目。

中国联合国教科文组织全国委员会在本次夏令营将结束时,向圆满完成世界遗产知识学习的营员颁发"中国青少年世界遗产保卫者"证书,产生我国第一批"帕特里莫尼托",这对青少年参与世界遗产的普及、宣传和推广工作具有极其深远的意义,也将对我国世界遗产的保护和管理工作产生极大的促进作用。

联合国亚太文化遗产管理年会在丽江召开

2001年10月9日,联合国教科文组织亚太地区文化遗产管理第五届年会在世界文化遗产地丽江古城开幕。来自22个国家的400多位代表出席会议。会议为期10天。

本届年会经中国建设部、中国联合国教科文组织全国委员会及联合国教科文组织世界遗产中心批准,由联合国教科文组织亚太地区办公室、挪威王国政府和中国云南丽江纳西族自治县人民政府共同主办,是丽江古城被联合国教科文组织批准列入《世界遗产名录》以后,在丽江召开的一次规格最高、时间最长的国际性会议。会议的主题是"文化遗产地管理及旅游业:遗产地管理者之间的合作模式"。其主要任务是对包括丽江在内的 8 个世界文化遗产试点的行动计划进行评估,并通过交流执行计划所获得的经验,探讨旅游与文化遗产保护如何更为全面地、可持续协调发展。会议期间,与会代表对丽江文化遗产地进行实地考察,并分成"对遗产保护、维护及发展进行市政财政管理"、"基于文化遗产持续性发展的基础上,利用旅游业对其进行投资"、"对社会团体的成员进行教育及技能培训,从而引导人员对遗产进行保护"、"解决促进旅游业发展,进行资源开发与保护遗产之间的矛盾"等专题进行研讨,最后确认并形成行动计划模式。"丽江模式"的推出,有利于进一步搞好世界文化遗产地丽江古城的保护和管理,为中国乃至亚太地区的文化遗产管理提供了有益的经验和成功范例。

世界遗产研究委员会第二届年会召开

2001 年 10 月 14 至 16 日,中国文物学会、中国风景园林学会世界遗产研究委员会第二届年会在重庆大足石刻艺术博物馆隆重召开。来自世界遗产地和部分正在申报世界遗产单位的代表 80 余人参加了会议。罗哲文、谢凝高、甘伟林等专家也出席了会议。

与会代表对我国世界遗产管理和保护依然面临着的重申报、轻管理,重开发、轻保护的严峻现实给予了高度重视,强调对于世界遗产,保护是第一位的,开发利用是第二位的,决不能错位;呼吁各级政府要大力加强对遗产地的科学保护和管理,避免旅游失控和过度开发。针对我国世界遗产的保护管理现状,代表们提出了成立国家世界遗产管理局、立法保护世界遗产、专家参与决策、遗产地功能分区、提高世界遗产管理机构级别、设立世界遗产保护专项基金等建议。

本届年会共收到论文 20 余篇,论文从多层次、多角度探讨了我国世界遗产地在保护、管理、研究和永续利用中的诸多问题,反映了各遗产地近年来在这些领域中所取得的长足进展和面临的新问题。

联合国教科文组织、中国和日本三方合作实施"龙门石窟保护修复工程"

2002 年 1 月,联合国教科文组织、中国和日本三方合作开始实施"龙门石窟保护修复工程"。该项目总投资金额为 125 万美元,是龙门石窟历史上投资规模最大的保护工程项目。该项目分两阶段,第一阶段为 3 年,第二阶段为 2 年。第一阶段进行基础调查研究,重点工作是进行地形测绘、地质调查、石窟环境和石窟病害观测、石窟漏水防治等试验研

究。第二阶段是在第一阶段调查研究结果的基础上,以三个试验洞窟(潜溪寺、皇甫公窟、路洞)为对象进行保护、修复治理。

文化遗产保护与经营研讨会在京召开

2002 年 3 月 22 至 23 日,由中国社会科学院环境与发展研究中心主办、福特基金会资助的"文化遗产保护与经营"研讨会在北京举行。国家文物局长张文彬、中国社会科学院副院长江蓝生、中国社会科学院环境与发展研究中心主任郑玉歆、福特基金会驻华首席代表华安德(Andrew Watson)、联合国教科文组织驻华办公室项目官员木卡拉(Edmond Mukala)等在开幕式上致辞。上百位国内外的专家和管理人员参加,围绕"文化遗产科学"、"文化遗产保护"、"博物馆学"和"文化遗产经营"四大专题进行了广泛而深入的探讨。

中国世界遗产监测研讨会召开

2002 年 7 月 17 日至 19 日,中国世界遗产监测研讨会在重庆宾馆隆重召开。会议由国家文物局、建设部、中国教科文全委会、联合国教科文组织世界遗产中心主办,重庆市文化局、中共大足县委、大足县人民政府承办,重庆大足石刻艺术博物馆协办。出席会议的有国家文物局副局长张柏、重庆市人民政府副秘书长叶贵本、联合国教科文组织世界遗产中心项目负责人景峰、建设部城建司风景处副处长左小平、重庆市文化局副局长王川平、重庆市园林局副局长况平、澳门文化财产厅厅长陈泽成,以及全国 28 个世界遗产管理单位的负责人。会议就如何监测世界文化和自然遗产的保护和利用,世界遗产评估定期报告的意义、周期、形式和范围等进行了深入研讨。

中国长城学会举办中国长城考察万里行活动

2002 年 8 月 3 日至 9 月 17 日,中国长城学会主办,《中华新闻报》、《南方周末》、《北京青年报》、上海恒源祥投资有限公司、中国一阿拉伯化肥有限公司等单位协办,组织开展了中国长城考察万里行活动。本次活动旨在通过考察加大对长城保护的宣传力度,通过媒体的广泛宣传报道,引起全社会对长城保护工作的关注,引起长城沿线各级政府对长城保护工作的重视,推动长城研究和保护工作的开展。活动的重点是考察长城保护的状况和面临的问题。

考察活动历时 45 天,途经辽宁、河北、天津、北京、山西、陕西、宁夏、甘肃等八个省、自治区、直辖市,行程 9000 公里。沿途考察了 101 处长城遗址,举行 15 次长城保护学术研究

座谈会,长城沿线各地共计500多位专家、学者和各级领导参加了会议。活动过程中向所经长城沿线各地散发长城科普、长城保护读物20000余册,收集长城沿线市、县史志及长城相关资料百余万字。

专家、学者们除对长城建筑形态、互市遗址、生态环境进行了考察研究外,主要考察了长城保护、开发工作,对其中好的做法和经验给予了肯定和表扬,对破坏长城的现象进行了批评,对正在进行的长城旅游开发工作提出了指导性的意见和建议。

"世界遗产保护论坛"国际会议在峨眉山召开

2002年9月1日至3日,第四届乐山国际旅游大佛节暨首届峨眉山、乐山大佛世界遗产保护节在峨眉山—乐山大佛景区隆重举行。由中国联合国教科文组织全国委员会、建设部、国家文物局主办,峨眉山管委会承办的"世界遗产保护论坛"国际会议在峨眉山召开。联合国教科文组织北京代表处总代表青岛泰之,中国联合国教科文组织全国委员会主任章新胜,中国风景协会会长赵宝江,四川省副省长王怀臣,建设部城建司司长王凤武等出席。来自29个世界遗产地的代表和中外致力于世界遗产保护的专家、学者和各界人士200余人,相聚峨眉山,寻求世界遗产保护的途径和方法。会议通过了《保护世界遗产乐山宣言》。两节期间,还开展了佛文化研讨会,峨眉、少林、武当三大武术精英赛,对外开放恳谈会、大型佛事活动等,取得良好社会效应和经济效益。

中国高等院校首届非物质文化遗产教育教学研讨会在中央美术学院召开

2002年10月22日至23日,中国高等院校首届非物质文化遗产教育教学研讨会在中央美术学院召开。这是中华人民共和国成立以来中国非物质文化遗产教育传承实施的动员大会,是非物质文化遗产整体进入中国教育体系的开端。会议从人类文化遗产与可持续发展的高度,将中国多民族传承的非物质文化遗产提到了中国教育的议事日程上来,呼吁当代教育肩负起民族民间文化遗产传承、民族文化创新发展的历史使命。会议确立了教育作为非物质文化遗产传承的重要作用以及高校作为信息与智能的集聚地在文化遗产方面的巨大潜力和发展前景。经过讨论,会议正式通过并推出《非物质文化遗产教育宣言》。

世界遗产神韵在京展示

2002年12月30日,为纪念《保护世界文化和自然遗产公约》签订30周年,配合2002年联合国文化遗产年,一个首次汇集我国28处世界遗产地、集中展示这些世界遗产神韵的大型展览神州风采——"世界遗产在中国"、"画说世界遗产28"在北京中国革命博物馆开幕。全国人大常委会副委员长王光英、全国政协副主席孙孚凌等出席开幕式。

这次展览是由建设部、国家文物局和中国联合国教科文组织全国委员会联合主办的。展览规模宏大,气势恢弘。展厅总面积5000平方米,由序厅、展示厅和结尾厅组成,28处世界遗产按照被批准列入"世界遗产名录"的时间顺序依次排列,每个展区既相对独立又彼此关联。

该展览展示手法以景观复原、灯箱片、电脑喷绘为主,辅之以文物、绘画、雕塑、模型、沙盘,再配上电视、触摸屏、电子显示屏等音像资料播放设备,使展品与音乐、灯光、色彩等相互融合,给观众以身临其境之感。

与"世界遗产在中国"同时开幕的"画说世界遗产28"画展,44位画坛名家展出了他们在我国世界遗产地采风或以保护世界遗产为主题创作的精品画作近百幅,与实物的展览相辅相成,让观众从不同角度领略世界遗产的风貌神韵。

故宫博物院与美国世界文化遗产基金会合作保护倦勤斋

2003年3月,故宫博物院与美国世界文化遗产基金会(简称WMF)正式签署《倦勤斋保护协议书》。WMF将提供总计210万美元的资金,由故宫博物院组织技术力量完成对宁寿宫花园(乾隆花园)内倦勤斋的保护工作,美方也将提供必要的技术支持。项目的完成时间预计为2008年。

龙门石窟保护国际研讨会召开

为深入研究解决龙门石窟洞窟漏水和雕刻品风化等危及石窟病害问题,龙门石窟研究院于2003年7月21至22日在洛阳召开了"龙门石窟保护国际研讨会"。参加会议的有国内外文物保护的知名专家学者,联合国教科文组织文化专员,国家、省、市文物部门的有关领导等。龙门石窟研究院院长李振刚就龙门石窟基本情况向会议作了报告;龙门石窟研究院顾问刘景龙介绍了龙门石窟的保护历史;中国地质大学教授方云作了龙门石窟地质调查报告。与会专家和领导还对龙门石窟进行了现场考察。专家对龙门石窟病害现状进行了准确的判断和分析,对病害的治理措施和龙门石窟研究院下一阶段工作提出了建设性的指导意见,为龙门石窟的病害治理工作指明了方向。

世界文化遗产保护管理专家论坛暨《史话》首发式在南京举行

申报世界遗产成功后,南京举行高层次专家论坛,为世界遗产保护管理"把脉",以求避免某些世界遗产地出现的"重申报,轻管理"的现象发生。2003年7月26日,由南京市社科联、中山陵园管理局、南京出版社共同主办的"世界文化遗产保护管理专家论坛暨《史话》首发式"在南京召开。著名世界遗产专家、国家文物局助理巡视员郭旃,江苏省、南京市文物、史学、建筑界的近百名专家学者会聚一堂,共同探讨世界遗产保护和利用大计。在论坛上,关于世界遗产如何有效保护与合理利用成为讨论的"焦点",有些学者提出了一些好的建议和意见。在专家论坛上还举行了《史话》的首发式。

承德举办避暑山庄肇建300周年纪念活动

2003年9月3日至12月16日,为纪念承德避暑山庄肇建300周年,由国家文物局、河北省人民政府联合主办,承德市政府承办,组织开展了一系列庆祝纪念活动。9月3日,国家文物局、联合国教科文组织北京办事处、中国联合国教科文组织全国委员会、河北省人民政府联合主办"中国承德世界文化遗产国际论坛"。9月5日,举办承德避暑山庄肇建300周年盛大庆典。9月6日,《承德旅游文化丛书》举行发行仪式。9月16日至12月16日,国家博物馆举办"承德避暑山庄300年特展"。纪念活动还包括国际清史研讨会、城市环保交流会、中国承德国际旅游节暨投资贸易洽谈会。

世界遗产综合研究科研合作项目启动

被列入《世界遗产名录》后,为进一步挖掘文化内涵、更好地有效保护现有文物遗存,中山陵园管理局孝陵博物馆和南京大学自然与文化遗产研究所就世界遗产的科学研究设立综合科研课题,并于2003年9月16日签订了合作意向书。在三年的合作期内,双方将对明清皇家陵寝制度的历史、艺术、社会价值及其合理保护与利用以及国内外其他世界文化遗产的横向比较等基础性课题和应用性课题进行综合研究。合作首先启动的是建立对明清皇家陵寝的环境监测体系。

敦煌莫高窟风沙危害综合防护体系建立研讨会在莫高窟召开

2003年11月13日,因"非典"推迟举行的敦煌莫高窟风沙危害综合防护体系建立研讨会在敦煌莫高窟隆重召开。

应敦煌研究院的邀请,来自中国科学院寒区旱区环境与工程研究所、中国地质大学、成都理工学院、中国文物研究所、华南师范大学、北京林业大学、兰州大学、甘肃农业大学、甘肃省林业科学研究所、甘肃省治沙研究所、敦煌市科技局及敦煌研究院等单位的近40名专家参加了此次研讨会。会议由敦煌研究院院长助理兼保护研究所所长王旭东副研究员主持。

专家们在查看资料、听取汇报及现场考察的基础上展开了热情洋溢的讨论。著名地质学家张咸恭教授、地质专家张倬元教授、沙漠专家杨根生教授、治沙专家郭志中教授等先后发言。与会专家普遍认为,采取以固为主,固、阻、输、导相结合的防护原则,建立一个由工程、生物、化学措施组成的多层次、多功能的综合防护体系的主导思想是正确的,总体布局是合理的。

这次研讨会是敦煌研究院治沙史上汇集多方专家、集思广益的一次会议,体现了敦煌研究院对治理莫高窟风沙危害、改善窟区生态环境的高度重视,也反映了社会各界对敦煌莫高窟文物保护事业的关注。

周口店北京人遗址保护与研究专家论坛召开

2003年12月2日至3日,周口店北京人遗址保护与研究专家论坛在周口店召开。参加论坛的有来自科研、管理等不同领域的20多位专家、领导。会议主要围绕周口店北京人遗址保护、科研、管理、利用等主题展开讨论。

江苏省举办"亚洲城市计划——通过修复再创活力"文化遗产保护高级研修班

2003年12月11日至14日,"亚洲城市计划——通过修复再创活力"文化遗产保护高级研修班在江苏南京举办。此次文化遗产保护高级研修班,是通过对江苏从事历史文化遗产保护的管理和专业人员进行培训,使其了解和吸收国际社会在历史文化遗产保护方面的成功经验,进一步提升江苏在城市建设中对文化遗产保护的整体水平。

此次研修班由江苏省文化厅和南京大学联合举办,课程由意大利托斯卡纳大区、普拉托省选派专家及南京大学、东南大学从事历史文化遗产保护的专家讲授,并由南京大学和江苏省文化厅颁发结业证。

国际合作完成《都江堰市生物多样性保护策略与行动计划》

《都江堰市生物多样性保护策略与行动计划》是由都江

堰市人民政府和中国环境与发展国际合作委员会生物多样性工作组共同主持,都江堰市世界遗产管理办公室具体承办的一个生态项目。

该项目得到了联合国开发计划署(UNDP)、联合国基金会(UNF)和英国野生动植物保护国际(FFI)的经费和技术支持。英国野生动植物保护国际先后3次对当地基层干部进行了生物多样性知识的培训。培训期间,通过互联网从全国高校中录取了10名大学生参加该项活动。

该项目以联合国《生物多样性公约》、《中国生物多样性保护行动计划》的精神和原则为指导,利用已经完成的《都江堰生物多样性研究与保护》项目成果,紧密结合当地社会经济发展以及生物多样性现状,通过深入的实地调查、大量的资料分析与研究而编写制定的。整个计划共8章,分别对地区生物多样性概况、特点、保护与利用现状、存在的问题及原因、策略与行动计划、保护与保障机制、优先项目等方面进行了翔实的论述。

该项目是国内第一个小区域(县级)生物多样性保护行动计划,对我国及国际上开展地方区域性生物多样性保护策略与行动计划将起到一个先驱作用。这个项目从2001年8月正式启动,经过18个月的努力,于2002年12月通过专家终审,2003年12月由西南交通大学出版社正式出版发行,并荣获2003年度四川省人民政府科技进步三等奖。

法律法规

保护世界文化和自然遗产公约

（联合国教育、科学及文化组织大会第十七届会议于 1972 年 11 月 16 日在巴黎通过）

联合国教育、科学及文化组织大会于 1972 年 10 月 17 日至 11 月 21 日在巴黎举行的第十七届会议；

注意到文化遗产和自然遗产越来越受到破坏的威胁，一方面因年久腐变所致，同时变化中的社会和经济条件使情况恶化，造成更加难以对付的损害或破坏现象；

考虑到任何文化或自然遗产的坏变或丢失都有使全世界遗产枯竭的有害影响；

考虑到国家一级保护这类遗产的工作往往不很完善，原因在于这项工作需要大量手段而列为保护对象的财产的所在国却不具备充足的经济、科学和技术力量；

回顾本组织《组织法》规定，本组织将通过保存和维护世界遗产和建议有关国家订立必要的国际公约来维护、增进和传播知识；

考虑到现有关于文化和自然遗产的国际公约、建议和决议表明，保护不论属于哪国人民的这类罕见且无法替代的财产，对全世界人民都很重要；

考虑到部分文化或自然遗产具有突出的重要性，因而需作为全人类世界遗产的一部分加以保护；

考虑到鉴于威胁这类遗产的新危险的规模和严重性，整个国际社会有责任通过提供集体性援助来参与保护具有突出的普遍价值的文化和自然遗产；这种援助尽管不能代替有关国家采取的行动，但将成为它的有效补充；

考虑到为此有必要通过采用公约形式的新规定，以便为集体保护具有突出的普遍价值的文化和自然遗产建立一个根据现代科学方法制定的永久性的有效制度；

在大会第十六届会议上，曾决定应就此问题制订一项国际公约。

于 1972 年 11 月 16 日通过本公约。

I 文化和自然遗产的定义

第一条　在本公约中，以下各项为"文化遗产"：

文物：从历史、艺术或科学角度看具有突出的普遍价值的建筑物、碑雕和碑画，具有考古性质成分或结构、铭文、窟洞以及联合体；

建筑群：从历史、艺术或科学角度看，在建筑式样、分布均匀或与环境景色结合方面，具有突出的普遍价值的单立或连接的建筑群；

遗址：从历史、审美、人种学或人类学角度看，具有突出的普遍价值的人类工程或自然与人联合工程以及考古地址等地方。

第二条　在本公约中，以下各项为"自然遗产"：

从审美或科学角度看具有突出的普遍价值的由物质和生物结构或这类结构群组成的自然面貌；

从科学或保护角度看具有突出的普遍价值的地质和自然地理结构以及明确划为受威胁的动物和植物生境区；

从科学、保护或自然美角度看具有突出的普遍价值的天然名胜或明确划分的自然区域。

第三条　本公约缔约国均可自行确定和划分上面第 1 条和第 2 条中提及的、本国领土内的文化和自然遗产。

II 文化和自然遗产的国家保护和国际保护

第四条　本公约缔约国均承认，保证第 1 条和第 2 条中提及的、本国领土内的文化和自然遗产的确定、保护、保存、展出和遗传后代，主要是有关国家的责任。该国将为此目的竭尽全力，最大限度地利用本国资源，必要时利用所能获得的国际援助和合作，特别是财政、艺术、科学及技术方面的援助和合作。

第五条　为保证、保护、保存和展出本国领土内的文化和自然遗产采取积极有效的措施，本公约各缔约国应视本国具体情况尽力做到以下几点：

1. 通过一项旨在使文化和自然遗产在社会生活中起一定作用并把遗产保护工作纳入全面规划计划的总政策；

2. 如本国内尚未建立负责文化和自然遗产的保护、保存和展出的机构，则建立一个或几个此类机构，配备适当的工作人员和为履行其职能所需的手段；

3. 发展科学和技术研究，并制订出能够抵抗威胁本国文化或自然遗产的危险的实际方法；

4. 采取为确定、保护、保存、展出和恢复这类遗产所需的

适当的法律、科学、技术、行政和财政措施;

5.促进建立或发展有关保护、保存和展出文化和自然遗产的国家或地区培训中心,并鼓励这方面的科学研究。

第六条

1.本公约缔约国,在充分尊重第1条和第2条中提及的文化和自然遗产的所在国的主权,并不使国家立法规定的财产权受到损害的同时,承认这类遗产是世界遗产的一部分,因此,整个国际社会有责任合作予以保护。

2.缔约国根据本公约的规定,应有关国家的要求,帮助该国确定、保护、保存和展出第11条第2和4段中提及的文化和自然遗产。

3.本公约各缔约国不得故意采取任何可能直接或间接损害本公约其他缔约国领土内的、第1条和第2条中提及的文化和自然遗产的措施。

第七条 在本公约中,世界文化和自然遗产的国际保护应被理解为建立一个旨在支持本公约缔约国保存和确定这类遗产的努力的国际合作和援助系统。

Ⅲ 保护世界文化和自然遗产政府间委员会

第八条

1.在联合国教育、科学及文化组织内,现建立一个保护具有突出的普遍价值的文化和自然遗产政府间委员会,称为"世界遗产委员会"。委员会由联合国教育、科学及文化组织大会常会期间召集的本公约缔约国大会选出的15个缔约国组成。委员会成员国的数目将在至少40个缔约国实施本公约之后的大会常会之日起增至21个。

2.委员会委员的选举须保证均衡地代表世界的不同地区和不同文化。

3.国际文物保护与修复研究中心(罗马中心)的一名代表、国际古迹遗址理事会的一名代表以及国际自然及自然资源保护联盟的一名代表可以咨询者身份出席委员会的会议,此外,应联合国教育、科学及文化组织大会常会期间举行大会的本公约缔约国提出的要求,其他具有类似目标的政府间或非政府组织的代表亦可以咨询者身份出席委员会的会议。

第九条

1.世界遗产委员会成员国的任期自当选之应届大会常会结束时起至应届大会后第三次常会闭幕时止。

2.但是,第一次选举时指定的委员中,有三分之一的委员的任期应于当选之应届大会后第一次常会闭幕时截止;同时指定的委员中,另有三分之一的委员的任期应于当选之应届大会后第二次常会闭幕时截止。这些委员由联合国教育、科学及文化组织大会主席在第一次选举后抽签决定。

3.委员会成员国应选派在文化或自然遗产方面有资历的人员担任代表。

第十条

1.世界遗产委员会应通过其议事规则。

2.委员会可随时邀请公共或私立组织或个人参加其会议,以就具体问题进行磋商。

3.委员会可设立它认为为履行其职能所需的咨询机构。

第十一条

1.本公约各缔约国应尽力向世界遗产委员会递交一份关于本国领土内适于列入本条第2段所述《世界遗产名录》的、组成文化和自然遗产的财产的清单。这份清单不应当看作是齐全的,它应包括有关财产的所在地及其意义的文献资料。

2.根据缔约国按照第1段规定递交的清单,委员会应制订、更新和出版一份《世界遗产名录》,其中所列的均为本公约第1条和第2条确定的文化遗产和自然遗产的组成部分,也是委员会按照自己制订的标准认为是具有突出的普遍价值的财产。一份最新目录应至少每两年分发一次。

3.把一项财产列入《世界遗产名录》需征得有关国家同意。当几个国家对某一领土的主权或管辖权均提出要求时,将该领土内的一项财产列入《名录》不得损害争端各方的权利。

4.委员会应在必要时制订、更新和出版一份《濒危世界遗产名录》,其中所列财产均为载于《世界遗产名录》之中、需要采取重大活动加以保护并为根据本公约要求给予援助的财产。《濒危世界遗产名录》应载有这类活动的费用概算,并只可包括文化和自然遗产中受到下述严重的特殊危险威胁的财产,这些危险是:蜕变加剧、大规模公共或私人工程、城市或旅游业迅速发展计划造成的消失威胁;土地的使用变动或易主造成的破坏;未知原因造成的重大变化;随意摈弃;武装冲突的爆发或威胁;灾害和灾变;严重火灾、地震、山崩、火山爆发;水位变动;洪水和海啸等。委员会在紧急需要时可随时在《濒危世界遗产名录》中增列新的条目并立即予以发表。

5.委员会应确定属于文化或自然遗产的财产可被列入本条第2和4段中提及的目录所依据的标准。

6.委员会在拒绝一项要求列入本条第2和4段中提及的目录之一的申请之前,应与有关文化或自然遗产所在缔约国磋商。

7.委员会经与有关国家商定,应协调和鼓励为拟订本条第2和4段中提及的目录所需进行的研究。

第十二条 未被列入第11条第2和4段提及的两个目

录的属于文化或自然遗产的财产,决非意味着在列入这些目录的目的之外的其他领域不具有突出的普遍价值。

第十三条

1. 世界遗产委员会应接收并研究本公约缔约国就已经列入或可能适于列入第11条第2和4段中提及的目录的本国领土内成为文化或自然遗产的财产要求国际援助而递交的申请。这种申请的目的可能是保证这类财产得到保护、保存、展出或恢复。

2. 本条第1段中提及的国际援助申请还可能涉及鉴定哪些财产属于第1和2条所确定的文化或自然遗产,当初步调查表明此项调查值得进行下去。

3. 委员会应就对这些申请所需采取的行动作出决定,必要时应确定其援助的性质和程度,并授权以它的名义与有关政府作出必要的安排。

4. 委员会应制订其活动的优先顺序并在进行这项工作时应考虑到需予保护的财产对世界文化和自然遗产各具的重要性、对最能代表一种自然环境或世界各国人民的才华和历史的财产给予国际援助的必要性、所需开展工作的迫切性、拥有受到威胁的财产的国家现有的资源、特别是这些国家利用本国资源保护这类财产的能力大小。

5. 委员会应制订、更新和发表已给予国际援助的财产目录。

6. 委员会应就本公约第15条下设立的基金的资金使用问题作出决定。委员会应设法增加这类资金,并为此目的采取一切有益的措施。

7. 委员会应与拥有与本公约目标相似的目标的国际和国家级政府组织和非政府组织合作。委员会为实施其计划和项目,可约请这类组织,特别是国际文物保护与修复研究中心(罗马中心)、国际古迹遗址理事会和国际自然及自然资源保护联盟并可约请公共和私立机构及个人。

8. 委员会的决定应经出席及参加表决的委员的三分之二多数通过。委员会委员的多数构成法定人数。

第十四条

1. 世界遗产委员会应由联合国教育、科学及文化组织总干事任命组成的一个秘书处协助工作。

2. 联合国教育、科学及文化组织总干事应尽可能充分利用国际文物保护与修复研究中心(罗马中心)、国际古迹遗址理事会和国际自然及自然资源保护联盟在各自职权范围内提供的服务,以为委员会准备文件资料,制订委员会会议议程,并负责执行委员会的决定。

IV 保护世界文化和自然遗产基金

第十五条

1. 现设立一项保护具有突出的普遍价值的世界文化和自然遗产基金,称为"世界遗产基金"。

2. 根据联合国教育、科学及文化组织《财务条例》的规定,此项基金应构成一项信托基金。

3. 基金的资金来源应包括:

(1)本公约缔约国义务捐款和自愿捐款;

(2)下列方面可能提供的捐款、赠款或遗赠:

(i)其他国家;

(ii)联合国教育、科学及文化组织、联合国系统的其他组织(特别是联合国开发计划署)或其他政府间组织;

(iii)公共或私立机构或个人。

(3)基金款项所得利息;

(4)募捐的资金和为本基金组织的活动的所得收入;

(5)世界遗产委员会拟订的基金条例所认可的所有其他资金。

4. 对基金的捐款和向委员会提供的其他形式的援助只能用于委员会限定的目的。委员会可接受仅用于某个计划或项目的捐款,但以委员会业已决定实施该计划或项目为条件。对基金的捐款不得带有政治条件。

第十六条

1. 在不影响任何自愿补充捐款的情况下,本公约缔约国每两年定期向世界遗产基金纳款,本公约缔约国大会应在联合国教育、科学及文化组织大会届会期间开会确定适用于所有缔约国的一个统一的纳款额百分比,缔约国大会关于此问题的决定,需由未作本条第2段中所述声明的、出席及参加表决的缔约国的多数通过。本公约缔约国的义务纳款在任何情况下都不得超过对联合国教育、科学及文化组织正常预算纳款的百分之一。

2. 然而,本公约第31条或第32条中提及的国家均可在交存批准书、接受书或加入书时声明不受本条第1段规定的约束。

3. 已作本条第2段中所述声明的本公约缔约国可随时通过通知联合国教育、科学及文化组织总干事收回所作声明。然而,收回声明之举在紧接的一届本公约缔约国大会之日以前不得影响该国的义务纳款。

4. 为使委员会得以有效地规划其活动,已作本条第2段中所述声明的本公约缔约国应至少每两年定期纳款,纳款不得少于它们如受本条第1段规定约束所须交纳的款额。

5. 凡拖延交付当年和前一日历年的义务纳款或自愿捐款的本公约缔约国不能当选为世界遗产委员会成员,但此项规定不适用于第一次选举。属于上述情况但已当选委员会成员的缔约国的任期应在本公约第8条第1段规定的选举之时截止。

第十七条　本公约缔约国应考虑或鼓励设立旨在为保护本公约第1条和第2条中所确定的文化和自然遗产募捐的国家、公共及私立基金会或协会。

第十八条　本公约缔约国应对在联合国教育、科学及文化组织赞助下为世界遗产基金所组织的国际募款运动给予援助。它们应为第15条第3段中提及的机构为此目的所进行的募款活动提供便利。

V　国际援助的条件和安排

第十九条　凡本公约缔约国均可要求对本国领土内组成具有突出的普遍价值的文化或自然遗产之财产给予国际援助。它在递交申请时还应提供按照第21条规定所拥有的有助于委员会作出决定的文件资料。

第二十条　除第13条第2段、第22条（3）分段和第23条所述情况外，本公约规定提供的国际援助仅限于世界遗产委员会业已决定或可能决定列入第11条第2和4段中所述目录的文化和自然遗产的财产。

第二十一条

1. 世界遗产委员会应制订对向它提交的国际援助申请的审议程序，并应确定申请应包括的内容，即打算开展的活动、必要的工程、工程的预计费用和紧急程度以及申请国的资源不能满足所有开支的原因所在。这类申请须尽可能附有专家报告。

2. 对因遭受灾难或自然灾害而提出的申请，由于可能需要开展紧急工作，委员会应立即给予优先审议，委员会应掌握一笔应急储备金。

3. 委员会在作出决定之前，应进行它认为必要的研究和磋商。

第二十二条　世界遗产委员会提供的援助可采取下述形式：

1. 研究在保护、保存、展出和恢复本公约第11条第2和4段所确定的文化和自然遗产方面所产生的艺术、科学和技术性问题；

2. 提供专家、技术人员和熟练工人，以保证正确地进行已批准的工作；

3. 在各级培训文化和自然遗产的鉴定、保护、保存、展出和恢复方面的工作人员和专家；

4. 提供有关国家不具备或无法获得的设备；

5. 提供可长期偿还的低息或无息贷款；

6. 在例外和特殊情况下提供无偿补助金。

第二十三条　世界遗产委员会还可向培训文化和自然遗产的鉴定、保护、保存、展出和恢复方面的各级工作人员和专家的国家或地区中心提供国际援助。

第二十四条　在提供大规模的国际援助之前，应先进行周密的科学、经济和技术研究。这些研究应考虑采用保护、保存、展出和恢复自然和文化遗产方面最先进的技术，并应与本公约的目标相一致。这些研究还应探讨合理利用有关国家现有资源的手段。

第二十五条　原则上，国际社会只担负必要工程的部分费用。除非本国资源不许可，受益于国际援助的国家承担的费用应构成用于各项计划或项目的资金的主要份额。

第二十六条　世界遗产委员会和受援国应在他们签订的协定中确定享有根据本公约规定提供的国际援助的计划或项目的实施条件。应由接受这类国际援助的国家负责按照协定制订的条件对如此卫护的财产继续加以保护、保存和展出。

VI　教育计划

第二十七条

1. 本公约缔约国应通过一切适当手段，特别是教育和宣传计划，努力增强本国人民对本公约第1和2条中确定的文化和自然遗产的赞赏和尊重。

2. 缔约国应使公众广泛了解对这类遗产造成威胁的危险和根据本公约进行的活动。

第二十八条　接受根据本公约提供的国际援助的缔约国应采取适当措施，使人们了解接受援助的财产的重要性和国际援助所发挥的作用。

VII　报　告

第二十九条

1. 本公约缔约国在按照联合国教育、科学及文化组织大会确定的日期和方式向该组织大会递交的报告中，应提供有关它们为实行本公约所通过的法律和行政规定和采取的其他行动的情况，并详述在这方面获得的经验。

2. 应提请世界遗产委员会注意这些报告。

3. 委员会应在联合国教育、科学及文化组织大会的每届常会上递交一份关于其活动的报告。

VIII　最后条款

第三十条　本公约以阿拉伯文、英文、法文、俄文和西班牙文拟订,五种文本同一作准。

第三十一条

1. 本公约应由联合国教育、科学及文化组织会员国根据各自的宪法程序予以批准或接受。

2. 批准书或接受书应交存联合国教育、科学及文化组织总干事。

第三十二条

1. 所有非联合国教育、科学及文化组织会员的国家,经该组织大会邀请均可加入本公约。

2. 向联合国教育、科学及文化组织总干事交存一份加入书后,加入方才有效。

第三十三条 本公约须在第二十份批准书、接受书或加入书交存之日的三个月之后生效,但这仅涉及在该日或之前交存各自批准书、接受书或加入书的国家。就任何其他国家而言,本公约应在这些国家交存其批准书、接受书或加入书的三个月之后生效。

第三十四条 下述规定须应用于拥有联邦制或非单一立宪制的本公约缔约国:

1. 关于在联邦或中央立法机构的法律管辖下实施的本公约规定,联邦或中央政府的义务应与非联邦国家的缔约国的义务相同;

2. 关于在无须按照联邦立宪制采取立法措施的联邦各个国家、地区、省或州法律管辖下实施的本公约规定,联邦政府应将这些规定连同其关于予以通过的建议一并通告各个国家、地区、省或州的主管当局。

第三十五条

1. 本公约缔约国均可通告废除本公约。

2. 废约通告应以一份书面文件交存联合国教育、科学及文化组织的总干事。

3. 公约的废除应在接到废约通告书一年后生效,废约在生效日之前不得影响退约国承担的财政义务。

第三十六条 联合国教育、科学及文化组织总干事应将第 31 和 32 条规定交存的所有批准书、接受书或加入书和第 35 条规定的废约等事通告本组织会员国、第 32 条中提及的非本组织会员的国家以及联合国。

第三十七条

1. 本公约可由联合国教育、科学及文化组织的大会修订。但任何修订只对将成为修订的公约缔约国具有约束力。

2. 如大会通过一项全部或部分修订本公约的新公约,除非新公约另有规定,本公约应从新的修订公约生效之日起停止批准、接受或加入。

第三十八条 按照《联合国宪章》第 102 条,本公约须应联合国教育、科学及文化组织总干事的要求在联合国秘书处登记。

1972 年 11 月 23 日订于巴黎,两个正式文本均有大会第十七届会议主席和联合国教育、科学及文化组织总干事的签字,由联合国教育、科学及文化组织存档,并将验明无误之副本发送第 31 条和第 32 条述之所有国家以及联合国。

前文系联合国教育、科学及文化组织大会在巴黎举行的,于 1972 年 11 月 21 日宣布闭幕的第十七届会议通过的《公约》正式文本。

1972 年 11 月 23 日签字,以昭信守。

保护非物质文化遗产公约

(联合国教育、科学及文化组织第三十二届会议于 2003 年 10 月 17 日在巴黎通过)

联合国教育、科学及文化组织(以下简称教科文组织)大会于 2003 年 9 月 29 日至 10 月 17 日在巴黎举行的第三十二届会议;

参照现有的国际人权文书,尤其是 1948 年的《世界人权宣言》以及 1966 年的《经济、社会、文化权利国际盟约》和《公民及政治权利国际盟约》这两个盟约;

考虑到 1989 年的《保护民间创作建议书》、2001 年的《教科文组织世界文化多样性宣言》和 2002 年第三次文化部长圆桌会议通过的《伊斯坦布尔宣言》强调非物质文化遗产的重要性,它是文化多样性的熔炉,又是可持续发展的保证;

考虑到非物质文化遗产与物质文化遗产和自然遗产之间的内在相互依存关系,承认全球化和社会变革进程除了为各群体之间开展新的对话创造条件,也与不容忍现象一样使非物质文化遗产面临损坏、消失和破坏的严重威胁,而这主要是因为缺乏保护这种遗产的资金;

意识到保护人类非物质文化遗产是普遍的意愿和共同关心的事项;

承认各群体,尤其是土著群体,各团体,有时是个人在非物质文化遗产的创作、保护、保养和创新方面发挥着重要作用,从而为丰富文化多样性和人类的创造性作出贡献;

注意到教科文组织在制定保护文化遗产的准则性文件,尤其是1972年的《保护世界文化和自然遗产公约》方面所做的具有深远意义的工作;

还注意到迄今尚无有约束力的保护非物质文化遗产的多边文件;

考虑到国际上现有的关于文化遗产和自然遗产的协定、建议书和决议需要有非物质文化遗产方面的新规定有效地予以充实和补充;

考虑到必须提高人们,尤其是年轻一代对非物质文化遗产及其保护的重要意义的认识;

考虑到国际社会应当本着互助合作的精神与本公约缔约国一起为保护此类遗产做出贡献;

忆及教科文组织有关非物质文化遗产的各项计划,尤其是"宣布人类口头遗产和非物质遗产代表作"计划;

认为非物质文化遗产是密切人与人之间的关系以及他们之间进行交流和了解的要素,它的作用是不可估量的;

于2003年10月17日通过本公约。

I 总 则

第1条 本公约的宗旨

本公约的宗旨如下:

(a)保护非物质文化遗产;

(b)尊重有关群体、团体和个人的非物质文化遗产;

(c)在地方、国家和国际一级提高对非物质文化遗产及其相互鉴赏的重要性的意识;

(d)开展国际合作及提供国际援助。

第2条 定义

在本公约中,

1."非物质文化遗产"指被各群体、团体、有时为个人视为其文化遗产的各种实践、表演、表现形式、知识和技能及其有关的工具、实物、工艺品和文化场所。各个群体和团体随着其所处环境、与自然界的相互关系和历史条件的变化不断使这种代代相传的非物质文化遗产得到创新,同时使他们自己具有一种认同感和历史感,从而促进了文化多样性和人类的创造力。在本公约中,只考虑符合现有的国际人权文件,各群体、团体和个人之间相互尊重的需要和顺应可持续发展的非物质文化遗产。

2.按上述第1段的定义,"非物质文化遗产"包括以下方面:

(a)口头传说和表述,包括作为非物质文化遗产媒介的语言;

(b)表演艺术;

(c)社会风俗、礼仪、节庆;

(d)有关自然界和宇宙的知识和实践;

(e)传统的手工艺技能。

3."保护"指采取措施,确保非物质文化遗产的生命力,包括这种遗产各个方面的确认、立档、研究、保存、保护、宣传、弘扬、承传(主要通过正规和非正规教育)和振兴。

4."缔约国"指受本公约约束且本公约在它们之间也通用的国家。

5.根据本条款所述之条件,本公约经必要修改对成为其缔约方之第33条所指的领土也适用。从这个意义上说,"缔约国"亦指这些领土。

第3条 与其他国际文书的关系

本公约的任何条款均不得解释为:

(a)有损被宣布为1972年《保护世界文化和自然遗产公约》的世界遗产、直接涉及非物质文化遗产内容的财产的地位或降低其受保护的程度;

(b)影响缔约国从其作为缔约方的任何有关知识产权或使用生物和生态资源的国际文书所获得的权利和所负有的义务。

II. 公约的有关机关

第4条 缔约国大会

1.兹建立缔约国大会,下称"大会"。大会为本公约的最高权力机关。

2.大会每两年举行一次常会。如若它作出此类决定或政府间保护非物质文化遗产委员会或至少三分之一的缔约国提出要求,可举行特别会议。

3.大会应通过自己的议事规则。

第5条 政府间保护非物质文化遗产委员会

1.兹在教科文组织内设立政府间保护非物质文化遗产委员会,下称"委员会"。在本公约依照第34条的规定生效之后,委员会由参加大会之缔约国选出的18个缔约国的代表组成。

2.在本公约缔约国的数目达到50个之后,委员会委员国的数目将增至24个。

第6条 委员会委员国的选举和任期

1.委员会委员国的选举应符合公平的地理分配和轮换原则。

2.委员会委员国由本公约缔约国大会选出,任期四年。

3.但第一次选举当选的半数委员会委员国的任期为两年。这些国家在第一次选举后抽签指定。

4.大会每两年对半数委员会委员国进行换届。

5.大会还应选出填补空缺席位所需的委员会委员国。

6.委员会委员国不得连选连任两届。

7.委员会委员国应选派在非物质文化遗产各领域有造诣的人士为其代表。

第7条　委员会的职能

在不妨碍本公约赋予委员会的其他职权的情况下,其职能如下:

(a)宣传公约的目标,鼓励并监督其实施情况;

(b)就好的做法和保护非物质文化遗产的措施提出建议;

(c)按照第25条的规定,拟订利用基金资金的计划并提交大会批准;

(d)按照第25条的规定,努力寻求增加其资金的方式方法,并为此采取必要的措施;

(e)拟订实施公约的业务指南并提交大会批准;

(f)根据第29条的规定,审议缔约国的报告并将报告综述提交大会;

(g)根据委员会制定的、大会批准的客观遴选标准,审议缔约国提出的申请并就以下事项作出决定:

(i)列入第16、第17和第18条述及的名录和提名;

(ii)按照第22条的规定提供国际援助。

第8条　委员会的工作方法

1.委员会对大会负责。它向大会报告自己的所有活动和决定。

2.委员会以其委员的三分之二多数通过自己的议事规则。

3.委员会可临时设立它认为对执行其任务所需的咨询机构。

4.委员会可邀请在非物质文化遗产各领域确有专长的任何公营或私营机构以及任何自然人参加会议,就任何具体的问题向其请教。

第9条　咨询组织的认证

1.委员会应就在非物质文化遗产领域确有专长的非政府组织做认证向大会提出建议。这类组织的职能是向委员会提供咨询意见。

2.委员会还应向大会就此认证的标准和方式提出建议。

第10条　秘书处

1.委员会由教科文组织秘书处协助。

2.秘书处起草大会和委员会文件及其会议的议程草案

和确保其决定的执行。

III. 在国家一级保护非物质文化遗产

第11条　缔约国的作用

各缔约国应该:

(a)采取必要措施确保其领土上的非物质文化遗产受到保护;

(b)在第2条第3段提及的保护措施内,由各群体、团体和有关非政府组织参与,确认和确定其领土上的各种非物质文化遗产。

第12条　清单

1.为了使其领土上的非物质文化遗产得到确认以便加以保护,各缔约国应根据自己的国情拟定一份或数份关于这类遗产的清单,并应定期加以更新。

2.各缔约国在按第29条的规定定期向委员会提交报告时,应提供有关这些清单的情况。

第13条　其他保护措施

为了确保其领土上的非物质文化遗产得到保护、弘扬和展示,各缔约国应努力做到:

(a)制定一项总的政策,使非物质文化遗产在社会中发挥应有的作用,并将这种遗产的保护纳入规划工作;

(b)指定或建立一个或数个主管保护其领土上的非物质文化遗产的机构;

(c)鼓励开展有效保护非物质文化遗产,特别是濒危非物质文化遗产的科学、技术和艺术研究以及方法研究;

(d)采取适当的法律、技术、行政和财政措施,以便:

(i)促进建立或加强培训管理非物质文化遗产的机构以及通过为这种遗产提供活动和表现的场所和空间,促进这种遗产的承传;

(ii)确保对非物质文化遗产的享用,同时对享用这种遗产的特殊方面的习俗做法予以尊重;

(iii)建立非物质文化遗产文献机构并创造条件促进对它的利用。

第14条　教育、宣传和能力培养

各缔约国应竭力采取种种必要的手段,以便:

(a)使非物质文化遗产在社会中得到确认、尊重和弘扬,主要通过:

(i)向公众,尤其是向青年进行宣传和传播信息的教育计划;

(ii)有关群体和团体的具体的教育和培训计划;

(iii)保护非物质文化遗产,尤其是管理和科研方面的能力培养活动;

(iv)非正规的知识传播手段。

(b)不断向公众宣传对这种遗产造成的威胁以及根据本公约所开展的活动;

(c)促进保护表现非物质文化遗产所需的自然场所和纪念地点的教育。

第 15 条　群体、团体和个人的参与

缔约国在开展保护非物质文化遗产活动时,应努力确保创造、保养和承传这种遗产的群体、团体、有时是个人的最大限度的参与,并吸收他们积极地参与有关的管理。

IV. 在国际一级保护非物质文化遗产

第 16 条　《人类口头和非物质遗产代表作名录》

1. 为了扩大非物质文化遗产的影响,提高对其重要意义的认识和从尊重文化多样性的角度促进对话,委员会应根据有关缔约国的提名编辑、更新和公布《人类口头和非物质遗产代表作名录》。

2. 委员会拟订有关编辑、更新和公布此代表作名录的标准并提交大会批准。

第 17 条　急需保护的《人类口头和非物质遗产代表作名录》

1. 为了采取适当的保护措施,委员会编辑、更新和公布《濒危世界遗产名录》,并根据有关缔约国的要求将此类遗产列入该名录。

2. 委员会拟订有关编辑、更新和公布此名录的标准并提交大会批准。

3. 委员会在极其紧急的情况(其具体标准由大会根据委员会的建议加以批准)下,可与有关缔约国协商将有关的遗产列入第 1 段所提之名录。

第 18 条　保护非物质文化遗产的计划、项目和活动

1. 在缔约国提名的基础上,委员会根据其制定的、大会批准的标准,兼顾发展中国家的特殊需要,定期遴选并宣传其认为最能体现本公约原则和目标的国家、分地区或地区保护非物质文化遗产的计划、项目和活动。

2. 为此,委员会接受、审议和批准缔约国提交的关于要求国际援助拟订此类提名的申请。

3. 委员会按照它确定的方式,配合这些计划、项目和活动的实施,随时推广有关经验。

V. 国际合作与援助

第 19 条　合作

1. 在本公约中,国际合作主要是交流信息和经验,采取共同的行动,以及建立援助缔约国保护非物质文化遗产工作的机制。

2. 在不违背国家法律规定及其习惯法和习俗的情况下,缔约国承认保护非物质文化遗产符合人类的整体利益,保证为此目的在双边、分地区、地区和国际各级开展合作。

第 20 条　国际援助的目的

可为如下目的提供国际援助:

(a)保护列入《濒危世界遗产名录》的遗产;

(b)按照第 11 和第 12 条的精神编制清单;

(c)支持在国家、分地区和地区开展的保护非物质文化遗产的计划、项目和活动;

(d)委员会认为必要的其他一切目的。

第 21 条　国际援助的形式

第 7 条的业务指南和第 24 条所指的协定对委员会向缔约国提供援助作了规定,可采取的形式如下:

(a)对保护这种遗产的各个方面进行研究;

(b)提供专家和专业人员;

(c)培训各类所需人员;

(d)制订准则性措施或其他措施;

(e)基础设施的建立和营运;

(f)提供设备和技能;

(g)其他财政和技术援助形式,包括在必要时提供低息贷款和捐助。

第 22 条　国际援助的条件

1. 委员会确定审议国际援助申请的程序和具体规定申请的内容,包括打算采取的措施、必须开展的工作及预计的费用。

2. 如遇紧急情况,委员会应对有关援助申请优先审议。

3. 委员会在作出决定之前,应进行其认为必要的研究和咨询。

第 23 条　国际援助的申请

1. 各缔约国可向委员会递交国际援助的申请,保护在其领土上的非物质文化遗产。

2. 此类申请亦可由两个或数个缔约国共同提出。

3. 申请应包含第 22 条第 1 段规定的所有资料和所有必要的文件。

第 24 条　受援缔约国的任务

1. 根据本公约的规定,国际援助应依据受援缔约国与委员会之间签署的协定来提供。

2. 受援缔约国通常应在自己力所能及的范围内分担国际所援助的保护措施的费用。

3. 受援缔约国应向委员会报告关于使用所提供的保护

非物质文化遗产援助的情况。

VI. 非物质文化遗产基金

第 25 条　基金的性质和资金来源

1. 兹建立一项"保护非物质文化遗产基金",下称"基金"。

2. 根据教科文组织《财务条例》的规定,此项基金为信托基金。

3. 基金的资金来源包括:

(a) 缔约国的纳款;

(b) 教科文组织大会为此所拨的资金;

(c) 以下各方可能提供的捐款、赠款或遗赠:

(i) 其他国家;

(ii) 联合国系统各组织和各署(特别是联合国开发计划署)以及其他国际组织;

(iii) 公营或私营机构或个人。

(d) 基金的资金所得的利息;

(e) 为本基金募集的资金和开展活动之所得;

(f) 委员会制定的基金条例所许可的所有其他资金。

4. 委员会对资金的使用视大会的方针来决定。

5. 委员会可接受用于某些项目的一般或特定目的的捐款及其他形式的援助,只要这些项目已获委员会的批准。

6. 对基金的捐款不得附带任何与本公约所追求之目标不相符的政治、经济或其他条件。

第 26 条　缔约国对基金的纳款

1. 在不妨碍任何自愿补充捐款的情况下,本公约缔约国至少每两年向基金纳一次款,其金额由大会根据适用于所有国家的统一的纳款额百分比加以确定。缔约国大会关于此问题的决定由出席会议并参加表决,但未作本条第 2 段中所述声明的缔约国的多数通过。在任何情况下,此纳款都不得超过缔约国对教科文组织正常预算纳款的百分之一。

2. 但是,本公约第 32 条或第 33 条中所指的任何国家均可在交存批准书、接受书、赞同书或加入书时声明不受本条第 1 段规定的约束。

3. 已作本条第 2 段所述声明的本公约缔约国应努力通知联合国教育、科学及文化组织总干事收回所作声明。但是,收回声明之举不得影响该国在紧接着的下一届大会开幕之日前应缴的纳款。

4. 为使委员会能够有效地规划其工作,已作本条第 2 段所述声明的本公约缔约国至少应每两年定期纳一次款,纳款额应尽可能接近它们按本条第 1 段规定应交的数额。

5. 凡拖欠当年和前一日历年的义务纳款或自愿捐款的

本公约缔约国不能当选为委员会委员,但此项规定不适用于第一次选举。已当选为委员会委员的缔约国的任期应在本公约第 6 条规定的选举之时终止。

第 27 条　基金的自愿补充捐款

除了第 26 条所规定的纳款,希望提供自愿捐款的缔约国应及时通知委员会以使其能对相应的活动作出规划。

第 28 条　国际筹资运动

缔约国应尽力支持在教科文组织领导下为该基金发起的国际筹资运动。

VII. 报　告

第 29 条　缔约国的报告

缔约国应按照委员会确定的方式和周期向其报告它们为实施本公约而通过的法律、规章条例或采取的其他措施的情况。

第 30 条　委员会的报告

1. 委员会应在其开展的活动和第 29 条提及的缔约国报告的基础上,向每届大会提交报告。

2. 该报告应提交教科文组织大会。

VIII. 过渡条款

第 31 条　与宣布人类口述和非物质遗产代表作的关系

1. 委员会应把在本公约生效前宣布为"人类口头和非物质遗产代表作"的遗产纳入《人类口头和非物质遗产代表作名录》。

2. 把这些遗产纳入《人类口头和非物质遗产代表作名录》绝不是预设按第 16 条第 2 段将确定的今后列入遗产的标准。

3. 在本公约生效后,将不再宣布其他任何人类口述和非物质遗产代表作。

IX. 最后条款

第 32 条　批准、接受或赞同

1. 本公约须由教科文组织会员国根据各自的宪法程序予以批准、接受或赞同。

2. 批准书、接受书或赞同书应交存教科文组织总干事。

第 33 条　加入

1. 所有非教科文组织会员国的国家,经本组织大会邀请,均可加入本公约。

2. 没有完全独立,但根据联合国大会第 1514(XV)号决议被联合国承认为充分享有内部自治,并且有权处理本公约范围内的事宜,包括有权就这些事宜签署协议的地区也可加入本公约。

3.加入书应交存教科文组织总干事。

第34条 生效

本公约在第三十份批准书、接受书、赞同书或加入书交存之日起的三个月后生效,但只涉及在该日或该日之前交存批准书、接受书、赞同书或加入书的国家。对其他缔约国来说,本公约则在这些国家的批准书、接受书、赞同书或加入书交存之日起的三个月之后生效。

第35条 联邦制或非统一立宪制

对实行联邦制或非统一立宪制的缔约国实行下述规定:

(a)在联邦或中央立法机构的法律管辖下实施本公约各项条款的国家的联邦或中央政府的义务与非联邦国家的缔约国的义务相同;

(b)在构成联邦,但无须按照联邦立宪制采取立法手段的各个国家、地区、省或州的法律管辖下实施本公约的各项条款时,联邦政府应将这些条款连同其关于通过这些条款的建议一并通知各个国家、地区、省或州的主管当局。

第36条 退出

1.各缔约国均可宣布退出本公约。

2.退约应以书面退约书的形式通知教科文组织总干事。

3.退约在接到退约书十二个月之后生效。在退约生效日之前不得影响退约国承担的财政义务。

第37条 保管人的职责

教科文组织总干事作为本公约的保管人,应将第32条和第33条规定交存的所有批准书、接受书、赞同书或加入书和第36条规定的退约书的情况通告本组织各会员国、第33条提到的非本组织会员国的国家和联合国。

第38条 修订

1.任何缔约国均可书面通知总干事,对本公约提出修订建议。总干事应将此通知转发给所有缔约国。如在通知发出之日起六个月之内,至少有一半的缔约国回复赞成此要求,总干事应将此建议提交下一届大会讨论,决定是否通过。

2.对本公约的修订须经出席并参加表决的缔约国三分之二多数票通过。

3.对本公约的修订一旦通过,应提交缔约国批准、接受、赞同或加入。

4.对于那些已批准、接受、赞同或加入修订的缔约国来说,本公约的修订在三分之二的缔约国交存本条第3段所提及的文书之日起三个月之后生效。此后,对任何批准、接受、赞同或加入修订的缔约国来说,在其交存批准书、接受书、赞同书或加入书之日起三个月之后,本公约的修订即生效。

5.第3和第4段所确定的程序对有关委员会委员国数目的第5条的修订不适用。此类修订一经通过即生效。

6.在修订依照本条第4段的规定生效之后成为本公约缔约国的国家如无表示异议,应:

(a)被视为修订的本公约的缔约方;

(b)但在与不受这些修订约束的任何缔约国的关系中,仍被视为未经修订之公约的缔约方。

第39条 有效文本

本公约用英文、阿拉伯文、中文、西班牙文、法文和俄文拟定,六种文本具有同等效力。

第40条 备案

根据《联合国宪章》第102条的规定,本公约应按教科文组织总干事的要求交联合国秘书处备案。

关于保护景观和遗址的风貌与特性的建议

(联合国教育、科学及文化组织大会第十二届会议于1962年12月11日在巴黎通过)

联合国教育、科学及文化组织大会于1962年11月9日至12月12日在巴黎召开了第十二届会议。

考虑到人类在各个时期不时使构成其自然环境的组成部分的景观和遗址的风貌与特征遭到损坏,从而使得全世界各个地区的文化、艺术甚至极重要的遗产濒于枯竭;

考虑到因原始土地的开发、城市中心盲目的发展以及工商业与装备的巨大工程和庞大规划的实施,使现代文明加速了这种趋势,尽管其进程到上个世纪已相对减弱;

考虑到这种现象影响到不论其为自然的或人工的景观和遗址的艺术价值以及野生生物的文化和科学价值;

考虑到由于景观和遗址的风貌与特征,保护景观和遗址正如本建议所述,对人类生活必不可少,对人类而言,它们代表了一种有力的物质、道德和精神的再生影响,同时正如无数众所周知的事例证明的也有利于人类文化和艺术生活;

进一步考虑到景观和遗址是许多国家经济和社会生活中的一个重要因素,而且大大有助于保障其居民的健康;

然而,也认识到应适当考虑社会生活及其演变以及技术进步的迅速发展之需要;

因此,考虑到只要尚有可能这样做,为保护各地的景观和遗址的风貌与特征,亟需紧急考虑和采取必要的措施;

已收到关于保护景观和遗址的风貌与特征的建议,该问题作为本届会议的第17.4.2项议程;

第十一届会议已决定此项建议应以向成员国建议的形式作为国际性文件的议题,于1962年12月11日通过本建议。

大会建议各成员国应通过国家法律或其他方式制定使本建议所体现的准则和原则在其所管辖的领土上生效的措施,以适用以下规定。

大会建议各成员国应将本建议提请与保护景观和遗址以及区域发展有关的部门和机构的注意,也提请受委托保护自然和发展旅游业的机构以及青年组织的注意。

大会建议各成员国应按待定的日期和形式向大会提交有关本建议执行情况的报告。

一　定义

1. 为本建议之目的,保护景观和遗址的风貌与特征系指保存并在可能的情况下修复无论是自然的或人工的,具有文化或艺术价值,或构成典型自然环境的自然、乡村及城市景观和遗址的任何部分。

2. 本建议的规定也拟作为保护自然的补充措施。

二　总则

3. 为保护景观和遗址所进行的研究和采取的措施应适用于一国之全部领土范围,并不应局限于某些选定的景观和遗址。

4. 在选择将采取的措施时,应适当考虑有关景观与遗址的相关意义。这些措施可根据景观与遗址的特征、大小、位置以及它们所面临威胁的性质而有所区别。

5. 保护不应只限于自然景观与遗址,而应扩展到那些全部或部分由人工形成的景观与遗址。因此,应制定特别规定确保对那些通常受威胁最大、特别是因建筑施工和土地买卖而受到威胁的某些城市中的景观和遗址进行保护。对进入古迹应采取特别保护措施。

6. 为保护景观和遗址所采取的措施应既是预防性的,又是矫正性的。

7. 预防性措施应旨在保护遗址免受可能威胁它们的危险。这些措施尤其应包括对可能损坏景观和遗址的工程和活动进行监督,例如:

(1)建各种公私建筑,其设计应符合建筑本身的某些艺术要求,并且在避免简单模仿某些传统的和独特的形式的同时,应与它将保护的一般环境相协调;

(2)修建道路;

(3)高、低压电线、电力生产和输送工厂和设施、飞机场、广播电台和电视台等;

(4)加油站;

(5)广告招牌以及灯光招牌;

(6)砍伐森林,包括破坏构成景观风貌的树木,尤其是主干道或林荫道两旁成行的树木;

(7)空气和水的污染;

(8)采矿、采石及其废弃物的处理;

(9)喷泉管道、灌溉工程、水坝、隧道、沟渠、治理河流工程等;

(10)宿营地;

(11)废弃物和垃圾以及家庭、商业和工业废物的倾倒。

8. 在保护景观和遗址的风貌与特征时,也应考虑到因某些工作和现代生活的某些活动而引起的噪音所造成的危害。

9. 对可能损坏以其他方式列入保护目录或受到保护的地区内的景观和遗址的活动应施以制裁,除非为公共或社会利益所迫切需要。

10. 矫正性措施应旨在修缮对景观和遗址所造成的损坏,并尽可能使其恢复至原状。

11. 为促进各国负责保护景观和遗址的各种公共服务机构的工作,应建立科学研究机构,以便与主管当局合作,收集和编纂适用于这方面的法律和规定。这些规定和研究机构所从事的工作成果应定期及时刊登于单独的行政刊物上。

三　保护措施

12. 景观和遗址的保护应通过使用以下方法予以确保:

(1)由主管当局进行全面监督;

(2)将责任列入城市发展规划以及区域、乡村和城市的各级规划;

(3)"通过划区"列出大面积景观区保护目录;

(4)列出零散的遗址保护目录;

(5)建立和维护自然保护区与国家公园;

(6)由社区获得遗址。

全面监督

13. 对全国范围内可能损坏景观和遗址的工程和活动,应实行全面监督。

城市规划与乡村规划方案

14. 城市规划与乡村规划方案应包括明确那些应强制执行以确保位于所涉及地区内的甚至未列入保护目录的景观

和遗址的保护义务的规定。

15.城市和乡村规划方案应根据轻重缓急和顺序予以制定,特别是对处在迅速发展过程中的城市或地区,为保护该城市或地区的艺术或优美特征制定此种方案是正确的。

"通过划区"列出大面积景观区保护目录

16.大面积景观区"通过划区"列入保护目录。

17.在一个已列入保护目录的区域内,当艺术特征为头等重要时,列入保护目录应包括:控制土地,遵循美学要求——包括材料的使用、颜色以及高度标准,采取预防措施以消除因筑坝和采石所造成的动土影响,制定管理树木砍伐的法规等。

18."通过划区"列出的目录应予以公布,并应制订和公布为保护已列入目录的景观所应遵守的一般规则。

19.一般来说,"通过划区"列出保护目录,不应涉及赔偿费的支付。

列出零散遗址保护目录

20.对无论位于自然中还是位于城市内的零散小遗址,连同一具有特殊意义的景观的各个部分,均应列出保护目录。对景色优美的地区,以及著名古迹周围的地区和建筑物,也应列出保护目录。凡列入保护目录的每一个遗址、地区和建筑物都须经特别行政决定并及时通知其所有者。

21.列入保护目录应意味着未经保护遗址的主管当局许可,禁止其所有者毁坏遗址,或改变其状况或外观。

22.当得到此种许可,应同时附有保护遗址所需的一切条件。但对于正常的农业活动以及建筑物的正常维修无需此种许可。

23.有关当局的征用以及在一列入保护目录的遗址内进行公共工程应征得负责该遗址保护的主管当局的同意。按规定,在列入保护目录的遗址内任何人不应获得可能改变该遗址特征或外观的权利。未经主管当局的同意,该遗址所有者不应通过签订协议授权他人。

24.制定保护目录应包括禁止一切形式的对地面、空气或水的污染,同样,采矿也须经过特别许可。

25.在列入保护目录的地区内及其邻近地带应禁止张贴任何广告,或者仅限于负责保护遗址的主管当局所指定的特定区域。

26.在列入保护目录的遗址内宿营原则上应予以回绝,或者仅限于负责主管当局所确定的地区,并应接受其检查。

27.遗址列入保护目录可以使遗址所有者有权对由此造成的直接的和确切的损失要求赔偿。

自然保护区和国家公园

28.条例适宜时,各成员国应将用于公共教育和娱乐的国家公园,或严格控制的或特定的自然保护区纳入受保护的区域和遗址之中。这类自然保护区和国家公园应构成一组还将用于研究景观的形式与修复以及自然保护的试验区。

由社区获得遗址

29.各成员国应鼓励社区获得那些需要保护的构成景观或遗址组成部分的地区。必要时,应能够通过征用来实现这种获得。

四 保护措施的实施

30.各成员国保护景观和遗址的基本标准和原则应具有法律效力,其实施措施应在法律所赋予的权限范围内委托给负责的主管当局。

31.各成员国应设立具有管理或咨询性质的专门机构。

32.管理机构应是受委托实施保护措施的中央或地方的专门部门。因此,这些部门应有能力研究保护和制定保护目录的问题,开展实地考察,准备即将采取的决定并监督其实施。这些部门同样应受委托对旨在减少某些工程进行中或对由此种工程造成的损坏进行修复中可能涉及的危险提出建议措施。

33.咨询机构应由国家、地区或地方各级委员组成,并被授予研究有关保护问题以及就这些问题向中央或地区主管当局或有关地方社区提出意见的任务。在任何情况下,特别是在大规模公益工程,诸如修建公路、安装水利技术或新型工业设施等规划的初期,应及时征求这些委员会的意见。

34.各成员国应促进国家和地方非政府机构的设立及其运转,这些机构的职责之一是与第31、32和33条中所述机构合作,特别是通过这样一种方式合作,即把威胁景观和遗址的危险告知公众,并告诫有关部门。

35.如违反保护景观和遗址的有关规定,应对损坏予以赔偿,或承担将该遗址尽可能修复至原状的义务。

36.对故意损坏景观和遗址的行为,应给予行政或刑事处罚。

五 公共教育

37.教育活动应在校内外进行,以激发与培养公众对景观和遗址的尊重,宣传为确保对名胜和古迹的保护所制订的规章。

38.受委托承担这项任务的学校教员应在中、高等院校接受专门课程的特殊培训。

39.各成员国也应促进现有博物馆的工作,以加强它们为此业已开展的教育活动,并应考虑建立专门博物馆,或在现有博物馆内设立专门部门的可能性,以便研究和展示特定地区的自然和文化风貌。

40.校外公共教育应是新闻界、保护景观和遗址或保护自然的私人组织、有关旅游机构以及青年或大众教育组织的任务。

41.各成员国应促进公共教育,并通过提供物资援助和通过让从事教育任务的学会、机构和组织以及普通教育工作者利用适当宣传媒介,例如:电影、广播和电视节目,永久性、临时性或流动性展览材料,以及适合于广泛传播并专为教育界设计的手册和书籍,促进它们的工作,还可以通过报刊、杂志以及地方期刊进行广泛宣传。

42.各种国内、国际"节日"、竞赛和类似活动应专门用于鼓励对自然或人工景观和遗址的鉴赏,从而引导民众注意这样一个事实:保护景观和遗址的风貌与特征对社区而言至关重要。

以上乃联合国教育、科学及文化组织大会在巴黎召开的,于1962年12月12日宣布闭幕的第十二届会议正式通过的建议之作准文本。

我们已于1962年12月18日签字,以昭信守。

关于在国家一级保护文化和自然遗产的建议

(联合国教育、科学及文化组织大会第十七届会议于1972年11月16日在巴黎通过)

联合国教育、科学及文化组织大会于1972年10月17日至11月21日在巴黎举行第十七届会议。

考虑到在一个生活条件加速变化的社会里,就人类平衡和发展而言至关重要的是为人类保存一个合适的生活环境,以便人类在此环境中与自然及其前辈留下的文明痕迹保持联系。为此,应该使文化和自然遗产在社会生活中发挥积极的作用,并把当代成就、昔日价值和自然之美纳入一个整体政策;

考虑到这种与社会和经济生活的结合必定是地区发展和国家各级规划的一个基本方面;

考虑到我们这个时代特有的新现象所带来的异常严重的危险正威胁着文化和自然遗产,而这些遗产构成了人类遗产的一个基本特征,以及丰富和协调发展当代与未来文明的一种源泉;

考虑到每一项文化和自然遗产都是独一无二的,任何一项文化和自然遗产的消失都构成绝对的损失,并造成该遗产的不可逆转的枯竭;

考虑到在其领土上有文化和自然遗产组成部分的任何一个国家,有责任保护这一部分人类遗产并确保将它传给后代;

考虑到研究、认识及保护世界各国的文化遗产和自然遗产有利于人民之间的相互理解;

考虑到文化和自然遗产构成一个和谐的整体,其组成部分是不可分割的;

考虑到经共同考虑和制定的保护文化和自然遗产的政策可能使成员国之间继续产生相互影响,并对联合国教育、科学及文化组织在这一领域的活动产生决定性的影响;

考虑到大会已经通过了保护文化和自然遗产的国际文件,如:《关于适用于考古发掘的国际原则的建议》(1956)、《关于保护景观和遗址的风貌与特征的建议》(1962)以及《关于保护受到公共或私人工程危害的文化财产的建议》(1968);

希望补充并扩大这类建议中所规定的标准和原则的适用范围;

收到有关保护文化遗产和自然遗产的建议,该问题作为第二十三项议案列入本届会议议程;

第十六届会议上决定:该问题应以向成员国建议的形式制定为国际规章;

于1972年11月16日,通过本建议。

一 文化和自然遗产的定义

1.为本建议之目的,以下各项应被视为"文化遗产":

古迹:建筑物、不朽的雕刻和绘画作品,包括穴居和题记以及在考古、历史、艺术或科学方面具有特殊价值的组成部分或结构;

建筑群:因其建筑、谐调或在风景中的位置而具有特殊历史、艺术或科学价值的单独或相连建筑群;

遗址:因风景秀丽或在考古、历史、人种或人类学方面的重要性而具有特殊价值的地形区,该地形区是人类与自然的共同产物。

2.为本建议之目的,以下各项应被视为"自然遗产":

在美学或科学方面具有特殊价值的、由物理和生物结构

（群）所组成的自然风貌；

在科学或保护方面具有特殊价值的，或正面临威胁的构成动物和植物物种的栖息地或产地的地理和地文结构，以及准确划定的区域；

在科学、保护或自然风貌方面，或在其与人类和自然的共同产物的关系方面具有特殊价值的自然遗址或准确划定的自然地区。

二　国家政策

3. 各国应根据其司法和立法需要，尽可能制定、发展并应用一项其主要目的应在于协调和利用一切可能得到的科学、技术、文化和其他资源的政策，以确保有效地保护、保存和展示文化和自然遗产。

三　总　则

4. 文化遗产和自然遗产代表着财富。凡领土上有这些遗产的国家都有责任对其国民和整个国际社会保护、保存和展示这些遗产；成员国应采取履行该义务所需的相应行动。

5. 文化和自然遗产应被视为一个同种性质的整体，它不仅由具有巨大内在价值的作品组成，而且还包括随着时间流逝而具有文化或自然价值的较为一般的物品。

6. 任何一件作品和物品按一般原则都不应与其环境相分离。

7. 由于保护、保存和展示文化和自然遗产的最终目的是为了人类的发展，因此，各成员国应尽可能以不再把文化和自然遗产视为国家发展的障碍、而应视为决定因素这样一种方法来指导该领域的工作。

8. 应将保护、保存并有效地展示文化和自然遗产视为地区发展计划以及国家、地区和地方总体规划的重要方面之一。

9. 应制订一项保存文化和自然遗产并在社会生活中给其一席之地的积极政策。各成员国应安排公共和私人的一切有关部门采取行动，以制订并应用此政策。有关文化和自然遗产的预防和矫正措施应通过其他方面得到补充，其意图旨在使该遗产的每一组成部分都按照其文化或自然特性而发挥作用，从而成为现在和未来国家社会、经济、科学和文化生活的一部分。保护文化和自然遗产的行动应利用保护、保存和展示文化遗产或自然遗产所涉及的各个研究领域所取得的科学和技术进步。

10. 公共当局应尽可能为保护和展示文化和自然遗产提供日益增长的财政资源。

11. 将要采取的保护和保存措施，应与该地区的公众联系起来，并呼吁他们提出建议或给予帮助——特别是在对待和监督文化和自然遗产方面。也可以考虑从私人部门得到财政支持的可能性。

四　行政组织

12. 尽管由于行政组织的多样性使得各成员国无法采取一个统一的组织形式，然而还是应该遵循某些共同的标准。

专门的公共行政部门

13. 各成员国应根据各国的适当条件，在其尚无此类组织的领土上设立一个或多个专门的公共行政部门，负责有效地执行以下各项职能：

（1）制订和实施各种旨在保护、保存和展示本国文化和自然遗产并使其成为社会生活的一个积极因素的措施，并且先编纂一份文化和自然遗产的清单，建立相关的档案资料服务机构；

（2）培训并招聘所需的科学、技术和行政人员，由其负责文化和自然遗产的鉴定、保护、保存和其他综合计划，并指导其实施；

（3）组织各学科专家的紧密合作，研究文化和自然遗产的保护技术问题；

（4）利用或建立实验室，研究有关文化和自然遗产保护方面所涉及的各学科问题：

（5）确保遗产所有人或承租人进行必要的维修，并保持建筑物的最佳艺术和技术状况。

咨询机构

14. 专门的行政部门应与负责在准备文化和自然遗产有关措施方面提供咨询的专家机构合作。这类机构应包括专家、主要保护学会的代表以及有关行政部门的代表。

各机构间的合作

15. 从事保护、保存和展示文化和自然遗产的专门的行政部门应与其他公共行政部门一起在平等的基础上开展工作，特别是那些负责地区发展规划、主要公共工程、环境及经济和社会规划的部门。涉及文化和自然遗产的旅游发展计划的制订应审慎进行，以便不影响该遗产的内在特征和重要性，并应采取步骤在有关部门间建立适当的联系。

16. 凡涉及到大型项目时，应组织专门的行政部门之间的、各种层次的不断合作并作好适当的协调安排，以便采取顾及有关各方利益的一致决定。从研究之初就应制订合作计划的规定，并确定解决冲突的机制。

中央、联邦、地区和地方机构的权限

17. 考虑到保护、保存和展示文化和自然文化遗产所涉及的问题难以处理这一事实,有时需要专门知识,有时涉及艰难的抉择,并且也考虑到该领域不能得到足够的专业人员,因此,应根据各成员国的适当情况,在审慎平衡的基础上划分中央或联邦以及地区或地方当局之间有关制订和执行一般保护措施的一切职责。

五　保护措施

18. 各成员国应尽可能采取一切必要的科学、技术、行政、法律和财政措施,确保其领土上的文化和自然遗产得到保护。这些措施应根据各成员国的立法和组织而定。

科学和技术措施

19. 各成员国应经常对其文化和自然遗产进行精心维护,以避免因其退化而不得不进行的耗资巨大的项目。为此,各成员国应通过定期检查对其遗产的各部分经常进行监督。它们还应该依据现有科学、技术和财政手段精心制订能逐渐包括所有文化和自然遗产的保护和展示的计划项目。

20. 任何所需进行的工作应根据其重要性,都事先并同时进行彻底的研究。这种研究应同各有关领域的专家一起进行,或由有关领域的专家单独进行。

21. 各成员国应寻找有效的办法,对受到极为严重危险威胁的文化和自然遗产的组成部分给予更多的保护。此办法应考虑所涉及的且相互关联的科学、技术和艺术问题并能制订出适用的治理对策。

22. 另外在适当情况下,这些文化和自然遗产的组成部分应恢复其原有用途或赋予新的和更加恰当的用途,只要其文化价值并没有因此而受到贬损。

23. 对文化遗产所进行的任何工程都应旨在保护其传统原貌,并保护它免遭可能破坏它与周围环境之间总体或色彩关系的重建或改建。

24. 古迹与其周围环境之间由时间和人类所建立起来的和谐极为重要,通常不应受到干扰和毁坏,不应允许通过破坏其周围环境而孤立该古迹;也不应试图将古迹迁移,除非作为处理问题的一个例外方法,并证明这么做的理由是出于紧迫的考虑。

25. 各成员国应采取措施,保护文化和自然遗产免受标志现代文明的技术进步可能带来的有害影响。这些措施应旨在对付由机器和车辆所引起的震动和震颤的影响。还应采取措施防止污染和自然灾害和灾难,并对文化和自然遗产所受到的损坏进行修缮。

26. 由于建筑群的修复情况并非到处千篇一律,因此各成员国应在适当情况下进行社会科学调查,以便准确地确定

有关建筑群所在的社区有何社会需要和文化需要。任何修复工程都应特别注意使人类能在已修复的环境中工作、发展并取得成就。

27. 各成员国应对各项自然遗产,如公园、野生物、难民区或娱乐区或其他类似保护区进行地质和生态研究,以正确评估其科学价值,确定观众使用带来的影响,并观察各种相互关系,避免对遗产造成严重损害,并为动物和植物的管理提供足够的背景资料。

28. 各成员国应在运输、通讯、视听技术、数据自动处理和其他先进技术以及文化、娱乐发展趋势方面做到齐头并进,以便为科学研究和适合于各地而又不破坏自然资源的公共娱乐提供尽可能好的设备和服务。

行政措施

29. 各成员国应尽快制订出其文化和自然遗产的保护清单,其中包括那些虽不是至关重要但却与其环境不可分割并构成其特征的项目。

30. 通过对文化和自然遗产的这种勘查所获得的信息资料应以适当的形式予以收集,并定期更新。

31. 为了确保在各级规划中都能有效地确认文化和自然遗产,各成员国应准备涉及有关文化和自然遗产的地图和尽可能详尽的资料。

32. 各成员国应考虑为不再用作原来用途的历史建筑群寻找合适的用途。

33. 应该为保护、保存、展示和修复具有历史和艺术价值的建筑群制定计划。它应包括边缘保护地带、规定土地使用条件并说明需要保护的建筑物及其保护条件。该计划应纳入有关地区的城镇和乡村整体规划的政策。

34. 修复计划应说明历史建筑物将作何用途以及修复地区与城市周围发展之间有何联系。在考虑指定一个修复区时,应同该地区的地方当局及居民代表进行磋商。

35. 任何可能导致改变保护区建筑物现状的工程须由城镇和乡村规划部门在听取负责文化和自然遗产保护的专门行政部门的意见并予以批准后方可进行。

36. 如果出于居住者生活的需要,并且只有在不会极大地改变古代寓所真实特性的条件下,才应允许对建筑群的内部进行改动以及安装现代化设施。

37. 各成员国应根据其自然遗产的清单,制订短期和长期计划以形成一套符合本国需要的保护系统。

38. 各成员国应就符合土地有效使用的国家保护政策提供咨询服务以指导民间组织及土地所有者。

39. 各成员国应为恢复因工业而遭废弃或人类活动而遭破坏的自然区域制订政策和计划。

法律措施

40.文化和自然遗产的组成部分,应根据其本身的重要性,由与各国的权限和法律程序相一致的立法或法规单独地或集体地予以保护。

41.通过制订新规定应对保护措施作必要的补充,以促进文化和自然遗产的保护,并有利于展示其组成部分。为此,保护措施的实施,应适用于拥有文化和自然遗产组成部分的个人或公共当局。

42.未经专门行政部门批准,一律不准兴建新建筑物,也不准对位于保护区或附近的财产予以拆除、改造、修改或砍伐其树木。

43.允许工业发展或公共和私人工程的规划之立法应考虑现有的有关保护的立法。负责保护文化和自然遗产的有关当局可以采取步骤,通过以下方法加快必要的保护工程,即或者向遗产所有者提供财政援助,或者代理所有者并行使其权力使工程竣工。有关当局有可能获得所有者通常原本应付的那部分费用的补偿。

44.在出于保护财产之需要的情况下,可根据国内立法的规定赋予公共当局征用受保护的建筑物或自然遗址的权力。

45.各成员国应制订法规,控制招贴画、霓虹灯和其他各类广告、商业招牌、野营、电线杆、高塔、电线或电话线、电视天线、各种交通运输停车场、路标和街头设施等,总之与装备或占据文化和自然遗产某一组成部分有关的一切事宜。

46.无论所有权是否变更,为保护文化和自然遗产的任何组成部分所采取的措施应继续有效。如果一个受保护的建筑物或自然遗址被出售,应告诉买者它在被保护之列。

47.对蓄意破坏、损害或毁坏被保护的古迹、建筑物群或遗址、或具有考古、历史或艺术价值的遗产的人,应根据各国宪法、法律和权限予以惩罚或行政处罚。此外,对非法挖掘设备应予以没收。

48.对其他任何破坏保护、保存和展示受保护的文化或自然遗产组成部分的行为负有责任者应给予惩罚和行政处罚。它应包括根据已有的科技标准将受影响的遗址修复至原状的规定。

财政措施

49.中央和地方当局应根据构成文化和自然遗产组成部分的被保护财产的重要性,尽可能在预算中拨出一定比例的资金,以便维护、保护和展示其所拥有的被保护财产,并从财产上资助对公共或私人所有的其他被保护财产所进行的类似工程。

50.因保护、保存和展示私人所有的文化和自然遗产所

造成的开支应尽可能地由所有者或使用者负担。

51.此类开支的减税或赠款或优惠贷款可以提供给被保护财产的私人所有者,条件是他们根据所同意的标准进行保护、保存、展示和修复其财产的工程。

52.如有必要,应考虑向文化和自然遗产保护区所有者赔偿因保护计划而可能遭致的损失。

53.在适当情况下,给予私人所有者的财政优惠应取决于他们是否遵守为公共利益而规定的某些条件,如:允许人们进入公园、花园和遗址,游览部分或全部自然遗址及古迹和建筑群,允许拍照等。

54.在公共部门的预算中,应为保护受大规模公共或私人工程的危害的文化和自然遗产划拨专项资金。

55.为了增加可能得到的财政资源,各成员国可以设立一个或多个"文化和自然遗产基金会",它们如同合法设立的公共机构一样,有权接受私人馈赠、捐赠和遗赠,特别是来自工业和商业公司的捐款。

56.对那些征集、修复或维护文化和自然遗产的特定组成部分的馈赠、捐赠或遗赠者应给予税务减让。

57.为了有利于自然和文化遗产修复工程的进行,各成员国可以做出特别安排,特别是通过为更新和修复工程贷款的方式;各成员国也可以制定必要的法规,以避免由于不动产的投机而带来的物价上涨。

58.为了避免因修缮给不得不搬出建筑物或建筑群的贫困居民带来的艰辛,可以考虑给予租金上涨的补偿,以使他们能够保留住宅。这种补偿应该是暂时性的,并应根据有关人员的收入而定,以使他们能够偿付由于进行工程而造成的不断增加的费用。

59.各成员国可以为有利于文化和自然遗产各项工程的融资提供便利,即通过建立由公共机构和私人信贷部门支持的"信贷基金",负责向所有者提供低息长期贷款。

六 教育和文化行动

60.大学、各级教育机构及永久性教育机构应就艺术史、建筑、环境和城镇规划定期组织讲课、讲座、讨论会等。

61.各成员国应开展教育运动以唤起公众对文化和自然遗产的广泛兴趣和尊重,还应继续努力以告知公众为保护文化和自然遗产现在正在做些什么,以及可做些什么,并谆谆教诲他们理解和尊重其所含价值。为此,应动用一切所需之信息媒介。

62.在不忽视文化和自然遗产的巨大经济和社会价值的情况下,应采取措施促进和增强该遗产的明显的文化和教育价值以服务于保护、保存的展示该遗产的基本目的。

63. 为文化和自然遗产组成部分所做的一切努力,都应考虑其代表一种环境,一种与人类及其地位相适应的建筑或城镇设计形式而自身蕴藏的内在的文化价值和教育价值。

64. 应建立志愿者机构以鼓励国家和地方当局充分利用其保护权力并向它们提供帮助及必要时替它们筹措资金。这些机构应该同地方历史学会、友好促进会、地方发展委员会以及旅游机构等保持联系,还可以组织其成员参观和游览文化和自然遗产的不同项目。

65. 为了说明已列入计划、正在进行的文化和自然遗产组成部分的修复工程,可设立信息中心、博物馆或举办展览。

七 国际合作

66. 各成员国应就文化和自然遗产的保护、保存和展示进行合作,在必要情况下,从政府间和非政府间的国际组织寻求援助。这种多边或双边合作应认真予以协调,并采取以下形式的措施:

（1）交流信息及交换科技出版物;

（2）组织专题讨论会或工作小组;

（3）提供学习和旅游奖学金,提供科技行政人员与设备;

（4）通过让年轻研究人员和技术人员参加建筑项目、考古发掘和自然遗址的保护提供国外科技培训的便利;

（5）在一些成员国之间就保护、发掘、修复和修缮工程的大型项目进行协作,以推广所得的经验。

以上乃联合国教育、科学及文化组织大会在巴黎举行的于 1972 年 11 月 21 日宣布闭幕的第十七届会议正式通过的建议之作准文本。

我们已于 1972 年 11 月 23 日签字,以昭信守。

中华人民共和国文物保护法

（2002 年 10 月 28 日第九届全国人民代表大会常务委员会第三十次会议通过）

第一章 总则

第一条 为了加强对文物的保护,继承中华民族优秀的历史文化遗产,促进科学研究工作,进行爱国主义和革命传统教育,建设社会主义精神文明和物质文明,根据宪法,制定本法。

第二条 在中华人民共和国境内,下列文物受国家保护:

（一）具有历史、艺术、科学价值的古文化遗址、古墓葬、古建筑、石窟寺和石刻、壁画;

（二）与重大历史事件、革命运动或者著名人物有关的以及具有重要纪念意义、教育意义或者史料价值的近代现代重要史迹、实物、代表性建筑;

（三）历史上各时代珍贵的艺术品、工艺美术品;

（四）历史上各时代重要的文献资料以及具有历史、艺术、科学价值的手稿和图书资料等;

（五）反映历史上各时代、各民族社会制度、社会生产、社会生活的代表性实物。

文物认定的标准和办法由国务院文物行政部门制定,并报国务院批准。

具有科学价值的古脊椎动物化石和古人类化石同文物一样受国家保护。

第三条 古文化遗址、古墓葬、古建筑、石窟寺、石刻、壁画、近代现代重要史迹和代表性建筑等不可移动文物,根据它们的历史、艺术、科学价值,可以分别确定为全国重点文物保护单位,省级文物保护单位,市、县级文物保护单位。

历史上各时代重要实物、艺术品、文献、手稿、图书资料、代表性实物等可移动文物,分为珍贵文物和一般文物;珍贵文物分为一级文物、二级文物、三级文物。

第四条 文物工作贯彻保护为主、抢救第一、合理利用、加强管理的方针。

第五条 中华人民共和国境内地下、内水和领海中遗存的一切文物,属于国家所有。

古文化遗址、古墓葬、石窟寺属于国家所有。国家指定保护的纪念建筑物、古建筑、石刻、壁画、近代现代代表性建筑等不可移动文物,除国家另有规定的以外,属于国家所有。

国有不可移动文物的所有权不因其所依附的土地所有权或者使用权的改变而改变。

下列可移动文物,属于国家所有:

（一）中国境内出土的文物,国家另有规定的除外;

（二）国有文物收藏单位以及其他国家机关、部队和国有企业、事业组织等收藏、保管的文物；

（三）国家征集、购买的文物；

（四）公民、法人和其他组织捐赠给国家的文物；

（五）法律规定属于国家所有的其他文物。

属于国家所有的可移动文物的所有权不因其保管、收藏单位的终止或者变更而改变。

国有文物所有权受法律保护，不容侵犯。

第六条　属于集体所有和私人所有的纪念建筑物、古建筑和祖传文物以及依法取得的其他文物，其所有权受法律保护。文物的所有者必须遵守国家有关文物保护的法律、法规的规定。

第七条　一切机关、组织和个人都有依法保护文物的义务。

第八条　国务院文物行政部门主管全国文物保护工作。

地方各级人民政府负责本行政区域内的文物保护工作。县级以上地方人民政府承担文物保护工作的部门对本行政区域内的文物保护实施监督管理。

县级以上人民政府有关行政部门在各自的职责范围内，负责有关的文物保护工作。

第九条　各级人民政府应当重视文物保护，正确处理经济建设、社会发展与文物保护的关系，确保文物安全。

基本建设、旅游发展必须遵守文物保护工作的方针，其活动不得对文物造成损害。

公安机关、工商行政管理部门、海关、城乡建设规划部门和其他有关国家机关，应当依法认真履行所承担的保护文物的职责，维护文物管理秩序。

第十条　国家发展文物保护事业。县级以上人民政府应当将文物保护事业纳入本级国民经济和社会发展规划，所需经费列入本级财政预算。

国家用于文物保护的财政拨款随着财政收入增长而增加。

国有博物馆、纪念馆、文物保护单位等的事业性收入，专门用于文物保护，任何单位或者个人不得侵占、挪用。

国家鼓励通过捐赠等方式设立文物保护社会基金，专门用于文物保护，任何单位或者个人不得侵占、挪用。

第十一条　文物是不可再生的文化资源。国家加强文物保护的宣传教育，增强全民文物保护的意识，鼓励文物保护的科学研究，提高文物保护的科学技术水平。

第十二条　有下列事迹的单位或者个人，由国家给予精神鼓励或者物质奖励：

（一）认真执行文物保护法律、法规，保护文物成绩显著的；

（二）为保护文物与违法犯罪行为作坚决斗争的；

（三）将个人收藏的重要文物捐献给国家或者为文物保护事业作出捐赠的；

（四）发现文物及时上报或者上交，使文物得到保护的；

（五）在考古发掘工作中作出重大贡献的；

（六）在文物保护科学技术方面有重要发明创造或者其他重要贡献的；

（七）在文物面临破坏危险时，抢救文物有功的；

（八）长期从事文物工作，作出显著成绩的。

第二章　不可移动文物

第十三条　国务院文物行政部门在省级、市、县级文物保护单位中，选择具有重大历史、艺术、科学价值的确定为全国重点文物保护单位，或者直接确定为全国重点文物保护单位，报国务院核定公布。

省级文物保护单位，由省、自治区、直辖市人民政府核定公布，并报国务院备案。

市级和县级文物保护单位，分别由设区的市、自治州和县级人民政府核定公布，并报省、自治区、直辖市人民政府备案。

尚未核定公布为文物保护单位的不可移动文物，由县级人民政府文物行政部门予以登记并公布。

第十四条　保存文物特别丰富并且具有重大历史价值或者革命纪念意义的城市，由国务院核定公布为历史文化名城。

保存文物特别丰富并且具有重大历史价值或者革命纪念意义的城镇、街道、村庄，由省、自治区、直辖市人民政府核定公布为历史文化街区、村镇，并报国务院备案。

历史文化名城和历史文化街区、村镇所在地的县级以上地方人民政府应当组织编制专门的历史文化名城和历史文化街区、村镇保护规划，并纳入城市总体规划。

历史文化名城和历史文化街区、村镇的保护办法，由国务院制定。

第十五条　各级文物保护单位，分别由省、自治区、直辖市人民政府和市、县级人民政府划定必要的保护范围，作出标志说明，建立记录档案，并区别情况分别设置专门机构或者专人负责管理。全国重点文物保护单位的保护范围和记录档案，由省、自治区、直辖市人民政府文物行政部门报国务院文物行政部门备案。

县级以上地方人民政府文物行政部门应当根据不同文物的保护需要，制定文物保护单位和未核定为文物保护单位的不可移动文物的具体保护措施，并公告施行。

第十六条　各级人民政府制定城乡建设规划,应当根据文物保护的需要,事先由城乡建设规划部门会同文物行政部门商定对本行政区域内各级文物保护单位的保护措施,并纳入规划。

第十七条　文物保护单位的保护范围内不得进行其他建设工程或者爆破、钻探、挖掘等作业。但是,因特殊情况需要在文物保护单位的保护范围内进行其他建设工程或者爆破、钻探、挖掘等作业的,必须保证文物保护单位的安全,并经核定公布该文物保护单位的人民政府批准,在批准前应当征得上一级人民政府文物行政部门同意;在全国重点文物保护单位的保护范围内进行其他建设工程或者爆破、钻探、挖掘等作业的,必须经省、自治区、直辖市人民政府批准,在批准前应当征得国务院文物行政部门同意。

第十八条　根据保护文物的实际需要,经省、自治区、直辖市人民政府批准,可以在文物保护单位的周围划出一定的建设控制地带,并予以公布。

在文物保护单位的建设控制地带内进行建设工程,不得破坏文物保护单位的历史风貌;工程设计方案应当根据文物保护单位的级别,经相应的文物行政部门同意后,报城乡建设规划部门批准。

第十九条　在文物保护单位的保护范围和建设控制地带内,不得建设污染文物保护单位及其环境的设施,不得进行可能影响文物保护单位安全及其环境的活动。对已有的污染文物保护单位及其环境的设施,应当限期治理。

第二十条　建设工程选址,应当尽可能避开不可移动文物;因特殊情况不能避开的,对文物保护单位应当尽可能实施原址保护。

实施原址保护的,建设单位应当事先确定保护措施,根据文物保护单位的级别报相应的文物行政部门批准,并将保护措施列入可行性研究报告或者设计任务书。

无法实施原址保护,必须迁移异地保护或者拆除的,应当报省、自治区、直辖市人民政府批准;迁移或者拆除省级文物保护单位的,批准前须征得国务院文物行政部门同意。全国重点文物保护单位不得拆除;需要迁移的,须由省、自治区、直辖市人民政府报国务院批准。

依照前款规定拆除的国有不可移动文物中具有收藏价值的壁画、雕塑、建筑构件等,由文物行政部门指定的文物收藏单位收藏。

本条规定的原址保护、迁移、拆除所需费用,由建设单位列入建设工程预算。

第二十一条　国有不可移动文物由使用人负责修缮、保养;非国有不可移动文物由所有人负责修缮、保养。非国有不可移动文物有损毁危险,所有人不具备修缮能力的,当地人民政府应当给予帮助;所有人具备修缮能力而拒不依法履行修缮义务的,县级以上人民政府可以给予抢救修缮,所需费用由所有人负担。

对文物保护单位进行修缮,应当根据文物保护单位的级别报相应的文物行政部门批准;对未核定为文物保护单位的不可移动文物进行修缮,应当报登记的县级人民政府文物行政部门批准。

文物保护单位的修缮、迁移、重建,由取得文物保护工程资质证书的单位承担。

对不可移动文物进行修缮、保养、迁移,必须遵守不改变文物原状的原则。

第二十二条　不可移动文物已经全部毁坏的,应当实施遗址保护,不得在原址重建。但是,因特殊情况需要在原址重建的,由省、自治区、直辖市人民政府文物行政部门征得国务院文物行政部门同意后,报省、自治区、直辖市人民政府批准;全国重点文物保护单位需要在原址重建的,由省、自治区、直辖市人民政府报国务院批准。

第二十三条　核定为文物保护单位的属于国家所有的纪念建筑物或者古建筑,除可以建立博物馆、保管所或者辟为参观游览场所外,如果必须作其他用途的,应当经核定公布该文物保护单位的人民政府文物行政部门征得上一级文物行政部门同意后,报核定公布该文物保护单位的人民政府批准;全国重点文物保护单位作其他用途的,应当由省、自治区、直辖市人民政府报国务院批准。国有未核定为文物保护单位的不可移动文物作其他用途的,应当报告县级人民政府文物行政部门。

第二十四条　国有不可移动文物不得转让、抵押。建立博物馆、保管所或者辟为参观游览场所的国有文物保护单位,不得作为企业资产经营。

第二十五条　非国有不可移动文物不得转让、抵押给外国人。

非国有不可移动文物转让、抵押或者改变用途的,应当根据其级别报相应的文物行政部门备案;由当地人民政府出资帮助修缮的,应当报相应的文物行政部门批准。

第二十六条　使用不可移动文物,必须遵守不改变文物原状的原则,负责保护建筑物及其附属文物的安全,不得损毁、改建、添建或者拆除不可移动文物。

对危害文物保护单位安全、破坏文物保护单位历史风貌的建筑物、构筑物,当地人民政府应当及时调查处理,必要时,对该建筑物、构筑物予以拆迁。

第三章　考古发掘

第二十七条　一切考古发掘工作,必须履行报批手续;从事考古发掘的单位,应当经国务院文物行政部门批准。

地下埋藏的文物,任何单位或者个人都不得私自发掘。

第二十八条　从事考古发掘的单位,为了科学研究进行考古发掘,应当提出发掘计划,报国务院文物行政部门批准;对全国重点文物保护单位的考古发掘计划,应当经国务院文物行政部门审核后报国务院批准。国务院文物行政部门在批准或者审核前,应当征求社会科学研究机构及其他科研机构和有关专家的意见。

第二十九条　进行大型基本建设工程,建设单位应当事先报请省、自治区、直辖市人民政府文物行政部门组织从事考古发掘的单位在工程范围内有可能埋藏文物的地方进行考古调查、勘探。

考古调查、勘探中发现文物的,由省、自治区、直辖市人民政府文物行政部门根据文物保护的要求会同建设单位共同商定保护措施;遇有重要发现的,由省、自治区、直辖市人民政府文物行政部门及时报国务院文物行政部门处理。

第三十条　需要配合建设工程进行的考古发掘工作,应当由省、自治区、直辖市文物行政部门在勘探工作的基础上提出发掘计划,报国务院文物行政部门批准。国务院文物行政部门在批准前,应当征求社会科学研究机构及其他科研机构和有关专家的意见。

确因建设工期紧迫或者有自然破坏危险,对古文化遗址、古墓葬急需进行抢救发掘的,由省、自治区、直辖市人民政府文物行政部门组织发掘,并同时补办审批手续。

第三十一条　凡因进行基本建设和生产建设需要的考古调查、勘探、发掘,所需费用由建设单位列入建设工程预算。

第三十二条　在进行建设工程或者在农业生产中,任何单位或者个人发现文物,应当保护现场,立即报告当地文物行政部门,文物行政部门接到报告后,如无特殊情况,应当在二十四小时内赶赴现场,并在七日内提出处理意见。文物行政部门可以报请当地人民政府通知公安机关协助保护现场;发现重要文物的,应当立即上报国务院文物行政部门,国务院文物行政部门应当在接到报告后十五日内提出处理意见。

依照前款规定发现的文物属于国家所有,任何单位或者个人不得哄抢、私分、藏匿。

第三十三条　非经国务院文物行政部门报国务院特别许可,任何外国人或者外国团体不得在中华人民共和国境内进行考古调查、勘探、发掘。

第三十四条　考古调查、勘探、发掘的结果,应当报告国务院文物行政部门和省、自治区、直辖市人民政府文物行政部门。

考古发掘的文物,应当登记造册,妥善保管,按照国家有关规定移交给由省、自治区、直辖市人民政府文物行政部门或者国务院文物行政部门指定的国有博物馆、图书馆或者其他国有收藏文物的单位收藏。经省、自治区、直辖市人民政府文物行政部门或者国务院文物行政部门批准,从事考古发掘的单位可以保留少量出土文物作为科研标本。

考古发掘的文物,任何单位或者个人不得侵占。

第三十五条　根据保证文物安全、进行科学研究和充分发挥文物作用的需要,省、自治区、直辖市人民政府文物行政部门经本级人民政府批准,可以调用本行政区域内的出土文物;国务院文物行政部门经国务院批准,可以调用全国的重要出土文物。

第四章　馆藏文物

第三十六条　博物馆、图书馆和其他文物收藏单位对收藏的文物,必须区分文物等级,设置藏品档案,建立严格的管理制度,并报主管的文物行政部门备案。

县级以上地方人民政府文物行政部门应当分别建立本行政区域内的馆藏文物档案;国务院文物行政部门应当建立国家一级文物藏品档案和其主管的国有文物收藏单位馆藏文物档案。

第三十七条　文物收藏单位可以通过下列方式取得文物:

(一)购买;

(二)接受捐赠;

(三)依法交换;

(四)法律、行政法规规定的其他方式。

国有文物收藏单位还可以通过文物行政部门指定保管或者调拨方式取得文物。

第三十八条　文物收藏单位应当根据馆藏文物的保护需要,按照国家有关规定建立、健全管理制度,并报主管的文物行政部门备案。未经批准,任何单位或者个人不得调取馆藏文物。

文物收藏单位的法定代表人对馆藏文物的安全负责。国有文物收藏单位的法定代表人离任时,应当按照馆藏文物档案办理馆藏文物移交手续。

第三十九条　国务院文物行政部门可以调拨全国的国有馆藏文物。省、自治区、直辖市人民政府文物行政部门可以调拨本行政区域内其主管的国有文物收藏单位馆藏文物;调拨国有馆藏一级文物,应当报国务院文物行政部门备案。

国有文物收藏单位可以申请调拨国有馆藏文物。

第四十条　文物收藏单位应当充分发挥馆藏文物的作用,通过举办展览、科学研究等活动,加强对中华民族优秀的历史文化和革命传统的宣传教育。

国有文物收藏单位之间因举办展览、科学研究等需借用馆藏文物的,应当报主管的文物行政部门备案;借用馆藏一级文物,应当经国务院文物行政部门批准。

非国有文物收藏单位和其他单位举办展览需借用国有馆藏文物的,应当报主管的文物行政部门批准;借用国有馆藏一级文物,应当经国务院文物行政部门批准。

文物收藏单位之间借用文物的最长期限不得超过三年。

第四十一条　已经建立馆藏文物档案的国有文物收藏单位,经省、自治区、直辖市人民政府文物行政部门批准,并报国务院文物行政部门备案,其馆藏文物可以在国有文物收藏单位之间交换;交换馆藏一级文物的,必须经国务院文物行政部门批准。

第四十二条　未建立馆藏文物档案的国有文物收藏单位,不得依照本法第四十条、第四十一条的规定处置其馆藏文物。

第四十三条　依法调拨、交换、借用国有馆藏文物,取得文物的文物收藏单位可以对提供文物的文物收藏单位给予合理补偿,具体管理办法由国务院文物行政部门制定。

国有文物收藏单位调拨、交换、出借文物所得的补偿费用,必须用于改善文物的收藏条件和收集新的文物,不得挪作他用;任何单位或者个人不得侵占。

调拨、交换、借用的文物必须严格保管,不得丢失、损毁。

第四十四条　禁止国有文物收藏单位将馆藏文物赠与、出租或者出售给其他单位、个人。

第四十五条　国有文物收藏单位不再收藏的文物的处置办法,由国务院另行制定。

第四十六条　修复馆藏文物,不得改变馆藏文物的原状;复制、拍摄、拓印馆藏文物,不得对馆藏文物造成损害。具体管理办法由国务院制定。

不可移动文物的单体文物的修复、复制、拍摄、拓印,适用前款规定。

第四十七条　博物馆、图书馆和其他收藏文物的单位应当按照国家有关规定配备防火、防盗、防自然损坏的设施,确保馆藏文物的安全。

第四十八条　馆藏一级文物损毁的,应当报国务院文物行政部门核查处理。其他馆藏文物损毁的,应当报省、自治区、直辖市人民政府文物行政部门核查处理;省、自治区、直辖市人民政府文物行政部门应当将核查处理结果报国务院

文物行政部门备案。

馆藏文物被盗、被抢或者丢失的,文物收藏单位应当立即向公安机关报案,并同时向主管的文物行政部门报告。

第四十九条　文物行政部门和国有文物收藏单位的工作人员不得借用国有文物,不得非法侵占国有文物。

第五章　民间收藏文物

第五十条　文物收藏单位以外的公民、法人和其他组织可以收藏通过下列方式取得的文物:

(一)依法继承或者接受赠与;

(二)从文物商店购买;

(三)从经营文物拍卖的拍卖企业购买;

(四)公民个人合法所有的文物相互交换或者依法转让;

(五)国家规定的其他合法方式。

文物收藏单位以外的公民、法人和其他组织收藏的前款文物可以依法流通。

第五十一条　公民、法人和其他组织不得买卖下列文物:

(一)国有文物,但是国家允许的除外;

(二)非国有馆藏珍贵文物;

(三)国有不可移动文物中的壁画、雕塑、建筑构件等,但是依法拆除的国有不可移动文物中的壁画、雕塑、建筑构件等不属于本法第二十条第四款规定的应由文物收藏单位收藏的除外;

(四)来源不符合本法第五十条规定的文物。

第五十二条　国家鼓励文物收藏单位以外的公民、法人和其他组织将其收藏的文物捐赠给国有文物收藏单位或者出借给文物收藏单位展览和研究。

国有文物收藏单位应当尊重并按照捐赠人的意愿,对捐赠的文物妥善收藏、保管和展示。

国家禁止出境的文物,不得转让、出租、质押给外国人。

第五十三条　文物商店应当由国务院文物行政部门或者省、自治区、直辖市人民政府文物行政部门批准设立,依法进行管理。

文物商店不得从事文物拍卖经营活动,不得设立经营文物拍卖的拍卖企业。

第五十四条　依法设立的拍卖企业经营文物拍卖的,应当取得国务院文物行政部门颁发的文物拍卖许可证。

经营文物拍卖的拍卖企业不得从事文物购销经营活动,不得设立文物商店。

第五十五条　文物行政部门的工作人员不得举办或者

参与举办文物商店或者经营文物拍卖的拍卖企业。

文物收藏单位不得举办或者参与举办文物商店或者经营文物拍卖的拍卖企业。

禁止设立中外合资、中外合作和外商独资的文物商店或者经营文物拍卖的拍卖企业。

除经批准的文物商店、经营文物拍卖的拍卖企业外,其他单位或者个人不得从事文物的商业经营活动。

第五十六条　文物商店销售的文物,在销售前应当经省、自治区、直辖市人民政府文物行政部门审核;对允许销售的,省、自治区、直辖市人民政府文物行政部门应当作出标识。

拍卖企业拍卖的文物,在拍卖前应当经省、自治区、直辖市人民政府文物行政部门审核,并报国务院文物行政部门备案;省、自治区、直辖市人民政府文物行政部门不能确定是否可以拍卖的,应当报国务院文物行政部门审核。

第五十七条　文物商店购买、销售文物,拍卖企业拍卖文物,应当按照国家有关规定作出记录,并报原审核的文物行政部门备案。

拍卖文物时,委托人、买受人要求对其身份保密的,文物行政部门应当为其保密;但是,法律、行政法规另有规定的除外。

第五十八条　文物行政部门在审核拟拍卖的文物时,可以指定国有文物收藏单位优先购买其中的珍贵文物。购买价格由文物收藏单位的代表与文物的委托人协商确定。

第五十九条　银行、冶炼厂、造纸厂以及废旧物资回收单位,应当与当地文物行政部门共同负责拣选掺杂在金银器和废旧物资中的文物。拣选文物除供银行研究所必需的历史货币可以由人民银行留用外,应当移交当地文物行政部门。移交拣选文物,应当给予合理补偿。

第六章　文物出境进境

第六十条　国有文物、非国有文物中的珍贵文物和国家规定禁止出境的其他文物,不得出境;但是依照本法规定出境展览或者因特殊需要经国务院批准出境的除外。

第六十一条　文物出境,应当经国务院文物行政部门指定的文物进出境审核机构审核。经审核允许出境的文物,由国务院文物行政部门发给文物出境许可证,从国务院文物行政部门指定的口岸出境。

任何单位或者个人运送、邮寄、携带文物出境,应当向海关申报;海关凭文物出境许可证放行。

第六十二条　文物出境展览,应当报国务院文物行政部门批准;一级文物超过国务院规定数量的,应当报国务院批

准。

一级文物中的孤品和易损品,禁止出境展览。

出境展览的文物出境,由文物进出境审核机构审核、登记。海关凭国务院文物行政部门或者国务院的批准文件放行。出境展览的文物复进境,由原文物进出境审核机构审核查验。

第六十三条　文物临时进境,应当向海关申报,并报文物进出境审核机构审核、登记。

临时进境的文物复出境,必须经原审核、登记的文物进出境审核机构审核查验;经审核查验无误的,由国务院文物行政部门发给文物出境许可证,海关凭文物出境许可证放行。

第七章　法律责任

第六十四条　违反本法规定,有下列行为之一,构成犯罪的,依法追究刑事责任:

(一)盗掘古文化遗址、古墓葬的;

(二)故意或者过失损毁国家保护的珍贵文物的;

(三)擅自将国有馆藏文物出售或者私自送给非国有单位或者个人的;

(四)将国家禁止出境的珍贵文物私自出售或者送给外国人的;

(五)以牟利为目的倒卖国家禁止经营的文物的;

(六)走私文物的;

(七)盗窃、哄抢、私分或者非法侵占国有文物的;

(八)应当追究刑事责任的其他妨害文物管理行为。

第六十五条　违反本法规定,造成文物灭失、损毁的,依法承担民事责任。

违反本法规定,构成违反治安管理行为的,由公安机关依法给予治安管理处罚。

违反本法规定,构成走私行为,尚不构成犯罪的,由海关依照有关法律、行政法规的规定给予处罚。

第六十六条　有下列行为之一,尚不构成犯罪的,由县级以上人民政府文物主管部门责令改正,造成严重后果的,处五万元以上五十万元以下的罚款;情节严重的,由原发证机关吊销资质证书:

(一)擅自在文物保护单位的保护范围内进行建设工程或者爆破、钻探、挖掘等作业的;

(二)在文物保护单位的建设控制地带内进行建设工程,其工程设计方案未经文物行政部门同意、报城乡建设规划部门批准,对文物保护单位的历史风貌造成破坏的;

(三)擅自迁移、拆除不可移动文物的;

（四）擅自修缮不可移动文物，明显改变文物原状的；

（五）擅自在原址重建已全部毁坏的不可移动文物，造成文物破坏的；

（六）施工单位未取得文物保护工程资质证书，擅自从事文物修缮、迁移、重建的。

刻画、涂污或者损坏文物尚不严重的，或者损毁依照本法第十五条第一款规定设立的文物保护单位标志的，由公安机关或者文物所在单位给予警告，可以并处罚款。

第六十七条　在文物保护单位的保护范围内或者建设控制地带内建设污染文物保护单位及其环境的设施的，或者对已有的污染文物保护单位及其环境的设施未在规定的期限内完成治理的，由环境保护行政部门依照有关法律、法规的规定给予处罚。

第六十八条　有下列行为之一的，由县级以上人民政府文物主管部门责令改正，没收违法所得，违法所得一万元以上的，并处违法所得二倍以上五倍以下的罚款；违法所得不足一万元的，并处五千元以上二万元以下的罚款：

（一）转让或者抵押国有不可移动文物，或者将国有不可移动文物作为企业资产经营的；

（二）将非国有不可移动文物转让或者抵押给外国人的；

（三）擅自改变国有文物保护单位的用途的。

第六十九条　历史文化名城的布局、环境、历史风貌等遭到严重破坏的，由国务院撤销其历史文化名城称号；历史文化城镇、街道、村庄的布局、环境、历史风貌等遭到严重破坏的，由省、自治区、直辖市人民政府撤销其历史文化街区、村镇称号；对负有责任的主管人员和其他直接责任人员依法给予行政处分。

第七十条　有下列行为之一，尚不构成犯罪的，由县级以上人民政府文物主管部门责令改正，可以并处二万元以下的罚款，有违法所得的，没收违法所得：

（一）文物收藏单位未按照国家有关规定配备防火、防盗、防自然损坏的设施的；

（二）国有文物收藏单位法定代表人离任时未按照馆藏文物档案移交馆藏文物，或者所移交的馆藏文物与馆藏文物档案不符的；

（三）将国有馆藏文物赠与、出租或者出售给其他单位、个人的；

（四）违反本法第四十条、第四十一条、第四十五条规定处置国有馆藏文物的；

（五）违反本法第四十三条规定挪用或者侵占依法调拨、交换、出借文物所得补偿费用的。

第七十一条　买卖国家禁止买卖的文物或者将禁止出境的文物转让、出租、质押给外国人，尚不构成犯罪的，由县级以上人民政府文物主管部门责令改正，没收违法所得，违法经营额一万元以上的，并处违法经营额二倍以上五倍以下的罚款；违法经营额不足一万元的，并处五千元以上二万元以下的罚款。

第七十二条　未经许可，擅自设立文物商店、经营文物拍卖的拍卖企业，或者擅自从事文物的商业经营活动，尚不构成犯罪的，由工商行政管理部门依法予以制止，没收违法所得、非法经营的文物，违法经营额五万元以上的，并处违法经营额二倍以上五倍以下的罚款；违法经营额不足五万元的，并处二万元以上十万元以下的罚款。

第七十三条　有下列情形之一的，由工商行政管理部门没收违法所得、非法经营的文物，违法经营额五万元以上的，并处违法经营额一倍以上三倍以下的罚款；违法经营额不足五万元的，并处五千元以上五万元以下的罚款；情节严重的，由原发证机关吊销许可证书：

（一）文物商店从事文物拍卖经营活动的；

（二）经营文物拍卖的拍卖企业从事文物购销经营活动的；

（三）文物商店销售的文物、拍卖企业拍卖的文物，未经审核的；

（四）文物收藏单位从事文物的商业经营活动的。

第七十四条　有下列行为之一，尚不构成犯罪的，由县级以上人民政府文物主管部门会同公安机关追缴文物；情节严重的，处五千元以上五万元以下的罚款：

（一）发现文物隐匿不报或者拒不上交的；

（二）未按照规定移交拣选文物的。

第七十五条　有下列行为之一的，由县级以上人民政府文物主管部门责令改正：

（一）改变国有未核定为文物保护单位的不可移动文物的用途，未依照本法规定报告的；

（二）转让、抵押非国有不可移动文物或者改变其用途，未依照本法规定备案的；

（三）国有不可移动文物的使用人拒不依法履行修缮义务的；

（四）考古发掘单位未经批准擅自进行考古发掘，或者不如实报告考古发掘结果的；

（五）文物收藏单位未按照国家有关规定建立馆藏文物档案、管理制度，或者未将馆藏文物档案、管理制度备案的；

（六）违反本法第三十八条规定，未经批准擅自调取馆藏文物的；

（七）馆藏文物损毁未报文物行政部门核查处理，或者馆藏文物被盗、被抢或者丢失，文物收藏单位未及时向公安机关或者文物行政部门报告的；

（八）文物商店销售文物或者拍卖企业拍卖文物，未按照国家有关规定作出记录或者未将所作记录报文物行政部门备案的。

第七十六条　文物行政部门、文物收藏单位、文物商店、经营文物拍卖的拍卖企业的工作人员，有下列行为之一的，依法给予行政处分，情节严重的，依法开除公职或者吊销其从业资格；构成犯罪的，依法追究刑事责任：

（一）文物行政部门的工作人员违反本法规定，滥用审批权限、不履行职责或者发现违法行为不予查处，造成严重后果的；

（二）文物行政部门和国有文物收藏单位的工作人员借用或者非法侵占国有文物的；

（三）文物行政部门的工作人员举办或者参与举办文物商店或者经营文物拍卖的拍卖企业的；

（四）因不负责任造成文物保护单位、珍贵文物损毁或者流失的；

（五）贪污、挪用文物保护经费的。

前款被开除公职或者被吊销从业资格的人员，自被开除公职或者被吊销从业资格之日起十年内不得担任文物管理人员或者从事文物经营活动。

第七十七条　有本法第六十六条、第六十八条、第七十条、第七十一条、第七十四条、第七十五条规定所列行为之一的，负有责任的主管人员和其他直接责任人员是国家工作人员的，依法给予行政处分。

第七十八条　公安机关、工商行政管理部门、海关、城乡建设规划部门和其他国家机关，违反本法规定滥用职权、玩忽职守、徇私舞弊，造成国家保护的珍贵文物损毁或者流失的，对负有责任的主管人员和其他直接责任人员依法给予行政处分；构成犯罪的，依法追究刑事责任。

第七十九条　人民法院、人民检察院、公安机关、海关和工商行政管理部门依法没收的文物应当登记造册，妥善保管，结案后无偿移交文物行政部门，由文物行政部门指定的国有文物收藏单位收藏。

第八章　附则

第八十条　本法自公布之日起施行。

关于加强和改善世界遗产保护管理工作的意见

（文物发[2002]16号）

各省、自治区、直辖市文化厅（局）、文物局（文管会）、计委、财政厅（局）、教育厅（教委）、建设厅（建委）、国土厅（局）、环保厅（局）、林业（农林）厅（局）：

1972年11月16日，联合国教科文组织第十七届会议在巴黎通过了《保护世界文化和自然遗产公约》（以下简称《世界遗产公约》）。考虑到文化遗产和自然遗产越来越多地受到自然和人为破坏的威胁、许多国家和地区对遗产保护工作的不完善、以及各类遗产损失对人类社会的有害影响，《世界遗产公约》要求将那些具有突出重要性的文化或自然遗产作为全人类世界遗产的一部分加以保护。《世界遗产公约》及其基本准则已得到国际社会的普遍欢迎和尊重。

我国历史悠久，文物古迹众多，自然景观丰富。建国以来，党和政府一贯重视文化和自然遗产保护工作，我国有关文化和自然遗产保护的法规、政策和措施，其原则、内容与《世界遗产公约》的基本精神是完全一致的。1985年，我国正式加入了《世界遗产公约》，对国际社会作出了为全人类

妥为保护中国境内世界遗产的庄严承诺。此后，我国的世界遗产保护事业发展迅速，至今已形成相当规模。我国列入《世界遗产名录》的项目已达28处（组），居世界前列，保护、管理世界遗产的工作水平不断提高。世界遗产保护事业在保护我国文物古迹、自然景观，促进我国社会主义精神文明和物质文明建设，宣传我国的悠久历史与灿烂文明，展示我国的壮丽山河与自然风貌，扩大中华文化的国际影响等方面发挥了积极作用。世界遗产工作已经成为我国坚持社会可持续发展战略、建设社会主义现代国家的重要组成部分，也是我国在教育、科学、文化、环境等方面参与国际事务并积极发挥作用的重要领域之一。

当前，我国的世界遗产保护事业面临着不少问题和困难，距离《世界遗产公约》的要求还存在一定差距，主要表现在法制建设有待加强，保护资金不足，专业人才缺乏，重大项目决策程序不够完善以及开发利用过度、忽视保护，甚至出现一些建设性破坏等现象。为进一步改善和加强我国世界

遗产的保护管理工作,特提出如下意见:

一、各级行政主管部门要进一步端正和提高对保护世界遗产重要性的认识。保护世界文化和自然遗产事业已成为全球文化建设和环境保护的重要组成部分,对全世界人民精神和社会文化生活的构建,对保持人类文化多样化、生态多样性和促进世界各国、各民族之间的相互尊重和理解,对历史人文环境、自然演变的科学印迹和优美自然景观的保护与延续,进而对人类文明和社会的可持续发展,都具有无可替代的意义和作用。妥善保护和保存世界遗产,是一个国家法治健全、社会安定和民族团结、文明进步的标志。保护好我国的世界遗产,是对广大人民群众进行爱国主义教育和优秀传统文化教育的需要,是国家生态环境建设和可持续发展的需要,关系到我国人民特别是子孙后代的生存环境和生活质量,关系到国家与社会的整体利益和长远利益,也关系到国家与民族的国际形象。做好世界遗产的保护管理工作,是各地、各有关部门的重要职责,也是当代人义不容辞的历史使命。

二、进一步加强对世界遗产的保护管理工作,做好规划,完善制度。我国现在已有涉及世界遗产资源保护管理的《中华人民共和国文物保护法》、《风景名胜区管理暂行条例》、《森林和野生动物类型自然保护区管理办法》和规划、环保、国土资源等多方面的法规。在实际工作中,一些地方对现行相关法律法规了解不够、执行不力,甚至有法不依、各行其是。在加紧研究制订中国世界遗产保护管理专项法规的同时,各地应进一步宣传并贯彻好现行有关法规,切实检查法规执行情况,对严重违背法规、损害世界遗产的事件,必须依法查处。坚决予以纠正。

作为依法保护管理好世界遗产的重要措施,各地要依据有关法规、政策和技术规范,抓紧制订各个世界遗产地的保护和管理规划;已有规划不够合理、不够完善的,要及时修订、调整、补充。各地都要严格按规划办事。同时,要依据《世界遗产公约》的要求,制订教育和宣传计划,广泛、深入宣传保护世界遗产的重要意义和保护的科学方法,努力增强民众对世界文化、自然遗产的保护和尊重意识,把世界遗产工作置于全社会的支持、监督和保障之下。

三、正确处理世界遗产保护与利用的关系。有效保护、保存和展示文化和自然遗产,是《世界遗产公约》的基本要求。从世界范围看,对世界遗产的主要威胁来自于错位开发和超容量开发。我国的世界遗产也面临同样的威胁。

世界遗产是具有特殊重要性、珍稀性和脆弱易损性的不可再生资源,必须把对遗产的保护放在第一位,一切开发、利用和管理工作,都应以遗产的保护和保存为前提,都要以有利于遗产的保护和保存为根本。这是世界遗产事业存在和发展的基础。要清醒地认识到,对世界遗产的保护、管理和利用,有很强的专业性、政策性和敏感的国内外影响;任何遗产地都有其科学的容量和适宜的开发方式,要坚决反对无限度无规划的恶性开发和利用。凡涉及世界遗产的重大建设项目、开发利用计划和管理体制的事项,均需符合国家有关保护法规和有关保护规划要求,严格执行环境影响评价制度,并经依法审批。各地要站在讲政治、讲大局的高度,努力使局部利益服从整体利益,眼前利益服从长远利益,妥善处理好保护和利用的关系,切实保障世界遗产的完整和真实。

四、树立"公约意识",遵守国际规则。《世界遗产公约》在国际社会具有广泛的重要影响。它的各项具体规定和要求,应得到切实遵守。这不仅是依法行政的基本要求,也是中国政府履行国际承诺的具体体现。联合国教科文组织在《关于在国家一级保护文化和自然遗产的建议》中,对《世界遗产公约》各个缔约国的文化和自然遗产的保护,从国家政策、行政组织、保护措施、教育和文化行动、国际合作等方面都具体提出了建议和要求,反映了国际社会对文化和自然遗产保护的先进理念,值得我们高度重视。在我国加入WTO之后,更应该牢固树立"公约意识",增强依照《世界遗产公约》开展工作的自觉性和主动性,杜绝忽视相关国际公约和准则的随意性做法。要认真、完全地履行申报世界遗产时的承诺。已定为世界遗产地的单位,对申报遗产时的原状如有任何变更,均须依照有关规定,履行报批手续,并通报世界遗产委员会。

五、各部门、各单位要明确责任,各司其职,密切配合,多层次、全方位地做好世界遗产的保护管理工作。保护、规划、管理和利用世界遗产资源,涉及文化、文物、计划、财政、教育、建设、国土、环保、林业等部门。各世界遗产地应建立有效的工作机制,加强对有关世界遗产工作的综合协调和宏观管理。各部门应在各级党委和政府的统一领导下,明确责任,相互协作,共同以大局为重,在各自的职权范围内切实做好工作。涉及遗产保护、管理发生重大问题或出现不良苗头时,该遗产地的责任单位要及时采取相应保护措施;确实无力解决的,应及时报告当地党委和政府,并报上级业务主管部门。对各种造成遗产损失的失职、渎职行为,要追究行政乃至法律责任。

文化部	国家文物局	国家计委
财政部	教育部	建设部
国土资源部	环保总局	国家林业局

2002年4月25日

文物保护工程管理办法

(2003 年 3 月 17 日文化部部务会议审议通过)

第一章 总则

第一条 为进一步加强文物保护工程的管理,根据《中华人民共和国文物保护法》和《中华人民共和国建筑法》的有关规定,制定本办法。

第二条 本办法所称文物保护工程,是指对核定为文物保护单位的和其他具有文物价值的古文化遗址、古墓葬、古建筑、石窟寺和石刻、近现代重要史迹及代表性建筑、壁画等不可移动文物进行的保护工程。

第三条 文物保护工程必须遵守不改变文物原状的原则,全面地保存、延续文物的真实历史信息和价值;按照国际、国内公认的准则,保护文物本体及与之相关的历史、人文和自然环境。

第四条 文物保护单位应当制定专项的总体保护规划,文物保护工程应当依据批准的规划进行。

第五条 文物保护工程分为:保养维护工程、抢险加固工程、修缮工程、保护性设施建设工程、迁移工程等。

(一)保养维护工程,系指针对文物的轻微损害所作的日常性、季节性的养护。

(二)抢险加固工程,系指文物突发严重危险时,由于时间、技术、经费等条件的限制,不能进行彻底修缮而对文物采取具有可逆性的临时抢险加固措施的工程。

(三)修缮工程,系指为保护文物本体所必需的结构加固处理和维修,包括结合结构加固而进行的局部复原工程。

(四)保护性设施建设工程,系指为保护文物而附加安全防护设施的工程。

(五)迁移工程,系指因保护工作特别需要,并无其他更为有效的手段时所采取的将文物整体或局部搬迁、异地保护的工程。

第六条 国家文物局负责全国文物保护工程的管理,并组织制定文物保护工程的相关规范、标准和定额。

第七条 具有法人资格的文物管理或使用单位,包括经国家批准,使用文物保护单位的机关、团体、部队、学校、宗教组织和其他企事业单位,为文物保护工程的业主单位。

第八条 承担文物保护工程的勘察、设计、施工、监理单位必须具有国家文物局认定的文物保护工程资质。资质认定办法和分级标准由国家文物局另行制定。

第九条 文物保护工程管理主要指立项、勘察设计、施工、监理及验收管理。

第二章 立项与勘察设计

第十条 文物保护工程按照文物保护单位级别实行分级管理,并按以下规定履行报批程序:

(一)全国重点文物保护单位保护工程,以省、自治区、直辖市文物行政部门为申报机关,国家文物局为审批机关。

(二)省、自治区、直辖市级文物保护单位保护工程以文物所在地的市、县级文物行政部门为申报机关,省、自治区、直辖市文物行政部门为审批机关。

市县级文物保护单位及未核定为文物保护单位的不可移动文物的保护工程的申报机关、审批机关由省级文物行政部门确定。

第十一条 保养维护工程由文物使用单位列入每年的工作计划和经费预算,并报省、自治区、直辖市文物行政部门备案。

抢险加固工程、修缮工程、保护性设施建设工程的立项与勘察设计方案按本办法第十条的规定履行报批程序。抢险加固工程中确因情况紧急需要即刻实施的,可在实施的同时补报。

迁移工程按《中华人民共和国文物保护法》第二十条的规定获得批准后,按本办法第十条的规定报批勘察设计方案。

第十二条 因特殊情况需要在原址重建已经全部毁坏的不可移动文物的,按《中华人民共和国文物保护法》第二十二条的规定获得批准后,按本办法第十条的规定报批勘察设计方案。

第十三条 工程项目的立项申报资料包括以下内容:

(一)工程业主单位及上级主管部门名称;

(二)拟立项目名称、地点,文物保护单位级别、时代,保护范围与建设控制地带的划定、公布与执行情况;

(三)保护工程必要性与实施可能性的技术文件与形象资料(录像或照片);

(四)经费估算、来源及计划工期安排;

(五)拟聘请的勘察设计单位名称及资信。

第十四条 已立项的文物保护工程应当申报勘察、方案设计和施工技术设计文件。重大工程要在方案获得批准后，再进行技术设计。

第十五条 勘察和方案设计文件包括：

（一）反映文物历史状况、固有特征和损害情况的勘察报告、实测图、照片；

（二）保护工程方案、设计图及相关技术文件；

（三）工程设计概算；

（四）必要时应提供考古勘探发掘资料、材料试验报告书、环境污染情况报告书、工程地质和水文地质资料及勘探报告。

第十六条 施工技术设计文件包括：

（一）施工图；

（二）设计说明书；

（三）施工图预算；

（四）相关材料试验报告及检测鉴定结果。

第三章 施工、监理与验收

第十七条 文物保护工程中的修缮工程、保护性设施建设工程和迁移工程实行招投标和工程监理。

第十八条 重要文物保护工程按本办法第十条规定的程序报批招标文件及拟选用的施工单位。

第十九条 文物保护工程必须遵守国家有关施工的法律、法规和规章、规范，购置的工程材料应当符合文物保护工程质量的要求。施工单位应当严格按照设计文件的要求进行施工，其工作程序为：

（一）依据设计文件，编制施工方案；

（二）施工人员进场前要接受文物保护相关知识的培训；

（三）按文物保护工程的要求作好施工记录和施工统计文件，收集有关文物资料；

（四）进行质量自检，对工程的隐蔽部分必须与业主单位、设计单位、监理单位共同检验并做好记录；

（五）提交竣工资料；

（六）按合同约定负责保修，保修期限自竣工验收之日起计算，除保养维护、抢险加固工程以外，不少于五年。

第二十条 施工过程中如发现新的文物、有关资料或其他影响文物保护的重大问题，要立即记录，保护现场，并经原申报机关向原审批机关报告，请示处理办法。

第二十一条 施工过程中如需变更或补充已批准的技术设计，由工程业主单位、设计单位和施工单位共同现场洽商，并报原申报机关备案；如需变更已批准的工程项目或方案设计中的重要内容，必须经原申报机关报审批机关批准。

第二十二条 文物保护工程应当按工序分阶段验收。重大工程告一段落时，项目的审批机关应当组织或者委托有关单位进行阶段验收。

第二十三条 工程竣工后，由业主单位会同设计单位、施工单位、监理单位对工程质量进行验评，并提交工程总结报告、竣工报告、竣工图纸、财务决算书及说明等资料，经原申报机关初验合格后报审批机关。项目的审批机关视工程项目的实际情况成立验收小组或者委托有关单位，组织竣工验收。

第二十四条 对工程验收中发现的质量问题，由业主单位及时组织整改。

第二十五条 文物保护工程的业主单位、勘察设计单位、施工单位、申报机关和审批机关应当建立有关工程行政、技术和财务文件的档案管理制度。所有工程资料应当立卷存档并归入文物保护单位记录档案。

重要工程应当在验收后三年内发表技术报告。

第四章 奖励与处罚

第二十六条 文物保护工程设立优秀工程奖，具体办法由国家文物局制定。

第二十七条 违反本办法、或对文物造成破坏的，按《中华人民共和国文物保护法》及国务院有关规定处罚。

第五章 附则

第二十八条 非国有不可移动文物的保护维修，参照执行本办法。

第二十九条 以前发布的规章与本办法相抵触的，以本办法的规定为准。

第三十条 本办法自2003年5月1日起施行。

山西省平遥古城保护条例

（山西省第九届人民代表大会常务委员会第六次会议于1998年11月30日通过）

第一章　总则

第一条　为全面保存、保护、恢复和展示列入《世界遗产名录》的平遥古城，根据国家有关法律、法规的规定，结合本省实际，制定本条例。

第二条　本条例所称平遥古城是指平遥古城墙及其以内的文物古迹、传统建筑、街巷风貌、古树名木，以及古城墙以外的按照规划确定的保护范围和建设控制地带，包括镇国寺、双林寺在内。前款所称传统建筑是指尚未列入文物保护单位的，具有历史文化价值的民宅、商号、寺庙、祠堂等建筑物、构筑物。传统建筑由平遥县人民政府会同省有关部门根据国家和省的有关规定予以鉴定确认，并设置明显保护标志。

第三条　平遥古城内的任何组织和个人及进入该区域内的任何组织和个人均须遵守本条例。

第四条　省人民政府应加强对平遥古城保护工作的领导，将其纳入国民经济和社会发展计划。

第五条　平遥县人民政府全面负责平遥古城的保护和管理工作。省建设、文物行政部门按照各自的职责负责对平遥古城的保护、监督工作。

第六条　平遥古城保护应遵循"永久保存、永续利用"的原则，实行统筹规划，分级管理。平遥古城保护应注重对具有地方特色的传统文化的保护、挖掘与发展。

第七条　平遥古城保护、维修、管理经费分别列入山西省、晋中地区行署、平遥县财政预算，并吸纳符合国家规定的拨款和资助。

第八条　任何组织和个人都有保护平遥古城的义务，并有权对损坏平遥古城的行为进行检举和控告。

第九条　省人民政府、平遥县人民政府应对保护、维修、研究、开发、利用平遥古城作出突出贡献的组织和个人给予表彰、奖励。

第二章　保护

第十条　平遥县人民政府负责组织编制《平遥古城保护规划》（以下简称《保护规划》），经省人民政府批准后予以公布实施。

第十一条　平遥古城保护按照全面保护、突出重点的方针，实行分区、分级保护。保护范围划分为绝对保护区，一、二、三级保护区，一、二级建设控制地带和一、二、三级保护街巷。

第十二条　分区、分级保护应遵循下列标准：

（一）绝对保护区内严格按照文物保护法的规定保持传统建筑的原状。

（二）一级保护区内不得改变传统建筑的群体布局、形体、空间风貌、材料和色彩。

（三）二级保护区内保护现存传统建筑的布局和风貌，新建建筑物应与古城风貌相协调。

（四）三级保护区内保护传统建筑的布局和风貌，拆除或改造不协调的建筑物和构筑物。

（五）一级建设控制地带保留现有农田和北城居民新村，逐步拆除该地带内的其他建筑物和构筑物。

（六）二级建设控制地带建筑密度控制在20%以下，绿化覆盖率应达到40%，建筑物高度形成梯度变化，即建筑物高度不超过建筑物距古城墙马面外散水边缘距离的0.06倍。

（七）一级保护街巷内保持沿街建筑外观，不得改变其立面形式、色彩和建筑材料，对已经改动的要逐步恢复传统特征。

（八）二级保护街巷内对不协调建筑物、构筑物逐步进行拆迁和改造，恢复传统建筑形式。

（九）三级保护街巷内保留传统建筑，新建、改建建筑物应同古城风貌和周围建筑物相协调。

第十三条　平遥古城内传统建筑中的民宅实施分类保护，对其中的典型民宅应建档、挂牌，并制定保护修复计划，保持其建筑外观。院内不得擅自拆除、改造和新建。鼓励对传统建筑进行保护维修和开发利用。

第十四条　平遥古城内现有空地和拆迁后腾出的空地应逐步绿化，任何组织和个人不得擅自新建建筑物和构筑物。平遥古城内的古树名木严禁采伐。

第十五条　平遥县人民政府各有关部门应按照各自职责对平遥古城的防火、防盗、防震、防汛等采取有效措施，保障平遥古城安全。

第三章　管理

第十六条　平遥古城城门入口处和镇国寺、双林寺设世界遗产保护标志，国家、省、县级重点文物保护单位设重点文物保护标志。任何单位和个人不得损毁保护标志。

第十七条　平遥古城内的县级以上重点文物保护单位按照文物保护法和有关法律、法规的规定实行分级管理。

第十八条　平遥古城内现有建筑物、构筑物的改造、拆除及一切新建项目实行分级审批制度。未经批准，不得改造、拆除和新建。

第十九条　经批准的建设项目，应先进行文物调查或勘探。勘探费用列入建设单位工程预算。

第二十条　平遥县人民政府对平遥古城内单位和个人拥有的传统建筑，享有优先购买权。对使用国家所有的传统建筑的单位和个人，不按要求采取保护措施的，平遥县人民政府可以责令搬迁。

第二十一条　平遥古城内禁止建设新的工业企业。现有工业企业应按要求进行逐步改造或搬迁。

第二十二条　平遥古城内的单位和个人应积极保护环境，推广应用低污染燃烧技术。户外饮食业经营者应采用型煤、液化石油气、煤气、电等清洁能源，禁止直接燃烧原煤。

第二十三条　平遥古城内应加强垃圾网点的标准化建设，推行生活垃圾袋装化。禁止在街道上堆放粪肥。

第二十四条　平遥古城内禁止焚烧沥青、油毡、橡胶、塑料、皮革等产生有毒有害烟尘和恶臭气体的物质。

第二十五条　平遥古城内沿街广告应与古城风貌相协调，设立沿街广告应经县建设行政部门审批。禁止在沿街建筑物、构筑物、设施以及树木上涂写刻画或者未经批准张挂、张贴宣传品。

第二十六条　任何单位和个人不得擅自占用道路摆设摊点、堆物作业和进行其他妨碍交通的活动。

第二十七条　平遥古城内现有的地上通讯、输电杆线应逐步转为地下管线。

第二十八条　平遥县人民政府应逐步改善平遥古城内道路交通状况。有关部门应对进入车辆实行交通限制。

第四章　利用

第二十九条　平遥古城的保护与利用遵循开发新区、保护古城、合理利用、发展经济的原则，鼓励国内外投资者投资开发新区、保护利用古城资源、发展旅游业及相关产业。

第三十条　开发新区、疏散古城内的产业和人口。平遥县人民政府应有计划地引导古城内的单位和人口向新城区分流，使古城人口密度达到合理水平。

第三十一条　平遥县人民政府应鼓励下列经营项目和活动：

（一）博物馆、旅行社团；

（二）传统手工作坊、民间工艺及旅游产品制作；

（三）民俗客栈、旅馆、饭店及非机动车运输；

（四）传统娱乐业及民间艺术表演活动；

（五）民间工艺品收藏、交易、展示活动。

第三十二条　平遥县人民政府应对具备开放条件的传统建筑中的民宅，在征得居民同意后，设立游览标志，开放游览。

第三十三条　平遥县人民政府应建立平遥古城保护档案，开展对平遥古城历史、文化及保护、开发、利用的研究。

第五章　法律责任

第三十四条　违反本条例第十六条规定，损毁保护标志的，由平遥县公安部门依照治安管理处罚条例的有关规定予以处罚。

第三十五条　违反本条例规定，未经批准擅自改造、拆除传统建筑的，由平遥县建设行政部门责令其停止违法行为，恢复传统建筑原状，并可处以5000元以上20000元以下的罚款；擅自新建建筑物、构筑物的，由平遥县建设行政部门依照城市规划法的有关规定予以处罚。

第三十六条　违反本条例第二十二条规定，户外饮食业经营者直接燃烧原煤的，由平遥县环境保护行政部门责令其限期改进，并可处以300元以下的罚款。

第三十七条　违反本条例第二十三条规定，在街道上堆放粪肥影响市容的，由平遥县建设行政部门责令其清理街道，并可处以100元以上300元以下的罚款。

第三十八条　违反本条例第二十四条规定的，由平遥县环境保护行政部门处以300元以上3000元以下的罚款。

第三十九条　违反本条例第二十五条规定的，由平遥县建设行政部门责令其停止违法行为，采取补救措施，恢复原状，并处以200元以上2000元以下的罚款。

第四十条　违反本条例第二十六条规定的，由平遥县公安部门责令其停止违法行为，清理道路，并处以50元以下的罚款。

第六章　附则

第四十一条　本条例自1999年4月1日起施行。

湖南省武陵源世界自然遗产保护条例

(2000 年 9 月 28 日湖南省第九届人民代表大会常务委员会第十八次会议通过)

第一章 总则

第一条 为了加强对武陵源世界自然遗产的保护,按照《保护世界文化和自然遗产公约》的要求,根据国家有关法律、法规的规定,制定本条例。

第二条 凡与武陵源世界自然遗产保护有关的单位和个人,均须遵守本条例。

第三条 本条例所称武陵源世界自然遗产保护范围。是指经联合国教科文组织批准、列入世界自然遗产名录的武陵源风景名胜区及其相邻的部分地域。分为保护区、农副业区、建设区和外围保护地带。

保护区、农副业区、建设区的具体界限,依据《武陵源风景名胜区总体规划》确定。外围保护地带的具体界限,由张家界市人民政府依法确定,并报省人民政府备案。

第四条 武陵源世界自然遗产保护应当坚持严格保护、统一管理、科学规划、永续利用的原则。

第五条 省人民政府应当加强对武陵源世界自然遗产保护工作的领导。

省人民政府建设行政部门应当会同林业、环境保护、国土资源等有关行政管理部门按照各自的职责,做好武陵源世界自然遗产保护的监督管理工作。

张家界人民政府(以下简称市人民政府)全面负责武陵源世界自然遗产保护的管理工作。

张家界市武陵源区人民政府(以下简称区人民政府)具体负责武陵源世界自然遗产保护的管理工作。

市、区人民政府应当每年向同级人民代表大会或者其常务委员会报告武陵源世界自然遗产保护工作的情况。

第六条 张家界国家森林公园除业务上受上级林业行政管理部门领导外,必须服从区人民政府对武陵源世界自然遗产保护的统一规划和管理,依法做好张家界国家森林公园范围内的保护管理工作。

第二章 资源与环境保护

第七条 区人民政府应当组织有关部门对武陵源世界自然遗产资源进行普查,建立动态档案;对特殊地质遗迹和珍稀、濒危动植物、古树名木等重点保护对象,应当制定特殊

保护措施,实施有效保护。

市人民政府应当定期组织有关部门和专家对武陵源世界自然遗产资源保护的状况进行监测,开展生物多样性调查,提出评估调查报告,并按照规定向上级人民政府报告。

第八条 禁止以任何名义和方式出让或者变相出让武陵源世界自然遗产资源。

除确需的建设用地依照本条例规定经批准使用外,不得以出让、行政划拨等方式处置保护区内的土地。

第十条 区人民政府应当做好武陵源世界自然遗产保护范围内的封山育林、退耕还林、植树绿化工作,保护好林木植被和野生动植物种源繁殖、生长、栖息环境。

第十一条 保护区内保存完好的天然状态的生态系统以及珍稀、濒危动植物的集中分布地,应当保持原始风貌,除管理需要和经批准的科学考察外,禁止任何人员进入。

进入保护区内保存完好的天然状态的生态系统以及珍稀、濒危动植物的集中分布地进行科学考察,或者进入保护区的其他地域进行科学考察、采集标本、拍摄影视片,应当经区人民政府同意,并报上级有关主管部门批准,按照规定交纳保护管理费后,方可在指定范围内进行。

第十二条 禁止采伐、损毁保护区内的林木植被。因景区、景点开发建设或者林相抚育改造确需采伐林木的,应当按照规定程序报省人民政府林业行政管理部门批准。

禁止采伐外围保护地带的林木。确需进行抚育性或者更新性采伐的,应当按照有关规定报批。

禁止砍伐或者采用其他方式损坏古树名木。

第十三条 市、区人民政府应当加强武陵源世界自然遗产保护范围内的护林防火工作,建立健全护林防火组织和制度,配备相应的防火设施和设备,规定特别防火期,设置禁火标志。

在武陵源世界自然遗产保护范围内,禁止烧山、烧田坎。在保护区范围内,禁止野炊、燃放烟花爆竹,在非指定的地点吸烟或者进行其他违章用火行为。

第十四条 市、区人民政府应当加强武陵源世界自然遗产保护范围内的森林病虫防治工作,做好森林病虫预测预报和动植物检疫工作。禁止将下列物品带入武陵源世界自然遗产保护范围内:

(一)未经检疫的种子、苗木和其他繁殖材料;

（二）未经检疫的松材及其制品；

（三）可能被植物检疫对象污染的包装材料、运输工具；

（四）未经检疫的野生动物。

第十五条　禁止在武陵源世界自然遗产保护范围内捕猎野生动物，破坏其栖息环境，非法经营或者运输受国家和省保护的野生动物。

第十六条　市、区人民政府应当组织专家对武陵源世界自然遗产保护范围内的地质稳定性进行调查，预测可能发生的地质灾害，并采取相应的防范措施。

第十七条　在保护区内，禁止开山、采石、采矿、挖沙、烧砖瓦、烧石灰，禁止围堵填塞河流、溪流、湖泊、山泉、瀑布，禁止采集化石、抽取地下水以及其他可能损害地质地貌的行为。

在农副业区、建设区和外围保护地带，未经依法批准，不得从事前款禁止的行为。

第十八条　禁止在保护区内建造坟墓。原有的坟墓，除受国家保护具有历史、艺术、科学价值的予以保留的外，应当限期迁移或者深埋，不留坟头。

第十九条　市、区人民政府应当加强武陵源世界自然遗产保护范围内溶洞资源的保护。尚未开发的溶洞，应当予以封闭，设立标志；未经区人民政府批准，禁止任何人员进入。已经开放的溶洞，经营者应当保护好景观的自然风貌。

禁止损毁、盗窃、买卖钟乳石料，禁止在溶洞内烧香点烛或从事其他污染破坏溶洞景观的行为。

第二十条　省人民政府环境保护行政主管部门应当会同其他有关部门依据国家环境标准，制定武陵源世界自然遗产保护范围内的地方环境质量标准，报省人民政府批准后实施。

第二十一条　在保护区内，产生水污染的单位应当建设污水处理设施，不得新建排污口；禁止排放未经处理或者处理后未达标的污水，禁止排放油类、酸液、碱液及其他毒废液，或者在水体清洗贮过该类物品的容器或者车辆，禁止向水体倾倒垃圾和其他固体废物。在建设区内，应当建设集中处理生活污水的设施。

第二十二条　在保护区和建设区内，禁止使用以煤炭、柴草为燃料的大灶及锅炉，禁止尾气超过国家规定排放标准的机动车辆通行。

在保护区内，经市人民政府同意，区人民政府可以规定禁止燃油机动车辆行驶路线，但经过批准执行公务和施工任务的车辆除外。

在武陵源世界自然遗产保护范围内，禁止焚烧垃圾、沥清、油毡、橡胶、塑料、皮革以及其他产生有毒有害烟尘和恶臭气体的物质。

第二十三条　在保护区和建设区内，除抢修、抢险作业和确需连续施工经区人民政府环境保护行政管理部门批准的外，不得在夜间二十二时至次日六时进行产生环境噪声污染的建筑施工作业。

第二十四条　保护区和建设区内的固体废物应当及时收集、运出和处置。禁止在保护区内建设固体废物集中贮存和处置设施、场所以及垃圾填埋场。

第二十五条　在武陵源世界自然遗产保护范围内开设新的旅游项目，必须进行环境影响评价，并按照有关规定，经环境保护行政主管部门审查同意后，方可依法办理报批手续。

第二十六条　在武陵源世界自然遗产保护范围内，禁止开设航空游览、表演、竞技项目。在保护区内，禁止举办攀岩等可能影响、破坏地质地貌的表演、竞技项目。

第二十七条　根据武陵源世界自然遗产保护的需要，可以对部分景区、景点实行轮休。具体办法由区人民政府拟定，报市人民政府批准后实施。

区人民政府应当根据各景区（点）的环境容量和游览线路，制定旅游高峰期疏导游人流向的具体方案。禁止超容量接待游人。

第二十八条　进入保护区内的游人和其他人员，应当爱护武陵源世界自然遗产资源，遵守法律、法规和有关规章制度，不得损坏树木花草、乱刻乱画、随意丢弃垃圾等，不得在石英砂岩峰柱或者其他岩壁上题词、作画或者临摹、雕刻名人字画。

第三章　规划与建设管理

第二十九条　省人民政府和市、区人民政府应当加强对武陵源世界自然遗产规划与建设的监督管理，防止保护区出现人工化、城市化倾向。

第三十条　《武陵源风景名胜区总体规划》和依据总体规划制定的景区详细规划是武陵源世界自然遗产保护、建设和管理的重要依据，任何组织和个人不得擅自改变。按照国家规定和本条例的要求，需要对规划进行修订或者局部调整的，市人民政府在按照有关规定办理审批手续前，应当提请同级人民代表大会常务委员会审议。

区人民政府应当根据土地利用总体规划和《武陵源风景名胜区总体规划》，组织编制本行政区域内体现旅游特色的村镇规划，经区人民代表大会常务委员会审议后，报市人民政府批准。

第三十一条　任何单位和个人在武陵源世界自然遗产

保护范围内占用土地进行建设,都必须符合土地利用总体规划和《武陵源风景名胜区总体规划》及其景区详细规划。按照规划建设的各项设施,其布局、高度、体量、造型和色彩等,必须与周围景观和环境相协调。

在保护区内,对不符合规划、污染环境或者有碍观瞻的原有建筑物、构筑物,应当进行清理,限期拆除或者搬迁。具体方案由区人民政府拟定,报市人民政府批准后实施。

第三十二条 在保护区内,不得新建、扩建索道、缆车、有轨电车、升降梯、办公楼、培训中心、宾馆、酒店、招待所、疗养院、商场、仓库、文化体育、居民住宅等污染环境、破坏景观、妨碍游览的建设项目和设施。

第三十三条 保护区内确需建设的项目,由区人民政府根据规划编制计划,报市人民政府审查,经市人民代表大会常务委员会审议后,方可依法办理报批手续。保护区内的建设项目,其建设工程选址意见书、建设用地规划许可证和建设工程规划许可证,经市人民政府审核同意后,由省人民政府建设行政管理部门按照规划要求核发。

建设区内的建设项目,其建设工程选址意见书、建设用地规划许可证和建设工程规划许可证,经区人民政府审核同意后,由省、市人民政府建设行政管理部门根据国家和省规定的管理权限,按照规划要求核发。

张家界国家森林公园的建设项目,按照《湖南省森林公园管理条例》的规定,由省人民政府林业行政管理部门审查同意后,按照本条第一款、第二款规定办理报批手续。

国家规定应当由国务院建设行政管理部门审批的重大建设项目,按照规定程序办理有关手续。

第三十四条 在武陵源世界自然遗产保护范围内进行建设活动,建设单位必须在施工方案中制定具体措施,保护周围的景观、植被、水体和地貌。

第三十五条 保护区内的卫生设施、临时服务网点和客运交通应当根据规划和实际需要统一安排,从严控制。具体方案由区人民政府拟定,报市人民政府批准。

区人民政府可以根据安全、卫生和环境保护的需要,规定禁止经营的商品、服务项目以及禁止使用的包装材料。

禁止在保护区内设置、张贴商业广告。

第三十六条 省人民政府和市、区人民政府应当逐步增加对武陵源世界自然遗产保护的资金投入。

设立武陵源世界自然遗产保护专项经费。保护专项经费可以通过国家补助、社会赞助、国际援助和征收资源有偿使用等多种渠道筹集。资源有偿使用费的设立和征收办法由省人民政府按照国家有关规定办理。

第四章 法律责任

第三十七条 违反本条例第十三条第二款规定,未造成损失的,责令停止违法行为,给予警告,可以并处五十元以上、二百元以下的罚款;过失引起森林火灾,尚未造成重大损失的,责令限期更新造林,赔偿损失,可以并处二百元以上、二千元以下的罚款。

第三十八条 违反本条例第十四条第(一)项、第(二)项、第(三)项规定的,责令改正,没收违反所得,对带入的物品予以封存、没收、销毁或者责令改变用途,造成损失的,依法赔偿损失,可以并处一千元以上、一万元以下的罚款。

第三十九条 违反本条例第十五条规定,破坏野生动物栖息环境的,责令停止违法行为,限期恢复原状,处恢复原状所需费用三倍以下的罚款。非法猎捕野生动物的,没收猎捕工具和违法所得;有猎获物的,没收猎获物,处相当于猎获物价值八倍以下的罚款;没有猎获物的,处二千元以下的罚款。非法经营和运输野生动物的,没收实物和违法所得,并处相当于实物价值十倍以下的罚款。

第四十条 违反本条例第十七条规定的,责令停止违法行为,没收违法所得,限期恢复原状或者采取其他补救措施,依法赔偿损失,可以并处一千元以上、一万元以下的罚款;情节严重,不能恢复原状的,可以并处一万元以上、二十万元以下的罚款。

第四十一条 违反本条例第十九条第二款规定的,损毁、盗窃、买卖钟乳石料的,责令停止违法行为,没收钟乳石料和违法所得,依法赔偿损失,并处一千元以上、一万元以下的罚款;情节严重的,可以并处一万元以上、二十万元以下的罚款。

第四十二条 违反本条例第三十二条规定的,责令停止违法行为,限期拆除违法建筑,恢复原状,可以并处每平方米三百元的罚款。

第四十三条 违反本条例第三十三条规定的,无权批准而非法批准、超越批准权限批准或者违反法律法规规定的程序批准在保护区内进行建设的,其批准文件无效,责令停止违法行为,限期拆除违法建筑,恢复原状;对直接负责的主管人中和其他直接责任人中,依法给予行政处分;构成犯罪的,依法追究刑事责任。

第四十四条 本条例未作处罚规定的违法行为,法律、法规规定处罚的,从其规定。

第四十五条 本条例第三十七条至第四十三条规定的行政处罚,由县级以上人民政府有关行政管理部门按照规定的权限实施。

在张家界国家森林公园范围内,区人民政府有关行政管理部门可以依法委托张家界国家森林公园管理机构按照委托的权限实施行政处罚。

第四十六条　国家工作人员在武陵源世界自然遗产保护工作中玩忽职守、滥用职权、徇私舞弊，构成犯罪的，依法追究刑事责任；尚不构成犯罪的，依法给予行政处分。

第五章　附则

第四十七条　本条例自 2001 年 1 月 1 日起实施。

泰山风景名胜区保护管理条例

（2000 年 10 月 26 日山东省第九届人民代表大会常务委员会第十七次会议通过）

第一章　总则

第一条　泰山是国家重点风景名胜区、世界自然和历史文化遗产。为加强泰山风景名胜区管理，有效保护和合理开发利用风景名胜资源，根据国家有关法律、法规，结合泰山风景名胜区实际，制定本条例。

第二条　本条例所称泰山风景名胜区包括登天、天烛峰、桃花峪、樱桃园、玉泉寺、灵岩寺六个景区及外围保护地带，其面积和界线按国务院批准的总体规划确定。

第三条　凡在泰山风景名胜区范围内居住及从事生产经营、开发建设、旅游、宗教、文化等各项活动的单位和个人，必须遵守本条例。

第四条　泰山风景名胜区的保护和建设，必须符合国务院批准的《泰山风景名胜区总体规划》，遵循严格保护、科学规划、统一管理、永续利用的原则。

第五条　省人民政府建设行政主管部门主管泰山风景名胜区的规划、建设工作，并对泰山风景名胜区的保护、管理等实施监督、检查；其他有关部门应当按照各自的职责，密切协作，共同做好风景名胜区管理工作。

泰安市、济南市人民政府应当按照省人民政府规定的职责分工，负责本行政区域内景区的保护、规划、建设、管理的具体工作。

第二章　保护

第六条　省人民政府和泰安市、济南市人民政府应当采取措施切实保护泰山风景名胜区原有的地形地貌和自然人文景观。

第七条　泰山风景名胜资源属国家所有。未经省级以上人民政府批准，任何单位和个人不得出让或者变相出让风景名胜资源及景区土地。

第八条　风景名胜区所在地市人民政府必须把风景名胜资源的保护工作列为重要任务，建立健全规章制度，制定保护措施，落实保护责任。

第九条　泰山风景名胜区按其景观价值和保护需要，以各游览景区为核心，实行四级保护：

（一）一级保护区包括登天景区内从泰安门、通天街、遥参亭、岱庙、岱宗坊直至岱顶玉皇庙封禅祭祀活动的序列空间环境以及蒿里山、佛爷寺和规划开辟的中华文化游览线；

（二）二级保护区包括一级保护区以外的登天景区、天烛峰景区、桃花峪景区、樱桃园景区、玉泉寺景区、灵岩寺景区；

（三）三级保护区包括一、二级保护区以外，外围保护地带以内的其他区域；

（四）四级保护区为外围保护地带。

第十条　对泰山风景名胜资源应当采取下列保护措施：

（一）对古建筑、碑碣石刻、登山盘道以及其他历史遗址、遗迹等文物古迹，建立档案、划定保护范围、设立标志，实行专人保护，并落实避雷、防火、防洪、防震、防蛀、防腐、防盗等措施；

（二）保护植被，加强绿化，维护生态平衡，落实环境保护、护林防火和病虫防治措施，必要时可对重要景区、景点实施定期封闭轮休；

（三）对古树名木登记造册，落实保护复壮措施；

（四）划定自然保护区，保护野生动植物及其栖息生长环境；

（五）加强对地表水和地下水的管理，防止水体污染。

第十一条　未经批准，在泰山风景名胜区范围内，不得从事下列活动：

（一）刻字立碑；

（二）捶拓碑碣石刻；

（三）以营利为目的摄制电影、电视片；

（四）采伐树木、挖掘树桩（根）、放牧、采集药材和动植物标本；

（五）占用林地、土地或者改变地形地貌；

（六）筑路、围堰筑坝、截流取水。

前款第一项，由省人民政府审批；第二项至第六项，由泰安市、济南市人民政府审批。

法律、法规另有规定的，从其规定。

第十二条　严禁在泰山风景名胜区从事下列活动：

（一）在岱顶零点六平方公里范围内新建、扩建工程项目；

（二）开山、采石、挖土、取沙、殡葬；

（三）攀爬、踩踏、刻画、涂抹文物古迹；

（四）砍伐或者损毁古树名木；

（五）捕猎野生动物和采集珍贵野生植物；

（六）在主要景点设置商业广告；

（七）在非指定地点倾倒垃圾、污物；

（八）在禁火区内吸烟、生火、烧香点烛、燃放烟花爆竹。

第十三条　泰山风景名胜资源实行有偿使用，具体办法由省人民政府制定。

第十四条　省人民政府和泰安市、济南市人民政府应当采取措施，多渠道筹集泰山风景名胜区保护资金。

国家专项拨款、地方财政拨款、国内外捐助以及风景名胜资源有偿使用收益，必须专项用于泰山风景名胜区的保护和管理。

第三章　规划建设

第十五条　泰山风景名胜区总体规划是风景名胜区保护、开发、建设和不定期管理等各项活动的依据，必须严格执行，任何单位和个人不得擅自改变。

总体规划如需调整和修改，由泰安市、济南市人民政府提出，经省人民政府审批同意后，报国务院批准。

第十六条　泰安市、济南市人民政府应当根据泰山风景名胜区总体规划，分别编制辖区范围内的景区、景点详细规划，经省建设行政主管部门批准后实施。国家另有规定的，从其规定。

详细规划如需调整和修改，按原有审批程序报批。

第十七条　在泰山风景名胜区内禁止建设工矿企业和储存易燃易爆、有毒物品，不得建设开发区、度假区、生活区以及大型工程设施；在泰山风景名胜区四级保护区内，禁止建设污染环境和破坏生态、景观的企业和设施。

泰安市、济南市人民政府应当对原有建筑物进行清理排查，对不符合规划、污染环境、有碍观瞻的，应当限期拆除或

者外迁。

第十八条　在泰山风景名胜区内进行各项建设，建设单位或者个人必须申办风景名胜区建设项目审批书，经审查同意后，按照下列规定办理；国家另有规定的，从其规定：

（一）一级保护区内的所有建设项目由省人民政府审批；

（二）二级保护区内的所有建设项目和三级保护区内的重大建设项目，由省建设行政主管部门审批，报省人民政府备案；

（三）三级保护区内的其他建设项目和四级保护区内的建设项目，由泰安市、济南市人民政府审批，报省建设行政主管部门备案。

前款规定的重大建设项目包括：

（一）索道、缆车、水库；

（二）总建筑面积超过三千平方米或者占地面积超过二千平方米的文化、体育、游乐设施、旅馆、商店等各类建设项目；

（三）设置风景名胜区徽志等标志性建筑；

（四）法律、法规规定的其他建设项目。

第十九条　建设单位和个人取得风景名胜区建设项目审批书后，方可按照国家规定到计划、规划、国土资源、环保等部门办理其他有关手续。

第二十条　泰山风景名胜区建设项目的设计，必须由具备相应资质的设计单位承担。

建设项目的设计方案，必须经批准该项目的建设行政主管部门审查同意。

第二十一条　泰山风景名胜区及其外围保护地带的建设项目，其布局、高度、体量、造型和色彩等必须注重保持泰山特色，与周围景观和环境相协调。

第二十二条　泰山风景名胜区建设项目的施工，必须由具备相应资质的施工单位承担。

施工场地应文明整齐，不得乱堆乱放。位于游览区内的施工场地要设立围栏，以维护景容和游览安全。

建设项目竣工验收合格后，由施工单位清理施工场地，恢复植被。

第四章　管理

第二十三条　泰山风景名胜区内的所有单位，必须服从当地人民政府对风景名胜区的统一规划和管理。

第二十四条　利用泰山风景名胜资源从事公益性活动的，必须报经当地人民政府审查批准，并在指定的区域或者路线进行。

第二十五条　在泰山风景名胜区内从事商业、食宿、广告、娱乐、专线运输等经营活动的单位和个人，须经当地人民政府同意，取得《风景名胜区准营证》、依法办理其他有关手续后，方可在指定的地点和划定的范围内进行经营活动，并做到文明待客、依法经营，不得欺诈和误导旅游者。

第二十六条　泰山风景名胜区应当建立健全防火组织，完善防火设施。凡进入重点景区和景点的人员，在室外的均应按照规定的地点吸烟或者就餐。防火紧要期内，严禁携带火种进入重要景区。

第二十七条　泰山风景名胜区内的单位和个人，应当按照规定负责指定区域的清扫保洁工作。

在泰山风景名胜区因生活、生产经营所排废水，必须经排放单位或者泰山风景名胜区、市污水处理设施处理，达到国家规定的污水排放标准。

第二十八条　泰安、济南市人民政府应当在景区、景点设置规范的地名标志和指路牌，在险要部位设置必要的安全设施和警示牌，定期对交通、游览设施进行检查和维护，确保游览者安全。

第二十九条　进入泰山风景名胜区的车辆，必须服从管理，按照指定线路行驶，在规定地点停放。

第三十条　在泰山风景名胜区从事导游的，必须按照规定取得导游证件，文明服务。禁止无证导游或者随意提高导游价格，扰乱旅游市场秩序。

第三十一条　泰山风景名胜区应当制定景区游览的各项具体规定，并在景点的醒目位置予以公告。

进入泰山风景名胜区的旅游者和其他人员，应当爱护风景名胜资源和各项公共设施，维护环境卫生和公共秩序，遵守泰山风景名胜区的有关规定。

第三十二条　在泰山风景名胜区保护、规划、建设和管理工作中做出显著成绩的单位和个人，由省、市人民政府或者有关部门按照有关规定给予表彰和奖励。

第五章　法律责任

第三十三条　违反本条例规定，法律、法规已有规定的，依照相关法律、法规处罚；法律、法规没有规定的，依照本条例的规定予以处罚。

第三十四条　违反本条例第七条规定，擅自出让或者变相出让风景名胜资源的，其出让行为无效，由省建设行政主管部门没收违法所得，并可对出让单位处以五千元以上五万元以下的罚款。

第三十五条　违反本条例第十七条第一款规定的，由省建设行政主管部门责令拆除违法建筑、限期迁出、恢复原状，并按建筑面积处以每平方米三十元以下的罚款；不能恢复原状的，按建筑面积处以每平方米一百元以上二百元以下的罚款。

第三十六条　违反本条例规定，有下列行为之一的，由相应的建设行政主管部门责令其停止建设、限期补办手续，并可处以五千元以上五万元以下的罚款；属不准建设的项目，责令其限期拆除、恢复原状：

（一）未取得风景名胜区建设项目审批书而擅自进行建设的；

（二）建设项目设计方案未经审查同意而擅自进行建设的。

第三十七条　滥用或者超越职权批准泰山风景名胜区建设项目的，其批准文件无效，由省建设行政主管部门建议有关部门对直接负责的主管人员和有关责任人员给予行政处分；属不准建设的项目，责令有关建设单位拆除建（构）筑物。

第三十八条　违反本条例第十一条第一款第一项规定的，由省建设行政主管部门责令停止违法行为，限期补办手续，并处以一万元以上五万元以下的罚款；违反第一款第二项至第六项规定的，由当地人民政府或者有关部门责令停止违法行为，限期补办手续，并处以一千元以上一万元以下的罚款。

第三十九条　违反本条例第十二条第一项至第五项规定的，由当地人民政府或者有关部门责令停止违法行为，限期恢复原状，并可处以五千元以上五万元以下的罚款；违反第六项至第八项规定的，由当地人民政府或者有关部门责令停止违法行为，限期恢复原状，并可以处以一百元以上一万元以下的罚款；造成风景名胜资源损坏的，依法予以赔偿。

第四十条　违反本条例规定，未取得《风景名胜区准营证》或者未按照批准的地点、范围从事经营的，由当地人民政府给予警告，没收违法所得，责令限期补办《风景名胜区准营证》，并可处以一百元以上五千元以下的罚款；欺诈、误导旅游者的，按照消费者权益保护的法律法规规定处理。

第四十一条　风景名胜区所在地人民政府及其建设行政主管部门工作人员玩忽职守、滥用职权、徇私舞弊，构成犯罪的，依法追究刑事责任；尚不构成犯罪的，依法给予行政处分。

第六章　附则

第四十二条　本条例自2000年12月1日起施行。

黟县西递、宏村世界文化遗产保护管理办法

(黟县第十三届人民代表大会第四次会议审议通过)

第一章 总则

第一条 为保护、开发、利用好西递、宏村古村落世界文化遗产,根据《保护世界文化和自然遗产公约》、《中华人民共和国宪法》、《中华人民共和国城市规划法》、《中华人民共和国文物保护法》、《中华人民共和国土地管理法》和《安徽省皖南古民居保护条例》等法律法规的规定,制定本办法。

第二条 西递、宏村世界文化遗产的保护管理遵循"保护为主,抢救第一"的工作方针和"有效保护、合理利用、加强管理"的指导思想。

第三条 西递、宏村世界文化遗产的保护管理是指在规划保护区内进行规划、建筑、文物、房地产交易、市场、市政公用设施管理和社会治安综合治理。

第四条 县人民政府领导西递、宏村世界文化遗产的保护工作,负责制定古村落保护规划,并组织实施。

西递镇、际联镇人民政府应当加强古村落保护工作,将古村落的保护任务纳入行政首长责任制。

第五条 西递、宏村规划范围内的机关、团体、党校、企业、事业单位和居民、游客,均应遵守本方法。

第二章 规划管理

第六条 规划依据批准的《西递古村落保护规划》、《宏村保护与发展规划》进行依法管理。

第七条 规划依据整体保护和积极保护的指导思想。

第八条 西递、宏村世界文化遗产保护范围划分为三个层次:保护区、建设控制区、环境协调区。

保护区:为遗产保护区界。重点保护西递、宏村古村落的空间形态、水体体系、建筑群体环境、明清传统建筑以及具有地方特色的人文景观和民俗风情。严格保护历史形成的村落格局、街巷肌理、传统民俗文化,以及构成风貌的各种组成要素。

保护区内建筑必须保持传统徽派建筑风貌,不得随意修建,修建房屋必须原样恢复,一、二级保护建筑由县级以上人民政府确定保护级别,并作出标志,实行挂牌保护。

建筑控制区:为世界文化遗产区界的主要缓冲地带。承担西递、宏村村落内发展需要而又不宜在村落内发展的建设项目。

严格控制建设,对确需新、改、扩建建筑必须在建筑高度、体量、色彩以及环境尺度、比例上与传统建筑风貌协调。

环境协调区:为西递、宏村外围的环境构成要素——山体植被、村庄、水系和农田,是古村落赖以生存的基础。

严格控制建设大中型的建筑项目,限制各种工业污染以及任何有不良环境影响的建设项目。保护现有的植被,严禁开山采石。保护形成的山水环境。

第九条 古村落内的所有生产、生活排烟装置要采取有效的消烟除尘措施,杜绝有害气体的排放;在保护范围内不得建设有污染环境的工业设施;污水排放不得超过规定的排放标准,已建成的其污染排放超过规定标准的,限期治理,治理不好的,依法取缔。

第三章 建设管理

第十条 保护区

一、二级保护建筑和主要街巷、水空间必须保护原貌,不得改变外观,也不得进行内部结构调整和装修。确需维修、保养的应遵循"不改变文物原状"的原则。三级保护建筑在保留原有格局的基础上,可以适当改善内部生活设施条件。

第十一条 保护建筑

形式:立面、屋顶、马头墙、地面及装修细部一律按徽派传统建筑的手法设计施工。

高度:沿街巷建筑高度与街宽的比例遵循传统街巷空间尺度(一般不大于1:3);层数为一、二层,原有建筑为三层的予以保留,保护区内建筑应控制在二、三层以内。

材料:以砖、石、木为主材。当砖木不能解决问题时,方可适当采用现代结构和保护技术来加固。建筑装修装饰不得使用面砖、涂料、有机玻璃、铝合金现代材料等。

色彩:采用徽派传统色彩,不得用其他风格色彩及变相处理。

第十二条 建设控制区

形式:外部灰瓦屋顶马头墙,内部可满足现代生活需要。

高度:檐口高度应控制在9米以下。

第十三条 环境协调区

建筑:限制高大建筑和巨大构筑物的新建。建筑高度控制在12米以内。建筑物的高度、体量、色彩、材料的使用须

与周围的环境相协调。

山场：禁止一切毁林行为。实行封山育林保护措施，防止水土流失。

第十四条　建设审批程序

在保护区扩建、改建建筑，必须先经黟县西递、宏村世界文化遗产保护委员会审查，然后到县有关职能部门办理审批手续后方可开工。

保护区内确须新建的重要项目视其规模，须报经省、市规划主管部门审查后，再由县有关职能部门办理审批手续后，方可开工。在建设控制区和环境协调区内的各类建设项目，由县有关职能部门负责审批。

第十五条　建筑设计、施工管理

保护区内的规划建筑设计必须具备相应的设计资质；保护区内古建筑维修施工单位应具备古建筑施工资质，由县建设行政主管部门确认。建设、施工单位必须服从管理，按工程造价交纳保证金，并限期完工，竣工后经规划管理部门验收通过后返还。

第四章　市政公用设施管理

第十六条　保护区内街巷的青、麻石板路面是重点保护内容之一，任何单位和个人不得随意翻改和损坏。确因供水和排水等需要开挖石板的，要事先向西递、宏村世界文化遗产保护管理机构提出申请，由规划管理部门与建设单位(个人)共同制定开挖和修补方案，办理手续后由建设单位(个人)施工并恢复，经西递、宏村世界文化遗产保护管理机构验收通过。

第十七条　村内主要步行街区，在规定的时间内，禁止各种机动车辆和摩托车通行(特种车辆除外)，禁止畜力车、牲畜进入；自行车和人力三轮车一律推行，按规定范围存放，不得随意在街面上存放车辆。

第十八条　保护区市场经营品种应以从事旅游用品、旅游食品、旅游工艺品、纪念品为主体。逐步做到限制经营餐饮业。

第十九条　禁止在村内主要巷道两侧摆摊设点，禁止在街道、路口、横向交叉马路上摆设桌球等娱乐设施。

第五章　社会治安管理

第二十条　保护区内社会治安管理实行"联防联治、群防群治、综合管理、综合整治"的方针。

第二十一条　西递、宏村常住人口由公安派出所与村委会联合治理，建立联合管理组织，凡来西递、宏村从事经营及

其他活动的暂住人口(流动人口)，须到村委会和公安派出所办理暂住人口登记手续。

第二十二条　西递、宏村的消防工作是社会治安管理中的重点：

1、村内消防栓按消防规划标准设置；

2、成立古村落安全防火组织；

3、按地段由消防部门与西递、宏村世界文化遗产保护管理机构共同指定配置灭火器、太平桶等消防设施。

第二十三条　坚持"门前三包"的原则，由村委会、村民小组负责组织实施，并定期检查、监督。

第二十四条　保护区内的房屋应当到保险公司投保。

第二十五条　保护区内不得随意燃放烟花爆竹等。

第六章　管理机构

第二十六条　西递、宏村世界文化遗产保护管理应遵循地方行政管理与专业管理相结合的原则。

第二十七条　成立由县人民政府有关职能部门、镇政府和旅游企业、村委会组成的黟县西递、宏村世界文化遗产保护管理委员会，由县政府主要负责人担任主任。负责西递、宏村世界文化遗产保护管理的重大事项。

委员会下设办公室，执行委员会的决议，办理日常事务。

西递、宏村所在地镇人民政府成立集规划、文物、土地等管理职能为一体的综合性的管理机构。

第二十八条　设立西递、宏村世界文化遗产保护基金，并将古民居的保护与维修列为重要开支项目。

第七章　法律责任

第二十九条　保护区内未经批准的擅自新、改、扩建建筑及其他违法行为一律按《中华人民共和国城市规划法》、《安徽省实施〈中华人民共和国城市规划法〉办法》、《中华人民共和国文物保护法》、《安徽省实施〈中华人民共和国文物保护法〉办法》、《中华人民共和国土地管理法》、《安徽省皖南古民居保护条例》等有关法律法规依法处理。

第八章　附则

第三十条　南屏、屏山、关麓等地的管理参照本办法执行。

第三十一条　本办法由黟县西递、宏村世界文化遗产保护管理委员会制定实施细则，并负责解释。

第三十二条　本办法自公布之日起执行。

四川省世界遗产保护条例

(2002年1月18日四川省第九届人民代表大会常务委员会第二十七次会议通过)

第一条 为了加强对四川省世界遗产的保护和管理,根据国家有关法律法规,结合四川实际,制定本条例。

第二条 本条例所称世界遗产,是指经联合国教科文组织批准的世界文化遗产、自然遗产、自然和文化遗产。

在四川省世界遗产保护范围内进行活动,必须遵守本条例。

第三条 世界遗产保护范围,按照其总体规划分为核心区、保护区、外围保护区,分区进行保护。

第四条 世界遗产保护坚持有效保护、统一管理、科学规划、永续利用的原则。在保护的前提下,合理开发利用。

第五条 省人民政府建设、文化行政管理部门按照各自的职责,负责全省世界遗产保护利用的监督管理工作。

世界遗产地的县以上人民政府负责本行政区域内世界遗产保护利用的综合管理工作。建设、文化、林业、环境保护、国土资源、水利、民族、宗教、旅游等行政管理部门按照各自的职责,做好世界遗产保护利用的监督管理工作。

法律法规另有规定的,从其规定。

第六条 世界遗产地县以上人民政府应当设立管理机构,负责世界遗产的保护、利用和管理工作。世界遗产保护范围内的所有单位,应接受世界遗产管理机构的管理。世界遗产管理机构的主要职责是:

(一)宣传、贯彻有关法律法规;

(二)组织实施世界遗产总体规划和详细规划,有效保护和合理利用世界遗产资源;

(三)制定并组织实施世界遗产保护措施和管理制度;

(四)负责组织世界遗产资源调查、评价、登记工作;

(五)负责世界遗产保护范围内有关单位的相关协调工作;

(六)负责世界遗产保护范围内所有工商户和常驻居(村)民涉及世界遗产保护、利用事宜;

(七)负责世界遗产保护范围内基础设施及其他公共设施的管理,改善游览服务条件;

(八)负责世界遗产保护有关的其他事项;

(九)根据有关行政管理部门的委托,实施行政处罚。

第七条 世界遗产总体规划,由其世界遗产地的县以上人民政府组织编制,经省建设行政主管部门会同有关部门审查同意后,报省人民政府按规定程序审批。

经批准的世界遗产总体规划,任何单位和个人不得擅自改变。对世界遗产总体规划进行修编或者总体布局重大变更的审批程序,按前款规定办理。

第八条 禁止在世界遗产保护范围内建设污染环境、破坏生态和造成水土流失的设施;禁止进行任何损害或破坏世界遗产资源的活动。

除按照世界遗产总体规划建设的基础设施和其他公共设施外,禁止在世界遗产核心区、保护区建设宾馆、招待所、疗养院及各类培训中心等建设项目及设立各类开发区、度假区。

第九条 世界遗产保护范围内按照总体规划进行建设的项目,经世界遗产管理机构审查后,按照有关规定报批。

凡不符合总体规划的建筑物、构筑物和其他设施,应当限期拆除或改造。

第十条 世界遗产核心区内的人口数量超出世界遗产总体规划确定的承载能力,应采取必要的移民措施,由世界遗产地县以上人民政府制定移民搬迁规划,报上一级人民政府批准后实施。

第十一条 任何单位和个人不得擅自出让或变相出让世界遗产资源。

第十二条 世界遗产保护范围内不得引进非世界遗产保护范围内生长的植物和动物种类,对已引进的应当清除或者迁出。

第十三条 世界遗产保护范围内应当使用环保车船和电、气、太阳能等清洁燃料。

世界遗产保护范围内的污水、烟尘,必须实施达标排放,生活垃圾必须进行无害化处理。

第十四条 按照世界遗产总体规划确定的旅游环境容量,世界遗产管理机构可以对世界遗产核心区、保护区采取分区封闭轮休制度,限制游人数量,保护生态环境。其具体方案由世界遗产管理机构制定,经世界遗产地县(市)人民政府审核,报上一级人民政府批准,并予以公告。

第十五条 世界遗产地的市、州、县(市)人民政府有关行政管理部门应当建立世界遗产保护监测制度。按照有关规定定期对世界遗产保护状况进行监测,提出监测评价报告,报省人民政府有关行政管理部门备案。

第十六条 世界遗产管理机构的管理人员和专业技术

人员必须进行岗位培训，实行持证上岗。

第十七条 对世界遗产范围内的文物古迹进行修缮或修复时，不得改变原有的风貌，其修缮或修复方案应按文物法的有关规定报批。

第十八条 世界遗产地跨行政区域的，坚持共享资源、共同保护、共同发展、共同利用的原则。

在本省行政区域内的世界遗产地跨地域的，由上一级人民政府协调保护与利用事务。

第十九条 世界遗产保护专项经费，通过政府投入、社会捐助、国际援助、景区门票收入等多种渠道筹集，专户储存，专款专用，不得挪用他用。

第二十条 世界遗产管理机构应当对自然景观和人文景物作出准确的标志说明。

第二十一条 进入世界遗产保护范围内的任何单位和个人，必须爱护世界遗产资源和各项设施，遵守各项有关规定，维护公共秩序和环境卫生。

第二十二条 违反本条例第八条、第九条规定，有下列行为之一的，责令停止违法行为、限期拆除违法建筑、恢复原状，并处以相应罚款。

（一）在世界遗产核心区违法建设的，处以违法建筑每

平方米一百元以上五百元以下的罚款；

（二）在世界遗产保护区未经批准进行建设的，处以违法建筑每平方米五十元以上三百元以下的罚款；

（三）在世界遗产外围保护区未经批准进行建设的，处以违法建筑每平方米三十元以上一百元以下的罚款。

行政管理部门擅自批准在世界遗产保护范围内进行建设的，其批准文件无效。对擅自审批的直接责任人员，由其所在单位或者上级主管机关给予行政处分。

第二十三条 违反本条例规定，造成世界遗产资源损害或破坏的，责令改正、赔偿损失；情节严重的，处以五万元以上的罚款。

国家机关工作人员、世界遗产管理机构工作人员玩忽职守、滥用职权，造成世界遗产资源损害或破坏的，除按照前款规定处罚外，由其所在单位或者上级主管机关给予行政处分。

第二十四条 违反本条例规定，构成犯罪的，依法追究刑事责任。

第二十五条 都江堰水利工程的建设、管理和保护按《四川省都江堰水利工程管理条例》的规定执行。

第二十六条 本条例自2002年4月1日起施行。

福建省武夷山世界文化和自然遗产保护条例

（2002年5月31日福建省第九届人民代表大会常务委员会第三十二次会议通过）

第一章 总则

第一条 为了加强对武夷山世界文化和自然遗产的保护，根据国家有关法律、法规，结合本省实际，制定本条例。

第二条 本条例适用于本省行政区域内列入联合国教科文组织《世界遗产名录》的武夷山世界文化和自然遗产（以下简称武夷山世界遗产）的保护和管理。

本条例所称的武夷山世界遗产保护范围包括风景名胜区（文化和自然景观保护区）、城村汉城遗址保护区、自然保护区（生物多样性保护区）和九曲溪生态保护区。

第三条 武夷山世界遗产所在地的县级以上地方人民政府，按照各自职责，组织、协调、监督武夷山世界遗产的保护管理工作。省人民政府可根据需要，设立或者确定相关机构负责协调武夷山世界遗产保护管理工作。

武夷山世界遗产所在地的县级以上地方人民政府文化、建设、林业、国土资源、环境保护等有关行政管理部门依照法

定职责，做好武夷山世界遗产的保护管理工作。

第四条 武夷山风景名胜区、城村汉城遗址、自然保护区管理机构（以下称武夷山世界遗产管理机构），按照各自职责，具体负责武夷山世界遗产的保护管理工作。

武夷山世界遗产所在地的县级文化行政管理部门，具体负责除城村汉城遗址外的武夷山世界文化遗产的保护管理工作。

第五条 武夷山世界遗产的保护，必须坚持依法保护、科学管理、加强监督、永续利用的原则。

第六条 设立武夷山世界遗产保护专项经费，用于武夷山世界遗产的保护管理。专项经费的筹集、使用办法由省人民政府制定。

第七条 任何组织和个人都有保护武夷山世界遗产的权利和义务，有权制止或者举报破坏武夷山世界遗产的行为。

对保护武夷山世界遗产做出突出贡献的单位和个人，由

中国世界遗产年鉴 2004

县级以上地方人民政府或者有关部门给予表彰和奖励。

第二章 规划与管理

第八条 武夷山世界遗产保护规划和依据保护规划制定的详细规划,是武夷山世界遗产保护管理的重要依据。

详细规划由武夷山世界遗产管理机构组织编制,并依法报请批准后实施。

保护规划和详细规划经批准公布后,必须严格执行,不得擅自更改;确需更改的,应当报经原批准机关批准。

第九条 武夷山自然保护区根据国家有关自然保护区功能区划分的规定,划分为核心区、缓冲区和实验区,其保护管理依照国家有关规定执行。

第十条 武夷山风景名胜区和九曲溪生态保护区按照保护规划,划分为特别保护地带、一般保护地带和其他保护地带,由省人民政府组织划定并设立标志。

第十一条 在武夷山风景名胜区和九曲溪生态保护区内,必须严格按照规划控制建设项目,禁止进行任何损害或者破坏世界遗产资源的建设活动。在特别保护地带,除保护需要并经批准外,禁止进行任何建设活动。

符合保护规划的建设项目,应当与周围景观和环境相协调,并经武夷山世界遗产管理机构同意后,方可申办有关审批手续。

第十二条 在城村汉城遗址保护区内,除按照规划建设保护设施和公用设施外,不得增建其他设施;其周边地带的建筑物,应当与汉城遗址整体相协调,不得破坏汉城遗址的文化景观和历史风貌。

第十三条 经批准的建设项目,在施工过程中,必须采取有效措施,保护人文和自然景观及周围的林木、植被、水体、地貌,不得造成污染、破坏;竣工后,必须及时清理场地、进行绿化,恢复环境原貌。

第十四条 在武夷山世界遗产保护范围内禁止建设可能污染环境的项目和开设破坏世界遗产的各类表演、竞技、航空游览及其他项目。

第十五条 在实验区和特别保护地带,应当严格控制各类经营活动,确需开展经营活动的,必须经武夷山世界遗产管理机构同意,持营业执照,并在规定的区域和经营范围内进行。

第十六条 对武夷山世界遗产保护范围内的土地和其他资源,应当严格保护、加强管理,任何单位和个人不得侵占和破坏。

第三章 文化遗产保护

第十七条 在武夷山世界遗产保护范围内,具有历史、艺术、科学价值的古建筑、纪念性建筑物、古文化遗址、古窑址、古墓葬、摩崖石刻等各类文物以及民俗、民间音乐舞蹈等传统文化,受本条例保护。

第十八条 对文物保护单位,应当严格按照文物保护的有关法律、法规和规章,进行保护和管理;对未列为文物保护单位的,由所在地的县级人民政府划定必要的保护范围,制定相应的保护措施,并立碑公告。

第十九条 对可能有地下文物遗存的区域,文化行政管理部门应当依法进行勘察,划定地下文物遗存的保护区域。

在划定的保护区域进行工程建设的,应当事先由文化行政管理部门依法进行文物调查、勘探或者考古发掘;在其他区域发现文物遗迹的,应当采取措施保护现场,并立即报告当地文化行政管理部门。

第二十条 任何组织和个人使用文物保护单位或者明示保护的古建筑、纪念性建筑物,应当与当地文化行政管理部门签订《保护使用责任书》,负责保养、维修和安全防范,接受文化行政管理部门的指导和监督。

第二十一条 对文化遗产的保护、维修,应当遵循不改变文物原状的原则,保持原有材料、传统结构、形制工艺和历史原貌。

对各类文物进行保护维修,应当依法履行报批手续并严格按照保护规划进行。

第二十二条 武夷山世界遗产保护范围内的悬棺崖葬、摩崖石刻、古桥梁、石坊石门等,应当保持历史原貌,适时加固,防止风化滑坠。

任何单位和个人不得进行涂写、刻划等破坏文物古迹和人文景观的活动。

第二十三条 在城村汉城遗址保护区内进行开发和展示活动,应当按照保护规划,坚持以汉城遗址为主体的原则,确保汉城遗址的安全。

第二十四条 武夷山世界遗产所在地的县级以上地方人民政府及其有关行政管理部门,应当采取措施,继承、保护和弘扬武夷山历史传统和文化精华,收集和保存文化、艺术、工艺珍品;设置传统文化博物馆、陈列室;出版、展示、宣传优秀历史文化作品。

第四章 自然遗产保护

第二十五条 在武夷山世界遗产保护范围内,禁止采伐生态公益林,保持原有森林状态。确需采伐其他林木的,应当依法批准,合理规划采伐地点,采取适当方式采伐。

严格保护古树名木,禁止砍伐、移植。有关行政管理部门应当对古树名木进行调查、鉴定、登记造册,建立档案,设立保护标志,并落实保护措施。

第二十六条　严格保护物种和生态系统。在武夷山自然保护区内,禁止引进外来种子、苗木和野生动植物物种。禁止把被动植物检疫对象污染的包装材料、运输工具等带入武夷山世界遗产保护范围。

第二十七条　在武夷山世界遗产保护范围内,对具有重要科学研究和观赏价值的地质遗迹,应当加强保护,任何组织和个人不得破坏、挖掘、买卖或者以其他形式转让。

第二十八条　武夷山世界遗产所在地的县级以上地方人民政府,应当根据生态保护的需要和社会经济发展的实际,逐步外迁并妥善安置生物多样性分布典型区域内的居民,减轻人为活动对生态造成影响。

第二十九条　在武夷山世界遗产保护范围内,应当推广使用环保型车船作为交通工具,推广使用电、气或者太阳能等环保能源取代薪材;在自然保护区和特别保护地带,禁止载重量十吨以上的车辆通行。

第三十条　武夷山世界遗产管理机构应当建立生物多样性信息监测网,收集动植物和微生物个体、种群、群落和生态系统等信息,为科学保护生物多样性提供依据。

第三十一条　在武夷山世界遗产保护范围内,应当严格保护地表、地貌,做好水土保持。在九曲溪干流及上游主要支流两岸,禁止山地开发、采石、采矿、取土等破坏地表、地貌的活动。

第三十二条　加强对九曲溪流域水体的保护管理,禁止下列行为:

（一）向九曲溪超标排放污水、倾倒垃圾、抛弃废物、采砂取石;

（二）在九曲溪干流围、填、堵、塞或者改变河道;

（三）在九曲溪采集动植物;

（四）在九曲溪干流内游泳。

第三十三条　在武夷山世界遗产保护范围内,应当划定防火区域,并设立明显的禁火标志,公布禁火规定,禁止燃放烟花爆竹、吸烟等各种明火活动。

第三十四条　禁止在特别保护地带建造坟墓。原有的坟墓,除具有历史、艺术、科学价值且受国家保护之外,应当分期迁移或者深埋。

第三十五条　武夷山世界遗产管理机构应当根据武夷山风景名胜区的容量,有计划地安排接纳游人,控制游客数量。

严格控制九曲溪竹排（筏）每日最高投放量,保护自然景观和生态环境。

第三十六条　武夷山世界遗产遭受灾害,造成重大损坏时,武夷山世界遗产管理机构应当采取必要的补救措施,及时向省人民政府有关行政管理部门报告,并按照有关程序向联合国世界遗产委员会通报,寻求资金、技术等方面的援助。

第五章　法律责任

第三十七条　违反本条例第八条第三款、第十一条第一款、第二十条、第二十一条第二款、第二十五条第一款、第二十六条、第二十七条、第三十一条规定的,由武夷山世界遗产所在地的县级以上地方人民政府有关行政管理部门,依照有关法律、法规规定进行处罚。

第三十八条　违反本条例第十四条规定的,由武夷山世界遗产管理机构责令改正,并处以五千元以上五万元以下罚款。

第三十九条　违反本条例第十九条第二款规定,发现文物遗迹,未采取措施保护现场并立即报告的,由武夷山世界遗产所在地的县级以上地方人民政府文化行政管理部门处以五百元以上五千元以下罚款。

第四十条　违反本条例第二十二条第二款规定,由武夷山世界遗产管理机构责令改正、恢复原状,可并处以一百元以上一千元以下罚款;造成损坏、不能恢复原状的,责令赔偿损失。

第四十一条　违反本条例第十五条、第三十二条第（二）项和第（三）项、第三十四条规定的,由武夷山世界遗产管理机构责令改正、恢复原状,没收非法物品,并处以五百元以上五千元以下罚款。

第四十二条　违反本条例第三十三条规定,燃放烟花爆竹、吸烟或者进行其他明火活动的,由武夷山世界遗产管理机构责令改正,没收非法物品,并处以三百元以上三千元以下罚款;造成损失的,责令赔偿损失。

第四十三条　有关行政管理部门、武夷山世界遗产管理机构的工作人员,在管理过程中玩忽职守、滥用职权、徇私舞弊的,由其所在单位或者上级主管部门给予行政处分;构成犯罪的,依法追究刑事责任。

第六章　附则

第四十四条　国家法律、法规对自然保护区、风景名胜区以及文化文物保护已有规定的,从其规定。

第四十五条　本条例自 2002 年 9 月 1 日起施行。

甘肃敦煌莫高窟保护条例

(2002 年 12 月 7 日甘肃省第九届人民代表大会常务委员会第三十一次会议通过)

第一章　总则

第一条　为了加强对敦煌莫高窟的保护、管理和利用，弘扬中华民族优秀的历史文化，根据《中华人民共和国文物保护法》和有关法律、法规，制定本条例。

第二条　敦煌莫高窟是世界文化遗产和全国重点文物保护单位。对敦煌莫高窟的保护以及在敦煌莫高窟保护范围内游览、考察或者进行其他活动的机关、组织和个人，应当遵守本条例。

第三条　敦煌莫高窟的保护，应当坚持"保护为主、抢救第一、合理利用、加强管理"的方针，正确处理经济建设、社会发展与文物保护的关系，确保敦煌莫高窟及其历史风貌和自然环境的真实性、完整性。

敦煌莫高窟保护范围内的基本建设、旅游发展必须遵守文物保护工作的方针，其活动不得对文物及其环境造成损害。

第四条　省人民政府应当加强对敦煌莫高窟的保护工作，并实行统一领导。省文物行政部门是敦煌莫高窟保护工作的主管部门。

敦煌市人民政府在城乡建设、旅游发展、环境保护、灾害防治、治安保卫等方面，做好敦煌莫高窟及其环境风貌的保护工作。

其他有关的人民政府文化、文物、公安、城乡建设、工商、环境保护、旅游、海关等行政部门在各自的职责范围内，做好敦煌莫高窟的保护工作。

第五条　敦煌莫高窟保护管理机构具体负责敦煌莫高窟保护范围内的保护和管理工作，并接受省人民政府及其有关行政部门和当地人民政府的监督管理。

第六条　敦煌莫高窟的保护应当纳入全省国民经济和社会发展计划及敦煌市城乡建设总体规划。

敦煌莫高窟保护管理机构应当为经济建设和社会发展服务。

第七条　敦煌莫高窟保护和管理工作所需经费主要由国家和省财政拨款予以保障。各级人民政府鼓励、支持敦煌莫高窟保护管理机构发展文化产业和吸纳捐赠、赞助等。

用于敦煌莫高窟保护和管理的拨款、事业性收入资金以及有关基金会的基金和其他捐赠、赞助的财物，应当依法管

理，专款专用，任何单位或者个人不得侵占、挪用。

第八条　各级人民政府应当鼓励社会力量参与敦煌莫高窟的保护，支持国内国际间的合作与交流。

第九条　各级人民政府及其文物行政部门、敦煌莫高窟保护管理机构，应当积极采取措施收集流失的敦煌莫高窟文物；鼓励、支持国内外单位和个人，归还或者协助收集流失的敦煌莫高窟文物。

第二章　保护对象与保护范围

第十条　本条例对敦煌莫高窟保护的对象包括：

（一）敦煌莫高窟保护范围内的石窟建筑、窟前木构建筑、窟前寺院遗址、古塔；

（二）敦煌莫高窟洞窟内壁画、塑像以及构成洞窟整体的其他部分；

（三）由敦煌莫高窟保护管理机构收藏、保管、登记注册的文物藏品和重要资料；

（四）敦煌莫高窟保护范围内的地下文物；

（五）构成敦煌莫高窟整体的历史风貌和自然环境；

（六）其他依法应当保护的文物。

第十一条　敦煌莫高窟保护范围分为重点保护区和一般保护区。

重点保护区：东以大泉河东岸为界；南至成城湾起向南延伸 500 米；西以石窟崖沿起向西延伸 2000 米；北至省道 217 线 11000 米里程碑处。

一般保护区：东至三危山西麓；南至整个大泉河流域，包括大泉、条湖子、大拉牌、小拉牌、苦沟泉等水域；西至鸣沙山分水岭向西 2000 米；北至省道 217 线 1000 米里程碑处，并以公路为中心向东西两侧各延伸 3500 米。

第十二条　省人民政府应当依照本条例第十一条的规定，设置保护标志和保护范围界桩，其他单位和个人不得擅自移动和损毁。

第十三条　在敦煌莫高窟保护范围之外可以划定建设控制地带，其范围由省人民政府确定并公布。

第三章　保护管理与利用

第十四条　省文物行政部门应当组织编制敦煌莫高窟

保护规划,经依法批准后实施。

第十五条　敦煌莫高窟重点保护区内不得新建永久性建筑物、构筑物;一般保护区内不得进行与文物保护无关的建设工程。在敦煌莫高窟重点保护区和一般保护区内均不得进行爆破、钻探、挖掘等作业,不得建设污染文物及其环境的设施,不得进行可能影响文物安全及其环境的活动。因特殊需要进行的建设工程,必须事先征得国务院文物行政部门同意,由省人民政府批准。

第十六条　敦煌莫高窟重点保护区和一般保护区内禁止下列活动:

(一)在文物、建筑物、构筑物、保护设施上张贴、涂写、刻划、攀登、翻越;

(二)在设有禁止拍摄标志区域内进行拍摄活动;

(三)擅自测绘文物、建筑物、构筑物;

(四)采沙、采石、取水、开荒、放牧、焚烧、野炊;

(五)设置广告、修坟、乱倒垃圾;

(六)擅自占用或者破坏植被、河流水系和道路;

(七)射击、狩猎;

(八)运输或者存放易爆、易燃、剧毒、放射性物品;

(九)其他可能损毁或者破坏文物、建筑物、构筑物以及环境风貌的活动。

第十七条　在敦煌莫高窟保护范围和建设控制地带内已有的污染文物及其环境的设施,应当限期治理;危害文物安全及破坏其历史风貌的建筑物、构筑物,应当依法调查处理,必要时,对该建筑物、构筑物予以拆迁。

第十八条　在敦煌莫高窟保护范围和建设控制地带内进行的建设工程,事先应当依法进行考古调查、勘探。在考古调查、勘探中发现文物的,应当按照文物保护的要求制定文物保护方案;在工程建设中发现文物的,建设单位应当立即停工,保护现场和文物安全,及时通知敦煌莫高窟保护管理机构或者敦煌市人民政府文物行政部门。

因建设工程而进行的考古调查、勘探、发掘费用,由建设单位列入建设工程预算。

第十九条　在敦煌莫高窟保护范围和建设控制地带内,禁止任何单位或者个人私自发掘文物。确需进行的考古发掘,应当依法办理批准手续,由省文物行政部门组织已经取得考古发掘许可证书的单位实施。

第二十条　在敦煌莫高窟建设控制地带内不得进行影响文物安全及其环境的活动;进行建设工程,必须事先征得国务院文物行政部门同意,由省城乡建设规划部门批准,其形式、高度、体量、色调等应当与敦煌莫高窟的环境风貌相协调。

第二十一条　敦煌莫高窟保护管理机构应当科学确定莫高窟旅游环境容量,对开放洞窟采取分区轮休制度或者限制游客数量。

第二十二条　敦煌莫高窟保护管理机构应当按照国家有关规定,建立健全管理制度,配备防火、防盗、防虫、防自然损坏等设施,确保文物安全,保护其历史风貌和自然环境不受损害;采用先进的科学技术,加强对敦煌莫高窟文物和科学保护技术的研究、应用。

第二十三条　敦煌莫高窟保护管理机构应当按照不改变文物原状的原则,及时对敦煌莫高窟文物进行修缮、保养。对文物进行修缮时,应当依法办理批准手续,其设计、施工、监理等必须由取得文物保护工程资质证书的单位承担。

第二十四条　敦煌莫高窟保护管理机构应当建立文物记录档案并依法备案。文物的出入库、提取使用、调拨、交换和借用必须按照法律、法规或者有关规定办理手续。

第二十五条　敦煌莫高窟保护管理机构对敦煌莫高窟文物和科学保护技术的研究成果,以及由其提供资料制作的出版物、音像制品等,享有法律、法规规定的知识产权。

第二十六条　制作出版物、电影、电视剧(片)以及专业录像和专业摄影需拍摄敦煌莫高窟文物的单位和个人,应当经国家文物行政部门批准,按照规定缴纳费用后,在敦煌莫高窟保护管理机构工作人员的监督下进行拍摄。

第二十七条　因特殊情况需要复制敦煌莫高窟文物的,应当根据文物的级别,经国家文物行政部门或者省文物行政部门批准,并由敦煌莫高窟保护管理机构监制。

第二十八条　敦煌莫高窟文物及敦煌莫高窟保护范围内的土地不得转让、抵押或者赠与、出租、出售,不得作为企业资产经营,不得用于不利于文物保护的活动。改变敦煌莫高窟使用人或者用途的,应当由省人民政府报国务院审批。

第二十九条　申请在敦煌莫高窟保护范围内从事经营活动的单位和个人,应当事先征得敦煌莫高窟保护管理机构的同意后,由敦煌市人民政府有关部门办理相关手续。

第四章　奖励与处罚

第三十条　有下列事迹的单位和个人,由各级人民政府及其文物行政部门或者敦煌莫高窟保护管理机构给予表彰奖励:

(一)长期从事敦煌莫高窟保护管理工作成绩突出的;

(二)在敦煌莫高窟文物和科学保护技术的研究、应用中成绩突出的;

(三)与损毁、破坏、盗窃敦煌莫高窟文物等违法犯罪行为作坚决斗争的;

（四）在自然灾害和突发事件中抢救、保护敦煌莫高窟文物有功的；

（五）将敦煌莫高窟文物捐献给国家，或者在敦煌莫高窟文物归还国家的过程中成绩突出的。

第三十一条　在敦煌莫高窟保护和管理工作中有下列行为之一的，由所在单位或者上级主管部门对负有责任的人员和其他直接责任人员依法给予行政处分，情节严重的依法开除公职；构成犯罪的，依法追究刑事责任：

（一）滥用审批权限，不履行职责或者发现违法行为不予查处，造成严重后果或者谋取私利的；

（二）造成敦煌莫高窟文物及重要资料损毁或者流失的；

（三）借用或者非法侵占固有的敦煌莫高窟文物的；

（四）贪污、挪用文物保护经费的。

违反前款被开除公职的人员，自开除公职之日起 10 年内不得从事文物管理工作。

第三十二条　违反本条例第十二条、第十六条第（一）、（二）、（三）项规定，情节轻微的，由敦煌莫高窟保护管理机构予以警告、责令改正或者限期恢复原状、赔偿损失，并可处以 50 元以上 500 元以下的罚款；情节严重的，可以并处 500 元以上 5000 元以下的罚款。

第三十三条　违反本条例第十六条第（四）、（五）、（六）项规定的，由敦煌市人民政府有关行政部门或者由其根据敦煌莫高窟保护管理机构的意见予以警告、责令改正或者限期恢复原状、赔偿损失，并可依法予以罚款。

第三十四条　在敦煌莫高窟保护范围和建设控制地带内，有下列行为之一的，由省文物行政部门或者由敦煌市人民政府文物行政部门根据省文物行政部门的意见，依照《中华人民共和国文物保护法》的有关规定予以处罚：

（一）未经批准，进行建设工程或者爆破、钻探、挖掘等

作业；

（二）进行建设工程，其工程设计方案未经依法批准，对敦煌莫高窟的历史风貌造成破坏的；

（三）擅自修缮文物，明显改变文物原状的；

（四）施工单位未取得文物保护工程资质证书，擅自从事文物修缮工程的；

（五）擅自进行文物考古发掘、调查、勘探的；

（六）发现文物未及时上报，造成文物损毁的。

第三十五条　违反本条例第十六条第（七）、（八）项规定及其他构成违反治安管理行为的，由敦煌市公安机关依法给予处罚。

第三十六条　违反本条例规定，造成敦煌莫高窟文物及其环境污染的，由敦煌市人民政府环境保护行政部门责令限期治理并依照有关法律、法规的规定给予处罚。

第三十七条　违反本条例第二十六条规定的，由敦煌莫高窟保护管理机构责令停止拍摄，没收拍摄所得全部文物资料，情节严重的，移送公安机关处理。

第三十八条　违反本条例第二十七条规定的，由省文物行政部门责令停止复制，没收复制品，并按照国务院有关规定予以处罚；情节严重的，按照国家知识产权保护的有关规定追究其法律责任。

第三十九条　其他对敦煌莫高窟文物、建筑物、构筑物及其环境风貌造成损毁、破坏或者污染的行为，有关法律、法规已有处罚规定的，从其规定。

第五章　附则

第四十条　本条例实施中的具体应用问题，由省文物行政部门负责解释。

第四十一条　本条例自 2003 年 3 月 1 日起施行。

北京市长城保护管理办法

（2003 年 5 月 22 日北京市人民政府第八次常务会议审议通过）

第一条　为了保护长城及其环境风貌，根据国家有关文物保护的法律、法规，结合本市实际情况，制定本办法。

第二条　本办法所称长城，是指本市行政区域内的长城主体和与长城主体有关的城堡、关隘、烽火台、敌楼等附属建筑及其他相关文物。

长城主体的附属建筑和相关文物的具体名录，由市文物

行政主管部门确定，并向社会公布。

第三条　本市长城保护坚持原状保护、科学规划、合理利用的原则。

第四条　市文物行政主管部门负责对长城保护工作的统一管理和监督、指导。

长城沿线的区、县人民政府（以下简称区、县人民政府）

负责组织实施本辖区内长城段的保护工作。区、县文物行政主管部门具体负责本辖区内长城段的保护管理工作。

规划、林业、环境保护、旅游等行政主管部门和城市管理综合执法组织应当按照各自职责，负责相关的长城保护管理工作。

一切单位和个人都有保护长城的义务。本市鼓励单位和个人以各种形式参与长城保护工作。

第五条　市文物行政主管部门应当制定长城总体保护方案。

区、县人民政府应当根据长城总体保护方案，制定本辖区内长城段保护工作的具体实施方案。对影响长城安全和环境风貌的建筑物、构筑物，区、县人民政府应当制定整治搬迁方案，分期组织实施。

第六条　市文物、规划行政主管部门应当按照保护整体风貌、保留完整体系的原则，划定长城的保护范围和建设控制地带。

对急需保护的长城段，市文物、规划行政主管部门应当优先划定保护范围和建设控制地带；对近期不能划定保护范围和建设控制地带的长城段，市文物行政主管部门可以会同市规划行政主管部门划定临时保护区，并按照本办法及国家和本市有关文物保护单位保护范围和建设控制地带的规定管理。

第七条　区、县人民政府对本辖区内的长城段应当进行普查登记，设置保护标志，建立记录档案，并将记录档案报市文物行政主管部门备案。

第八条　区、县人民政府与长城沿线乡、镇的人民政府（以下简称乡、镇人民政府），乡、镇人民政府与长城沿线村的村民委员会，应当签订长城保护责任书，并建立相应的奖惩制度。

乡、镇人民政府应当组织本地区有关单位和个人做好长城保护管理工作。

第九条　长城管理使用单位应当负责所管理使用长城段的日常巡视检查和日常维护、修缮、抢险等保护工作，并保证保护工作的相应资金。没有管理使用单位的长城段，其日常巡查和日常维护、修缮、抢险等保护工作，由当地区、县人民政府负责。

长城管理使用单位发现所管理使用的长城段出现险情的，应当及时抢修，并向当地区、县文物行政主管部门报告。

长城管理使用单位对所管理使用的长城段，不按照文物行政主管部门的要求修缮，或者发现险情不及时抢救的，市文物行政主管部门可以指定具有文物保护工程资质的施工单位进行修缮、抢险，所需费用由负有修缮、抢险责任的长城

管理使用单位承担。

第十条　对长城进行日常维护、修缮，应当坚持及时保护、不改变文物原状的原则；长城地面建筑已经全部被毁坏的，应当实施遗址保护。

第十一条　任何单位或者个人不得将长城转让、抵押或者折股作为企业资产经营。

利用长城开辟参观游览场所的，应当由当地区、县人民政府提出利用方案和保护措施，报市文物行政主管部门审核；市文物行政主管部门审核同意后，依法报请市人民政府批准。

未经批准，任何单位或者个人不得利用长城开辟参观游览场所。

第十二条　在长城保护范围和建设控制地带内不得进行开矿采石、挖砂取土、掘坑填塘、捕猎野生动物、擅伐林木等破坏地形地貌和生态环境的活动；建设电力、通讯、农田水利、种植、养殖等设施和从事其他生产生活活动，不得危及长城安全，不得影响长城环境风貌。

在长城保护范围和建设控制地带内设置的文物、导游等标志标牌，其色调、体量、造型等应当与长城风貌相协调。

第十三条　长城建筑材料属于国家所有。任何单位或者个人不得非法占有长城建筑材料，不得利用长城建筑材料修建除长城以外的建筑物、构筑物。

本办法实施前利用长城建筑材料修建的建筑物、构筑物被拆除后，有关单位或者个人应当将长城建筑材料无偿移交当地的区、县文物行政主管部门。

第十四条　本市严格控制利用长城拍摄电影、电视和举办大型活动。

利用长城拍摄电影、电视或者举办大型活动的，应当依法经过批准，其搭设的临时设施、活动规模等不得危及长城安全。

第十五条　禁止从事下列危及长城安全的活动：

（一）在长城主体上设置摊点、通讯设施；

（二）组织游览未批准为参观游览场所的长城；

（三）攀登未批准为参观游览场所的长城；

（四）刻划、涂污、损坏长城；

（五）非法移动、拆除、污损、破坏长城保护标志；

（六）在长城上架梯、挖坑、竖杆、堆积垃圾；

（七）其他危及长城安全的行为。

任何单位或者个人不得擅自利用长城设卡收费或者从事其他营利性活动。

第十六条　一切单位和个人都有权对破坏长城及其环境风貌的行为予以制止和举报。文物行政主管部门接到举

报后,应当及时处理。

市文物行政主管部门对不履行长城保护职责的区、县人民政府和乡、镇人民政府有权予以通报。

第十七条　对违反本办法第十二条第二款规定,设置的文物、导游等标志标牌不符合要求的,由城市管理综合执法组织责令拆除或者更换,并可处 200 元以上 1000 元以下的罚款。

第十八条　对违反本办法第十三条第一款规定,非法占有长城建筑材料,或者利用长城建筑材料修建除长城以外的建筑物、构筑物的,由文物行政主管部门依法追回长城建筑材料;构成犯罪的,依法追究刑事责任。

第十九条　对违反本办法第十四条规定,利用长城拍摄电影、电视或者举办大型活动危及长城安全的,由文物行政主管部门责令停止活动;对已经造成长城损害的,依法处理。

第二十条　对违反本办法第十五条第一款第(一)项、第(二)项规定,或者违反本办法第十五条第二款规定的,由

文物行政主管部门责令改正,并可处 1000 元以上 3 万元以下的罚款。

对违反本办法第十五条第一款第(三)项、第(四)项、第(五)项、第(六)项、第(七)项规定的,由文物行政主管部门责令改正,并可处 200 元以上 500 元以下的罚款。

第二十一条　对违反本办法的行为,其他法律、法规、规章已经规定了行政处罚的,由有关部门依法处理。

第二十二条　对依照本办法负有长城保护管理职责的区、县人民政府和乡、镇人民政府及其有关工作人员,未依法尽到保护管理长城的责任,发生危及长城安全、影响长城环境风貌后果的,或者违反本办法第十一条规定,将长城转让、抵押或者折股作为企业资产经营,或者擅自利用长城开辟参观游览场所的,由其上级主管部门或者所在单位依法追究直接负责的主管人员和其他直接责任人员的行政责任;构成犯罪的,依法追究刑事责任。

第二十三条　本办法自 2003 年 8 月 1 日起施行。

承德避暑山庄及周围寺庙保护管理条例

(2003 年 7 月 18 日河北省第十届人民代表大会常务委员会第四次会议通过)

第一章　总则

第一条　为了加强对承德避暑山庄及周围寺庙的保护和管理,根据《中华人民共和国文物保护法》及有关法律法规,结合承德避暑山庄及周围寺庙实际,制定本条例。

第二条　凡在承德避暑山庄及周围寺庙保护范围和建设控制地带内从事保护管理、生产经营、开发建设、旅游、考察、宗教、文化等活动的组织和个人,应当遵守本条例。

第三条　承德避暑山庄及周围寺庙的保护和管理,应当与保护历史文化名城相结合,坚持保护为主、抢救第一、合理利用、加强管理的方针,正确处理文物保护与经济建设、社会发展的关系,确保文物安全。

承德市的城市建设和旅游开发应当遵循文物保护工作的方针,其活动不得对承德避暑山庄及周围寺庙造成损害,不得破坏承德避暑山庄及周围寺庙整体的历史风貌和自然环境。

第四条　承德避暑山庄及周围寺庙属于国家所有,不得转让、抵押,不得作为企业资产经营或者从事其他不利于文物保护的活动。确需改变用途的,应当由省人民政府报国务院批准。

第五条　承德市人民政府负责承德避暑山庄及周围寺庙的保护工作,组织编制承德避暑山庄及周围寺庙保护规划,并纳入城市总体规划。

承德市人民政府文物行政部门对承德避暑山庄及周围寺庙的保护实施监督管理。经国务院批准由宗教行政部门管理的寺庙,应当加强文物保护工作,并接受文物行政部门的业务指导和监督。

承德市人民政府文物行政部门可以委托承德避暑山庄及周围寺庙的保护管理机构,在其管理范围内对违反文物保护法律法规的行为实施行政处罚。

规划、建设、旅游、宗教、财政、文化、公安、国土资源、水务、林业、环保等部门,在各自的职责范围内,做好承德避暑山庄及周围寺庙的保护和管理工作。

第六条　承德市人民政府应当将承德避暑山庄及周围寺庙保护和管理工作所需经费列入本级财政预算,并随着财政收入的增长而增加。

承德避暑山庄及周围寺庙的门票收入,应当主要用于文物保护。

自然人、法人和其他组织捐赠、赞助的财物,应当纳入相关文物保护基金,专门用于文物保护。

第七条　承德市人民政府应当将承德避暑山庄及周围寺庙的保护和管理情况定期向市人民代表大会常务委员会和省人民政府报告。

第八条　省、市人民政府及其文物行政部门、有关部门对在承德避暑山庄及周围寺庙保护工作中作出突出贡献的单位或者个人,给予表彰或者奖励。

第二章　保护对象与保护范围

第九条　承德避暑山庄及周围寺庙的保护对象包括:

(一)承德避暑山庄及周围寺庙保护范围内的古建筑物、构筑物、附属建筑物及其遗址;

(二)承德避暑山庄及周围寺庙保护管理机构收藏、保管、登记注册的馆藏文物和重要资料;

(三)承德避暑山庄及周围寺庙保护范围内的地下文物;

(四)构成承德避暑山庄及周围寺庙整体的历史风貌和自然环境;

(五)其他依法应当保护的人文遗迹。

第十条　承德避暑山庄及周围寺庙保护范围由省人民政府划定。保护范围分为重点保护区和一般保护区。

在保护范围外,根据文物保护的需要划定建设控制地带。建设控制地带由省文物行政部门会同省建设行政部门划定,经省人民政府批准后予以公布。

省人民政府可以根据对历史文化名城和世界文化遗产保护的需要,对保护范围和建设控制地带进行调整。

第十一条　承德避暑山庄及周围寺庙应当设置保护标志和保护范围界桩,任何单位和个人不得擅自移动和破坏。

第三章　保护和管理

第十二条　承德市人民政府文物行政部门应当制定避暑山庄及周围寺庙文物保护的科学技术研究规划,采取有效措施,促进文物保护科学技术成果的应用,提高文物保护的质量和科学技术水平。

第十三条　承德避暑山庄及周围寺庙保护管理机构应当建立健全安全保卫和消防管理责任制,并按照国家有关规定配备防火、防盗、防雷击、防自然损坏的器材和设施,制定火灾、水灾、地震等灾害发生时的应急措施。

第十四条　承德避暑山庄及周围寺庙重点保护区内,除古建筑物、附属建筑物保养维护、抢险加固、修缮、保护性设施建设、迁移等保护工程和复原工程外,不得进行任何工程建设。现存的非文物建筑应当按照规划逐步拆除。

第十五条　承德避暑山庄及周围寺庙一般保护区内,因特殊需要进行工程建设或者爆破、钻探、挖掘等作业的,应当征得国家文物行政部门的同意并经省人民政府批准。

第十六条　建设控制地带内新建、改建、扩建建筑物或者构筑物,其形式、高度、体量、色调、建筑风格等应当与承德避暑山庄及周围寺庙的环境、历史风貌相协调。设计方案应当经省人民政府文物行政部门同意后,报省人民政府规划行政部门批准。

承德市人民政府应当对原有建筑物进行清理排查,对影响承德避暑山庄及周围寺庙历史风貌和自然环境的,应当限期拆除、迁移或者改建。

第十七条　在承德避暑山庄及周围寺庙的保护范围和建设控制地带内,不得建设污染环境的生产设施;建设其他设施,其污染物排放不得超过规定排放标准。已经建成的设施,其污染物排放超过规定排放标准的,限期治理。

第十八条　承德避暑山庄及周围寺庙的保护工程应当遵守下列规定:

(一)文物保护工程必须遵守不改变文物原状的原则;

(二)承担文物保护工程的勘察、设计、施工、监理的单位,应当同时取得文物行政部门和建设行政部门发给的相应等级的资质证书;

(三)文物保护工程的勘察设计方案,应当报国家文物行政部门批准;

(四)文物保护工程应当按工序分阶段验收。重大工程告一段落时,由项目审批部门组织或者委托有关单位进行阶段验收;工程竣工后,经原申报部门初验合格后报项目审批部门验收。

第十九条　承德避暑山庄及周围寺庙文物保护管理机构应当严格执行保障馆藏文物安全的规章制度,对馆藏文物实行统一管理,防止文物流失。

馆藏文物的调拨、交换、借用应当根据文物的等级,逐级报文物行政部门批准。修复、复制、拓印、拍摄馆藏文物,应当依法履行报批手续,并在文物保护管理机构人员的监督下进行。

修复馆藏文物,不得改变其形状、色彩、纹饰、铭文等。

第二十条　承德避暑山庄及周围寺庙内的动物、植物,应当依法保护。

对古树名木应当建立专门档案,加强养护管理。

属于国家重点保护的野生动物对古建筑、树木及人员安全构成威胁需猎捕的,应当依法报相应的野生动物保护行政部门批准。

第二十一条　承德避暑山庄及周围寺庙设立必要的服

务机构和设施,由文物行政部门统一规划,其设置与布局应当确保文物安全和历史风貌不受损害。

第二十二条 使用承德避暑山庄及周围寺庙古建筑的单位应当负责保护古建筑物、附属建筑物的安全,并履行保养和修缮义务。

第二十三条 承德避暑山庄及周围寺庙保护范围内禁止下列活动:

(一)开山取石、打井修渠、挖砂取土、建坟立碑、堆放垃圾及其他杂物;

(二)生产、储存、销售和使用易燃、易爆、剧毒、放射性、腐蚀性物品;

(三)出于商业目的的飞行器低空飞行;

(四)法律法规禁止的其他活动。

第二十四条 进入承德避暑山庄及周围寺庙的人员,禁止下列行为:

(一)在重点保护区内燃放烟花爆竹和野外用火;

(二)在设有禁止吸烟标志区域内吸烟;

(三)在防火戒严期内进入防火戒严区;

(四)挪用、损毁避雷、安全防范器材和设施;

(五)翻越、损坏围墙;

(六)攀折花木、践踏草坪、樵采、猎捕;

(七)撞靠、击打古建筑物、附属建筑物和树木;

(八)在文物、景物上涂污、刻画;

(九)在设有禁止拍摄标志区域内拍摄;

(十)法律法规禁止的其他行为。

第二十五条 在承德避暑山庄及周围寺庙举办或者从事下列活动,应当经市文物行政部门同意后,报相关部门批准,并在规定的时间、地点、范围内进行:

(一)展览;

(二)集会、文艺演出、体育比赛、培训或者其他有组织的群众性活动;

(三)设置通讯、供电、供水、供气、排污等管线及设施;

(四)勘察、测量或者设置监测、测量标志及设施。

第四章 法律责任

第二十六条 在承德避暑山庄及周围寺庙保护和管理工作中有下列行为之一的,由其所在单位或者上级主管部门对负有责任的主管人员和其他直接责任人员依法给予行政处分;构成犯罪的,依法追究刑事责任:

(一)违反有关规定,借用或者非法侵占国有文物的;

(二)利用职务或者工作上的便利,侵吞、盗窃国有文物的;

(三)以权谋私,贪污、挪用文物保护经费的;

(四)不依法履行职责或者发现违法行为不予查处,造成文物及重要资料损坏或者流失的;

(五)滥用审批权限,造成景观破坏、文物损毁等严重后果的。

违反前款规定受到开除公职处分的人员,自被开除公职之日起十年内不得从事文物保护和管理工作。

第二十七条 有下列行为之一,尚不构成犯罪的,由市文物行政部门责令改正;造成严重后果的,处五万元以上五十万元以下罚款;情节严重的,由原发证机关吊销资质证书:

(一)擅自在保护范围内进行工程建设或者爆破、钻探、挖掘等作业的;

(二)在建设控制地带内进行工程建设,其设计方案未经文物行政部门同意并报规划行政部门批准,对承德避暑山庄及周围寺庙历史风貌造成破坏的;

(三)擅自迁移、拆除不可移动文物的;

(四)擅自修缮不可移动文物,明显改变文物原状的;

(五)未取得文物保护工程资质证书,擅自从事文物修缮、迁移、重建的。

第二十八条 有下列行为之一的,由文物行政部门依法给予处罚:

(一)违反本条例第十九条第三款规定的,给予警告;造成严重后果的,处二千元以上二万元以下罚款;

(二)违反本条例第二十二条规定的,责令其履行保养、修缮义务或者限期迁出;拒不履行义务或者未按期迁出的,处一千元以上五千元以下罚款;

(三)违反本条例第二十三条第(一)项规定的,责令其停止违法活动,限期恢复原状。不予恢复或者不能恢复原状的,处三百元以上三千元以下罚款;

(四)违反本条例第二十三条第(三)项规定的,责令其停止飞行,并处一千元以上五千元以下罚款;

(五)违反本条例第二十五条规定的,责令其停止违法活动,可以并处五百元以上五千元以下罚款;

(六)损毁文物保护标志或者界桩的,处三百元以上三千元以下罚款。

第二十九条 违反本条例第十六条规定的,由规划行政部门依法给予处罚。

第三十条 违反本条例第十七条规定的,由环境保护行政部门依法给予处罚。

第三十一条 有下列行为之一,由公安部门依法给予处罚;构成犯罪的,依法追究刑事责任:

(一)违反本条例第二十三条第(二)项规定的;

（二）使用枪击、爆炸、电击、投毒等危险方式猎捕及其他违反治安管理规定的；

（三）违反消防管理规定的；

（四）拒绝、阻碍文物行政部门依法执行公务的。

第三十二条　违反本条例第二十四条规定的，由承德避暑山庄及周围寺庙保护管理机构责令其停止违法活动，可以并处五十元以上二百元以下罚款。

第三十三条　当事人对行政处罚决定不服的，可以依法申请行政复议或者提起行政诉讼。逾期不申请行政复议或者提起行政诉讼，又不履行处罚决定的，由作出处罚决定的行政机关申请人民法院强制执行。

第三十四条　违反本条例规定，造成承德避暑山庄及周围寺庙文物灭失、损坏的，依法承担民事责任。

第五章　附则

第三十五条　本条例所称承德避暑山庄周围寺庙，是指环列在避暑山庄周围的清代寺庙群，包括溥仁寺、溥善寺（遗址）、普乐寺、安远庙、普宁寺、普佑寺、广缘寺、须弥福寿之庙、普陀宗乘之庙、广安寺（遗址）、罗汉堂（遗址）和殊像寺。

第三十六条　本条例自 2003 年 8 月 20 日起施行。

人 物

侯仁之

侯仁之，祖籍山东省恩县。1911 年 12 月 6 日出生于河北省枣强县。少年时深受母亲的教诲，热爱劳动，勤奋读书。1932 年考入燕京大学。1946 年负笈英伦，留学利物浦大学，并获哲学博士学位。1949 年 9 月辗转回到祖国，即任燕京大学副教授、教授，兼任清华大学营建系教授。1952 年院系调整，燕京大学与北京大学合并后，侯仁之任北京大学副教务长，兼任地质地理系主任，并当选为中国地理学会副理事长兼历史地理专业委员会主任委员。1980 年当选为中国科学院学部委员（院士）。

侯仁之酷爱祖国的大好河山，又具有忧国忧民的热诚。他以强烈的求知欲和严谨的治学精神，探索并创建了现代历史地理学。北京大学教授杨吾扬在《地理学思想简史》一书中说："把古代沿革地理改造、更新为科学历史地理学，并纳入近代地理学体系的首创者，是侯仁之。"

侯仁之对历史地理的研究，主要侧重在城市历史地理，特别是北京城的起源、城址变迁、城市规划等方面。他走出书斋，勇于深入实践，逐步建立起了城市历史地理的理论体系，开创了城市历史地理研究为城市规划建设服务的新方向，并于 1994 年提出了"北京城市建设中三个里程碑"的思想。与此同时，侯仁之又进行了沙漠历史地理和中外大都市规划建设的比较研究，并发表了一系列著作。1997 年上海人民出版社出版了《历史地理的理论与实践》，1998 年又由北京大学出版社出版了作为"北京大学院士文库"之一的《侯仁之文集》。

侯仁之在地理学，尤其是在开创现代历史地理学方面所做出的卓越贡献，使其获得诸多殊荣。1984 年，英国利物浦大学授予他荣誉科学博士学位；1999 年，美国地理学会（AGS）授予他乔治·戴维森勋章，成为第一个获得这一荣誉的中国人；2001 年，美国国家地理学会（NGS）又授予他"2001 年度研究与探险委员会主席奖"。这是美国国家地理学会第一次到中国大陆颁奖。该委员会主席皮特·瑞文在颁奖会上这样说："侯博士是中国学术成果最丰厚、最富有激情的地理学家之一。他坚持出版研究著作，并积极培养年轻的地理学者。他的著作跨越自然科学与社会科学领域。这使他成为当代地理学的世界级领导人物。"

1984 年，侯仁之应邀赴美国康奈尔大学进行学术交流。期间，他得知联合国有一个《保护世界文化和自然遗产公约》和一个政府间的国际合作机构"世界遗产委员会"，其宗旨在于促进世界各国人民之间的合作与相互支持，为保护人类共同的遗产做出积极的贡献。联想到幅员辽阔、历史文明悠久的祖国，侯仁之在经过缜密的思考之后，于 1985 年 3 月在第六届全国政协第三次会议上，以全国政协委员的名义，率先起草了一个关于中国应尽早批准加入《保护世界文化和自然遗产公约》和世界遗产组织的书面提案，并邀请阳含熙、郑孝燮、罗哲文三位委员共同签名。1985 年 11 月 22 日，第六届全国人民代表大会常务委员会第十三次会议批准了这个提案，使我国成为该公约的第 89 个缔约国。1987 年我国首批 6 项遗产被列入《世界遗产名录》，从此开创了我国有关世界遗产及其保护的事业。1987 年 10 月，侯仁之作为北京市文物古迹保护委员会主任委员，出席了在美国华盛顿举行的国际古迹遗址理事会第八届大会，并在会上作了题为"新时代的万里长城"的发言。回国途中，侯仁之又应邀出席了在夏威夷举行的"亚洲及太平洋诸岛屿文化遗产国际讨论会（HAPI）"第三次会议。而作为历史文化名城的古都北京，许多具有历史文化标志性意义的遗存，如与北京城的起源有着密切关系的莲花池、金中都的宫苑遗址鱼藻池、元大都城市规划的重要标志万宁桥（后门桥）等，之所以得以留存、维护，侯仁之也功不可没。

郑孝燮

郑孝燮，1916年出生于沈阳。1938年考入中央大学建筑系学习，因成绩优异而获得"中国营造学社桂莘奖学金"首奖和"基泰工程司"奖。1942年从中央大学毕业后，先后在重庆和兰州等地从事建筑设计工作。抗日战争胜利后，受聘于武汉区域规划委员会，从事城市规划工作。1949年，调到清华大学建筑系工作，讲授"建筑设计"和"房屋建筑学"等课程，并任梁思成的教务助手，参与了改建中南海怀仁堂、开辟西直门城楼两侧门洞的设计与监修工作。1952年，调任重工业部基本建设局设计处副处长和建筑师，从事厂区内外民用建筑和工人居住区的规划设计。1953年，被借调到建筑工作部城市建设局。1957年，正式调到城市建设部城市规划局任建筑师。半个多世纪以来一直从事城市规划工作。担任过第三届全国人民代表大会代表，第五、六、七届全国政治协商会议委员。现任国家历史名城保护专家委员会委员、国家文物委员会委员。

他一生致力于城市规划、建筑设计的实践和科研，在中国城市规划理论、保护城市历史风貌和文化古迹等方面，取得了很高的造诣，为我国历史文化名城的创建、规划和建设

以及我国的世界遗产事业做出了杰出贡献。

1979年，北京因修建立交桥而计划拆除德胜门箭楼。郑孝燮得知后立即致函当时的中央政府副主席陈云，紧急建议中央迅速制止拆除德胜门箭楼。他在信中写道："德胜门箭楼是世界名都北京除前门外仅存的明朝箭楼，是北城四面八方的重要'对景'或'借景'，应迅速制止领导、专家慎重评议，综合研究，妥善保留。"他的建议很快得到了中央的重视，德胜门箭楼因此得以幸存下来。

针对"文革"期间很多城市的历史古迹遭到破坏的事实，郑孝燮经过长期实地考察，认为必须从城市的全局出发以加强城市的文物保护，并由此产生了"历史文化名城"的概念，成为最早推动名城保护工作的专家之一。1982年我国历史文化名城的确立，有郑孝燮的一份功劳。1986年上海、天津和武汉等城市得以列入第二批历史文化名城，郑孝燮亦功不可没。

1985年，为推动我国的历史名城保护工作，郑孝燮与侯仁之、阳含熙、罗哲文四人在全国政协会议上联名上交提案，建议我国应尽早加入《保护世界文化和自然遗产公约》和世界遗产组织。山西省平遥古城在申报世界遗产过程中，一度未被列入申报名单。郑孝燮在对平遥进行全面考察后，写信给建设部领导，认为平遥古城体现的是儒家思想体系的汉族文化，贯穿着封建礼制的规范，建议再次考虑平遥古城的申报资格。在他的争取下，平遥古城最终被联合国教科文组织列入《世界遗产名录》。至2003年底，我国列入《世界遗产名录》的有形遗产已达29处，其中不少遗产地的保护和建设都包含着郑孝燮的心血。

谢辰生

谢辰生，1922年生，河南安阳人，中共党员。20世纪40年代随郑振铎学习和工作，曾参与编辑《甲午以后流入日本

之文物目录》和《中国历史参考图谱》。建国后，一直从事文物保护管理工作。历任国家文物局顾问，中国旅游学会常务理事，复旦大学、南开大学、武汉大学兼职教授。系第七届全国政协委员，中国共产党第十三次代表大会代表。现为国家历史文化名城保护专家委员会委员、中国文物学会名誉会长、考古学会常务理事。

他对文物保护管理工作有丰富经验，尤其对文物的定义和科学研究提出了独到见解。是《中华人民共和国文物保护法》和1949年以来各项文物法规的主要执笔人，《中国大百科全书·文物卷》主编。

他以个人微薄之力，为国家文化遗产的保护奔走呼吁。他多次向党和国家领导人写信反映我国文化遗产保护中存在的问题，引起了各方的高度重视，推动了我国文化遗产的保护和管理工作。

宿　白

宿白，辽宁沈阳人，1922年8月3日生。1944年北京大学史学系毕业。1948年北京大学文科研究所肄业，并任职于该所考古学研究室。1952年任教于北京大学历史系考古教研室，为教研室副主任、主任。1978年任北京大学历史系教授。1983年北京大学成立考古系，出任系主任。同年，任文化部国家文物委员会委员。1979年中国考古学会成立，先后任中国考古学会常务理事、副理事长、理事长和名誉理事长至今。曾任国务院学位委员会史学评议组组长、全国哲学社会科学规划组考古组组长。先后访问过日本、法国、伊朗和韩国，进行考古学术方面的交流。1983年被聘为美国加州大学洛杉矶分校客座教授，讲授中国佛教考古学。

宿白早年从事中国古代史研究，侧重于中国中古史和中外交通史的研究。在北京大学文科研究所工作期间，对北京

大学和北京图书馆所藏古籍作了调查和研究。新中国成立后，他才全力投入中国现代考古学的研究和教学。1950年开始，曾协助裴文中先生在全国举办四届考古人员训练班，为我国的考古事业培养了一批骨干力量。1950年主持河南禹县白沙水库的宋墓发掘；1958年主持河北邯郸涧沟村龙山商周遗址发掘；又曾多次主持北京大学考古系石窟寺考古的实习，对云岗石窟、响堂山石窟、敦煌石窟、龙门石窟、新疆克孜尔石窟和南京栖霞山石窟，都作过测绘或部分测绘、记录和研究；1959年又去西藏作考古文物调查，奠定了西藏佛教寺院考古的基础。

宿白主持北京大学考古（专业）系以来，为建立中国现代考古学的体系和培养中国考古学的研究人才作出了重要贡献。他开创了中国石窟寺考古学，从理论方法和实践方面作出了示范，把中国石窟寺的研究纳入到考古学的范畴，对中国古代佛教史和美术史都有很大的影响。他曾经发表过一系列的论文来阐述中国古代城市和陵墓的形制及其演变的规律。他对唐宋雕版印刷的研究，则另辟新径，把传统的古籍版本研究升华为古代雕版印刷手工业的研究。在中国古代历史文化遗产保护工作上，他也作出了杰出的贡献。已出版的学术著作有：《白沙宋墓》（1957年初版，2002年再版）、《丝绸之路——汉唐织物》（1972年）、《中国石窟寺研究》（1996年，获首届国家社科基金优秀成果奖）、《藏传佛教寺院考古》（1996年）、《唐宋时期的雕版印刷》（1999年，获第二届国家图书奖）等。他还曾主编《中华人民共和国重大考古发现（1949—1999）》等大型中国考古学的专著。

罗哲文

罗哲文，1924年3月出生，四川宜宾人。1940年考入当时惟一从事中国古建筑调查研究的学术机构——营造学社，从著名建筑学家梁思成先生等学习并参加古建筑的调查研究工作。1946年至1950年，在清华大学与中国营造学社合

办之中国建筑研究所和清华大学建筑系任助理研究和助理教学工作。1950年调中央人民政府文化部文物局任业务秘书，负责全国古建筑之保护管理和调查研究工作。五十多年来一直在文化部、国家文物局从事古建筑文物的保护管理和调查研究工作。历任国家文物局文物处副处长、文物档案资料室主任、中国文物研究所所长等职。是中国人民政治协商会议全国委员会六、七、八届委员，六届全国政协文化组副组长。现为教授级高级工程师、国家文物局古建筑专家组组长、中国文物学会会长、中国长城学会副会长、国际古迹遗址理事会中国委员会副主席。

他把毕生心力献给了祖国的古建筑文物事业、全国重大的古建筑保护维修项目或自己主持设计，或参加主持方案评审数百处以上，对历史文化名城、世界遗产工作做出了开创性的贡献。主要著作有《长城》、《中国古塔》、《中国帝王陵》、《中国佛寺》、《中华名楼》、《中国古代建筑史》、《中国古园林》等。

1985年3月，在第六届全国政协会议上，他和侯仁之、阳含熙、郑孝燮四位政协委员向全国政协委员会提交了第663号提案，建议我国应尽早批准加入《保护世界文化和自然遗产公约》和世界遗产组织。之后，一直从事世界遗产方面的工作。1986年他参加了中国第一批世界遗产长城、故宫、莫高窟、秦始皇陵及兵马俑、周口店北京人遗址、泰山等六项中国世界遗产的申报工作，并担任了长城项目文本的撰写工作。此后参与了我国20多处世界遗产申报、顾问咨询和实地考察等工作。在我国当选为世界遗产委员会常任国和委员会副主席期间，还数次作为代表团主要成员参加了在巴黎、墨西哥等地举办的世界遗产委员会会议的遗产评审等活动。参与编写《中国的世界遗产》、《世界遗产在中国》，并主编了 *China World Cultural and Natural Heritages Sites*（《中国的世界文化与自然遗产》）。

陈昌笃

陈昌笃，1927年出生于湖南省新宁县。1949年清华大学地学系毕业，1953年中国科学院植物研究所的植物生态学研究生毕业（当时中国取消了学位，相当于现在的硕士学位）。1957年至1959年，在苏联列宁格勒大学生物系地植物学教研室进修。1981年至1982年，作为访问学者在美国亚利桑那大

学干旱区研究室研究荒漠植被半年多。

现为北京大学环境学院生态学系教授（已退休），留任生态学教育与研究中心主任。曾任中国生态学会理事长、国家环境保护总局学术顾问。现任建设部风景名胜专家顾问、国家林业局专家咨询委员会委员、北京市园林学会风景名胜区专业委员会专家顾问、中国科协减轻自然灾害第二届专家、中国生物多样性保护基金会专家委员会副主任、社科院环境与发展中心高级顾问以及多个学报的编委。

50多年来，以勤奋、严谨的治学态度坚持不懈地从事生态学教学和研究工作，共发表学术性论文90余篇，科普性论文50余篇，与他人合编专著6部，编写大学教材1本。其中《中国生物多样性国情研究报告》（中、英文）一书在国内外产生很大影响，曾多次获奖。

近年来，作为建设部风景名胜专家顾问，为了国家级风景名胜区的评审，多次赴华北、东北、华东、西南各地风景名胜区考察，并多次参与该部风景名胜区管理和技术干部的培训，为普及生态学和生物多样性知识，提高管理水平，做出辛勤努力。特别在世界遗产申报方面，发挥了突出的作用。福建武夷山申报世界遗产（自然方面）的成功，即主要以他的《论武夷山在中国生物多样性保护中的地位》一文为根据而批准的。四川都江堰申报文化和自然双重遗产，其自然方面根据由他赶写的一文《都江堰地区——横断山北段生物多样性交汇、分化和存留的枢纽地段》送审，在巴黎第一次评审会议上获得通过，虽然后来由于其他原因（修建紫坪铺水坝）只批准了文化遗产部分。此外，2003年获联合国教科文组织世界遗产委员会批准的云南省西北部"三江并流自然遗产"，其生物多样性部分也是由他写稿并译为英文。最近还为湖南省武陵源自然遗产补写了受多方注意的《湖南省武凌源区的生物多样性和生态完整性》一文。

靳之林

靳之林，1928年生，河北省滦南县人。1947年至1951年考入国立北平艺专和中央美术学院美术系。毕业后留校任教于中央美术学院绘画系、油画系董希文工作室。现为中央美术学院教授、院学术委员会顾问。曾任中央美术学院民间美

术研究室主任,中国民间剪纸研究会会长,文化部中国民族、民间文化保护工程专业委员会委员,国家教委中小学教材审定委员会(美术)学科审查委员,中国美术家协会会员。获国务院颁发"有突出贡献的政府津贴专家",法国功勋与敬业最高颁奖委员会金质十字勋章。

靳之林 20 世纪 70 年代以前,主要从事油画教学及油画艺术创作。从 20 世纪 50 年代起,靳之林常年坚持深入乡村、矿山、林区等地,体验生活,收集创作素材。这时期的油画代表作品有《山村的早晨》(1955 年藏军事博物馆)、《罗盛教》(1955 年藏军事博物馆)、《南泥湾》(1961 年为军博创作)、《女书记》(1976 年藏中国美术馆)等,同时画了大量反映生活及大自然的油画写生作品,是当时有影响的油画家。

1973 年至 1985 年,由于向往陕北,他主动要求调至陕西延安地区文化馆并任文物管理委员会副主任。由于工作性质的改变,开始接触陕北考古文化和民间文化,进入其中国本源文化研究的学术生涯。在陕北工作的十三年间,靳之林进行了长期不断的田野考察,考察范围涉及黄河流域多省区,考察内容涉及古代石窟、秦直道考证、早期文化、民俗民间艺术。这时期主要成果有普查、挖掘陕北、陇东民间文化、民间艺术和民间艺术家,并组织民间艺术创作,举办了"延安地区农民画展览"(1974)、"延安地区民间剪纸展览"(1980 中国美术馆),并提出"中国民间艺术造型体系"的学术研究成果。他这一时期的研究及民间艺术普查挖掘、组织、推介等工作,对民间剪纸推向社会化的认知宣传产生了重要的影响。同时,他在陕北探索的民间剪纸普查挖掘以及传承保护方法,成为建国来基层民间美术工作中的重要经验模式。在延安工作期间,靳之林普查挖掘发现陕北石窟 408 窟及 10 万余尊石雕,举办了"延安地区石窟展览"(1980 年中国美术馆),出版考察报告和专著《延安石窟》。1978 年发现秦始皇重大国防工程"秦直道"。1984 年,他由咸阳至内蒙徒步 3000 里完成"秦直道"全线走向和两侧文化遗址与民间文化考察,发表考察报告《秦直道》。1985 年至 1986 年,调至陕西省美协任副主席,普查挖掘抢救濒临失传的陕西蒲城民间药发傀儡,并应邀赴法国表演,受到密特朗总统接见。

1986 年,调至中央美术学院民间美术系。1994 年任民间美术研究室主任。在此期间,普查抢救了江西萍乡傩文化,发表田野考察报告,组织萍乡傩文化和傩班首次进京展览展出。1980 年至 1993 年,六次出国进行人类民间文化和考古文化考察。2002 年,主持中国民间剪纸非物质文化遗产申报工作和中国民间剪纸原生态保护项目(陕北延川),创建"小程民间艺术村"。目前该项目已被列为文化部"中国民族民间文化保护工程"第二批试点项目。

靳之林主要学术著作有《抓髻娃娃》、《生命之树》、《绵绵瓜瓞》以及论文多篇。靳之林近三十年中国本源文化研究,对中国非物质文化遗产的普查、发掘、研究及民间美术教育教学做出了重要的理论贡献,并开拓了具有人类学价值和本土文化特色的学术研究方法,从而拓宽了国内民间美术的研究领域和发展方向。

陈志华

陈志华,1929 年生于浙江省宁波市,1947 年考入清华大学社会学系。1952 年毕业于清华大学建筑系,留校任教。先后讲授苏维埃建筑史、建筑设计初步和外国古代建筑史。"文化大革命"时因被诬陷遭到迫害,下放农村 8 年。1994 年退休。

1982 年至 1989 年,在罗马参加"国际文物建筑和历史地段保护研究中心"研讨班。回来后,在清华大学建筑系开设《文物建筑保护理论》课程。同时,译编《保护文物建筑和历史地段的国际文献》一本并撰写欧洲文物建筑保护的几个流派长文一篇,介绍西方先进国家的文物建筑和历史地段保护的理念和原则。不久又出版《意大利古建筑散记》,具体介绍意大利在这些方面的经验和做法。此后,陆续发表有关的大小文章约二十篇,努力把西方在这些方面的原则和经验更加理论化并且联系中国的实际。

从 1989 年起,和楼庆西、李秋香二位同事共同开展乡土建筑调查研究并从事乡土聚落保护工作。陆陆续续做了浙江省诸葛村、江西省流坑村、山西省郭峪村等十余个村子的保护规划,并合作出版了《楠溪江中游乡土建筑》、《诸葛村乡土建筑》、《新叶村乡土建筑》、《婺源县乡土建筑》四本调查报告和专著。

工作中他开始探讨乡土聚落保护的基本原则和方法。《乡土建筑保护十议》一文就是初步的成果。并且摸索乡土聚落保护规划的模式，它不同于个体文物建筑的保护规划，而是牵涉到更多的社会性、文化性和技术性问题，应更多考虑到居民的利益和正常生活，考虑到聚落的整体性价值。但同样严格要求保护乡土聚落原生态的真实性和完整性。它更不同于一般的城乡规划，应摒弃在保护区内"既要保护，也要发展"的错误观念，把"发展"主要放在另设的新区内，在保护区内只配备极有限的适度提高居民生活质量的措施。

他深深地为中国文物建筑保护的现状忧虑。认为，第一，必须彻底改变文物建筑保护的体制和管理方法，严格依法办事，使文物建筑的保护不受地方长官的干扰，不受房地产投机和旅游业的破坏；第二，必须进行关于保护文物建筑的国民教育，使保护文物建筑成为全民的公德；第三，必须由大学及其研究生院正式培养专业的文物建筑保护人才，尽快做到由他们来从事管理和主持实际技术工作；第四，必须提倡建立保护文物建筑的基金会和真正能起作用的民间爱好者组织，他们的正常活动应有法律的保护；第五，必须普及有关文物建筑保护的基本理论。文物建筑保护是新兴的先进的文化。文物建筑的基本价值是作为历史的实物见证，不是好看、好玩、好用而来开发旅游谋利，也不是仅仅为了还有用途，因此，保护文物建筑的根本要义是保护它们的历史和文化的真实性。文物建筑保护科学有它结构严密的原则系统，不可支解它们，不可把它们简单化。文物建筑保护工作总体上要从通过普查编制保护名单着手，每个文物保护单位的保护要从写深入的研究报告着手，等等。

徐苹芳

徐苹芳，山东招远人。1930年10月4日生于济南。1950年考入燕京大学新闻系，次年转入历史系。1952年院系调整后入北京大学历史系考古专业，1955年毕业后任南开大学历史系助教。1956年秋调中国科学院考古研究所。1985年后任中国社会科学院考古研究所研究员、副所长、所长。1986年至1989年受聘于美国普林斯顿大学东亚系和美术考古系鲁斯（Luce）基金访问教授，讲授"中国历史考古学"。1990年任联合国教科文组织"丝绸之路综合研究"项目咨询委员会委员，领队联合国"丝绸之路"沙漠路线团到中国段进行实地考察。1999年受聘于台湾大学历史系为客座教授，讲授"中国历史考古学"和"丝绸之路考古"专题。曾多次出访美国、加拿大、日本、韩国、新加坡、印度、伊朗、伊拉克、英国、法国、德国、荷兰和港台等地进行学术交流。曾任中国人民政治协商会议全国委员会第七、八届委员。现任北京大学文博学院兼职教授、博士生导师、全国哲学社会科学规划组考古学组长、全国古籍整理出版规划小组成员、国家文物局考古专家组成员、全国历史文化名城保护专家委员会委员、北京市文物保护委员会委员、中国考古学会理事长、《燕京学报》副主编等职。

徐苹芳原学习中国古代史，后改学考古学，这为其专攻中国历史考古学奠立了基础。到考古所后，除做田野考古工作之外，还兼做图书资料和编辑工作，为其掌握人文科学研究的全过程创造了条件。他曾主持北京元大都、金中都、杭州南宋临安城和扬州唐宋城的考古勘察发掘工作，为其研究中国古代城市考古学积累了田野考古的经验。他曾探索中国古代城市的起源、发展和在不同历史阶段的城市规划及其演变规律；阐述中国古代城市在世界城市史上的地位，发表对中国历史文化名城特别是北京旧城保护的意见。他在居延汉简的研究上，提出用考古学的方法把简牍的研究纳入到考古学的范畴，恢复简牍的原状，使之成为研究中国古代社会历史的第一手的原始史料。关于中国文明形成的问题，他也作了许多工作。

徐苹芳已出版的学术著作有：《居延汉简甲乙编》（合著，1980年）、《中国古代天文文物图集》（1980年）、《明清北京城图》（1986年）、《中国历史考古学论丛》（1995年）、《论北京旧城街道的规划及其保护》（2002年）；主编《十世纪前的丝绸之路和东西方化交流》（1996年）、《中国文明的形成》（2004年，与美国哈佛大学已故教授张光直合编）。

杨鸿勋

杨鸿勋,1931年生。1955年毕业于清华大学建筑学系。毕业后组织分配到中国科学院,担任学部委员梁思成的助手及以梁思成为主任的建筑理论与历史研究室秘书。该室改属建筑工程部建筑科学研究院后,任园林研究组组长。曾任上海大学、日本京都大学等高校客座教授。现任中国社会科学院考古研究所研究员、复旦大学兼职教授、同济大学顾问教授、华南理工大学顾问教授、华中科技大学兼职教授、中国建筑学会建筑史学分会理事长、世界营造学社筹备委员会主席、联合国教科文组织顾问等。

主攻建筑历史与理论以及中国传统园林,创立建筑考古学。所著《建筑考古学论文集》被评选为全国"二十世纪文博考古最佳图书"论著类第一名,《中国园林艺术研究——江南园林论》被评为"二十世纪文博考古最佳图书"论著类第三名;另外,THE CLASSICAL GARDENS OF CHINA——HISTORY AND DESIGN TECHNIQUES 、《宫殿考古通论》等,均在国内外获得好评。同时,他还是一位热心的教育家,曾在清华、北大等17所高校和香港、台湾以及日本、韩国、美国等外国大学讲学和辅导研究生。

他身为联合国教科文组织顾问和国家历史文化名城专家委员会委员,十分重视文物保护工作,极力促成中国的一些具有文物价值的古城、古建筑、古园林列入《世界遗产名录》。1996年至1997年他担任日本京都大学客座教授期间,中国平遥和丽江申报世界遗产时,联合国教科文组织聘请日本专家进行审查,由于他极具信服力的介绍,使本来持反对意见的专家改变了态度而作了赞成的评定。

他奉守学以致用的信念,40多年来,在科研的同时,不断从事城市、建筑与园林风景创作,颇有优秀作品问世,国内如明水生态文化城规划,鸦片战争博物馆设计,桂林风景区规划及七星岩月牙楼、桂林展览馆等设计,无锡太湖及运河风景区规划,杭州西湖名胜风景点"玉泉观鱼"改建设计,苏州城市园林规划,济南城市园林规划等,国外如几内亚共和国克纳克里公园规划设计。他还为美国、加拿大、日本、泰国等提供了若干园林与建筑创意方案。

谢凝高

谢凝高,1934年生,浙江省温岭市人。1955年考入北京大学地质地理系人文地理专业,1964年研究生毕业后留校任教。现为北京大学世界遗产研究中心主任、博士生导师。兼任中国风景园林学会副理事长、中国城市规划学会风景环境规划设计学术委员会主任、建设部风景名胜专家顾问、中

国历史文化名城保护委员会委员。

他一生志在名山大川,爱好山水文化与绘画。在北京大学学习和任教期间,积累了丰富的地质、地理、人文、历史等理论知识与实践经验。文革后,他专心研究国家风景名胜区与自然文化遗产,并培养相应的硕士和博士。他曾先后考察过200多座名山,并开创了风景名胜区自然文化遗产多学科综合考察研究的先河。他主持过20多个风景名胜区的综合考察研究和规划。1984年至1987年间,他主持了建设部的重点课题——《泰山风景名胜区资源综合考察评价及其保护利用研究》,组织了北京大学16个相关学科的教授共同参与,其成果获建设部1988年科技进步一等奖。专家认为,"这是我国风景区发展史上具有里程碑意义的成果"。

他在探索自然文化遗产的科学理论和学科体系的同时,更对山水审美有深入研究,先后出版了《山水审美——人与自然的交响曲》、《中国的名山》等著作,发表了学术论文数十篇。他对中国世界自然文化遗产的研究,已经赢得了国内外专家的高度评价。1998年,他应邀参加了联合国教科文组织世界遗产中心在荷兰阿姆斯特丹召开的"世界遗产全球战略——自然与文化遗产专家会议"。他在会上作了题目《中国的名山——自然与文化的有机融合》的学术报告,引起了与会各国代表的高度重视。会议纪要中说:"在评价自然遗产时要注意它们的'精神文化'意义,许多专家表示,中国代表在报告发言中,对中国风景区内所蕴涵的精神文化做了很好的说明,是对这一修改方案的有力支持。"

1984年,他在北京大学城市与环境学系创建了风景研究室,1998年将其扩建为跨院系的北京大学世界遗产研究中心,并任主任。他为人刚正不阿,治学严谨,全身心地投入到遗产的保护、传播、利用等工作中。他认为,遗产保护必须坚持它的真实性和完整性,进而发挥其公益性、多功能的作用,使之得以世代相传、永续利用。为此,他多方奔走呼吁,现已引起舆论与领导的日益重视。

阮仪三

阮仪三,男,1934年生于苏州。1961年毕业于上海同济大学建筑系并留校任教至今。阮仪三教授城市规划、历史文化名城保护专家。现为同济大学建筑与城市规划学院规划系教授、博士生导师,国家历史文化名城研究中心主任,全国历史文化名城保护专家委员会委员,建设部历史文化名城、城乡规划专家委员会专家,历史文化名城学术委员会副主任,建筑史、城市更新学术委员会委员。并担任苏州、杭州、绍兴、丽江、平遥等十数个城市政府的城市规划顾问。他为我国城市历史文化遗产保护与再利用做出了突出的贡献,得到了国内外学术界和社会普遍认可,具有很大的影响力和知名度。

他长期致力于我国历史文化名城保护与发展的理论与工程实践研究,早年与人合著完成了城市规划专业全国统编教材《中国城市建设史》,填补了此项基础研究的空白。

1980年,他在山西平遥古城陷入被拆毁的危急状况之时,制定了全面保护古城、积极开发新区的城市发展战略和"刀下留城、抢救平遥"的总体规划,不仅保护了平遥这座历史古城,也在全国范围内开创了历史文化名城保护的先河。1997年,平遥古城被列入《世界遗产名录》。

他以抢救、保护平遥古城为契机,1982年起积极参与并推动了我国历史文化名城制度的创立和发展,为国家级历史文化名城的申报、审批等做了大量的调查研究工作。作为全国历史文化名城保护专家委员会的委员,直接参与了国家保护政策的制定、保护规划的技术咨询和保护规划规范的编制等相关工作。率先在我国编制并完成了苏州、扬州、绍兴、安阳、临海、南阳、商丘、张掖、荆州、潮州、雷州、肇庆、福州和上海等历史文化名城的保护规划和历史街区保护整治规划。以这些规划为指导基础,直接推动了我国历史文化名城和历史街区的保护整治实践。

从20世纪80年代开始,他在当时众多富有特色的历史城镇遭到严重的破坏的情况下,为几处历史风貌犹存的江南古镇制定了保护规划,经过长期不懈的努力,终于保住了周庄、角直、同里、南浔、西塘、乌镇等历史古镇。近年来,以周庄等为主要代表的江南水乡古镇的保护实践与旅游发展模式,成效斐然,备受注目,"江南水乡城镇"现已列入世界文化遗产预备清单。

2003年,他主持下的周庄、角直、同里、南浔、西塘、乌镇六个江南水乡古镇获得联合国教科文组织亚太地区遗产保护杰出成就奖。

教育方面,他在同济大学为博士研究生、硕士研究生在全国率先开设了历史文化名城保护的课程和培养方向,培养了城市遗产保护规划设计方向的博士、硕士47名,并积极培训全国的城建技术人员和地方领导干部。

他所做的代表性规划项目有:平遥古城保护规划、江南古镇(周庄、同里、角直、南浔、乌镇、西塘等)保护规划、丽江古城保护规划及城市发展概念规划、上海外滩保护规划、苏州古城及平江历史街区保护规划、绍兴古城及历史街区保护规划等。

阮仪三主要著作有《旧城新录》、《古城留迹》、《城市建设与规划基础理论》、《中国江南水乡》*The Traces of China's Ancient Towns*(英文版)、《平遥——中国保护最完整的古城》、《江南古镇》、《历史文化名城保护理论与规划》、《历史环境保护的理论与实践》、《江南六镇》、《护城纪实》等。

王秉洛

王秉洛,1936年3月生于山东烟台,高级工程师,注册

城市规划师。

1960年毕业于清华大学建筑系，长期在建设部从事风景园林规划建设管理工作。曾任风景名胜区处、园林绿化处处长，城建局副总工程师，城建司副司长，中国动物园协会副会长，中国公园协会副会长兼秘书长等职。1996年退休。现任建设部科技委委员，建设部风景园林专家委员会委员，中国风景园林学会副理事长，《中国园林》杂志社社长、副主编。

他广泛参与文化自然遗产的相关工作。1982年，参与第一批国家重点风景名胜区资源调查，组织审定、起草《风景名胜区管理条例》。1984年，赴加拿大、美国参加"第18届国家公园和保护区国际研习班"，考察加拿大、美国的国家公园。期间同世界遗产委员会派驻研习班的委员接触，开始了解《保护世界文化与自然遗产公约》及相关事务。1984年，参加"第一届世界文化公园会议"，提交并宣讲《历史文化资源在中国风景名胜区中的地位和保护措施》论文。1984年至1986年，参加制定《中国城乡建设技术政策》，为风景名胜区技术政策提供背景资料，论证、定稿政策要点。该项目获国家科技进步一等奖，个人获"重要贡献"奖。1982年至1986年，多次参加国家重点风景名胜区规划论证，于1996年1月为国务院起草第一个审批武夷山风景名胜区总体规划的审批件。1992年，参加由世界银行资助的中国生物多样性赴澳新考察团，考察两国世界自然遗产。1996年以中国履行《生物多样性公约》工作协调组建设部协调员身份参与《中国生物多样性国情研究报告》起草并参加国际研讨会。2000年9月，参加在日本冈上召开的《第三届日中韩风景园林学术研讨会》，所提交的《历史园林遗产的特征和保护》一文载于日本造园学会学报2000年特刊。

主要论文有《为了人民的幸福保护好风景名胜区》、《风景名胜区规划的若干问题》、《让祖国山河更加壮丽》、《也谈保护名山》、《自然文化遗产资源不是商品》、《泰山风景名胜区资源综合考察评价研究及其取得的成果》、《城市绿地系统生物多样性保护的特点和任务》、《文化自然遗产所处环境的保护和管理》、《国家自然遗产及其所处环境的分类价值》。

冯骥才

冯骥才，当代作家、画家和文化学者。原籍浙江慈溪，1942年生于天津。从小喜爱美术、文学、音乐和球类活动。1960年高中毕业后到天津市书画社从事绘画工作，对民间

艺术、地方风俗等产生浓厚兴趣。1974年调天津工艺美术厂，在工艺美术工人业余大学教图画与文艺理论。1978年调天津市文化局创作评论室。后转入作协天津分会从事专业创作，任天津市文联主席、国际笔会中国中心会员、《文学自由谈》和《艺术家》主编等职。现任全国政协常委、中国文联副主席、中国民间文艺家协会主席、中国小说学会会长和天津大学冯骥才文学艺术研究院院长。已出版各种版本文学作品一百四十余种，书画集五种。

他是我国当代文化保护的代表人物，自20世纪90年代以来，就一直关注全球化冲击下本土文化的命运。始自1994年投身于城市的历史文化保护，并以"行动的知识分子"著称。先后组织了天津老城、大直沽城市遗址、估衣街等地抢救和保护行动，并对天津城市的文化遗存进行地毯式普查，出版大型系列图集《天津老房子》和《抢救老街》等书，在全国引起很大反响。

进入21世纪，冯骥才关注的视野扩大到整个中华民族的民间文化。他倡议并启动了空前规模的"中国民间文化遗产抢救工程"。以中国民间文艺家协会为基本队伍，计划用十年时间，对我国各民族的民间文化进行一次彻底的"摸清家底"的普查工作。为此，冯骥才几乎放下他个人的小说与绘画创作，一方面纵入田野，实地考察，奔波四方，发动抢救工作；一方面组织各省市的普查和成立民间故事、木版年画和民间年画等抢救中心，发动了一个又一个抢救行动。

同时，冯骥才写了数十万字的文化随笔。已出版《手下留情》、《紧急呼救》、《对话录》、《武强屋顶秘藏古版发掘记》，编写了《普查手册》等。这些充满时代性、思辨性和先觉性的文字，成为促动当前中国社会文化自觉的精神力量。

沈澈

沈澈，1947年生，上海市人，中国民俗摄影协会会长。他于1978年开始关注以摄影手段表现民俗主题，在之后的十数年间，独自实践着这一记录工作。1980年9月经中共上海市委宣传部正式批准辞去公职，实施建国后首例骑自行车旅行摄影创作活动，历时两年多，行程三万里。至1992年，共采访拍摄了51个中国少数民族，积累图片2万余幅、录音带200多盘、民俗实物1000余件，掌握了大量的第一手民俗素材。

1983年3月，由国家民委主办的《西南民族风情——沈澈采风摄影展》在北京民族宫举办，国务院副总理、国家民委主任、统战部长杨静仁同志致词，国务委员、国防部长张爱萍同志为展览剪彩。从1985年起，开始进行系统的民俗摄影理论研究，并在国内外开始倡导民俗摄影。他不仅在国内为各大专院校、部队、厂矿等单位进行义务讲演和大型摄影讲座，还访问世界各国，传播民俗摄影理念，特别是多次接受联合国教科文组织邀请，参加法国巴黎中国文化周等活动。

1993年，为了带动更多的摄影者拿起相机，记录中国文化遗产，沈澈创办具有独立法人资格的国家一级社会团体——中国民俗摄影协会，继而全力推动世界上第一个以民俗文化为主题的国际大型影赛——国际民俗摄影"人类贡

献奖"年赛。以一个民间团体的力量，争取国内外各方组织及人士的支持，为比赛募集资金，并确立了公开、公正、公平的运作方式，严格遵循国际准则，赢得了广泛的赞赏。1999年，他领导的中国民俗摄影协会因为促进多元文化记录、交流、共享的出色工作，被联合国教科文组织接纳为正式合作伙伴，大大地提高了中国在国际摄影界、文化界的地位。

2004年5月，沈澈接受联合国教科文组织战略规划署署长汉思任命，就职"全球对话"大使，目前正在积极策划首个活动目标——世界青少年"全球对话"项目。该项目的意义是使中国的青少年不仅在科学文化知识的教育上与世界同步，并在活动中领悟本土文化在多元文化的范畴里的独特贡献，组团参加的活动内容包括：巴塞罗那举办的"国际校际交流活动"和"世界文化论坛"、"人类贡献奖"年赛相关活动、"全球对话"高层论坛、世界青少年"全球对话"文化论坛、体验行动——"珠三角文化共享"等等。

沈澈和他领导下的中国民俗摄影协会及其主办的国际民俗摄影"人类贡献奖"年赛，是中国抢救、保护、研究文化遗产尤其是无形遗产的一支积极力量，为我国乃至人类的文化遗产保护工作做出了积极贡献。

郭旃

郭旃，1948年9月生，河南南阳人。1967年至1973年，在内蒙古锡林郭勒草原插队，当过牧民、大队长、赤脚医生，曾被评为公社劳动模范。1973年至1976年，在北京大学考古专业学习。1976年至1979年，任国家文物局地震考古组副组长，与同事合编了《北京地区历史地震资料长编》、《京津唐地震古建筑损害情况调查》等。1979年至1982年，在中国社会科学院历史所攻读元史硕士研究生。期间曾撰写《金元之际的全真道》、《全真道的兴起及其与金元政治的关系》等论文。1982年，研究生毕业后分配到国家文物局。先

后任文物处处员、副处长、办公室主任，文物一处处长，文保处处长等职。1990年和1996年，先后赴英国达拉姆（Durham）大学和约克（York）大学做客座教授，介绍、交流中国考古和文物保护的经验与观点。2002年，任国家文物局新成立的世界遗产处处长。2003年，任国家文物局文保司巡视员兼世界遗产处处长。

他是国际上有影响的世界文化遗产保护管理方面的资深专家，参加了1994年以来的历届世界遗产委员会会议和国际古迹遗址理事会的重要会议，并多次作为国际古迹遗址理事会委派的国际专家考察评估日本等国的世界文化遗产申报项目；参与了我国世界遗产的申报、考察、管理工作，为我国世界遗产事业的发展做出了突出贡献。

多年来，在从事行政工作之余，亦孜孜不忘学术追求，在道教、元史、文化遗产（含历史文化名城、街区、村镇）保护管理等方面多有著述。

邓华陵

邓华陵，1948年10月生于江苏南京市。1978年考入兰州大学化学系。1985年研究生毕业，获硕士学位。现任西北师范大学副校长，西北师大世界遗产研究中心主任、研究员。兼任甘肃省高校科研管理研究会理事长、甘肃教育国际交流协会副会长、甘肃省学位与研究生教育学会副理事长、甘肃省化学学会副理事长、甘肃省围棋协会副主席、中国化学会会员。

在高教管理及比较教育研究方面，他发表了关于英国高校发展战略、英国海外研究生奖学金计划、英国荣誉学位制度、英国人才开发等方面的调研报告及论文10多篇。主持省教育厅社科研究项目"WTO后中国高等人才需求的预测分析与高校对策研究"。

在世界遗产研究方面，主持省哲学社会科学规划项目《甘肃增列世界遗产规划研究》和省软科学基金项目《甘肃省潜在世界遗产的价值发掘与初步评估》。已发表论文4篇，其中《世界遗产的管理体系》在"第二届中国科学家、教育家、企业家论坛"管理科学优秀学术论文征集评选活动中获文物管理学术论文一等奖；《世界遗产的分类和论证方法》在"首届全国人文社会科学优秀学术文献评选活动"中获一等奖，在"全国理论创新优秀学术成果"征集评选活动中获一等奖；《申报审批世界遗产的程序和时间表》在"西部科技经济跨越式发展与全面建设小康社会"论文评选活动中获一等奖；《甘肃省申报世界遗产战略初探》被选入《中

国改革可持续性发展文献》。

主编出版《西北师范大学国际交流历程与探索》，发表其他方面的论文、散文、译文、诗歌数十篇。

2002年，他创建了西北师范大学世界遗产中心，并任主任。他作风正派，治学严谨，有国际、国内多方面的工作经验，对世界遗产的国际规则和社会、经济意义有深刻的认识。

邓崇祝

邓崇祝，1949年生，四川乐至人。大学文化，1968年入伍服役，1985年转业安置在都江堰市政府办公室工作。历任市政府办副主任，市政府经济研究中心主任，体改委主任，市委秘书长，市委调研员，青城山、都江堰申报世界遗产领导小组副组长兼办公室主任等职。

他一生虽然从政，但对山水文化情有独钟，写山水、书山水、画山水、拍摄山水。他对李冰创建都江堰水文化、张陵在青城山创建天师道的道教文化颇有研究，特别是对这里的生物多样性保护与研究作出了卓越贡献。从1998年下半年开始，他主持申报世界遗产工作，编写了申报文本，对青城山、都江堰作出的科学论断和创新观点得到联合国世界遗产专家和组织的认同。1999年，倡导、组织、撰写《都江堰市生物多样性保护与研究》一书，2000年初由四川省科技出版社出版，对青城山、都江堰成功申报世界遗产起到了积极的推动作用。2001年开始，与国内外科研机构合作，在编定《都江堰市生物多样性保护策略与行动计划》中担任执行主编，除全面把关外，还撰写了部分章节。该书于2003年11月由西南交通大学出版社出版。同年，该书被四川省政府评为四川省科技进步三等奖。该项目的制定，开创了中国乃至东南亚在小区域制定并实施生物多样性保护的先河，得到了世界上如英国、美国、挪威、印度等国，联合国教科文组织以及专家的认同与支持。

邓崇祝始终坚持世界遗产资源是一种国家资源，有世界遗产资源的当地政府是保护国家资源的惟一代表。2003年7月，在都江堰是否再建杨柳湖电站的争论中，他不顾个人得失，站在广大人民群众一边，代表当地党组织和政府反对再筑坝建电站，成为广大群众反对再建大坝的强硬代言人。2003年8月29日，省政府常务会议作出决定，停止杨柳湖电站的前期工作。至此，保卫都江堰这个具有2250多年的中华文明的论战告捷。

自从青城山、都江堰申报世界遗产成功后，他利用其经验去指导四川乃至国内其他地方的申报工作。他参与了四

川省大熊猫栖息地申报工作的论证与文本编写,参加了四川省广汉三星堆、丹巴藏雕、理县羌雕、安岳石刻等地申报工作的论证、指导以及文本的编写和修改工作。

他认为,把中国这些传统文化挖掘出来并推向世界,是中华民族的一种骄傲,是他一生中的幸事。他对中国目前重申报、轻保护现象深感不安,目前正收集资料,拟从基层保护的角度出发,开展一些研究工作,以期引起领导和社会各界的重视。

豪格尔·帕奈(Dr. Holger Perner)

豪格尔·帕奈,1960 年生于德国汉堡市。1991 年至 2001 年就职于德国科学院 GKSS,做博士研究员。帕奈博士为德国科学院博士研究员、生态学家,多次担任德国与俄国、美国等国际合作项目的负责人。

2001 年 9 月起,他作为德国对华双边援助项目中所派遣的德国专家与高级顾问,在黄龙国家级风景多胜区、自然保护区进行为期 5 年的工作。

帕奈博士在黄龙工作期间,对黄龙生态旅游资源作了详细考察,在 IUCN 世界学术大会、科技部学术大会等一系列国内外学术大会上讲演,介绍和宣传黄龙的资源、环保、管理及生态旅游开发理念。同时,他还积极开展与国内外研究机构的合作,与中国喀斯特地貌科学院、澳大利亚新城堡大学合作研究黄龙的钙华景观,与中国科学院植物研究所研究黄龙的兰科等项目,目的在于与研究机构共享成果,将研究成果用于黄龙的可持续性发展和管理。2003 年,他还通过联合国援助项目邀请了英国约克州卡文自然保护区及越南科技环保生物实验中心的专家具体指导黄龙科研处的相关植物培植工作,为驯化本地植物、保护黄龙生态打下了坚实的基础。

目前,帕奈博士正尝试黄龙与欧洲一些国家公园结为姊妹关系,积极提高黄龙旅游业的国际化水平。

附 录

世界遗产的组织设立

联合国教科文组织

一、联合国教科文组织的宗旨和职责

教科文组织的全称为：联合国教育、科学及文化组织。1945 年 11 月在英国伦敦会议上通过了《联合国教育、科学及文化组织组织法》，1946 年 11 月 4 日正式生效，当时已有 20 个国家交存了接受书。同年 12 月成为联合国专门机构。目前有 190 个成员国（截止 2003 年）。总部设在巴黎。

教科文组织宗旨是：通过教育、科学及文化来促进各国之间的合作，以增进对正义、法治及联合国宪章所确认的世界人民不分种族、性别、语言、宗教均享有人权与自由的普遍尊重，对世界和平与安全作出贡献。

教科文组织五大职能：

1. 前瞻性研究：明天的世界需要什么样的教育、科学、文化和传播。

2. 知识的发展、传播与交流：主要依靠研究、培训和教学。

3. 制订准则：起草和通过国际文件和法律建议。

4. 知识和技术：以"技术合作"的形式提供给会员国制订发展政策和发展计划。

5. 专门化信息的交流。

二、联合国教科文组织组织机构

组织机构由三个部分组成：

1. 大　会：由全体会员国组成，是教科文组织的最高权力机构。一般每两年召开一次。教科文组织的计划与预算，按一国一票的原则，由大会投票通过。

2. 执行局：由 58 个会员国的代表组成，是一个行政机构，为召开大会作准备，并负责大会决议的有效实施。一般每年开会两次。

3. 秘书处：是教科文组织的执行机构，全体工作人员在当选后，在任期六年的总干事的领导下，实施会员国大会通过的计划。

联合国教科文组织世界遗产委员会

联合国教科文组织世界遗产委员会是政府间组织，由 21 个成员国组成，负责《世界遗产公约》的实施。每年召开一次会议，主要决定哪些遗产可以录入《世界遗产名录》，对已列入名录的世界遗产的保护工作进行监督指导。委员会内由七名成员构成世界遗产委员会主席团，主席团每年举行两次会议，筹备委员会的工作。

世界遗产委员会承担四项主要任务：

1. 在挑选录入《世界遗产名录》的文化和自然遗产地时，负责对世界遗产的定义进行解释。在完成这项任务时，该委员会得到国际古迹遗址理事会（ICOMOS）和国际自然和自然资源保护联盟（IUCN）的帮助；这两个组织仔细审查各缔约国对世界遗产的提名，并针对每一项提名写出评估报告。国际文物保护与修复研究中心（ICCROM）也对该委员会提出建议（例如文化遗产方面的培训和文物保护技术的建议）。

2. 审查世界遗产保护状况报告。当遗产得不到恰当的处理和保护时，该委员会让缔约国采取特别性保护措施。

3. 经过与有关缔约国协商，该委员会作出决定把濒危遗产列入《濒危世界遗产名录》。

4. 管理世界遗产基金。对为保护遗产而申请援助的国家给予技术和财力援助。

联合国教科文组织世界遗产委员会会议

至 2002 年，在全球范围内，共有 175 个国家或地区加入《世界遗产公约》，成为缔约国，是目前加入缔约国最多的公约之一。

至 2003 年，共有 128 个国家中的世界遗产 754 处，其中文化遗产 582 处，自然遗产 149 处，文化与自然双重遗产 23 处。中国政府于 1985 年加入《公约》，至今已有 29 处，在世界排名第三（第一为西班牙，第二为意大利），是名副其实的遗产大国。

世界遗产委员会每年召开一次，最近几次会议分别在：意大利那不勒斯［21 届/1997 年］、日本京都［22 届/1998 年］、摩洛哥拉巴特［23 届/1999 年］、澳大利亚凯恩斯［24 届/2000 年］、芬兰赫尔辛基［25 届/2001 年］、匈牙利布达佩斯［26 届/2002 年］、法国巴黎［27 届/2003 年］。

联合国教科文组织世界遗产中心

联合国教科文组织世界遗产中心,由联合国教科文组织设置,又称为"公约执行秘书处"。该中心协助缔约国具体

执行《世界遗产公约》,对世界遗产委员会提出建议,执行世界遗产委员会的决定。

世界遗产申报程序

申报国

签字承认《世界遗产公约》,成为《公约》"成员国",进行本国自然和文化遗产的保护

成员国

制定具有普通和特殊价值的遗产的明细表

提出将文物列入表中的建议

向联合国教科文组织世界遗产中心提出申报文件

联合国教科文组织世界遗产中心

审核申报文件

将申报文件提交给下列组织:

1. 文化遗产——国际古迹遗址理事会(ICOMOS)

2. 自然遗产——国际自然和自然资源保护联盟(IUCN)

3. 双重遗产——同时呈递给以上两个组织(ICOMOS、IUCN)

国际古迹遗址理事会或国际自然和自然资源保护联盟

向申报单位派遣专家,

——对文物进行评估、保护和管理

——准备申请报告

根据《世界遗产公约》对所申报的文物进行审核

将评估报告附以推荐材料呈递世界遗产办公署

世界遗产办公署

审核文件

向成员国索要补充材料

向世界遗产委员会进行推荐

世界遗产委员会

列入《世界遗产名录》之前,向成员国索要补充材料

拒绝将所申报的遗产列入名录

接受申报,列入名录

人类口头和非物质遗产申报指南

一、申报方式

每个会员国每两年只能申报一个国家作品。多国共同体的多民族作品可以在每个国家的限额之外申报。

参评作品的申报可以通过:

1. 会员国或联合会员国政府提出;

2. 政府间组织在听取有关国家的教科文组织全委会的意见后提出;

3. 与联合国教科文组织有正式关系的非政府组织在听取本国教科文组织全委会的意见之后提出。申报的作品需附有作品所有者个人或群体认可的文字、录音、录像或其它证明材料,无此等证明者不可申报。

二、申报单格式和内容

申报单应按照本指南附录中所要求的标准格式制作,另外每个申报单应包括下列内容:

1. 一个适合于这种文化表达的计划。包括参评作品的法律规范和在后十年中对该口头和非物质遗产的保护、保存、支持和使用的办法。这个行动计划要对所提出的措施和措施的执行提出完整的说明,并要充分考虑对传统的传播衍生机制的保护。

2. 协调行动计划与保护民间传统文化建议的预定措施之间以及和联合国教科文组织的宗旨之间关系的具体办法。

3. 使有关群体对他们自己的口头和非物质遗产进行保

护和利用所要采取的措施。

4．社区和（或）政府内监督其参评的口头和非物质遗产作品与申报的作品不会变更的监督机关名称。申报作品相关的评选文件齐全。包括卡片、摄影、幻灯、录音、录像及其他有用材料。对作品要有分析说明，并备有完整的参考书目。

三、评审团

总干事要在各成员国、非政府组织及秘书处提名的基础上每四年任命一个包括 9 名成员的评审团。这个评审团的工作方式由《联合国教科文组织宣布人类口头和非物质遗产代表作国际评审团工作规则》来确定。

四、评选标准

在评定工作中评审团及其专家们，把规则中的第一条作为主要条件：即，参选作品应该具备体现人类的创造天才的优秀作品的特殊价值。因此，为了让评审团注意到这一点，参评作品的特殊价值要从以下方面得到证实。

1．或者是具有特殊价值的非物质文化遗产的集中体现。

2．或者在历史、艺术、人种学、社会学、人类学、语言学及文学方面有特殊价值的民间传统文化表达。

3．申报的文化空间或文化表达形式，为了能被联合国教科文组织宣布为人类口头和非物质遗产代表作，还必须符合《联合国教科文组织宣布人类口头和非物质遗产代表作国际评审团工作规则》的五项条件。因此，此申报的作品应该：

4．表明其深深扎根于文化传统或有关社区文化历史之中。

5．能够作为一种手段对民间的文化特性和有关的文化社区起肯定作用，在智力借鉴和交流方面有重要价值，并促使各民族和各社会集团更加接近，对有关的群体起到文化和社会的现实作用。

6．能够很好开发技能，提高技术质量。

7．对现代的传统具有惟一见证的价值。

8．由于缺乏抢救和保护手段，或加速的演变过程、或城市化趋势、或适应新环境文化的影响而面临消失的危险。

五、参评作品评审办法

作品申报表只能由会员国国家当局经过有关群体代表们同意进行申报，方能被联合国教科文组织接受。第一次申报应该附有预览表，表中列出会员国计划要在后十年中提请

联合国教科文组织宣布为"人类口头和非物质遗产代表作"的文化空间或文化表达形式。一旦前一个预报项目的表格失效，应该提交下一次申报的新表格，申报表上报后由联合国教科文组织的秘书处对内容进行审查，确认其符合教科文组织的组织程序要求之后进行登记。每个申报表都要包括本指南第七条的内容，而行动计划是不可少的。为了使评审团能够对行动计划进行公正的评审，秘书处要做好以下工作：

1．委托公众权力机构或非政府组织，对文化价值进行抢救、维护、立法保护、传递及传播；

2．在尊重国家和地方传统的原则下，建立合适的管理机制，并建立实施有效的控制机制；

3．采取措施使社团或个人了解遗产的价值和保护遗产的重要性；

4．赋予有关社团职权和利益；

5．赋予遗产的拥有者的职权；

可采取以下措施：

1．在地方集团的内部对遗产进行保护和利用。

2．对传统文化进行登记，建立必要的文案，以便于研究人员在全国和国际范围内能得到信息，鼓励对遗产的维护进行科学研究。

3．关注遗产的拥有者，提高技能、技术和文化表达形式的水平。

4．关注遗产的拥有者，把他们的技能、技术和文化形式、传给学员和社会上的年轻人。

填写好的参评作品申报表由秘书处登记，并在附上必要的补充文件之后，一个或多个非政府组织以及由总干事根据评审团的要求指定专家对每份参评作品表进行评审。由总干事或非政府组织指定的专家根据《联合国教科文组织宣布人类口头和非物质遗产代表作国际评审团职能规则》的规定对报上来的每个文化空间或文化表达形式准备一份评审报告（用法文或英文书写）进行宣布。

评委的评审包括：

1．简短历史和地理情况的描述；

2．针对参评作品的评审条款认证；

3．世界同地区申报项目的对比研究；

对所评审的文化空间或文化表达形式能否作为联合国教科文组织宣布的人类口头和非物质遗产代表作，表示同意或反对意见。

六、参评作品的评审日程和评审程序

根据《联合国教科文组织宣布人类口头和非物质遗产代表作国际评审团工作规则》,总干事每四年的12月末任命新的9位评审团成员。

每两年的12月31日结束对一届参评作品的统计,12月31日以后收到的参评作品计入下一届评审。作品的申报表先由联合国教科文组织秘书处研究,然后递交由评审团和总干事指定的专家组进行审议。申报表和专家组的评审意见在当年的年底之前寄回秘书处。

评审团每隔两年的一月份集中开会,认定哪些文化空间或文化表达形式够条件被联合国教科文组织宣布为人类口头和非物质遗产代表作。1月底之前评审团向总干事提交可由联合国教科文组织宣布的作品和两年后复审的作品的意见。

总干事每两年的2月份举行仪式宣布人类口头和非物质遗产代表作。

专家的评审报告递交给评审团作最后评审,评审团把决定性意见列入两个表中提交给总干事。一个表是建议由联合国教科文组织宣布为人类口头和非物质遗产代表作,另一个表所列的参评作品是建议在两年之后复审。

总干事根据评审团的建议宣布人类口头和非物质遗产代表作,所宣布的全部文化空间或文化表达形式列入一个名录表中,于公布的第二个月发表,这个名录表还发给会员国并公布于众。

评审团在实施代理业务中,不考虑参评人员的国籍、种族、性别、语言、职业、意识形态、宗教情况,但评审团可能要求非物质口头遗产的管理人员到场或征集他们的意见。

会员国或非政府组织的代表不应对他们国家或非政府组织提交的文化空间或文化表达形式的采纳发表意见,他们只能根据向他们提出的问题提供补充信息。

如果有捐赠国或私人赞助商提供预算外的资金支持奖励活动的设立或赞助口头和非物质遗产的抢救、保护、弘扬活动,评审团可以在众多的文化空间或文化表达形式中挑选联合国教科文组织宣布为人类口头和非物质遗产代表作的优胜者。优胜者的评选标准根据创立的每个奖励活动或奖励金额确定。

七、评审后工作

当一个人类口头和非物质遗产代表作宣布之后,秘书处根据每个文化空间或文化表达形式的不同性质,与主管机构一起制定出适当的后续工作程序以保证该作品行动计划的实施。

八、国际资助

1. 用于支付制定参评表格的费用(预备性资助)。

2. 用于鼓励对已公布为人类口头和非物质遗产代表作的文化空间或文化表达形式的抢救、保护、开发利用等工作的实施(保护资助)。

另外,联合国教科文组织还可以为申报表的制作和项目的行动计划的实施提供智力资源进行鉴定。要获得预备资助金,国家主管机关应该提出申请,包括对文化空间或文化表达形式的简介和对参评作品申报表制作费用的估算。为使秘书处对该申请能充分考虑,会员国的主管机构要把申报的文化空间或文化表达形式列在表中。联合国教科文组织对于预备资助金的批准从来不会超过估算的三分之二。

预备资助金分两笔支付,第二笔只有在收到财政报告之后才支付。

要获得保护资助金,列入申报表中的项目负责人员都可以争得国家主管机关的同意后提出对项目抢救、保护和实施的资金申请,并提供一个估算。秘书处根据提供资金的可能性,并向评审团的专家进行必要咨询后,提供所估算的部分或全部资金。

万姓同源 根在陈州

首届中国姓氏文化节

中国·周口

2004.10.17-19

主办：中国侨联　　中国文联　　全国工商联　　中华炎黄文化研究会

协办：中国民间文艺家协会　　河南省侨联　　河南省旅游局　　河南省文联　　河南省工商联

承办：周口市人民政府

南越国遗迹

南越国（公元前 203 年－公元前 111 年）是西汉初年在中国南方建立的一个诸侯王国，它的建立促进了岭南地区实现从原始社会向封建社会跨越式大发展。

广州南越国遗迹（南越国宫署遗址、南越王墓和南越国木构水闸遗址）是中国历史考古的重大发现。南越王（第二代王）墓于 1983 年发现，是中国华南地区发现的规模最大、随葬品最丰富、墓主身份地位最高的一座汉代彩绘石室墓，保存完好，墓中出土有陶、铜、铁、玉、金、银等质类文物一千多件（套），其中有许多是稀世之宝。南越国宫署遗址含南越王宫和御园，1995 年发现的南越国御园大型石构水池及其石构建筑遗存和 1997 年发现的御园曲流石渠等遗迹，出土了各式各样的柱、栏杆、横梁、门楣等石构件，以及多种规格的砖瓦，再现了中国秦汉时期王宫园林的概貌，揭示了 2000 多年前王宫御园的建筑规模及其设计理念和水平。2000 年发现的南越国木构水闸遗址，内涵丰富，是世界上迄今发现最早的一处木构水闸遗存，是 2000 多年前城市防洪、排水设施的一部分。在同一城区内同时发现保存较为完好的王宫及御园、王陵和水利工程的大型水闸等一系列西汉初年遗迹，在中国考古史上实属罕见。

广州市委、市政府对南越国遗迹的发现非常重视，实施的保护措施和保护力度在全国也堪称典范。南越王墓实行原址保护，建起了西汉南越王博物馆，以保护和展示陵墓建筑及其出土文物。南越国御园已发掘的部分在原地原状保护，建起了保护大棚，使遗址免遭损坏；宫殿遗迹正开展科学的发掘，并已规划在原址建设遗址博物馆作为展示与保护的专设机构。南越国木构水闸遗址由文物部门与建设单位遵循"两利"的原则共同保护，在大楼中间设计一个保留并展示水闸遗址的中庭，大楼建成后这里将成为南越国史迹与商业中心结合的重要文物景点。

　　长城和少林寺都是人工修建的东西，不会
说话，不会出声；但是，此时无声胜有声。于
无声处，人们可以体会出中华文化最根本的
东西——"和为贵"精神。在少林寺中，我相
信，无论是建筑与壁画，塔林与碑刻，体现的
都是这样一种精神。

　　　　　　　　　　　　　　　——季羡林

厦门胡里山古炮王
走向世界记忆工程

Printing Industries
of America, Inc.
Premier Print Awards
2003 BEST OF CATEGORY
Shen Zhen Artron Colour Printing Co., Ltd.
Peking Opera Mask Mei Lan Fang

¤ ……

¤ ……

¤ 公元前 7 世纪以前，我国出现了石刻文字。

¤ 公元前 4 世纪（战国时代），出现了印章。

¤ 唐太宗长孙皇后的遗著《女则》约在贞观十年（公元 636 年）
   印刷，是世界雕版印刷之始。

¤ 公元 868 年即唐朝咸通九年，印刷《金刚经》，这是目前世界上
   最早的有明确日期的印刷实物。

¤ 公元 1041–1048 年毕昇发明活字版印刷术。

¤ 公元 1340 年用多色套印《金刚经注》

¤ ……

1996 年，被深圳市经发局评定为"先进技术型企业"

1997 年，万捷董事长获中国第六届"森泽信夫"一等奖

2000 年，荣获香港第十二届印制大奖三项冠军，其中包括SMEloan全场大奖

2001 年，荣获香港第十三届印制大奖四项大奖

2001 年，被指定为《2008 年北京奥林匹克运动会申办报告》印刷商

2002 年，被指定为《2010 年上海世界博览会申办报告》印刷商

2002 年，荣获香港第十四届印制大奖五项大奖

2002 年，荣获美国印刷工业联合会优质产品奖

2003 年，荣获印刷界的"奥斯卡"美国印刷工业联合会金奖

2003 年，荣获香港第十五届印制大奖十项大奖

2004 年 6 月 7 日，在新加坡举行的 Sappi Trading 国际印刷大奖赛颁奖
   典礼上，由深圳雅昌彩印有限公司承印的《九顶神山》、《美
   林》两本画册，从来自亚洲、大洋洲、中美洲和南美洲 58 个
   国家 300 多家印刷商 1000 多件印刷作品中脱颖而出，分别荣
   获本次大赛亚洲地区书籍类的银奖和优异奖。

标志着雅昌印刷水平进一步得到了国际上越来越多的认可，势
必将奠定其在亚洲印刷行业的领先地位。

¤ 公元 2003 年 7 月 31 日雅昌彩色印刷有限公司以《梅兰芳藏戏
   曲史料图画集》问鼎印刷界"奥斯卡"，第 53 届"美国印制大
   奖——Benny Award"奖！再续中国印刷辉煌历史！

雅昌公司自成立以来，历经十年发展，帮助无数客户成就梦
想，并在国内外获得了众多盛誉，但雅昌人并未满足，始终
坚持"印刷业是服务业"的经营理念，将印刷加工转变为满
足客户专业需求的全面服务，帮助客户进行从设计到装帧的
全程工艺策划，使用领先的技术，使客户的产品达到一个新
的层次。

提供集印前策划、平面设计、电分制版、彩色印刷到特种工
艺效果、书籍装帧、货运代理等一体化的服务。

北京雅昌彩印大厦

北京公司 新址路线图

北京雅昌彩色印刷有限公司
北京市顺义区天竺空港工业区 A 区天纬四街 7 号「101312」
接待电话：010-80486788 传真：010-80486680

深圳雅昌彩色印刷有限公司
广东省深圳市福田区上步工业区 304 栋西「518028」
接待电话：0755-83366138 传真：0755-83219630

深圳雅昌艺术网有限公司
广东省深圳市福田区上步工业区 304 栋西「518028」
接待电话：0755-83325160 传真：0755-83323842

欢迎访问

WWW.ARTRON.COM.CN

图书在版编目（CIP）数据

中国世界遗产年鉴.2004/《中国世界遗产年鉴》编纂委员会编.-北京:中华书局,2004
ISBN 7-101-04325-9

Ⅰ.中…　Ⅱ.中…　Ⅲ.①名胜古迹-中国-2004-年鉴②自然保护区-中国-2004-年鉴
Ⅳ.K928.7-54②S759.992-54

中国版本图书馆 CIP 数据核字(2004)第 057099 号

责任编辑:许旭虹
装帧设计:王铭基
许丽娟

中国世界遗产年鉴 2004
《中国世界遗产年鉴》编纂委员会编

＊

中 华 书 局 出 版 发 行
(北京市丰台区太平桥西里 38 号　100073)

http://www.zhbc.com.cn
E-mail:zhbc@zhbc.com.cn

北京雅昌彩色印刷有限公司

＊

850×1168 毫米 ¹/₁₆·24¹/₂ 印张
2004 年 6 月第 1 版　2004 年 6 月北京第 1 次印刷
印数 1—2000 册　定价:180.00 元

ISBN 7-101-04325-9/K·1835